LE JEU DE LA TENTATION

Née à Paris, Jeanne Bourin a fait ses études au lycée Victor-Duruy, puis a préparé une licence de lettres et une licence d'histoire à la Sorbonne. Mariée à vingt ans à André Bourin, journaliste, critique littéraire, producteur de radio et télévision, elle s'est consacrée à l'éducation de ses trois enfants avant de reprendre ses travaux. Romancière et historienne, Jeanne Bourin a d'abord publié trois livres : Le Bonheur est une femme *qui évoque les amours de deux poètes du XVIᵉ siècle, Pierre de Ronsard et Agrippa d'Aubigné;* Très sage Héloïse, *couronné par l'Académie française, où revit celle qui fut aimée d'Abélard, et une biographie « animée », mais composée sur des bases rigoureusement historiques, d'Agnès Sorel, dame de Beauté. Jeanne Bourin consacre ensuite sept années à la documentation et à la rédaction de son roman* La Chambre des dames. Grand Prix des lectrices de Elle *et Prix des Maisons de la Presse, ce livre a reçu un accueil enthousiaste de la critique et du public. Il a été traduit en huit langues. La suite de* La Chambre des dames, *parue sous le titre* Le Jeu de la tentation *au printemps 1981, s'imposa à son tour comme un grand succès en librairie, Prix Renaissance 1982. Ces deux romans ont fait en 1983 l'objet d'une adaptation télévisée en dix épisodes diffusés par TF1 (23 décembre 1983-24 février 1984), rediffusés en juin-juillet 1986. Réalisateur : Yanick Andréi; principaux interprètes : Marina Vlady, Henri Virlogeux, Sophie Barjac. Jeanne Bourin a publié, en collaboration avec Jeannine Thomassin, un livre de cuisine médiévale « Pour tables d'aujourd'hui »,* Les Recettes de Mathilde Brunel. *Son dernier roman,* Le Grand Feu *(La Table Ronde, 1985) se situe dans la vallée du Loir, à Fréteval, et à Blois, à la charnière des XIᵉ et XIIᵉ siècles.* Le Grand Feu *a obtenu le Grand Prix littéraire 1985 de la Société amicale du Loir-et-Cher à Paris et le Grand Prix catholique de littérature en 1986.*

Jeanne Bourin est aussi conférencière. Elle a maintes fois participé à des émissions de radio et de télévision, tant en France qu'à l'étranger (Suisse, Belgique, Canada, etc.). Elle publie également des articles dans divers quotidiens, revues et magazines. Elle a écrit plusieurs préfaces à des ouvrages parmi lesquels Les plus belles pages de la poésie française *(Editions du Reader's Digest, 1982). L'ensemble de son œuvre a reçu le Grand Prix littéraire des Yvelines en 1981. Jeanne Bourin a fait partie des jurys du Prix Chateaubriand, du Prix de la Ville de Paris, du Prix Alexandre Dumas et du Prix Richelieu. Elle est membre de la société des Gens de Lettres de France, du P.E.N. club international et des Ecrivains catholiques.*

(Suite au verso.)

Ardent, fervent, quotidien, voici, dans sa vérité, le XIIIᵉ siècle ressuscité de nouveau par Jeanne Bourin. Fresque minutieuse et fidèle, ce roman nous plonge au cœur même de la vie médiévale, à Paris où s'exercent grands négoces et petits métiers pittoresques, à la campagne où, dans des senteurs de foin, de miel, de sève, revivent fêtes et travaux rustiques.

Marie, la plus jeune fille des Brunel, est veuve. Son mari, Robert Leclerc, a été tué deux ans plus tôt. Nous sommes en juin 1266, le dernier bel été du règne de Saint Louis.

Entourée de ses deux enfants, Vivien et Aude, Marie est enlumineresse. Soudain, aux premiers feux de l'été, des événements imprévus éclatent. Marie est déchirée entre son amour maternel et son penchant pour son ami, Côme Perrin, maître mercier. Trois Lombards, truands et criminels, font peser sur sa famille une terrible menace. Dans cette période encore paisible, le destin des Brunel préfigure les malheurs qui vont s'abattre sur le royaume.

Sous le regard d'une enfant, Aude, la propre fille de Marie, commence alors le jeu de la tentation : argent, luxure, vice, violence, désespoir, mort, et jusqu'à la sainteté et au martyre.

Après *La Chambre des dames, Le Jeu de la tentation* est le second volet de la chronique familiale des Brunel, marchands et artisans, qui vivaient au XIIIᵉ siècle, en Ile-de-France, dans le royaume de Saint Louis.

Paru dans Le Livre de Poche :

LA CHAMBRE DES DAMES.
TRÈS SAGE HÉLOÏSE.
LA DAME DE BEAUTÉ.

JEANNE BOURIN

Le Jeu
de la tentation

ROMAN

LA TABLE RONDE

A Régine PERNOUD,
marraine des Brunel.

Marie LECLERC. 27 ans. Veuve de Robert LECLERC. Enlumineresse. Deux enfants. Fille d'Etienne et de Mathilde Brunel.

Vivien LECLERC. 10 ans. Son fils.

Aude LECLERC. Bientôt 9 ans. Sa fille.

Mathieu LECLERC. 60 ans. Beau-père de Marie. Maître enlumineur.

Bertrand BRUNEL. 36 ans. Orfèvre. Frère de Marie.

Laudine BRUNEL. 34 ans. Femme de Bertrand.

Blanche BRUNEL. 18 ans. Leur fille. Nièce de Marie.

Thomas BRUNEL. 17 ans. Apprenti orfèvre. Leur fils. Neveu de Marie.

Renaud BRUNEL. 14 ans. Second fils de Bertrand et de Laudine.

Etienne BRUNEL. 78 ans. Orfèvre. Veuf.

Charlotte FROMENT. 62 ans. Physicienne. Sœur d'Etienne. Tante de Marie.

Tiberge-la-Béguine. Intendante d'Etienne BRUNEL.

Agnès THOMASSIN. 15 ans. Fille adoptive de Florie.

Florie THOMASSIN. 35 ans. Héroïne de *La Chambre des dames*.

Philippe THOMASSIN. Trouvère. Son mari.

Côme PERRIN. 36 ans. Maître mercier. Ami de Marie.

Hersende BEAUNEVEU. 47 ans. Sœur de Côme.

Henri BEAUNEVEU. 48 ans. Mari d'Hersende.

Kateline-la-Babillarde. 32 ans. Ouvrière enlumineresse.

Denyse-la-Poitevine. 53 ans. Ouvrière enlumineresse.

Jean-bon-Valet. 20 ans. Ouvrier enlumineur.

Djamal. 18 ans. Etudiant égyptien. Frère de Djounia. Ami de Thomas.

Gildas REGNAULT. 17 ans. Brodeur. Ami de Thomas.

Ursine REGNAULT. 17 ans. Brodeuse. Sœur de Gildas.

Arnauld BRUNEL. 38 ans. Diplomate auprès du roi de Sicile.

Djounia BRUNEL. 28 ans. Sa femme. Egyptienne.

Thibaud BRUNEL. 11 ans. Leur fils.

Garin-le-Mire. Chirurgien.

Adélaïde Bonnecoste. Venderesse dans la boutique de mercerie des Perrin.

Foulques-le-Lombard. 50 ans. Changeur et truand.

Amaury. 30 ans. Truand. Neveu de Foulques.

Joceran. 25 ans. Truand. Neveu de Foulques et frère d'Amaury.

Mabile. 77 ans. Vieille fermière.

Léonard. 45 ans. Son fils. Fermier de la Borde-aux-Moines.

Catheau. 40 ans. Fermière. Femme de Léonard.

Perrot, dit Brise-Faucille. 22 ans. Leur fils aîné.

Colin. 18 ans. Leur deuxième fils.

Pol-le-Boiteux. 12 ans. Leur troisième fils.

Almodie. 15 ans. Leur fille. Aide de cuisine chez Mathieu Leclerc.

Tybert-le-Borgne. 56 ans. Fermier-propriétaire de la ferme de Pince-Alouette.

Bertrade. 24 ans. Sa fille. Mère de cinq enfants.

Guillemine. 20 ans. Seconde fille de Tybert. Chambrière de Marie.

Ambroise Libergier. 58 ans. Bourrelier à Gentilly.

Eudeline-la-Morèle. 40 ans. Intendante de Mathieu Leclerc.

Jannequin. 28 ans. Palefrenier chez Mathieu Leclerc.

Richilde-la-Fleurière. Chapelière de fleurs à Gentilly.

Martin-Peau-d'Oie. Son mari.

Lambert. 30 ans. Leur fils. Jardinier de Mathieu Leclerc.

Radulf. 32 ans. Cousin de Lambert, devenu truand.

Gerberge. 45 ans. Cuisinière de Mathieu Leclerc.

Enid-la-Lingière. Recluse aux Saints-Innocents.

Guirande-la-Cirière. Marchande de cire aux Saints-Innocents.

I

L'ÉTÉ AVENTUREUX

Juin – Septembre 1266

I

LE matin d'été foisonnait de promesses.

« Seront-elles tenues ? » se demandait Marie avec entrain.

Tout en suivant d'un pas allègre le chemin qui menait de la maison des champs où demeurait son beau-père au village voisin de Gentilly, la jeune femme détaillait avec complaisance les raisons qu'elle avait de faire sienne la gaieté de la nature. Elles étaient triples : le triomphe de la belle saison, les préparatifs d'une fête dont elle partageait les joies avec ses enfants et, plus intimement, les bienfaits de l'amour...

Qu'avait donc dit, un moment plus tôt, au cours de la messe quotidienne, le curé du bourg ?

« Le péché de chair est peu de chose, en somme, mes frères, encore qu'il ne soit pas recommandé, bien sûr, de tomber dans la licence. Mais seul compte vraiment, seul est grave pour notre salut, seul est mortel, le péché contre l'Esprit ! »

Dieu devait avoir inspiré son prêtre. En dépit de la nuit qu'elle venait de vivre dans les bras de Côme, Marie se sentait justifiée. Un corps en paix, une âme légère ne pouvaient en rien participer du Mal.

Entre les plis réguliers de la guimpe blanche des veuves, le visage où courait, sous la peau blonde, un sang vif, s'épanouissait. La mousseline empesée, cependant fort stricte, et qui ne parvenait pas à figer des traits sans cesse animés d'ondes émotives, de mouvements d'humeur, de bouffées d'enthousiasme ou d'indignation, la lingerie de deuil encadrait, en cette éclatante matinée, une expression amusée, sans ombre, une mine de gourmandise satisfaite.

Une villageoise croisa la jeune femme, lui sourit largement. Elle portait, pressée contre sa poitrine, une brassée de cresson frais cueilli à la fontaine voisine. Sa chemise de lin en était détrempée et lui collait à la peau. Dans un tourbillon de poussière, une bande d'enfants excités, qui menaçaient de bâtons un chien pelé, passa ensuite en braillant.

Marie s'intéressait à tout. Le sentiment d'être porteuse de joie l'inondait de bienveillance et elle déclina avec amabilité les offres que lui fit un colporteur arrêté au bord du chemin. Dans une autre circonstance, poussée par la méfiance, elle l'aurait éconduit brièvement. En ce jour de grâce ce n'était pas possible. Elle découvrait, elle goûtait, elle savourait une toute nouvelle douceur de vivre.

« Je lui ai donc cédé! »

Aucun élément passionnel dans cette constatation. Une tranquille assurance. Elle avait pourtant su demeurer sage depuis la mort de son mari, deux ans auparavant, et pensait le demeurer longtemps encore. Les souvenirs qu'elle conservait de son union avec Robert Leclerc n'étaient pas assez bons pour l'inciter à accepter un nouvel engagement, et elle appréciait pleinement la liberté que lui conférait son état de veuve.

L'achat d'une aumônière sarrasinoise avait modifié ces belles résolutions. Un jour, dans la Galerie marchande du Palais, il lui avait pris fantaisie d'entrer dans la boutique de Côme Perrin, une des plus élégantes de la Salle aux Merciers, pour s'en-

14

quérir du prix d'une aumônière brodée. Il l'avait renseignée lui-même... Ils s'étaient revus...

La cour discrète, la cour adroite qu'il lui avait faite par la suite, tout au long de l'hiver et du printemps, ne l'avait pas laissée indifférente. Elle avait bien vite prisé à sa juste valeur l'aisance que cet homme à la trentaine bien sonnée manifestait naturellement en présence des femmes, la générosité d'un cœur plein de délicatesse, la manière subtile dont il l'entourait d'attentions auxquelles Robert ne l'avait pas habituée. Physiquement, il ne lui déplaisait pas non plus...

Après avoir franchi la Bièvre et longé le pré communal où paissaient quelques vaches, la première maison de Gentilly qu'on rencontrait était celle de Richilde-la-Fleurière. Sur la porte du logis où vivait et travaillait la chapelière de fleurs, un long clou demeurait planté tout au long de l'année. Suivant les saisons, il était décoré, ainsi que de fragiles enseignes, par des guirlandes de fleurs ou de feuillages verts.

Quand elle parvint devant le domicile de la marchande, Marie découvrit, accrochée au clou, une couronne d'églantines et d'ancolies bleues. Elle prit le temps d'admirer l'adresse et le goût dont témoignait la frêle œuvre d'art, puis poussa le battant.

Au sortir de l'éblouissante lumière de juin, ses yeux déshabitués ne distinguèrent d'abord rien dans la pénombre régnante. Seule, une senteur traîtreusement suave d'arômes confondus, d'eau et d'argile, saturant l'air qu'elle respirait, pouvait la renseigner sur l'endroit où elle se trouvait.

« Entrez, entrez donc, dame. Je savais que vous viendriez. »

Rien de moins en rapport avec la délicatesse de son métier que la grosse femme au corps sans

formes empaqueté dans une cotte délavée et cons-
tellée de taches humides, qui accueillait Marie.

« Dieu vous garde, Richilde.

– Qu'Il nous donne une belle fête et un beau
temps! lança la chapelière de fleurs, dont le visage
congestionné luisait de graisse comme la peau d'un
chapon rôti. Vous savez ce qu'on prétend : « La
« lune de la Saint-Jean, jusqu'à Noël gouverne le
« temps! »

– La journée s'annonce le mieux du monde,
assura Marie. Il fait déjà fort chaud. »

La jeune femme voyait à présent sans effort
l'intérieur de la longue pièce qui servait d'atelier et
de remise à la fleurière. Dans des pots de grès ou
des cuviers de bois posés un peu partout à même le
sol de terre battue, des bouquets, des bottes, des
brassées de plantes fleuries attendaient d'être utili-
sés. Le long du mur du fond, des planches mises
sur des tréteaux servaient de tables. D'un côté, les
couronnes et les couvre-chefs déjà façonnés, et de
l'autre, les roses, les reines-des-prés, les genêts, les
branches de chèvrefeuille, les ancolies, les marguerites, les fleurs sauvages et les frais feuillages,
coupés, qui attendaient d'être tressés.

Une petite apprentie s'affairait à mettre en bottes
des glaïeuls violets qu'elle liait ensuite avec des
cordelettes de chanvre.

Deux fenêtres donnaient sur l'extérieur. L'une sur
le clos cultivé avec ferveur par Martin-Peau-d'Oie,
l'époux de Richilde, l'autre sur le chemin conduisant au village, elles étaient bien ouvertes en ce
matin lumineux, mais leur étroitesse ne permettait au soleil que de pénétrer chichement dans la
remise. Pour conserver leur fraîcheur, les fleurs
coupées ont besoin d'ombre.

« Nous avons beaucoup de travail, ce jourd'hui,
reprit la grosse femme. Martin est parti fort tôt
pour Paris, avec une charrette pleine de couvre-

chefs qu'il a fallu confectionner avant l'aube pour que les bourgeois du roi puissent les acquérir dès leur lever. En plus des couronnes de nos bonnes gens du bourg, il y a encore à prévoir la jonchée de ce soir! Elle ne sera disposée qu'en fin de journée sur le passage de la procession, mais j'ai dû aller chercher les glaïeuls au petit matin. Sans cette précaution, la chaleur les aurait fanés avant même que je les aie cueillis!

– Votre métier n'est certes pas de tout repos, reconnut Marie. Pour nous, je compte huit couronnes, ajouta-t-elle. Deux pour mes enfants et six autres pour mes neveux et leurs amis, qui sont arrivés tous ensemble hier de la ville. Ils demeureront avec nous pendant ces jours de fête. Vous savez que c'est une coutume dans ma belle-famille de recevoir parents et hôtes en l'honneur de la Saint-Jean d'été.

– Du vivant de feu votre belle-mère (que le Seigneur Dieu la reçoive en son paradis!), on n'y manquait jamais. J'ai l'habitude. Aussi ai-je mis de côté, à votre intention, ce qui m'a paru devoir vous convenir. Vous pouvez me faire confiance! »

Il était vrai que, de ses doigts difformes tant ils étaient gras, sortaient des parures ravissantes, et que chacun ne cessait de s'en émerveiller.

« Voyons votre choix. »

Pendant un moment, les deux femmes trièrent les plus beaux boutons, comparèrent les couleurs, se mirent d'accord sur les harmonies à réaliser.

« Lambert viendra les chercher en fin de journée. »

Le fils de la fleurière était jardinier chez Mathieu Leclerc, le beau-père de Marie.

« Tout sera prêt. »

La jeune femme sortit de la remise, se retrouva dans la lumière crue du dehors. Elle reprit le chemin par lequel elle était venue, croisa quelques villageois de sa connaissance, eut à se ranger pour laisser passer une gardeuse d'oies, qui marchait derrière son troupeau, tout en filant sa quenouille, évita des porcs qui erraient en grognant, à la recherche de détritus à dévorer, traversa de nouveau la Bièvre, et s'apprêtait à retourner agréablement à ses pensées quand un crépitement l'alerta.

Débouchant d'un sentier qui conduisait à une tour ronde, vestige d'un ancien manoir royal en ruine, un homme avançait vers elle. Vêtu d'une robe noire marquée de deux mains blanches cousues sur la poitrine, coiffé d'un chapeau à large bord et à rubans blancs posé sur une coiffe de toile nouée sous le menton, il marchait avec difficulté, en s'aidant d'un long bâton. De sa main libre, il faisait tournoyer une crécelle afin de signaler sa venue aux passants.

Le chemin qu'il suivait coupait un peu plus loin celui de Marie. La jeune femme s'immobilisa. L'homme tourna la tête vers elle. Une face au nez rongé et aux paupières suintantes lui apparut.

Un lépreux! Non loin d'Arcueil, bourg proche de Gentilly, il y avait une maladrerie d'où, parfois, de pauvres malades s'écartaient pour de courtes sorties dans des endroits déserts. Ils prenaient grand soin de ne pas s'approcher des lieux habités, où ils n'avaient plus droit de séjour, et se tenaient à distance des bien-portants. Cependant, on les injuriait si, par malheur, on les rencontrait, et les enfants leur jetaient des pierres.

Quand il eut vu la promeneuse, et après une courte hésitation, l'homme fit demi-tour, s'éloigna. Marie demeurait sur place. Le bruit de la crécelle s'estompa, alla décroissant...

« Seigneur, j'aurais dû lui parler, lui faire l'aumône d'un salut et d'une pièce d'argent. Pardonnez-moi, je n'en ai pas eu le courage. Comme tout le monde, j'ai eu peur... Seigneur, cette rencontre est-elle chargée de sens? Dois-je y voir un signe? Vouliez-Vous m'amener à réfléchir sur la précarité du corps humain? Il est vrai que nous ne sommes que de pauvres chairs menacées dont les joies sont passagères... Je ne pense pas que Vous vouliez nous en détourner pour autant. Si nous conservons présente à l'esprit notre fragilité, n'est-il pas, aussi, légitime de goûter aux joies de l'amour? Vous nous les avez accordées. Vous Vous êtes montré sans sévérité aucune envers la Samaritaine, qui avait pourtant plusieurs hommes dans sa vie, envers Marie-Madeleine, envers la femme adultère elle-même... Je ne crois pas que Vous en userez autrement avec moi... moi qui ne trompe personne, moi qui compte bien ne pas m'attarder dans une situation pécheresse! »

Elle quitta le chemin qu'elle suivait pour prendre un sentier longeant les murs du domaine champêtre où son beau-père, après la mort de son épouse, cinq ans plus tôt, s'était retiré loin de la capitale, laissant à son fils unique, qui travaillait avec lui, et à sa bru, l'atelier de maître enlumineur qu'il avait créé et fait prospérer. C'était elle, à présent, qui en assumait la responsabilité, gérant le fonds et occupant le logement parisien depuis la disparition tragique de Robert... Elle serra les lèvres. Il ne fallait pas se laisser aller à gâcher la douceur du moment par des réminiscences inutiles.

Le soleil incendiait la vallée; la chaleur, qui devenait pesante, exacerbait les senteurs de foin, de miel, de sève. En dispensant l'euphorie joyeuse d'un si glorieux jour, l'été se faisait pourvoyeur de bonheurs simples, instinctifs. Pourquoi bouder ce présent? Ne possédait-elle pas le plus précieux des biens? Deux beaux enfants qu'elle aimait, qui l'aimaient? Il ne lui restait plus qu'à ajouter à cette richesse essentielle la présence toute neuve d'un tendre amant...

Elle ouvrit une porte donnant sur le jardin de la maison des champs, traversa un petit bois, parvint dans un verger qui donnait lui-même sur des plates-bandes de fleurs et de légumes.

« Dieu vous garde, ma nièce! »

Un panier de concombres au bras, tante Charlotte tournait le coin d'une allée.

« Comment vous portez-vous, ma tante, ce matin?

— Aussi bien qu'on peut aller quand la jeunesse vous a quitté, Marie!

— Vous n'avez pas à vous plaindre des ans, que je sache. Ils vous ont conservé toute votre énergie.

— Peut-être, mais si mon activité demeure assez satisfaisante, les apparences, en revanche, me trahissent de plus en plus. C'est pourquoi vous me voyez avec ces plantes potagères. Je vais en extraire un jus frais pour confectionner avec de la cire vierge, du blanc de baleine et de l'huile d'amande douce, une crème dont les vertus remarquables ont, du moins je veux l'espérer, quelque chance de m'aider à lutter contre les mauvaises rides et la peau qui se fane. »

Marie se mit à rire.

« Si, dans la vie, il y a ceux qui partent vaincus et ceux qui conservent courage et espoir face à l'adversité, vous faites bien certainement partie des seconds! »

Charlotte Froment goûta le compliment. Elle était fort attachée à sa plus jeune nièce. Depuis la mort de Mathilde Brunel, la mère de Marie, elle s'était efforcée de combler auprès de l'adolescente, puis de la jeune femme, le vide laissé par la disparue. Mathilde était sa belle-sœur et elles avaient eu beaucoup d'amitié l'une pour l'autre...

« Où sont donc Aude et Vivien? demanda-t-elle pour éviter de s'attendrir.

— Ils doivent jouer dans le bois ou dans le pré,

avec nos invités. N'ayez crainte, ma tante. Ils ne sont jamais bien loin. »

On la sentait tranquille, assurée.

« Ils se sont réveillés fort tôt. Les préparatifs de la fête de ce soir les excitent tous deux, mais pas de la même manière. Aude se replie sur son attente, et Vivien, lui, se montre agité comme un boisseau de puces! »

Après avoir passé la nuit avec Côme, dans la chambre du rez-de-chaussée qu'on réservait aux visiteurs, elle avait tout juste eu le temps, au petit matin, de regagner celle qu'elle partageait avec ses enfants. La fraîcheur de l'aube avait lavé sa peau de la touffeur nocturne et des sueurs de l'amour... La vieille maison de son beau-père craquait de partout...

Heureusement, elle avait pu se glisser entre les courtines du grand lit sans avoir rencontré personne et, surtout, sans avoir réveillé les petits. Peu de temps après, des oiseaux triomphants s'en étaient chargés.

« La Saint-Jean est une fête fort étrange, continuait tante Charlotte. Je comprends qu'elle occupe l'esprit. Il ne faut pas oublier que le solstice rend la terre miraculeuse. C'est un temps sacré, propice aux manifestations surnaturelles. Comme tout un chacun, Vivien et Aude en subissent l'envoûtement. On s'y livre à tant de pratiques inhabituelles, chargées de mystère... Tenez, moi-même, quand la cloche de l'église sonnera midi, je compte bien aller cueillir le millepertuis, la verveine et certaines mousses de ma connaissance, afin de les fumer ce soir aux feux qui brûleront dans l'obscurité. Ces herbes qui guérissent y gagneront en pouvoir.

– Chez vous, ma tante, la physicienne montre toujours, peu ou prou, le bout de l'oreille!

– Que voulez-vous, ma mie, j'aime soigner! Ce

n'est pas à mon âge que je me déferai d'une habitude devenue seconde nature. »

Charlotte Froment hocha la tête. Sous le couvre-chef de lingerie et la mentonnière de lin immaculé, son gros chignon de nattes croisées sur la nuque était presque entièrement blanc.

« Je mourrai, à ce qu'il me semble, en tâchant de soulager mon prochain de ses maux, et c'est bien ainsi. Sans postérité, sans mari... ou presque, à soixante ans passés, vous ne voudriez pas que je me replie sur moi-même? Ce serait d'une tristesse!

– Je ne pense pas que ce danger soit près de vous menacer. »

De très fines gouttes de sueur sourdaient entre les sourcils couleur de paille et au-dessus de la lèvre supérieure de Marie, dont la tendre carnation supportait mal les fortes chaleurs.

« Par ma foi, ma tante, nous sommes en train de cuire, dans ce jardin! Rentrons donc à la maison. »

En pénétrant dans la salle du rez-de-chaussée, les deux femmes découvrirent Eudeline-la-Morèle, l'intendante de Mathieu Leclerc, qui surveillait d'un œil critique Lambert le jardinier. Il étendait sur le dallage l'herbe verte qui joncherait le sol et maintiendrait un peu de fraîcheur dans la pièce tout au long de la journée.

Par sa petite taille, son corps mince, une tête noire aux gros yeux saillants et un air sans cesse affairé, l'intendante faisait penser à une fourmi. Sa prestesse, son ardeur au travail, sa ténacité et jusqu'à son sens très poussé de l'économie parachevaient la ressemblance. Marie savait qu'en dépit d'une apparence fort sèche, Eudeline-la-Morèle, qui se considérait chez son maître comme chez elle, veillait à tout avec une méticulosité et une exigence qui témoignaient d'une sorte de passion du ménage. Elle la salua amicalement, sourit à Lambert, qui tenait de sa mère, la chapelière de fleurs, un gros corps lent mais puissant, et pria sa tante d'agir à sa guise, sans se soucier d'elle.

Puis la jeune veuve gagna sa chambre. Elle aimait cette pièce simple mais accueillante. Toute la maison, blanche, à colombages, et assez basse, lui plaisait en dépit d'une certaine austérité qui la caractérisait comme il arrive souvent aux logis des hommes seuls, et elle y revenait toujours avec satisfaction. Devant sa fenêtre grande ouverte, le jardin de fleurs et de légumes, le verger, puis le petit bois, s'étageaient jusqu'au pré dont les pentes herbues descendaient avec mollesse vers le cours de la rivière. Verdie par les plantes qui tapissaient son lit, la Bièvre coulait en contrebas, parmi les saules...

Dissimulée au cœur d'un bosquet avancé comme une barbacane à l'orée du bois, Aude s'était installée sous les branches ainsi qu'elle avait coutume de le faire. L'enfant respirait avec une joie intime, vaguement sensuelle, l'odeur d'humus mêlée à celle des feuillages chauffés par le soleil qui formaient un berceau au-dessus de sa tête. Assise sur un trépied de bois pris dans l'étable de la ferme, Aude avait déposé autour d'elle les pots de grès où elle fabriquait des mixtures à base de graines, de pétales, de pousses tendres, de racines et de feuilles qu'elle avait récoltés à des heures choisies selon les prescriptions de la vieille Mabile, la mère du fermier voisin.

Immergées dans un mélange d'eau et de vin, ces préparations, assez peu ragoûtantes, composaient des liquides troubles dont les diverses fermentations intéressaient et intriguaient la petite fille.

D'ordinaire, elle passait dans sa cachette des heures de jubilation silencieuse à composer ses étranges élixirs, tout en se racontant sans fin des histoires de chevalerie... mais, ainsi que l'avait dit sa mère, ce jour-là différait des autres.

De son poste de guet insoupçonné, elle observait les jeux d'un groupe de jouvenceaux et de jouvencelles qui s'ébattaient dans le pré. Ils étaient six qui allaient et venaient en se poursuivant entre la rivière et les deux tentes dressées dans les hauts du terrain. Tendues par des cordes et des pieux, surmontées de pommes dorées, les toiles safranées et pourpres du campement où s'étaient installés les garçons que la demeure ne pouvait contenir, se détachaient violemment sur l'herbe de juin. Vêtus, eux aussi, de couleurs vives, les jeunes gens se pourchassaient entre les tas de foin avec de grands éclats de rire. Quand ils se trouvaient au bord de la rivière, leurs appels, leurs cris parvenaient à l'enfant aux écoutes avec des résonances vibrantes, amplifiées par l'eau, qui réveillaient dans sa mémoire l'écho des autres étés passés chez son grand-père, ici, à Gentilly.

Non sans soulagement, elle constata que son frère ne se trouvait pas avec les adolescents. Ils ne l'acceptaient parmi eux, quand il se mêlait à leurs jeux, qu'avec une indulgence protectrice et impatiente qu'elle jugeait blessante et dont elle souffrait dans son amour-propre fraternel. A ses yeux, Vivien manquait de dignité. Agé de bientôt onze ans, il était son aîné. Elle n'en pensait pas moins percevoir plus de choses que lui et faire montre, en l'occurrence, de plus de respect de soi. Si elle était tout autant fascinée par le prestige des « grands », elle avait cependant à cœur de ne pas le leur laisser voir et elle se cantonnait dans une réserve destinée à leur dissimuler ses véritables sentiments. Son goût pour le secret, la solitude, le mystère, la conduisait d'instinct à observer de loin des amusements dont elle soupçonnait qu'ils n'étaient pas aussi innocents qu'on désirait leur en donner l'air.

24

Ce qu'elle devinait des rapports inavoués de ces garçons et de ces filles ne faisait que stimuler davantage sa curiosité, mais elle entendait garder pour elle le trouble qu'ils lui inspiraient.

Le spectacle de la nature – et tout spécialement celui des deux fermes proches où elle allait souvent – lui avait, depuis un certain temps, enseigné bien des vérités, fait faire bien des découvertes. Elle les conservait jalousement par-devers elle.

Au matin d'une journée aussi peu ordinaire que celle qui se préparait, Aude songeait que la nuit de fête serait riche en révélations nouvelles et remplie d'enseignements.

Un frémissement des branches au-dessus de sa tête interrompit ses réflexions. Levant les yeux, elle vit un écureuil, en équilibre sur une branche de coudrier, qui la lorgnait tout en grignotant quelque chose. Sans bouger, elle observa un moment le farfadet roux et songea que son pelage était exactement de la couleur des cheveux de son cousin Thomas, le chef incontesté de la bande rieuse qui s'ébattait autour des tas de foin.

Alerté avant elle, l'animal fit un bond, disparut dans le feuillage avec un ondoyant mouvement de queue. Aude reporta son attention vers le pré. Elle vit alors, entre les ramures, venir dans sa direction un couple qui, cherchant l'ombre ou l'isolement, s'était éloigné des autres joueurs.

« Tiens, tiens, se dit l'enfant, Agnès et Djamal ensemble, une fois encore! »

Le jeune Egyptien entraînait vers l'orée du bois sa compagne dont il tenait la main.

« Venez. Allons nous reposer un moment sous ces arbres.

– Vous craignez le soleil?

– Ne vous moquez pas de ma peau basanée, Agnès! C'est trop facile à vous qui avez... comment dites-vous? Un teint de lait.

– Il ne s'agit pas de votre couleur, Djamal, croyez-le bien, mais de votre penchant pour les endroits discrets et les coins ombreux... du moins quand il s'agit de m'y attirer!

– Je n'ai jamais vu de fille aussi jolie que vous!

– Ce que vous dites là n'est guère aimable pour les beautés de votre pays!

– Je n'aime plus que les blondes depuis que je suis en France.

– Que seriez-vous devenu si vous n'aviez jamais quitté les rives du Nil?

– Je ne sais... Ah! je voudrais vous dire en égyptien ce que je ne parviens pas à exprimer en langage de France!

– Vous parlez fort bien notre langue, Djamal. Si ce n'était votre accent, on ne vous croirait jamais venu de si loin!

– Depuis que ma famille s'est convertie au christianisme, depuis que ma sœur, Djounia, a épousé votre oncle Arnauld Brunel, je suis déjà venu à Paris, vous savez.

– Justement. Vos voyages vous ont permis de voir quantité de femmes bien plus belles que moi!

– Aucune ne vous vaut. Nulle ne vous est comparable.

– Allons donc! Vous ne me ferez jamais croire une chose pareille! N'oubliez pas que j'ai été élevée par un des compagnons de notre sire le roi en Terre sainte. Mon enfance fut bercée de récits qui se déroulaient là-bas.

– Puisque vous le voulez, je reconnais qu'il y a de charmantes filles en Egypte, mais je vous préfère à elles. Je suis prêt à le jurer sur les Saintes Reliques.

– N'en faites rien, je vous prie! C'est défendu.

– Par Dieu! Cessez ce jeu, écoutez-moi! »

Quand Agnès souriait, deux fossettes creusaient ses joues.

« Vous damneriez un saint!

– Allons, allons, un peu d'humilité, Djamal! Vous n'avez rien d'un saint, que je sache!

– Si! La possibilité d'être damné à cause de vous! »

Ils s'observaient en riant. Aude se dit qu'ils lui rappelaient le comportement des chats qui se courtisaient sous ses fenêtres, à Paris, quand le mois de mars était de retour.

« Par tous les diables, que faites-vous là, tous deux, dans ce coin? »

Solaire, Thomas surgissait. Fils de Bertrand Brunel, petit-fils d'Etienne Brunel, maîtres orfèvres, il travaillait avec eux en tant que compagnon et semblait avoir été désigné, dès sa naissance, pour ce métier de l'or dont ses cheveux reflétaient la couleur et l'éclat. Debout dans la lumière crue, les poings aux hanches, il interpellait le couple réfugié à l'ombre.

« J'avais trop chaud, c'est tout. »

Agnès paraissait singulièrement menue près de l'athlète roux auquel elle s'adressait.

« Il fallait le dire! Nous nous serions tous mis à l'abri.

– Eh bien, venez-y maintenant! Pour tout vous avouer, je crains que le soleil ne me gâte le teint. »

Comme un voile tissé de fibres lumineuses, elle ramenait contre son visage une mèche déployée de ses cheveux que ne recouvrait qu'une légère mousseline, s'assurait que la tresse de soie piquée de roses qui la maintenait sur son front n'avait pas glissé, souriait. Les deux jeunes gens la contemplaient.

« Que se passe-t-il? demanda Blanche qui, à son tour, après son frère, se rapprochait du bois. Vous nous fuyez? »

Calme, sereine, la sœur aînée de Thomas était

bien la seule personne de la famille capable d'exercer une influence apaisante sur le tempérament tumultueux de son cadet.

« On me cherche querelle, ma mie, parce que je me protège des ardeurs de l'astre du jour! s'écria Agnès avec une emphase rieuse. Plaignez-moi!

– Je vous donne raison : la lumière est sans merci à présent, admit Blanche. Il est plus sage de s'en préserver.

– Rendons-nous sous ma tente, proposa Thomas.

– Vous n'y songez pas, mon frère! Il y fait aussi étouffant que dehors.

– A quoi jouez-vous? »

Gildas et Ursine s'approchaient en dernier. Jumeaux, ils se ressemblaient, mais, plus grand que la fille, le garçon paraissait cependant plus vulnérable. Thomas, qui proclamait que Gildas était son meilleur ami, lui reprochait pourtant un manque de détermination et trop de sensibilité. Il avait, néanmoins, invité le frère et la sœur à Gentilly pour la Saint-Jean.

« Nous n'avons plus envie de jouer, mais, plutôt, de nous rafraîchir, dit Blanche. Si nous allions dans la salle verte, au bord de l'eau? »

Le groupe s'éloigna en direction des charmes taillés dont on avait guidé et entrelacé les rameaux de manière à en faire une tonnelle de verdure, carrée, garnie de bancs où se reposer.

Aude se redressa, remua sur son siège. Les cottes claires des jeunes gens fleurissaient le pré fauché de frais ainsi que d'énormes pétales.

La petite fille tira d'un air perplexe sur ses nattes brunes, se pencha pour tourner une cuillère de bois dans un de ses pots, le flaira, et ne sembla pas y avoir trouvé de réponse aux questions qu'elle se posait.

Un frôlement contre le bas de sa cotte cramoisie détourna son attention.

« C'est toi, Plaisance? »

Une genette au pelage clair taché de noir se frottait contre les jambes de l'enfant, qui la prit et la déposa sur ses genoux pour la caresser plus à son aise.

« Toi qui as oublié d'être sotte, dis, ma petite, que penses-tu de tout ceci? »

Aude réfléchissait.

« Puisque tu refuses de me répondre, je vais aller voir grand-père. J'aime bien parler avec lui. »

Elle se levait, déposait le petit carnassier apprivoisé sur le tapis de feuilles sèches qui recouvrait le sol, sortait de sa cachette.

Tant qu'elle demeura dans le bois, la chaleur, pas encore installée sous les feuillages, lui parut supportable. Des taches de soleil tavelaient la terre qui se fendillait comme la figure toute craquelée de rides de la vieille Mabile. Mais quand elle parvint dans le verger, une chape brûlante tomba sur elle. Sous l'effet de la sécheresse, l'herbe commençait à se décolorer, ce qui donnait au vert profond des arbres fruitiers d'autant plus d'opulence et de vigueur. Les premières cerises rutilaient aux branches. L'enfant en cueillit une poignée au passage, poissant ses doigts de leur jus sanglant. Tout en continuant son chemin, elle s'amusa à en recracher au loin les noyaux légers. Des merles, des geais, des sansonnets, des moineaux pillaient la récolte vermeille en dépit des épouvantails juchés au sommet des cerisiers. Un loriot, jaune comme les genêts en fleur, traversa l'espace, changea de provende.

Aude savait où trouver son grand-père. L'ancien maître enlumineur conservait de son métier le goût des livres et passait le plus clair de son temps à lire dans sa chambre.

Afin de gagner l'ombre, l'enfant quitta le sentier

qui montait tout droit vers la demeure et s'engagea sous les frondaisons d'une allée de tilleuls en pleine floraison, qui bordait la propriété vers l'ouest. Au-dessus d'elle, au milieu d'un vrombissement obsédant de ruche en folie, des centaines d'abeilles butinaient le nectar dont le parfum miellé était presque écœurant à force de douceur.

Soudain, elle s'immobilisa. Dans la pâture, entre la maison des champs et la ferme, elle venait d'apercevoir Colin, le deuxième fils des fermiers. Il longeait la haie séparant le pâturage des carrés de blé grimpant vers le haut de la colline. Quand il parvint à un emplacement où l'on avait empilé les ramilles provenant des dernières tailles de l'hiver, Aude comprit ce qu'il était venu faire. Elle savait en effet que chaque domaine devait fournir, pour les feux de la Saint-Jean, un ou plusieurs fagots prélevés sur ses propres coupes afin, disait-on, d'assurer la fertilité du sol sur lequel les arbustes avaient poussé.

Sans un geste, figée comme un chien de chasse à l'arrêt, la petite fille considérait ce garçon d'une vingtaine d'années qui, sans se douter de sa présence, travaillait non loin d'elle à rassembler et à lier les branches coupées.

Sous son large chapeau de paille, sa nuque épaisse, hâlée, luisait de sueur. Les pans de sa cotte de grosse toile, tachée de cernes sombres sous les bras, retroussés et passés dans une large ceinture de cuir qui lui serrait la taille, découvraient des cuisses brunes et musculeuses.

Aude remarqua les chausses d'épaisse laine marron, roulées sous les genoux, qui le protégeaient des ronces, des épines, des broussailles, et en fut satisfaite. Les avant-bras dénudés étaient aussi tannés que ce qu'on pouvait voir du reste de sa peau. Cette teinte, qui évoquait un cuir bien lustré, dégageait une impression de force et de santé. L'enfant savait qu'on ne prisait, dans sa famille et autour d'elle, que les carnations claires, délicates, préservées avec le plus grand soin du soleil et des intempéries. Ses cousines en avaient encore parlé un peu plus tôt. Tous considéraient comme sans attrait les épidermes rustiques. Elle ne partageait pas cette opinion.

Longtemps, elle resta immobile à suivre des yeux les mouvements de Colin. Quand il eut rassemblé et lié deux fagots, il les chargea d'un coup de reins sur son dos et s'éloigna vers le village.

Aude le suivit du regard, tout en inclinant un peu la tête sur le côté, afin de mordiller plus à son aise le bout d'une de ses nattes, respira à petits coups le parfum des tilleuls en fleur et reprit son chemin en courant.

Selon une habitude qu'elle lui connaissait depuis toujours, son grand-père se tenait dans la chambre d'angle où il aimait à passer les heures chaudes de la journée. Elle le trouva debout, le dos un peu voûté à cause de sa grande taille, ses épaules maigres pointant sous son surcot, en train de lire un gros livre ouvert devant lui sur un lutrin. A cause du profil aquilin surmonté de cheveux gris frisés, Aude pensait que l'ancien maître enlumineur ressemblait à un griffon qui aurait été facile à vivre et indulgent.

« Je suis heureux de vous voir, ma petite fille. »

Orpheline depuis deux ans, l'enfant, qui ne gardait qu'un souvenir confus de son père disparu, avait instinctivement reporté sur son aïeul l'affection filiale inemployée.

« Je viens vous faire visite. »

Elle s'installait aux pieds de Mathieu Leclerc, sur un coussin à gros glands de laine.

« Vous avez bien raison de rester ici où il fait bon, remarqua-t-elle. Dehors, c'est une fournaise!

— Nous ne sommes cependant qu'à la fin de la

matinée, ma petite Aude; ce sera sans doute bien pis au mitan du jour.

– Lisez-moi une histoire, mon père, je vous prie.

– Pourquoi n'en lisez-vous pas une vous-même, puisque vous en êtes capable?

– Parce que j'aime vous écouter... »

Le vieil homme se mit à rire. Depuis la mort de son fils, seuls ses petits-enfants parvenaient encore à le distraire d'un chagrin mêlé d'angoisse et alourdi de beaucoup d'interrogations.

« Toute la femme est déjà présente en vous, Aude, et vous n'avez pas neuf ans! »

On frappait à la porte. Vivien entrait. Même quand il marchait, on avait l'impression qu'il courait, tant ses mouvements étaient prestes.

« Mon père, je vous apporte une baguette de frêne et une cordelette de chanvre pour que vous me fassiez un arc. J'ai là une provision de flèches que j'ai confectionnées comme vous m'avez appris à le faire. »

En parlant, il désignait de la main un carquois de cuir pendu à sa ceinture. Une poignée de traits en dépassait.

« Par mon saint patron! je vous ai aussi montré la manière de fabriquer un arc!

– Sans doute, mais les miens tirent moins loin que les vôtres. »

Aude serra les lèvres. Son frère, toujours pressé, l'agaçait. Elle l'aurait volontiers envoyé promener. Mais, déjà, de ses grandes mains patientes aux veines saillantes et aux doigts précautionneux, l'ancien enlumineur s'emparait de la baguette entaillée d'une encoche à chaque bout.

« Je vois que vous m'avez préparé le travail. »

Il était heureux et Aude tut son désappointement.

Une fois la cordelette liée à l'une des encoches,

Mathieu courba avec précaution le scion de frêne jusqu'à ce qu'il formât un arc parfait et se mit alors en devoir d'en faire passer l'extrémité dans le coulant prévu à cet effet. Ensuite, il n'eut plus qu'à s'assurer de la solidité de ses nœuds.

« Vous voici armé, Vivien, du moins si vos flèches sont convenablement affûtées.

– N'ayez crainte, mon père, je les ai taillées comme il faut. »

De Marie, il tenait la blondeur et quelque chose de vibrant, de pétulant, qu'il ne savait pas encore discipliner et qui le faisait ressembler à un poulain échappé du pré.

« Pol-le-Boiteux organise avec moi et des garçons du village un concours de tir à l'arc, dit-il d'un air important.

– Ils ne sont donc pas tous occupés à préparer les fagots pour le feu de ce soir?

– Les grands y sont allés sans nous. Ils ont dit que nous étions trop petits pour nous en occuper. »

On sentait qu'il avait envie de partir, d'essayer son arc.

« Par Dieu! mon enfant, je ne vous retiens pas! Soyez prudent. N'oubliez pas que le fils de Léonard est plus âgé et plus fort que vous.

– Je sais aussi bien que lui me servir de mes bras! »

Il redressait le menton, souriait, s'élançait dehors.

Pol, le plus jeune fils du fermier, l'attendait dans le verger. D'une mauvaise chute faite quand il était nourrisson, il conservait une claudication qui ne l'empêchait pas d'être le chef d'une bande de garçons assez mal vus à Gentilly, mais que Vivien, leur cadet de deux ou trois ans, admirait pour leur adresse à la chasse et leurs audaces de langage.

« Les amis sont de l'autre côté de la rivière. Allons-y. »

Les deux compères s'éloignèrent en courant, traversèrent le bois, le pré, où ils ne s'arrêtèrent même pas pour se rouler sur les tas de foin et arrivèrent, non loin de la salle de verdure, au petit pont qui franchissait la Bièvre. Un couple y était accoudé. En le dépassant, les garçons se poussèrent du coude et reprirent leur course.

Blanche suivit des yeux la tête blonde de son cousin qui s'éloignait vers un bouquet de peupliers formant rideau entre la rivière et les premières maisons du village.

« Bien avant la mort affreuse et inexpliquée de mon pauvre oncle Robert, ma tante Marie n'avait déjà d'autre joie que son fils et sa fille, dit-elle. Je ne crois pas qu'elle ait jamais été bien heureuse avec son époux.

– Ne s'entendaient-ils pas ? » demanda Gildas, qui regardait d'un air préoccupé couler sous le pont l'eau verte sur laquelle se déplaçaient par brusques saccades des araignées d'eau.

« Je ne sais. D'après mes parents, ma tante n'a pu supporter le vide laissé par la mort de sa mère. Elle l'adorait. Il faut dire que Mathilde Brunel, ma grand-mère, était la clef de voûte de toute la famille. Après sa disparition, à laquelle personne ne s'attendait, son mari s'est replié sur ses souvenirs. Ses enfants se sont sentis misérables, dépouillés. Mon père l'évoque très souvent. Il ne cesse de la regretter, car il l'aimait de grande tendresse.

– L'avez-vous connue ?

– Peu de temps. Je n'avais guère que sept ans quand elle est morte. Je la revois assise à la table des repas qu'elle présidait toujours, rue des Bourdonnais, quand nous étions tous réunis. J'ai conservé dans l'oreille le son de sa voix. Un timbre un peu bas, un débit rapide. Je me souviens aussi de ses prunelles qui ressemblaient à deux morceaux de ciel sous ses sourcils. Non point gris-bleu, comme les vôtres, mais de la nuance que nous voyons là, entre les branches. C'est une couleur qu'on ne rencontre pas souvent. Aude lui ressemble, c'est certain. Elle a le même regard. »

Une clameur s'éleva derrière les peupliers; des cris, des rires la suivirent.

« Nous habitions Paris depuis peu, Ursine et moi, dit Gildas, quand votre oncle a été trouvé mort. Je ne connaissais pas encore Thomas, pourtant je me souviens de ce meurtre dont on a beaucoup parlé. Le pauvre homme était encore jeune, il me semble.

– Il devait avoir vingt-huit ou vingt-neuf ans. C'était un être peu communicatif et dont je ne sais pas grand-chose.

– Votre tante et lui s'étaient donc mariés sans s'aimer? »

Blanche croisa ses mains aux ongles bombés sur la barre de bois servant de garde-fou au pont. Une impression de netteté, d'équilibre, de douceur aussi se dégageait de sa personne un peu ronde, mais solide. Ses yeux, veinés de vert et de brun, comme des agates, pouvaient être aisément rieurs, ou, soudain, devenir graves, comme c'était alors le cas.

« J'ignore ce qu'ils éprouvaient l'un pour l'autre à cette époque, mais je peux imaginer les sentiments de la toute jeune fille qu'était Marie. Sa sœur Jeanne, qui venait d'épouser un drapier de Blois, s'en était allée dans cette ville peu de temps avant la mort de leur mère. La grande maison s'était vidée d'un coup de toute sa chaleur et le chagrin de son père ne lui était plus supportable. Pensez donc : il y a onze ans, à présent, que mon grand-père Brunel est veuf et il n'accepte toujours pas son veuvage! La chambre où s'est éteinte Mathilde est restée telle qu'elle l'a laissée. Il l'a exigé. Lui, il couche ailleurs, mais chaque soir, après le souper, il y pénètre comme dans un sanctuaire et y séjourne un long moment. Seul. On l'entend parler. Il tient la morte au courant de ce qui s'est passé tout au long du jour chez lui et au-dehors. Personne n'ose intervenir. »

Blanche se tut.

« Belle preuve de fidélité à l'être aimé, dit Gildas d'un ton qui se voulait neutre.

– Sans doute... mais le mariage de ma tante Marie a d'abord été pour elle un refuge contre l'insoutenable. Elle venait d'avoir seize ans. Quand elle a annoncé, trois mois après la mort de sa mère, qu'elle avait décidé d'épouser Robert Leclerc, un enlumineur comme elle, rencontré dans un atelier qu'ils fréquentaient tous deux, la famille a compris et approuvé.

– Peut-être, au fond, s'aimaient-ils? »

Blanche se mit à rire.

« Vous y tenez!

– Je conçois si mal qu'on lie sa vie à une autre sans un minimum d'attirance réciproque...

– La mode est à l'amour, il est vrai, et de préférence conjugal. Mais, il y a encore peu de temps, mariage et inclination étaient bien distincts.

– C'est nous qui avons raison.

– Peut-être... »

Blanche se redressait.

« Vous le savez, mon ami, l'amour ne m'intéresse pas... Pas encore, du moins, en dépit de mes dix-huit ans. Je ne suis aucunement pressée d'unir mon destin à celui d'un autre.

– Je sais, Blanche, je sais.

– Acceptez-le sans rechigner, Gildas. L'amitié a bien des avantages, croyez-moi. Elle est beaucoup plus sûre, plus durable que l'amour. Ne sommes-nous pas bien, ainsi, tous deux, comme de bons compagnons?

– Vous m'avez fait promettre de garder le silence sur des sentiments que vous préférez ignorer. Soit. Mais ne me demandez pas, en outre, de proclamer à votre suite les mérites d'une forme d'attachement qui n'est, pour moi, que le pâle reflet de bien autre chose!

– Bon, laissons cela. Une conversation comme celle-ci ne peut rien nous apporter, ni à vous, ni à moi. Je n'ai pas le goût des grandes explications. Les excès de langage finissent immanquablement par nous faire dire le contraire de ce que nous souhaitions. »

Elle scanda ses paroles d'un mouvement de tête plein de décision qui mit des reflets de cuivre dans ses lourds cheveux châtains ceints par un simple cordon de soie violette.

« Si nous rejoignions les autres? J'entends d'ici le grand rire de Thomas. »

Ils longèrent la rivière. Une odeur d'eau chauffée par le soleil affadissait la senteur sensuelle des foins.

Devant la salle de verdure, Thomas, un bâton à la main, faisait sauter le chien noir de Mathieu Leclerc à grand renfort d'encouragements et de cris. Il avait une voix tonnante et s'en amusait.

Une fois de plus, Blanche songea que son frère était une sorte de taureau aisément furieux. Il en possédait la carrure et le caractère. Eclatant de santé et d'entrain, il se montrait infatigable et faisait preuve d'un appétit prodigieux pour tout ce qui passait à sa portée, mais elle le savait incapable de discipline personnelle, toujours prêt à suivre une nature impétueuse comme un torrent. Ses colères, célèbres dans la famille, faisaient déjà trembler pas mal de gens. Que serait-ce quand il serait son maître?

« Vous voilà enfin! Nous avons décidé de dîner dans la salle verte. Il fait trop chaud dehors. On va nous apporter des paniers de victuailles. »

C'était bien lui! Il avait résolu, tranché, sans se soucier de l'avis des absents!

A l'ombre des charmes, Agnès et Ursine, installées

sur un des bancs de bois qui occupaient trois des côtés de la maison de verdure, écoutaient Djamal. Assis à leurs pieds, il chantait une complainte de son pays, rauque et langoureuse à la fois.

Après l'éblouissement du soleil, le demi-jour troué de rayons semblait apaisant et enveloppant comme une eau fraîche.

« On peut entrer? »

Suivie d'un valet et d'une servante qui portaient de grands paniers recouverts de linges blancs, Marie pénétrait dans la charmille. Elle tenait entre ses mains, avec précaution, un plat d'étain sur lequel était posé un gros gâteau aux amandes.

« J'ai pensé qu'il vous fallait un repas copieux. »

Elle riait.

« Je connais l'appétit de Thomas! »

On étendait une nappe au centre de la salle, on déposait les paniers.

« Dans celui-ci, il y a un beau pâté d'anguilles, deux chapons rôtis, des croquettes de bœuf au cumin. Dans cet autre, du fromage de la ferme avec de la crème, des salades aux herbes et du pain saupoudré d'anis, comme vous l'aimez, Blanche. Le troisième est rempli de cerises, vous les mangerez avec mon gâteau. Le dernier contient des pichets de vin frais et d'eau claire. Voici enfin des serviettes que j'ai bien failli oublier.

– Dieu soit loué, ma tante, il ne manque rien et nous ne mourrons pas encore de faim ce jourd'hui! dit Thomas.

– Je vous laisse. On m'attend à la maison pour dîner et vous savez qu'Eudeline-la-Morèle ne badine pas avec les heures des repas! Pourvu, mon Dieu, que les enfants ne soient pas en retard! »

Elle sortait, retrouvait l'haleine de four du dehors.

« Rentrez vite, dit-elle aux serviteurs. Je vais

passer par le verger pour le cas où Vivien serait en train de prendre un acompte sur les cerisiers... »

Comme elle pénétrait dans le bois, elle fut saisie, attirée, enveloppée, par deux grands bras qui l'enlacèrent. Dissimulé derrière un tronc d'arbre, Côme, qui devait guetter son passage, la serrait contre lui.

« Amie, je suis heureux! Si heureux! »

Ses cheveux blonds, où couraient déjà quelques fils blancs, retombaient de part et d'autre d'un visage intelligent, au long nez d'épicurien, à la bouche ferme, dont la lèvre supérieure, signe de générosité mais aussi d'entreprise, de détermination, débordait l'inférieure. Les yeux gris reflétaient plus souvent une bienveillance amusée ou une curiosité attentive que de fortes passions. Tout, en lui, d'ordinaire, était mesure et maîtrise de soi.

Présentement, une joie neuve éclairait, dérangeait cette tranquille ordonnance.

« C'est notre premier jour, Marie! En avez-vous jamais vécu de plus beau? »

Il tirait de son aumônière une ceinture de fins anneaux d'or mince et souple comme une lanière, la lui passait autour de la taille où il l'attachait.

« Au lendemain des noces, jadis, nos ancêtres avaient coutume d'offrir à la nouvelle épousée un présent de valeur, symbole du prix auquel ils l'estimaient. Laissez-moi, ce jourd'hui, en témoignage du lien qui nous unit dorénavant, et en souvenir de notre nuit, vous offrir cette chaîne d'or comme don du matin! »

II

« Les bûchers de la Saint-Jean servent à brûler toutes les mauvaisetés qui menacent nos champs et nos villages, expliqua la mère Mabile. Ils ont aussi bien d'autres pouvoirs! »

Comme elle n'avait plus de dents, elle parlait en chuintant, et Aude devait faire très attention pour ne rien perdre des précieux enseignements de la vieille fermière.

La femme hors d'âge et l'enfant suivaient le chemin qui conduisait à l'étang du Sanglier Blanc.

« Je me suis dépêchée de dîner et me suis sauvée pendant que les autres se disposaient à aller faire la sieste, dit Aude. Je ne voulais pas manquer la cueillette de l'armoise.

– Vous êtes encore bien jeune, demoiselle, pour vous occuper de ces choses-là, remarqua la septuagénaire.

– Il n'est jamais trop tôt pour savoir ce que l'avenir vous réserve, répliqua la petite fille d'un air sentencieux.

– Eh bien, on peut dire que vous n'êtes pas en retard, au moins, vous, demoiselle! »

Tout en parlant, Mabile inspectait les talus où l'herbe poussait avec la folle prodigalité de juin.

« Tenez, voici l'armoise! »

Elle s'arrêtait devant des touffes de hautes tiges

40

cannelées aux feuilles d'un vert sombre découpées comme de la dentelle.

« J'étais certaine d'en trouver. Depuis des lustres, je viens chaque année ici pour en cueillir. Je n'en ai jamais manqué.

– Ce n'est tout de même pas pour savoir à qui ressemblera votre futur mari! dit Aude, qui ne put s'empêcher de rire en dépit du respect qu'elle portait aux connaissances des simples dont faisait preuve la mère du fermier.

– Eh! non, demoiselle. Il y a longtemps que cette curiosité-là m'est passée! Mais, dans mes relations, j'ai toujours de jeunes poulettes anxieuses de savoir quel sera leur coq!

– Je croyais qu'il fallait cueillir l'armoise soi-même.

– C'est préférable, bien sûr, mais on peut s'en remettre à une personne de confiance, à condition que le nom de l'intéressé soit prononcé au bon moment. »

Le premier coup de midi tinta dans l'air sur-chauffé.

« Ne perdons pas de temps, marmonna la vieille. C'est l'heure. »

Penchée vers le sol, avec une dextérité qu'une fort longue habitude pouvait seule expliquer, elle se mit à cueillir les feuilles soyeuses. Elle les détachait en glissant d'un geste appuyé la main le long des tiges dressées. Tout en s'activant, elle marmonnait une sorte d'incantation inaudible.

Au dernier coup de midi, cueillette faite, elle redressa avec une grimace de souffrance son échine roide. Ses doigts, déformés par les douleurs, enfoui-rent ensuite, non sans une certaine maladresse due à l'âge, le butin à odeur douceâtre dans une vaste poche qu'elle portait sous sa cotte, attachée à un lien qui lui serrait le ventre par-dessus une chemise point trop propre.

« Si on veut se servir de cette plante pour soigner, il faut aussi la ramasser à cette époque-ci, après la floraison », dit Mabile d'un air docte à sa petite compagne.

De son côté, Aude avait arraché quelques feuilles durant que midi sonnait. Elle les tenait serrées dans sa main.

« Si on en met ce soir sous son oreiller, est-on vraiment certain de voir en rêve, pendant la nuit, le visage de celui qu'on épousera plus tard? demanda l'enfant dont le cœur battait délicieusement. C'est bien vrai? Vous en êtes tout à fait sûre?

– Que le diable me prenne si je mens! jura la vieille femme, dont les yeux clairs brillaient de satisfaction malicieuse entre les plis de sa face ravinée. Jamais le charme n'a failli. Jamais! »

Aude déposa la précieuse poignée de feuilles froissées au fond de son aumônière.

« Grand merci, mère Mabile. Grâce à vous, je serai bientôt renseignée! »

Elle aurait volontiers embrassé la fermière pour la remercier de son obligeance, si la vieille n'avait pas été aussi sale. Manifestement ennemie de la propreté, elle ne devait pas souvent faire toilette.

« Elle se lave quand elle tombe à l'eau! » avait coutume de dire d'elle son fils qui, chaque matin, qu'il vente ou qu'il gèle, se nettoyait, torse nu, au puits, en compagnie des autres hommes de la ferme. Ce jugement était le fruit d'une longue expérience filiale. Des sillons de poussière encrassaient chacune des rides de Mabile et des points noirs fort gras étoilaient son nez, son menton et le haut de ses joues.

« Savez-vous que ma grand-tante Charlotte cueille d'autres herbes à la même heure que vous, dans notre bois et notre pré, pendant que nous sommes ici? reprit l'enfant désireuse de ne pas laisser tomber la conversation après avoir obtenu ce qu'elle désirait.

— Bien entendu. C'est un jour-fée!

— Avec elle, c'est moins amusant qu'avec vous; elle ne s'intéresse qu'aux plantes qui guérissent, pas à celles qui aident à connaître l'avenir.

— Tenez, en voilà une qui le connaît, son avenir, et sans avoir besoin d'armoise! bougonna Mabile d'un air empli de sous-entendus. Il a nom N'importe qui! »

Une fille blonde, charnue, dont tout le maintien n'était que défi rieur, s'approchait de l'endroit où la vieille fermière et la petite fille se tenaient. Vêtue d'une cotte verte usagée, déformée, elle allait, pieds nus, ventre en avant, sans chercher le moins du monde à dissimuler une grossesse avancée. Ses cheveux blonds, épais, étaient retenus par un linge blanc noué à la diable sur la nuque pour la protéger du soleil.

« Bonjour, Bertrade, dit Aude, quand la jeune femme parvint à leur hauteur.

— Dieu vous garde, demoiselle. Vous vous intéressez déjà à l'armoise, à ce que je vois?

— Tu y trouves à redire?

— Pas le moins du monde, la mère, mais je la crois encore un peu jeunette, la petite-fille de maître Leclerc, pour s'occuper de savoir à qui ou à quoi ressemblera son futur mari. »

Elle riait. Aude savait qu'entre le riche fermier de son grand-père et le pauvre laboureur, libre mais gueux, qu'était Tybert-le-Borgne, père de Bertrade, une rivalité de toujours existait.

Séparées par l'étang, les deux fermes étaient l'une et l'autre à l'image de leurs occupants. La Bordeaux-Moines, qui appartenait à Mathieu Leclerc et dont Léonard et Catheau Brichard étaient fermiers, se montrait fière de sa solide maison en pierres, couverte de tuiles, avec une grande cour ornée d'un puits en son centre. De vastes écuries pour les chevaux, des étables à bœufs et à vaches, une porcherie, des appentis pour les moutons et les chèvres, un poulailler de bonne taille, une laiterie fleurant la crème fraîche, un cellier, une grange imposante voisinaient avec un jardin où poussaient fruits et légumes en abondance. Les bâtiments et leurs dépendances étaient ceints de pieux solides protégés eux-mêmes des bêtes nuisibles par un fossé rempli d'eau où Aude allait parfois pêcher les grenouilles avec Vivien et Pol-le-Boiteux.

La chaumière de Pince-Alouette, en revanche, où vivait la maigre famille de Tybert-le-Borgne, reflétait parfaitement l'état de pauvreté de ceux qui l'habitaient. Basse, avec des murs de torchis renforcés de colombages grossiers, elle ne comprenait qu'une seule pièce d'habitation, mal éclairée, jouxtant l'étable à l'envahissante odeur de fumier. Une cour étroite et boueuse, une mare verte de lentilles d'eau où barbotaient des canards, et un maigre jardin potager étaient ses uniques dépendances. Quelques poules, des chèvres agressivement quémandeuses et des cochons à demi sauvages à cause de leur habitude d'aller à la glandée dans les bois du couvent voisin constituaient tout l'avoir de Tybert-le-Borgne. Veuf, estropié, il vivotait misérablement avec sa mère et ses enfants sur le petit domaine dont il tirait pourtant grande fierté : celle d'en être propriétaire.

Sa plus jeune fille, Guillemine, chambrière de Marie et cadette de Bertrade, tenait sa maîtresse au courant des difficultés du laboureur. Aude savait par elle que sa mère était souvent intervenue pour aider Tybert à rembourser certains habitants aisés du village dont il était le débiteur. Mais, bientôt, le besoin d'outils, d'ustensiles de ménage, d'un second âne, ou bien de grains, nécessitait d'autres emprunts qui le replongeaient dans le souci.

La vie agitée de Bertrade, dont chacun s'entretenait aux alentours sur un mode gaillard, ses nombreuses maternités, son goût pour les hommes, quels qu'ils fussent, venaient encore accabler davantage le pauvre père de famille.

« Il vaut sûrement mieux se renseigner un peu tôt sur le mari qu'on aura un jour que de traîner après soi cinq marmots dont pas un n'a le même père! » lança Mabile entre ses gencives édentées.

Prise à partie, la fille aînée de Tybert-le-Borgne conserva sa belle humeur.

« Vous pourrez sous peu en compter jusqu'à six, la mère, dit-elle d'un air moqueur, en caressant avec ostentation son ventre gonflé. Il faudra vous y faire! Vous et les autres!

– Moi, ça ne me gêne guère!

– Moi non plus. Je les aime bien, mes petits bâtards! »

La vieille fermière leva les épaules.

« Encore heureux, grogna-t-elle. Ils t'ont certainement donné assez de plaisir quand tu les as faits pour que tu leur en tiennes compte! »

Aude s'interposa :

« On ne se dispute pas le jour de la Saint-Jean. Ce n'est pas bien. Quittez-vous bonnes amies au lieu de vous chamailler.

– Mais je suis l'amie de tout le monde, assura Bertrade, dont rien ne semblait pouvoir troubler la sérénité. Sans rancune, la mère. Que Dieu vous garde!

– Et que Satan souffle sous ta cotte! » marmonna Mabile, qui ne désarmait pas.

Ignorant la phrase bredouillée par l'aïeule, Bertrade s'éloigna de la démarche alourdie des femmes enceintes.

« Pourquoi n'êtes-vous pas plus gentille avec elle? demanda Aude d'un air mécontent. Entre chrétiens, il faut s'entendre!

– C'est une effrontée.

– Ma mère dit toujours que ce n'est pas à nous de juger, mais au Seigneur.

– Le Seigneur Dieu a bien autre chose à faire qu'à s'occuper de créatures comme celle-là!

– Pourquoi donc? Elle est bonne fille... et puis on m'a appris qu'il ne faut mépriser personne parce que nous devons tous nous aimer les uns les autres. »

Aude ne détestait pas faire étalage de son savoir, ce qui agaçait parfois la vieille fermière. Le sachant, l'enfant quitta sa compagne de cueillette sur un dernier mot de remerciement. Tandis que l'une retournait à la ferme, l'autre décida de regagner sa cachette du petit bois.

Tracé à mi-pente, le chemin qu'Aude suivait pour revenir chez elle doublait la route de Paris à Orléans qui passait au sommet de la colline devant les bâtiments d'un couvent que le roi avait donné une dizaine d'années auparavant aux Chartreux. Laissés vides par le départ des moines, qui les avaient quittés assez vite pour aller s'installer plus près de la capitale, les tours, les nombreux clochers, les murailles, le pont-levis fermé impressionnaient l'enfant. On savait que le vaste domaine avait été racheté par l'évêque de Winchester, ambassadeur du roi d'Angleterre à Paris, mais il n'était pas encore venu s'y installer. Seuls, deux gardiens y logeaient pour le moment.

De l'endroit où elle se trouvait, Aude voyait, à travers les branches d'arbres, les hauts murs silencieux à sa droite et, à sa gauche, au creux du vallon boisé, dans la gaieté verte et chaude de ce début d'été, le village de Gentilly au bord de la Bièvre. Entre les deux, des vignes, des prés, des champs cultivés, des demeures accueillantes comme celle de son grand-père.

« J'aime bien ce pays », se dit l'enfant.

Bien sûr, elle se plaisait aussi dans la maison de sa mère, à Paris, rue du Coquillier, là où se trouvait l'atelier d'enluminure, mais l'espace et la liberté y étaient mesurés. Pas à Gentilly.

Les arbres bordant le chemin suivi par Aude s'interrompaient brusquement. Hors de leur protection, le flamboiement du ciel écrasait la poussière de la chaussée, les pierres qui la bordaient, l'herbe desséchée des talus où des grillons fous stridulaient jusqu'à l'assourdissement. Pas un souffle. Droit au-dessus des têtes, le soleil, à son zénith, supprimait les ombres, les buvait. L'air brûlant et immobile semblait agiter entre la terre et l'azur un invisible rideau d'ondes vibrantes, lumineuses, argentées. Les oiseaux, suffoqués, se taisaient.

« J'aurais dû prendre mon voile pour me protéger, pensa la petite fille, qui ne portait, pour retenir ses cheveux nattés, qu'un cordon de soie bleue autour du front. Je vais me faire gronder! »

Comme pour répondre à son souhait implicite, elle aperçut alors un colporteur, caisse sur le dos, tablette suspendue au cou, qui, en dépit de la température, venait à sa rencontre. Aude connaissait la mauvaise réputation de ces petits marchands ambulants qu'on rencontrait un peu partout. On lui avait toujours conseillé de se méfier d'eux.

« Dieu vous garde, demoiselle!

– Qu'il vous protège aussi.

– Tenez, arrêtez-vous donc un instant pour voir ce que j'ai de beau à vous fournir.

– Je ne peux pas rester tête nue au soleil. Ma mère me le défend. »

L'homme partit d'un rire complice.

« Vous ne lui obéissez guère, à ce qu'il paraît!

– J'ai oublié de mettre un voile.

– Qu'à cela ne tienne! J'en ai de très jolis à vendre.

« – Je m'en doute, mais n'ai pas de quoi vous payer.

– Pas la moindre piécette?

– Une ou deux, peut-être, dans mon aumônière.

– Je m'en contenterai. »

Il faisait glisser par-dessus son épaule la boîte retenue sur son dos par deux courroies de cuir, la posait sur le talus, l'ouvrait. De menus trésors s'y entassaient.

« Voilà des voiles. Ne sont-ils pas beaux?

– Si fait. Je prendrais bien celui-là.

– Le bleu?

– C'est ma couleur.

– A cause de vos yeux? »

L'homme se penchait vers elle avec un sourire dont Aude, d'instinct, se méfia. Elle remarqua qu'il portait une boucle d'oreille en argent à l'oreille gauche, rien à l'autre. Une cicatrice assez profonde lui entaillait la peau, du nez au menton.

« Voilà mes deux pièces. Je n'en ai pas davantage. »

En s'emparant de la monnaie, le colporteur saisit la main enfantine, la retint dans la sienne.

« Quel âge as-tu?

– Que vous importe?

– Tu es mignonne, tu sais...

– Laissez-moi partir!

– Tu as peur? »

Aude eut un regard farouche.

« Je n'ai peur de personne. »

Le trot d'un cheval retentit au loin sur le chemin. L'homme lâcha les doigts minces qu'il tenait serrés, referma sa boîte, la remit en place d'un mouvement d'épaule.

« A te revoir! »

Il la dévisageait d'un air si goguenard que l'enfant recula avec précipitation, posa le voile sur sa tête où résonnaient les marteaux du soleil, et se prit à courir, sans se retourner, vers le logis de son grand-père.

Les poings aux hanches, le colporteur la regardait, gibier qui a flairé le chasseur, se sauver loin de lui.

Dès qu'elle se fut réfugiée à l'ombre de la haie bordant la pâture, Aude s'arrêta. La sueur coulait le long de son dos, sur son front, piquait ses yeux. Un goût de sang dans la bouche, la poitrine devenue soudain trop étroite, elle suffoquait.

Sans trop savoir pourquoi, elle se mit à pleurer et le sel de ses larmes se mélangea sur ses joues qu'il cuisait à la morsure de la sueur.

Le temps qu'elle reprenne son souffle et le trot qu'elle avait entendu un moment auparavant se rapprocha. Levant la tête avec appréhension, elle aperçut Colin qui venait dans sa direction. Monté à cru sur un des chevaux de la ferme, il conduisait une charrette remplie de fagots.

« Seigneur, soyez béni de m'avoir sauvée du colporteur et de ses manigances, et soyez remercié de faire passer Colin justement par ici!... »

Le fils du fermier salua la petite fille en souriant et continua son chemin.

Sous les rebords de son grand chapeau de paille, les yeux et les dents du garçon ressortaient avec éclat dans sa peau couleur de pain bien cuit. Aude trouva qu'il était beau. Il avait un nez court, une forte mâchoire qui le faisaient ressembler à un bon chien de garde. Il était son gardien! Une excitation dont elle ne savait pas quoi penser la soulevait à présent. Mêlée à la peur qui venait de la secouer, cette nouvelle émotion lui mit derechef les larmes aux yeux. Elle se redressa. Moitié pleurant, moitié rêvant, elle se dirigea vers la petite porte qui ouvrait, de ce côté-là, sur le bois où se trouvait sa cachette.

Comme elle en poussait le battant, elle vit sa

mère, assise à l'ombre, sur un banc de pierre, en compagnie de Côme Perrin, cet ami venu passer avec eux les jours de fête.

« Eh bien, ma fille, vous voilà donc! Je me demandais ce que vous étiez devenue! »

L'enfant s'approcha.

« Mais vous pleurez! »

Marie attirait Aude contre elle, prenait entre ses mains le mince visage embué.

« Qu'y a-t-il, ma douce? »

De nouvelles larmes débordèrent, mais la bouche tremblante ne laissa passer aucun son. Enlaçant le corps dont la frêle ossature, visible sous la peau, lui paraissait émouvante à force de fragilité, la jeune mère berça sans s'y attarder une peine qu'elle ne prenait pas au sérieux.

Ecartant d'une main les frisons bruns que la sueur collait sur les tempes de sa fille, elle dégagea le haut front bombé, tout moite, et y posa ses lèvres.

« Ma petite plume, chuchota-t-elle, ma petite perle, ma petite fleur, ma petite mésange... »

Ces litanies tendres qu'elle égrenait au chevet de ses enfants sur le point de s'endormir ou dans des moments d'abandon comme celui-ci, étaient un jeu qui les ravissait chaque fois qu'elle s'y livrait. La magie de cette incantation familière consola Aude, qui se reprit à sourire.

Dérangé au milieu d'une conversation dont dépendait son bonheur, Côme, d'abord impatienté, considérait à présent avec émoi le groupe que Marie et sa fille formaient aux bras l'une de l'autre.

« Quelle adorable mère vous faites! » ne put-il s'empêcher de remarquer.

Le charme s'en trouva rompu. Aude rouvrit les yeux, se redressa, jeta un regard réprobateur à celui qui intervenait à contretemps dans une scène d'intimité qu'elles auraient dû être seules à partager toutes deux. Elle se dégagea d'une étreinte qu'elle eût souhaitée sans témoin.

« Mes enfants sont ma vie », déclara Marie avec élan.

Pour adoucir une affirmation qui pouvait paraître exclure Côme de ses préoccupations essentielles, elle s'était aussitôt retournée vers lui avec un sourire dont la petite fille intercepta le message.

« Dites-moi à présent pourquoi vous pleuriez, ma mie », ajouta-t-elle en embrassant de nouveau sa fille, afin de rétablir un équilibre délicat.

La question vint un instant trop tard. Aude eut un mouvement de repli, glissa hors des bras qui la tenaient encore.

« Pour rien, dit-elle. Pour rien du tout. J'ai déjà oublié. »

Preste comme une des musaraignes qui se faufilaient entre les racines des arbres, elle pirouetta et s'éloigna en courant.

« Les chagrins d'enfants sont presque toujours insignifiants, assura Côme, pressé de revenir au sujet dont ils s'entretenaient avant une interruption dont il avait épuisé les charmes.

– N'en croyez rien, mon ami, ne croyez pas cela! Les peines de ces petits cœurs sont à leur mesure et tout aussi cruelles que les nôtres. Les adultes ont beau jeu de soutenir le contraire quand ils ne veulent pas en être importunés! »

Il saisit au vol la main levée dans un geste de protestation, la porta à ses lèvres.

« Je suis prêt, en cela comme en toute chose, à vous croire, ma belle. Vous m'apprendrez vos enfants. »

Elle dégagea ses doigts de la grande main chaude qui les tenait.

« Restons attentifs à ne pas nous trahir, Côme,

dit-elle. J'y tiens. Dans ma situation, je ne puis me permettre de donner prise aux médisances.

– Les veuves n'ont de compte à rendre à personne, ma mie!

– Quand elles n'ont pas d'exemple à donner, elles peuvent, en effet, se conduire à leur fantaisie. Ce n'est pas mon cas.

– Marions-nous donc sans tarder! »

Ramené au point où ils se trouvaient au moment de l'irruption d'Aude dans leur tête-à-tête, Côme revenait à la charge.

« Non, mon ami, non. Je me méfie trop des unions conclues à la légère. J'ai besoin de réfléchir. Si je vous épouse un jour, ce ne sera certes pas à la hâte, sur un coup de cœur!

– Mais je vous fais la cour depuis des mois!

– La cour, oui. C'est un temps de séduction où chacun se montre sous son meilleur jour. Si nous voulons unir nos vies par un lien sacré, c'est de bien autre chose que d'apparences que nous devons nous assurer. Ce n'est pas la surface de votre âme, Côme, pardonnez-moi de vous le redire, que je tiens à connaître, mais ses tréfonds. La vie, voyez-vous, m'a rendue prudente. Or, jusqu'à cette nuit, je n'ai approché qu'un amoureux soucieux de plaire... à présent, c'est à l'homme que j'ai affaire. C'est bien différent! Laissez-moi prendre mes distances vis-à-vis de notre nouvelle intimité... D'ailleurs le plaisir fausse le jugement! Tout est encore trop neuf entre nous, trop chargé d'émoi, pour que je puisse me sentir pleinement lucide... L'amour, voyez-vous, me fait un peu tourner la tête! »

Dans les prunelles grises, changeantes, une étincelle rieuse, provocante, s'alluma, brilla un instant.

« Ne me regardez pas de cet œil-là, ma chère belle! Vous me rendriez fou!

– Gardez-vous-en bien, Côme, vous allez, au

contraire, avoir besoin de tout votre sang-froid!
Nous aurons à nous comporter comme de bons
amis, ni plus, ni moins.

– C'est une épreuve inhumaine, Marie, que vous
m'imposez là!

– Point du tout. Connu de nous seuls, notre
secret n'en sera que plus piquant! »

Elle se levait, défroissait les plis de sa cotte
blanche, écartait un instant de ses joues échauffées
la guimpe de lingerie qui les enserrait, la remettait
en place.

« Rejoignons tante Charlotte et mon beau-père.
Leur sieste terminée, ils doivent s'être attelés à une
nouvelle partie d'échecs. J'en profiterai pour vous
soumettre des esquisses que je viens d'exécuter sur
le dernier cahier volant que m'a confié un de mes
clients, qui est excellent copiste. Il s'agit d'illustrer
un récit que j'aime beaucoup : *Flamenca*. L'avez-
vous lu?

– Pas encore. »

Côme se leva à son tour, s'approcha de Marie, la
saisit brusquement par la taille, la plaqua un instant
contre lui. Une sorte de voracité joyeuse l'animait.

« Sachez, ma mie, que c'est bien à regret que
j'accepte de vous laisser jouer jusqu'à ce soir le rôle
de mère très sage auquel vous tenez tellement, dit-il
avec cet air de ne jamais se prendre au sérieux
qu'elle aimait en lui. Mais ensuite, ensuite, ma
dame, la folle nuit sera à nous! »

Entre ses bras, elle retrouvait, avec le sentiment
d'une immense sécurité, l'odeur nocturne de son
grand corps solide, le goût savoureux de sa bouche.
Un acquiescement heureux l'envahit.

« L'amour peut donc être si rassurant, si gai,
songea-t-elle. Je l'avais pressenti, jadis, mais je
l'avais ensuite oublié! »

Des comparaisons qu'elle établissait sans cesse
depuis la veille entre ce qu'elle découvrait et ce

qu'elle avait connu autrefois avec son mari, il ressortait que son mariage, maternité mise à part, avait été une bien plus triste faillite qu'elle ne l'avait pensé jusque-là. Si elle avait épousé Robert parce qu'il ne lui déplaisait pas, jamais elle n'avait éprouvé en sa compagnie cette effervescence amoureuse qui agitait son cœur et son sang auprès de Côme. Un morne compagnonnage, voilà ce qu'elle avait vécu avec le père de ses enfants ou, plutôt, une accalmie, un répit après la tourmente, l'ombre d'une félicité, un leurre qui s'était achevé tragiquement. Elle comprenait à présent qu'elle s'était toujours trompée sur l'essentiel. Parce que la mort de sa mère et le désespoir de son père l'avaient laissée éperdue, elle avait quêté dans la présence du premier passant venu un refuge contre sa déroute, une réminiscence du bonheur en allé... Ces dix années d'union faussement paisibles avaient été dix ans de malentendus! Seuls, Aude et Vivien lui avaient dispensé chaleur et tendresse.

« Robert était un animal à sang froid, se dit-elle encore, tout en marchant sous les branches au côté de Côme. Soyez béni, Seigneur, voici enfin pour moi le temps du réchauffement! »

Dans le verger, le couple découvrit, en train de piller un cerisier, les six garçons et filles venus passer la Saint-Jean à Gentilly. Leur repas champêtre terminé, ils avaient sans doute souhaité le compléter en s'amusant. Grimpé dans l'arbre, Thomas jetait des poignées de fruits aux autres, qui, le nez en l'air, entouraient le tronc à l'écorce lisse et satinée.

« Ne cassez pas trop de petites branches, mon neveu, je vous en prie, dit Marie. La cueillette de l'an prochain en serait appauvrie d'autant. »

Agnès s'approchait, tendait ses mains jointes en coupe, remplies de cerises.

« En voulez-vous manger quelques-unes? »

Ses cheveux de soie moussaient autour d'un visage qui n'était qu'offrande ensorceleuse et coquetterie.

« Cette petite diablesse possède un charme dont elle use et abuse, remarqua Marie après s'être éloignée avec Côme. C'est une véritable Mélusine !

— Votre sœur n'a que cette fille unique ?

— Florie a eu, auparavant, un fils qui est mort en de tragiques circonstances. Depuis, elle n'a pu avoir d'autre enfant et a adopté Agnès, qui avait été abandonnée très peu de temps après sa naissance.

— Elle ressemble à un elfe.

— Si on voulait croire aux récits légendaires, on pourrait en effet imaginer qu'une fée s'est arrangée pour placer ce petit être à la portée de ma sœur afin de la forcer à s'y intéresser. Etait-ce une bonne ou une mauvaise fée ? Tout est là.

— Vous ne semblez pas l'aimer beaucoup.

— Je ne la connais pas suffisamment. Elle vit en Touraine entre Florie et le mari de celle-ci, un homme assez taciturne qui s'occupe d'astronomie. Les rares moments que j'ai passés près d'elle, soit chez ma sœur, soit à Paris, quand elles y sont venues toutes deux, n'ont jamais été assez longs pour me permettre de la juger sur autre chose que des apparences. »

Dans le jardin, le parfum des lis s'exhalait au soleil comme un encens enivrant. Mêlées aux carottes, fèves, choux et passeroses, leurs hautes touffes à la chair de neige maculée d'or dominaient royalement les plates-bandes.

« J'en avais mis une brassée dans ma chambre, mais j'ai dû les retirer. Leur senteur trop forte incommodait les enfants.

— Toujours, partout, vous couchez avec eux ? »
Marie inclina la tête :

« Comme la poule avec ses poussins... Nous y tenons beaucoup tous trois.

– Tant pis pour moi! Ne croyez pas pour autant que cette fâcheuse coutume changera quoi que ce soit à mes intentions... Nous nous retrouverons ailleurs, voilà tout! »

A son air amusé se mêlait, depuis la nuit précédente, une nuance de tendre victoire qui lui allait bien. Sans être vraiment beau, il exerçait pourtant sur la jeune femme un puissant attrait, fait d'équilibre, de bonne humeur et d'esprit.

« Ma mère, ma mère, vous venez de faire envoler le geai que je voulais tuer! »

Du bûcher où l'on remisait le bois pour l'hiver, Vivien surgissait, l'air dépité. Il tenait encore à la main l'arc où une flèche inemployée demeurait engagée.

« Vous m'en voyez navrée, mon fils! »

Marie attirait dans ses bras l'enfant, d'abord boudeur, mais qui cessait très vite de se faire prier, pour se jeter contre elle avec une sorte d'emportement, familier à sa nature spontanée. Il ressemblait à un chevreau joueur et affamé.

« Il y a certainement d'autres oiseaux que vous pourrez abattre, mon petit cœur.

– J'y renonce! Je préfère à présent aller voir Ambroise. »

Il embrassait Marie en malmenant sa guimpe, se sauvait avec sa vivacité coutumière.

« Qui est Ambroise?

– Le bourrelier du village. Très habile, il fascine Vivien, qui passe des heures à le regarder travailler. Je n'ai jamais très bien compris les raisons de cet engouement. Ils sont si différents! Mon petit bonhomme, nerveux, agité, moqueur et ce vieux garçon paisible, rempli d'humilité, parlant peu, timide au-delà de ce qui est concevable. On raconte qu'il a été fiancé et que sa promise s'en est allée avec un autre parce qu'il n'avait pas osé l'embrasser!

– C'est un doux... Heureux les doux...

– Voulez-vous bien vous taire! »

Ils riaient de bonheur, avec une sorte d'innocence recouvrée.

« Pour être tout à fait sincère, je dois avouer que je suis un peu jalouse de ce bourrelier qui occupe une telle place dans les préoccupations de mon Vivien.

– Que vous êtes possessive, ma mie! Tant mieux! J'espère que vous le serez autant à mon égard qu'à celui de vos enfants. »

III

« Que m'est-il advenu, Seigneur? Vais-je mourir?
Que m'arrive-t-il donc? Rien n'est plus pareil... Je
suis comme un enfant qui vient de naître... comme
Yseult-la-Blonde après qu'elle a bu le philtre... Différente, si différente! Transformée... transformée à
jamais. Je le sais. Je le sens. Je suis une autre! »

Encore à demi inconsciente, Agnès ne souhaitait
pas rouvrir les yeux tout de suite. Des bruits, des
odeurs lui parvenaient. Elle n'était plus dans la
forêt. Au lieu de la senteur sauvage des mousses,
des champignons, des fougères, elle reconnaissait
des relents de nourriture, de laitage, de feu de bois,
de chandelles. Où l'avait-on transportée? A la ferme
de la Borde-aux-Moines? Elle s'en désintéressait...

Au poignet, une douleur irradiante. Une sensation
de soif. La mâchoire crispée... elle avait mal dans
tout le corps. Une crampe atroce l'avait tirée de la
léthargie nauséeuse où elle avait sombré... depuis
combien de temps? Elle avait froid, et, pourtant,
comme son cœur battait! Etait-ce à cause de la
vipère ou à cause de Thomas? Thomas! Il avait bu
plusieurs fois son sang mélangé au venin de la bête
immonde après avoir débridé la plaie... plusieurs
fois, il avait aspiré ce suc qui pouvait être mortel,
mais qui était, aussi, surtout, une communion à la
source de sa propre vie, à elle!

Elle souffrait, sentait revenir les crampes...

Tout se brouillait pour un temps dans son esprit où, cependant, en dépit du flou, une évidence continuait à s'imposer : en buvant son sang, un moment plus tôt, Thomas avait scellé pour toujours leur double destinée...

Elle savait que le rituel chevaleresque de l'Amitié indéfectible passait par l'épreuve du sang. Soit en l'absorbant avec quelque breuvage, soit en mettant en contact des entailles ouvertes sur leurs bras ou sur leurs jambes, les chevaliers devenaient frères par mélange du liquide essentiel. Liés ensuite jusqu'à la mort, ils ne disposaient plus que d'une même âme commune. Dépassant ainsi les limites du corps pour aborder à une union spirituelle parfaite, ils expérimentaient par cette mystique fraternelle une existence où l'on devient un tout en étant deux.

Agnès se rappelait avoir entendu évoquer ces rites de l'affrèrement par le sang, qu'on pratiquait encore dans certaines cellules secrètes des grandes Confréries. Les membres y vivaient dans des conditions de partage absolu en une perpétuelle communion d'âmes. Bien des poèmes qu'elle aimait chantaient la transformation de ces pratiques, passées depuis quelque temps de l'univers chevaleresque à celui des rapports entre hommes et femmes. Ils exaltaient tous le nouveau visage de l'Amour. Echange des sangs, échange des cœurs, échange magique... Chacun aspirait à vivre l'Amour partagé! Bien peu d'amants y parvenaient, semblait-il... Cette fusion de deux âmes, de deux existences, de deux destins, Thomas et elle, à partir de cette journée, allaient être admis à en connaître les heurs et les malheurs, à faire la divine expérience du don absolu!

Sa gorge se contractait. Elle avait en même temps froid et chaud.

Auprès d'elle, on s'entretenait à voix basse, mais elle souhaitait continuer d'ignorer ce qu'on pouvait dire. Seuls, parvenaient à ses sens embrumés le bourdonnement obsédant des mouches, les caquets plus lointains des poules, jars, oisons ou canards de la ferme, le braiment d'un âne...

Etait-elle demeurée longtemps sans connaissance?

Dans sa mémoire ébranlée, tout se confondait. Les préparatifs du grand souper prévu pour le soir de fête, l'agitation de tous dans la cuisine de Mathieu Leclerc... Marie avait demandé aux six jeunes invités, s'ils souhaitaient se rendre utiles à leur tour, d'aller ramasser dans les bois du couvent les fraises et les framboises sauvages qui y abondaient... D'ailleurs, les paniers pleins, qu'on n'avait certainement pas abandonnés en dépit de son accident, ne devaient pas se trouver posés bien loin de l'endroit où on l'avait étendue, puisque, au gré de souffles insensibles, leur senteur fruitée parvenait par bouffées jusqu'à ses narines...

Ils étaient donc partis tous les six en devisant. Elle se souvenait avoir badiné avec Djamal tout en traversant les pâtures et en longeant les champs cultivés, les vignes. On était passé devant la ferme de Léonard, on était arrivé à l'étang du Sanglier Blanc qu'il fallait contourner pour parvenir aux bois des Chartreux.

Comment avait-elle accepté, si longtemps, de jouer ce rôle de fille coquette s'amusant à capter l'attention des garçons? Peut-on, à ce point, se tromper sur soi-même?

Elle souffrait de partout... Pendant un moment, elle cessa de songer, sombra dans une sorte d'état cotonneux.

... Qu'avait-elle dit à Blanche en pénétrant sous les arbres? Il avait été décidé que ce serait elles deux qui cueilleraient les framboises pendant que les autres rempliraient leurs paniers de fraises des bois. Ce n'était pas par hasard qu'elles se trouvaient ensemble. Elle s'était arrangée pour s'isoler avec sa cousine, car elle désirait lui parler, lui confier ses préoccupations : « J'ai seize ans passés et je dois penser à m'établir. Il me faut trouver un mari. » Le rire de Blanche! Cette gaieté saine, un peu moqueuse : « J'ai deux ans de plus que vous, ma mie, et ne suis nullement inquiète de mon avenir. Dieu y pourvoira! »

Elle se rappelait lui avoir répondu que leur sort était bien différent : « Vous avez une famille unie, aimante, des parents qui n'ont jamais cessé de vous couver, de se soucier de vous... Pas moi. Quoi qu'on en dise, je ne suis qu'une orpheline adoptée par désespoir et deuil d'un autre! – Ma tante Florie vous aime bien. – Je le crois, mais elle a de graves soucis qui l'occupent, minent sa santé et assombrissent la tendresse qu'elle me porte. Croyez-moi, Blanche, je n'ai pas eu la même enfance que la vôtre! »

Elle était là, à se plaindre, à s'attendrir sur son sort, alors que sa vie allait, presque aussitôt après, basculer tout d'un coup!

En causant, elles cueillaient les fruits rouges qui parfumaient leurs doigts et les teintaient de pourpre. Autour d'elles le bois n'était que fuites invisibles, frôlements, départs, envols. Grouillant de gibier, de menus rongeurs, de couvées, de portées, de drames silencieux, de noces frénétiques, la sylve participait à sa manière animale, furtive, dans sa sauvagerie si riche de mystères, à l'accomplissement de la Création...

Derrière ses paupières closes, l'adolescente revoyait la harde de cerfs et de biches qui, en quelques bonds, avait franchi l'étroit sentier où elle se trouvait avec Blanche, l'inquiétude des bêtes superbes qui les avaient flairées, leur fuite, l'éclat lustré de leur pelage sous les basses branches...

C'est alors qu'en voulant atteindre des rameaux de framboisiers épandus sur le sol pierreux d'un ancien ru asséché par la chaleur, elle avait soudain aperçu, derrière les fruits mûrs, une vipère dressée. Sa main était tendue, offerte... Aussi rapide que l'éclair dont il avait pris la forme, l'aspic l'avait frappée. Morsure aiguë comme celle d'une aiguille double et acérée, glissement entre les pierres du reptile brun taché de noir dont la forme sinueuse disparut bientôt on ne savait dans quel trou...

Elle avait crié. Blanche s'était retournée.

« Qu'y a-t-il?

– Un serpent, là... qui vient de me mordre... »

Elle sentait ses jambes trembler, tout son corps se révulser de dégoût. Sur le poignet, proches de l'ourlet de sa manche, deux minuscules gouttes de sang...

« Mon Dieu! Mon Dieu! »

En dépit de son sang-froid habituel, Blanche s'affolait. Que faire, dans ces bois, loin de tout secours, pour lutter avec quelque chance de réussite contre le venin qui entreprenait sournoisement, dans les veines d'Agnès, son sinistre travail d'empoisonnement?

Il fallait réfléchir très vite. Aviser... s'adresser à l'unique recours.

« Sainte Vierge, aidez-nous! »

Les doigts tremblants, Blanche prenait dans son aumônière le chapelet aux grains d'ivoire qu'on lui voyait parfois égrener, l'attachait autour du bras dolent, le serrait pour qu'il ne glissât pas, prenait bien soin de poser la croix qui le terminait à l'emplacement même de la morsure.

« Je crains de m'évanouir... »

La blessée se laissait aller contre un tronc, se sentait défaillir...

« Il faut alerter les autres », dit Blanche.

Sa voix vibrante, angoissée, s'éleva, déchirant la paix sylvestre. Plusieurs fois elle appela, recommença, renouvela ses appels.

« Que se passe-t-il? »

Ils avaient entendu... ils arrivaient enfin!

« Agnès vient de se faire mordre par une vipère.

– Oh! Dieu! »

De quelle voix Thomas avait-il lancé ce cri, cette plainte, cette prière! Tout à coup, il avait été là, près d'elle, à genoux, grave, tendu, si différent de ce qu'il était d'ordinaire! Sans plus rien dire, il avait saisi le poignet qui commençait à enfler autour des deux points rouges, l'avait considéré avec angoisse... D'un geste décidé, il avait alors déroulé le chapelet, retroussé sa manche.

« Je vais vous faire mal, Agnès, mais il le faut. »

Il tirait de son étui la dague acérée qu'il portait toujours à la ceinture, en éprouvait le fil sur son pouce.

« Ne bougez pas. »

Il s'était incliné encore davantage vers elle. La masse de ses cheveux roux cachait à la blessée les autres, la forêt, le reste du monde... D'un geste bref, il avait alors incisé la chair tendre du poignet, réunissant les deux piqûres par une coupure nette, béante, avait pressé la plaie pour en faire jaillir le plus de sang possible, et, dans un élan qui avait décidé de tout, dans un geste passionné, qui avait bouleversé Agnès jusqu'au cœur, il avait posé sa bouche chaude sur les lèvres saignantes de la blessure, avait aspiré le sang et le venin mêlés, recraché, sucé de nouveau, jusqu'à ce qu'elle se trouvât mal...

Thomas! L'aimait-elle, auparavant, sans le savoir?

Elle se revoyait, enfant, venue à Paris avec Florie, lors d'un voyage qui avait précédé le retour des Croisés. Reçue par la famille Brunel, elle se rappelait avoir été fascinée par l'impression qu'ils donnaient tous de solidarité, d'entente, de cohésion, de complicité affectueuse, d'aisance... Si elle les avait admirés indistinctement, en bloc, pour ce qu'ils représentaient et dont elle était si lamentablement dépourvue, n'avait-elle pas ressenti une attirance particulière pour ce garçon roux, rieur, débordant de vie? Elle s'en persuadait à présent. Il était impossible qu'un instinct, en elle, ne se soit pas éveillé, jadis, à son approche, dans une sorte de choix prémonitoire...

Une main se posa sur son front.

« Agnès? »

Elle consentit enfin à ouvrir les yeux, découvrit Thomas à genoux, encore, toujours près d'elle, ne s'en étonna pas.

« Comment vous sentez-vous? »

Elle eut envie de répondre : « Enivrée! » sourit, referma les paupières.

« Ne craignez plus rien, ma mie, disait d'un peu plus loin la voix apaisante de Blanche. Vous êtes sauvée! Il y avait des genêts fleuris tout à côté de l'endroit où nous nous trouvions. »

« Pourquoi en suis-je guérie pour autant? » se demanda vaguement l'adolescente avant de se souvenir des véritables cours de médecine que Charlotte Froment ne manquait jamais de leur donner quand elle se trouvait avec eux à la campagne. Ne leur avait-elle pas assuré plusieurs fois que le meilleur remède aux morsures de serpents restaient les compresses de fleurs de genêts réduites en bouillie?

Ouvrant de nouveau les yeux, elle vit son poignet, dépouillé du chapelet qui l'avait enserré un peu plus tôt et bandé avec son voile de mousseline transformé en pansement. Une épaisse purée jaune faite de pétales broyés sans doute entre deux pierres en débordait. La manche de sa cotte était roulée sous le coude.

« Je vous ai portée jusqu'à la ferme de Léonard, expliquait Thomas, pour que vous puissiez vous reposer au calme. Mabile vous prépare en outre un breuvage de sa façon qui doit achever de vous remettre. Avez-vous assez chaud? »

Bienheureuse morsure! Sans la vipère lovée sous les framboisiers, auraient-ils jamais découvert l'un et l'autre l'attirance qui les habitait?

« Pas un instant, je n'ai douté de la réciprocité d'un sentiment dont je me sens baignée comme par l'eau d'un torrent! Ainsi qu'une convertie de fraîche date, je sais, maintenant, que je participe à la Vérité. L'amour est Vérité. L'amour est Evidence. On ne met pas en doute l'Evidence! »

« Tenez, demoiselle, il vous faut boire cette tisane. Elle aidera à vous remettre sur pied. Je l'ai faite avec de l'origan des marais... C'est souverain contre les morsures d'aspic! »

La vieille Mabile se penchait dans un remugle de corps malpropre et d'urine. Du gobelet de bois qu'elle tenait montait une odeur fade, tenace, peu appétissante.

« Buvez. Vous le devez! »

Agnès avala d'un trait le breuvage. Qu'importait? Elle vivrait, elle aimerait... le reste ne comptait pas.

Une sensation de bien-être l'envahissait. Elle avait assez de force, à présent, pour regarder ce qui l'entourait. Elle était étendue sur le grand lit des fermiers où Léonard et Catheau dormaient avec leurs plus jeunes enfants. Les courtines en étaient relevées. Thomas, demeuré à genoux contre le bois de la couche, Blanche debout à ses côtés, Mabile qui se redressait, le gobelet vide à la main, un chien qui grattait ses puces devant le feu, indifférent à ce qui était en train de se passer, il ne faudrait rien oublier...

« J'étais seule ici, disait la vieille femme, quand on vous a apportée. Les autres sont aux champs. Heureusement que vous êtes tombée sur moi! Je connais le secret des plantes. »

Sur la table de chêne sombre, les paniers de fruits rouges embaumaient. Leur parfum musqué se mêlait étrangement à ceux de la cuisine. Dans la vaste cheminée sous le manteau de laquelle on pouvait s'asseoir en hiver pour se chauffer, plusieurs jambons, andouilles et chapelets de saucisses se fumaient lentement au fil des jours. Accrochée à la crémaillère, au-dessus du foyer où des bûches se consumaient sans flammes, une grosse marmite laissait échapper de sous son couvercle, dans un frémissement familier, des odeurs de viandes, de vin cuit, d'épices.

« Ma bru a mis à cuire une galimafrée[1] pour le souper de ce soir, dit encore Mabile. Une fois éteints les feux de la Saint-Jean, nous reviendrons tous ici, jeunes et vieux, nous remplir la panse! »

Le chien se levait, s'approchait pour flairer les occupants de la pièce comme s'il s'avisait seulement de leur présence. Venant de la cour, on entendait la voix de Gildas, qui devait s'entretenir avec Djamal.

« Les autres sont restés dehors, expliqua Blanche. Nous avons craint que trop de monde ici ne soit pas bon pour vous. »

Agnès remerciait d'un sourire. Elle souffrait moins mais demeurait lasse et meurtrie.

« Puisque vous allez mieux, nous allons pouvoir repartir sans tarder, reprenait Blanche. Cependant,

---

1. Plat de fête des paysans.

66

il ne faut pas vous fatiguer. Peut-être pourrait-on vous transporter à dos d'âne?

– Par Dieu! Il n'en est pas question! »

Thomas se penchait :

« Accepteriez-vous que je vous porte jusqu'à la maison, ma mie? »

Comme il lui parlait avec précaution, ménagement, lui qui, d'ordinaire, tranchait de tout!

« Je préfère ne pas être mise sur l'âne...

– Ma bru l'a pris. Elle est allée porter du cresson, de la laitue et du pourpier à la cuisinière de maître Leclerc. Mais il reste l'ânesse.

– Merci, la mère. Je remplacerai avantageusement, du moins j'ose le croire, votre ânesse... »

Thomas riait de nouveau. Agnès sut qu'elle était sauvée.

« Tenez-moi par le cou. »

Le bon, l'heureux prétexte!

Un bras sous ses épaules, l'autre sous ses genoux, il la soulevait avec une douceur dont il aurait été bien incapable un peu plus tôt. Se redressant, il la calait contre sa poitrine.

« Etes-vous bien?

– On ne peut mieux. »

Abandonnée, elle refermait les yeux sur une félicité qui lui faisait oublier douleur et malaise.

Blanche les suivant, ils traversèrent la pièce, se retrouvèrent dehors dans la touffeur qui sentait l'étable, le purin, la paille chaude piétinée.

« Est-elle tirée d'affaire? demanda Ursine.

– Elle est moins pâle, constatait Gildas.

– Dieu soit loué! » murmurait Djamal.

L'éblouissement lumineux était sensible à travers les paupières closes et la chaleur toujours aussi cuisante.

« Allons, dit Thomas, ne nous attardons pas. »

Qui donc avait prétendu, avant, jadis, dans la nuit des temps (il y aurait désormais dans sa vie un

« avant » et un « après » séparés à jamais par la fureur d'un aspic), qui avait affirmé que l'odeur des roux était nauséabonde?

Elle en aurait ri. Plus que la senteur forestière, que l'arôme des lis, que la présence des foins, elle aimait à présent les effluves fauves de ce corps qui était celui même de l'amour!

Ils se taisaient. Ensemble. Du garçon flamboyant et dominateur qui était entré, vers l'heure de none, précédé de son rire sonore, de son assurance juvénile dans les bois des Chartreux, la foudre amoureuse avait fait un homme silencieux, attentif, à l'écoute d'un autre souffle, d'une autre vie.

Autour d'eux, on parlait de l'accident.

« Heureusement que tante Charlotte est portée à donner spontanément ses formules de soins, disait Blanche à Gildas. Il aurait été bien long d'attendre notre retour pour appliquer la compresse de genêts sur la morsure.

— Si c'était vous, Blanche, qui aviez été mordue par cette vipère, je ne sais comment j'aurais pu conserver mon sang-froid. Il me semble que j'aurais perdu tous mes moyens.

— Vous ne connaissiez d'ailleurs pas les propriétés médicinales des genêts, remarqua Ursine, qui marchait auprès de son frère.

— Je serais donc morte! remarqua Blanche sans émoi.

— Par Notre-Dame, n'en riez pas! protesta Gildas.

— Pourquoi donc? La vie éternelle n'est-elle pas infiniment préférable à celle-ci?

— Sans doute, mais il nous faut, d'abord, faire notre temps sur la terre. Vous êtes trop jeune pour vous en aller!

— Croyez-vous qu'il y ait un âge plus convenable qu'un autre pour paraître devant le Seigneur Dieu?

68

« – Vous n'avez pas encore goûté aux joies qui nous sont offertes ici-bas!

– Je ne suis pas sûre que nous attarder à les expérimenter soit autre chose que du temps perdu.

– Du temps perdu, l'amour!

– Ah! Vous pensiez à l'amour?

– De quoi voulez-vous que je parle?

– Je ne sais... Il y a bien d'autres joies en ce bas monde que celle-là, me semble-t-il.

– Nous ne cesserons donc jamais de buter sur cet obstacle?

– C'est votre faute, mon frère! Pourquoi vous obstinez-vous à revenir sans cesse sur un sujet qui, de toute évidence, n'intéresse pas Blanche?

– Parce que... »

Gildas s'interrompit, jeta un regard plein de reproches à sa sœur, dont le profil, identique au sien, se découpait sur le ciel chauffé à blanc.

Jumeaux, ayant quitté ensemble Dijon où leurs parents étaient entrés d'un commun accord dans les ordres, une fois leurs enfants élevés, Gildas et Ursine ne se quittaient guère. Ils avaient vendu le fonds de broderie familiale pour en acheter un autre à Paris, où ils possédaient en commun un atelier de brodeurs-chasubliers.

Plus menue que son frère, Ursine en était cependant la réplique parfaite. Même visage étroit et tourmenté, même chevelure châtaine, même regard. Mais ce qu'il y avait de confiant, de sensible et d'un peu fragile chez le garçon prenait un aspect plus dur, mieux armé chez la fille. On la sentait combative et sans illusions.

« Parce que vous refusez de voir les réalités, mon frère, et que vous vous bercez de fausses espérances, acheva-t-elle de sa manière directe et dépouillée.

– Je crois ce que je veux croire, Ursine! Ce n'est certes pas vous qui m'en ferez démordre.

– Ne voyez-vous pas que Blanche n'éprouvera jamais pour vous qu'une bonne amitié?

– On a déjà vu des amitiés se transformer en d'autres sentiments. »

La jeune brodeuse leva les épaules avec agacement.

« Vous rêvez, vous rêvez toujours!

– Je ne voudrais pas devenir sujet de discorde entre vous, protesta Blanche. Chacun sait que les liens unissant des jumeaux ne peuvent être rompus sans grand dommage.

– N'ayez crainte, ma mie. Personne ne détiendra jamais le pouvoir de rompre ceux qui nous attachent l'un à l'autre, Gildas et moi! »

Aucune forfanterie dans cette assertion, mais une certitude absolue.

Djamal, qui suivait, se rapprocha de Blanche.

« Etes-vous tout à fait certaine qu'elle est sauvée?

– Je le crois. Il ne faut plus vous tourmenter. »

Le jeune Egyptien baissa la tête, murmura quelque chose dans sa langue, se tut.

A quelques pas devant eux, athlétique, portant sans effort apparent le corps léger qui se confiait à lui, Thomas marchait dans la dure réverbération du soleil d'été, les pieds foulant une épaisse poussière, les oreilles assourdies par le délire crissant des insectes, sans remarquer ni entendre quoi que ce fût d'autre que la palpitation contre sa poitrine de la tendre gorge blanche où le cœur cognait au même rythme que le sien. La sueur coulait de son front sur ses joues, glissait le long de son cou pour se perdre dans l'encolure de sa cotte de toile sans qu'il s'en souciât. Il avançait, absorbé, déférent, comme s'il avait tenu les Saintes Reliques.

Retranchée dans un bien-être qui lui faisait oublier ses malaises dans un bonheur nouveau-né où elle était déjà enclose comme dans un cocon de soie, Agnès se décida pourtant à ouvrir les yeux. Le souffle de Thomas caressait son visage, ses cheveux dénoués, qu'il faisait frissonner.

« Ne suis-je pas trop lourde?

– A la fois beaucoup plus lourde et bien plus légère qu'il n'y paraît. »

« Songe-t-il, lui aussi, à ces noces de sang qui viennent de nous unir? »

Elle découvrait de plus près qu'il ne lui avait jamais été donné de le faire, par en dessous et comme en raccourci, le nez aux narines rondes, la bouche épaisse, le menton de lutteur.

« Mon Dieu, Vous nous avez voulus l'un à l'autre, l'un pour l'autre, et que cet amour soit révélé en même temps que scellé. Veillez sur lui. Gardez-le intact, gardez-le sans faille jusqu'à notre fin! »

On parvenait à la petite porte donnant sur le jardin de la maison. Gildas l'ouvrit. Thomas la franchit comme un somnambule sans qu'il vînt à personne l'idée de lui demander s'il souhaitait qu'on le relayât.

« Il faut la déposer dans notre chambre », dit Blanche.

Les trois adolescentes s'étaient vu attribuer une grande pièce du premier étage où elles couchaient ensemble dans le même vaste lit.

Avec des attentions et une économie de gestes fort étrangères à sa fougue habituelle, Thomas déposa Agnès sur la couverture de toile qui recouvrait la couche.

« Le trajet ne vous a-t-il point trop fatiguée?

– Nullement. »

Eblouis, ils se contemplaient en silence.

« Bon. Eh bien, je vais aller chercher tante Charlotte », dit Blanche sans éveiller d'écho.

La maison bourdonnait de toutes parts.

Dans la cuisine du rez-de-chaussée, Marie et Eudeline-la-Morèle prêtaient main-forte à Gerberge, la cuisinière de Mathieu Leclerc, grosse femme aux joues violacées, dont toute la personne dégageait une forte senteur d'ail. Sa petite aide de quinze ans, Almodie, seule fille des fermiers de la Borde-aux-Moines, se voyait exceptionnellement secondée par Guillemine, chambrière de Marie qui, d'ordinaire, préférait la couture aux rôtis.

Depuis des heures, parmi les lourdes odeurs de nourritures, on épluchait, plumait, vidait, écaillait, roulait des pâtes, égouttait du lait caillé, tournait des sauces, embrochait des volailles, usait de verjus, préparait le pain grillé, les oignons frits, les amandes pilées, garnissait des tourtières, dressait des piles de fromages, composait des corbeilles de fruits...

« Par une chaleur semblable, ce n'est pas chrétien de s'activer pareillement auprès de ce feu, disait Marie, dont le visage était enflammé et qui sentait la sueur lui couler le long du dos.

– Tante Charlotte n'est pas ici? »

Blanche passait la tête.

« Elle déteste tellement s'occuper de cuisine! Elle doit tenir compagnie à mon beau-père et à Côme, dans la salle. »

Dès qu'elle fut mise au courant, Charlotte Froment suivit Blanche, non sans se faire expliquer ce qui avait été tenté afin de soigner Agnès.

« Les fleurs de genêts étaient ce que vous pouviez trouver de mieux pour combattre l'effet du venin, dit-elle avec soulagement. Dieu soit béni de m'en avoir fait parler devant vous! »

Elle voulut passer par sa chambre pour s'y munir d'un coffre dans lequel elle transportait partout un certain nombre de potions, baumes, électuaires, dont elle trouvait toujours l'utilisation.

Menue au point de paraître presque enfantine sur le grand lit où elle était étendue, Agnès, la main dans celle de Thomas, rêvait les yeux ouverts.

« Eh bien, ma mie, c'est ainsi qu'on joue les filles d'Eve en se faisant attaquer par un serpent! »

Après avoir défait le pansement de fortune noué autour du poignet blessé, la physicienne lava la plaie avec du vin d'aigremoine contenu dans une de ses petites fioles, refit avec les fleurs broyées un cataplasme propre qu'elle posa sur une bande de toile très fine avant de l'appliquer de nouveau à l'endroit de la morsure.

« Maintenant, il faut vous reposer, mon enfant, et surtout ne pas vous agiter. Afin de vous faire dormir, je vais vous donner dans un peu d'eau quelques gouttes de ce narcotique; il y entre du pavot. »

Agnès but docilement.

« Puis-je rester auprès d'elle, ma tante? » demanda Thomas sans la moindre gêne.

Charlotte considéra les deux jeunes gens. Elle avait toujours fait montre de beaucoup de perspicacité dans l'estimation des effets et des causes.

« Il me semble préférable de laisser Agnès en paix, dit-elle avec fermeté. Si vous tenez, mon petit-neveu, à ce que votre cousine puisse vous accompagner ce soir aux feux de la Saint-Jean, il est indispensable de la laisser se remettre du choc qu'elle vient de subir. Sa guérison nécessite silence et tranquillité. Je ne pense pas que votre présence auprès de sa couche en soit dispensatrice... C'est donc moi, si vous le voulez bien, qui resterai, seule, à son chevet jusqu'à son réveil. »

La blessée avait fermé les yeux. Thomas hésita, finit par se soumettre.

« Soit. Je vais aller me baigner dans la rivière, dit-il à regret. Nager me fera du bien.

– Excellente idée! Allez vous rafraîchir, mon beau neveu, vous en avez certainement besoin! »

Charlotte referma la porte sur lui, revint vers le

lit, considéra l'adolescente qui reposait devant elle.

« Les voici donc, à leur tour, pris au piège du cœur! se dit-elle. Pauvres fous! Ne savent-ils donc pas que c'est une chausse-trappe! »

Elle leva des épaules lasses.

« Ce doit être chez moi signe de vieillissement, mais l'amour des autres m'indispose de plus en plus. Cette fois-ci tout particulièrement. Perdus qu'ils sont dans leur rêve, n'ont-ils pas songé aux difficultés qui ne vont pas tarder à se dresser devant eux? Aux obstacles qu'on va leur opposer? »

Elle s'assit. Son dos lui faisait mal. Elle prit un coussin qu'elle tassa entre le dossier de la cathèdre et ses os douloureux.

« Ils vont vouloir se marier! Seigneur! Je vois d'ici la tête de Bertrand quand son fils va lui faire part de ses intentions! Ont-ils oublié que, du fait de l'adoption d'Agnès par Florie, ils sont cousins germains? La vénération dont on entoure l'amour en ce siècle fait plus de mal que de bien. Du moins, je le crois. Il n'y a qu'à voir les ravages qu'il a provoqués dans notre famille... Moi-même, qu'en ai-je recueilli? Quelques joies, beaucoup de déceptions. Ne ferait-on pas mieux de fonder ses espoirs sur une entente raisonnable plutôt que sur tous ces débordements de sentiments excessifs? La poésie des trouvères et les récits venus de Bretagne ont tourné bien des cervelles... »

Elle soupira, gratta du doigt une grosse verrue qu'elle avait au menton.

« Suis-je de bonne foi quand je grogne comme je viens de le faire? On devrait s'améliorer en vieillissant, tendre vers la sagesse, et c'est le contraire qui m'arrive. Au fond, j'ai beau le nier, je ne me console pas d'être passée à côté du bonheur... Mais sommes-nous bien ici-bas pour le connaître de façon durable? Toute la question est là. Je le vois comme un hôte fugitif qui ne s'attarde jamais... L'expérience de chacun prouve à l'évidence que la vie est une épreuve, la grande épreuve que nous devons endurer pour nous régénérer. C'est là son unique explication. Nous devons traverser ce temps de probation en nous gardant d'y perdre notre âme et en nous efforçant de nous améliorer... J'ai encore beaucoup à faire dans cette voie difficile! »

Elle se leva, alla jusqu'à la fenêtre ouverte sur l'été. Au bord de la rivière, tout en contrebas de la prairie, elle distingua deux corps nus (Thomas et Gildas certainement) qui pénétraient dans l'eau. La chevelure rousse du premier brilla bientôt dans le courant comme une grosse pépite d'or.

« Il est heureux. L'univers est trop petit pour contenir son exaltation. Il est ivre de joie, ivre... parce que cette frêle enfant qui dort sous ma garde l'a laissé boire, avec le venin, son sang précieux... Il en a perdu l'esprit et le jugement, sans discerner l'ambiguïté d'un tel symbole! Dérision, dérision! Moi aussi, jadis, j'ai cru toucher l'infini. J'ai senti mon cœur battre au rythme du monde... Qu'en est-il advenu? Un ou deux ans pendant lesquels, chaque jour, l'illusion se dissipait un peu davantage, alors que la lucidité, comme une eau froide, montait lentement pour noyer le pauvre feu qui vacillait... Mon mari en a aimé une autre, s'en est allé, a fini par sombrer dans la folie... Durant quoi, je cherchais ailleurs, désespérément, tentant d'arracher quelques miettes au festin où je n'avais plus de part... Me voici à présent au terme de ma vie, ou presque, à remuer des cendres éteintes depuis longtemps et à m'apitoyer sur mon propre sort! Il est grand temps que je me secoue... »

Elle retourna vers le lit, considéra Agnès endormie, demeura un moment à songer, puis vint s'agenouiller sur un coussin devant une petite statue en bois peint de la Vierge Marie qu'on avait posée sur un coffre.

« Notre-Dame, veuillez me pardonner ces moments de découragement. Ils ne sont pas dignes d'une chrétienne. En définitive, la vie est le plus beau cadeau que le Seigneur pouvait nous faire. J'ai tort d'en avoir médit. Simplement, voyez-vous, je suis bien plus souvent lasse qu'autrefois et mes opinions s'en ressentent. Vieillir n'est pas aisé... Au fond, je suis beaucoup moins vaillante que je n'en ai l'air. Vous le savez. Aidez-moi, je vous en prie, à ne jamais m'éloigner réellement de la Vérité, et faites que je ne perde pas confiance en votre secours et en la miséricorde du Seigneur Dieu! »

La porte s'ouvrit. Marie entra. Elle avait encore de la farine sur les doigts.

« Blanche vient de m'apprendre ce qui est arrivé à Agnès... N'y a-t-il vraiment plus rien à redouter? »

Charlotte s'était relevée, époussetait machinalement le bas de sa cotte.

« Pour ce qui est des suites de la morsure, tranquillisez-vous, ma nièce. Il n'y a point à se tourmenter. En revanche, j'ai à vous parler d'une affaire bien différente qui ne laisse pas de m'inquiéter... »

IV

« Saint Jean-le-Baptiste est le patron de tous ceux qui travaillent le cuir », dit Ambroise.

Noircis par la poix dont il enduisait son fil, ses doigts s'affairaient à recoudre une pièce sur un collier de poitrail, usé par le frottement.

« Il est donc mien, continua-t-il. C'est pourquoi je me dois d'aller avec vous à la fête de ce soir, bien que j'aie fort peu de goût pour la cohue. »

Autour du bourrelier, flottait une odeur de cuir, de cheval, de colle chaude, de graisse de mouton.

Assis sur un billot de bois, Vivien regardait, écoutait, demeurait enfin en repos. Il portait une cotte vermeille et une couronne de bleuets sur la tête.

Longue et étroite, l'échoppe avait des murs tapissés de colliers d'épaule, de dossiers de selle, de rênes, de harnachements complets pour bêtes de trait et de somme. Les planches alignées tout autour supportaient une profusion de clous, de pelotes de fil, de cordes, de peaux de bœufs tannées, teintes, assouplies, roulées, qui s'empilaient, comme des rouleaux de parchemin, en tas que la plus légère secousse pouvait faire crouler. Seul Ambroise se retrouvait dans ce fouillis.

« Le cuir est une matière noble, vivante, avait-il

coutume de dire à son jeune auditeur. Il convient de le traiter avec respect. »

Tout aussi bien que son vieil ami, Vivien aurait été capable de réciter les différentes étapes que les tanneurs avaient fait subir aux dépouilles des animaux avant leur arrivée chez lui.

Cependant, par déférence, il s'en gardait bien et écoutait toujours avec le même intérêt la description minutieuse qui débutait par un préambule inquiétant :

« Tout cuir mal corroyé est brûlé devant la demeure du coupable! Ainsi en a décidé l'assemblée des maîtres du métier, qui est souveraine! »

Un silence auquel se mesurait l'art du conteur.

« Dans la tannerie comme dans la bourrellerie la patience est de règle, reprenait-il en hochant la tête. Vous savez, petit, c'est une œuvre longue et minutieuse que le tannage. »

Vivien calait son dos contre le montant de bois qui passait derrière lui. L'enfant agité et moqueur qui irritait Aude si souvent prouvait, chez Ambroise, qu'il savait aussi être attentif.

« Au commencement, disait l'artisan comme s'il était question de la Genèse, au commencement, on doit saler les peaux et les faire sécher pour leur éviter de se détériorer pendant qu'on les transporte... »

L'homme timide, effacé, sans rien de remarquable, qu'était le bourrelier, devenait prolixe, volontiers doctoral, quand il décrivait les cuves énormes où on laissait macérer les peaux, où on les foulait pour les rendre imputrescibles. Il parlait aussi avec minutie de la fabrication des tanins à partir de certaines écorces, ou d'huiles de poisson. Il comparait les mérites de l'huile de pied de bœuf avec ceux de l'huile de pied de mouton pour assouplir le cuir... Il aimait communiquer son expérience d'ancien apprenti, de compagnon, puis de maître.

« Tout ce qui se rapporte aux chevaux est d'importance », finissait-il par dire en matière de conclusion.

Mais, ce soir-là, il ne désirait pas s'attarder outre mesure et abrégea son exposé.

« Vous savez d'ailleurs tout cela », admit-il dans un mouvement de bonne foi fort éloigné de son habituelle loquacité.

Il posa près de lui le collier de poitrail réparé.

« Voilà, j'en ai fini pour ce jourd'hui. Je vais aller me laver les mains et passer un surcot propre. Attendez-moi. Je n'en ai pas pour longtemps. »

Sur sa cotte de toile, il portait un large tablier de cuir qui enveloppait son corps chétif.

« Dépêchez-vous, dit Vivien. Je ne voudrais pas manquer l'arrivée du cortège. »

L'enfant se leva, marcha jusqu'à la porte de l'échoppe ouverte sur la rue.

Au-dessus de Gentilly, le crépuscule déployait ses fastes. Comme s'il avait tenu à s'associer à la fête qui se préparait, le soleil se vêtait de pourpre.

Il faisait moins chaud. Vivien respira l'air attiédi du soir. Des groupes animés passaient devant la maison du bourrelier. Bras dessus, bras dessous, couronnés de fleurs, de paille tressée ou de verdure, les habitants du village, ceux du vallon et des coteaux, des paysans venus de leur ferme, des écoliers de l'Université et des Parisiens arrivés du matin ou de la veille chez des parents, des amis, afin de passer les jours de fête en joyeuse compagnie, se dirigeaient en devisant vers le pré communal, situé au bout de la rue.

Tous arboraient des vêtements de fête où dominaient le cramoisi, le bleu, le vert, le safran, des couleurs franches et gaies, ainsi qu'il se devait pour honorer la Saint-Jean.

« Me voici devenu présentable, assura le bourrelier en surgissant de l'arrière-boutique où il logeait. Je ferme les volets et nous partons. »

Il avait enfilé un surcot jaune clair qui lui allait moins bien, trouva Vivien, que le tablier de cuir de son état.

« Dépêchons-nous! dépêchons-nous! se contenta cependant de dire l'enfant, sans faire part à Ambroise de sa remarque.

– Du calme, petit, du calme! protesta le vieil homme. Ce n'est vraiment pas pour rien qu'on vous a nommé Vivien : vous êtes vif comme un furet! »

Il se prit à rire discrètement de sa plaisanterie, ce qui eut pour effet d'aplatir un peu plus son large nez camus qui semblait avoir été oint des mêmes graisses que ses cuirs, et de découvrir des mâchoires où ne demeuraient que quelques chicots. Cet homme fluet, disgracié de la nature, au dos courbé, au crâne parsemé de rares cheveux gris et de taches de son, soigneusement dissimulé, il est vrai, sous un chaperon de feutre, aux sourcils hérissés et aux yeux vairons, n'avait rien d'attirant. Il trouvait pourtant le moyen de susciter la sympathie et l'amitié de beaucoup. La vénération qu'il portait à son métier, la qualité de son travail, la connaissance parfaite qu'il avait de son art et de ses secrets, jointes à une honnêteté sans faille, à une gentillesse, à une urbanité peu courantes et à une réserve sur laquelle on savait pouvoir compter, faisaient du bourrelier de Gentilly un homme qu'on aimait bien. Il y avait, naturellement, quelques esprits fielleux pour prétendre qu'il était en réalité un fieffé égoïste, plus préoccupé de sa tranquillité que de tout autre chose, que son amabilité était une façon de se mettre à l'abri du jugement d'autrui, et que ce n'était pas tant par timidité qu'il ne s'était pas marié que pour sauvegarder une paix à laquelle il avait allégrement sacrifié sa promise, mais on ne les écoutait guère.

Les volets posés, Vivien prit Ambroise par la main, l'entraîna.

Comme ils parvenaient aux abords du pré communal envahi par la foule, ils aperçurent la famille et les amis de Mathieu Leclerc qui leur faisaient signe. Non sans mal, ils se dirigèrent vers le groupe qui s'était rassemblé près du bûcher qu'on n'allait pas tarder à allumer.

Un jeune aulne coupé aux bords de la Bièvre avait été dressé au milieu des fagots par les garçons du village. Un bouquet de branches et de feuilles le couronnait.

« Pourquoi une si grande pile de bois? demandait Djamal au moment où Vivien et Ambroise arrivaient.

– Parce qu'il faut que les feux de ce soir flambent haut et clair et qu'on les voie de partout, répondit Marie. Ils sont, à travers tout le pays, comme des signaux de joie qu'on se fait de loin en loin.

– Chaque maison de la commune doit fournir un fagot provenant de la taille de ses propres haies, ajouta Mathieu Leclerc.

– En réalité, beaucoup donnent plus d'un fagot, par goût de l'ostentation ou pour faire bonne mesure, dit Charlotte Froment.

– Il est vrai, admit Blanche. Même pour cette fête religieuse et campagnarde, on cherche à éblouir le voisin! »

Toute la maisonnée de maître Leclerc se trouvait réunie autour de lui. Depuis les invités, mêlés à la famille, jusqu'à Lambert, le jardinier, et Jannequin, le palefrenier. Mince, insolent, moqueur, coureur de filles, ce dernier serrait de près la petite Almodie, l'aide de cuisine, dont l'innocence semblait l'exciter. Aude tenait la main de Marie, et Agnès, plus pâle qu'à l'ordinaire, s'appuyait au bras de Thomas. Des cottes, des surcots, de teintes vives, des couronnes de fleurs, paraient chacun des couleurs et des trophées de l'été. Seul, Mathieu Leclerc était en noir. Marie s'était vêtue de blanc et Côme portait un surcot de soie violette.

On salua Ambroise et la conversation reprit.

« On fête le solstice dans beaucoup de religions, reprit Djamal. Je sais que les juifs ont aussi coutume d'allumer des feux et des brandons le jour de la clôture d'une de leurs fêtes. Celle des Tabernacles, à ce que je crois.

– Cette offrande du feu me gêne un peu, dit Blanche. Elle reste bien païenne! Même si on en profite pour demander à saint Jean-le-Baptiste de protéger nos terres avec l'aide je ne sais de quelle puissance végétale!

– Ne boudez pas, pour autant, votre plaisir, conseilla Côme en souriant. La fête est là. C'est le principal. Par saint Jean, vive donc la fête! Profitons sans arrière-pensée de ce qu'elle nous offre. »

Le soleil, qui baissait de plus en plus, s'arrêta un moment au sommet de la colline couronnée par le couvent des Chartreux, comme une hostie incandescente au-dessus d'un ciboire obscur.

De la rivière proche, montait, avec l'ombre, une fraîcheur qui libérait les exhalaisons des plantes aquatiques, de la terre asséchée, des reines-des-prés, des foins. Ces parfums agrestes se mélangeaient étrangement aux émanations tenaces des corps échauffés, des haleines chargées de vin, des relents d'oignon et d'ail.

Léonard et Catheau, les fermiers de la Bordeaux-Moines, leurs trois fils et la grand-mère sortirent soudain de la presse. Ils se mêlèrent à la famille Leclerc, où se trouvait leur fille Almodie, parlèrent de la chaleur qui amènerait la sécheresse si elle continuait comme elle avait commencé, s'éloignèrent.

Les mouvements de la foule faisaient surgir des connaissances, bientôt remplacées par d'autres avec lesquelles on reprenait les mêmes phrases.

« Voilà la procession! » cria une voix.

Les bannières brodées de la paroisse et une grande croix d'argent tenue par des enfants de chœur apparurent en premier. Ce fut ensuite le tour du bedeau, portant la longue robe rouge de sa charge, ornée, sur la manche de gauche, d'une plaque en argent gravée à l'effigie de saint Saturnin, patron de l'église, puis les diacres et les sous-diacres; enfin, fermant la marche, le curé Piochon, vêtu d'une chasuble verte, brodée d'une large croix d'or.

On s'agenouillait sur le passage du cortège.

Parvenu devant le bûcher, le curé prit des mains d'un garçon du village une torche allumée et la glissa sous les fagots de petit bois disposés à la base de l'édifice. De hautes flammes crépitantes s'élevèrent au moment où le soleil disparaissait derrière la colline. Des acclamations, des cris de joie les accompagnèrent. Un des clergeons tendit au curé un vase d'argent contenant de l'eau bénite. D'un geste ample, le prêtre aspergea le feu qui dansait, ronflait, lançait des flèches d'or vers les traînées roses qui s'attardaient au ciel, puis entonna un Te Deum vigoureux, repris ensuite par l'assistance.

Fervents, éclairés par les flammes qui coloraient et accentuaient leurs traits en les cernant d'ombre et de lumière mouvantes, tous ceux qui étaient venus d'un peu partout, et qui se trouvaient réunis là, chantaient, clamant en chœur leur foi, leur espérance en Dieu.

« Après les noces de sang, les noces de feu, murmura Thomas à l'oreille d'Agnès.

– C'est un double signe... un double sceau...

– Il y en aura bientôt un troisième! »

Ils ne se lassaient pas de se contempler, de

découvrir à chaque instant un nouvel aspect, inconnu un instant plus tôt, de leurs visages. Dans leurs yeux, l'ardeur allumée par le reflet des flammes ne faisait qu'en intensifier une autre, plus intime.

Après le Te Deum, la procession s'éloigna, remonta vers l'église. Aussitôt, garçons et filles formèrent, autour du brasier, une ronde désordonnée qui se mit à tournoyer parmi les rires et les chansons. On plaisantait, on se bousculait, on se poussait.

Profitant de l'agitation, Aude s'empara d'autorité d'une des mains de Colin afin de danser le plus près de lui possible.

Blanche, Gildas, Ursine, Djamal, Vivien, le palefrenier, le jardinier, les petites servantes, les paysans, les habitants du bourg, les écoliers et les bourgeois venus de Paris, le seigneur de Gentilly lui-même, tous, entraînés par le rythme de plus en plus rapide, tourbillonnaient jusqu'à la suffocation.

Thomas qui, les années précédentes, était toujours le premier à s'élancer pour former la ronde et demeurait jusqu'au bout son plus actif meneur, s'était écarté des danseurs dès le début de leurs ébats et s'était éloigné en compagnie d'Agnès. Il fit asseoir sa compagne sur l'herbe.

« Il ne faut pas vous fatiguer ce soir, mon amour, dit-il. Il est déjà bien beau que vous ayez pu venir jusqu'ici, en dépit de ce que vous avez souffert ce tantôt. »

D'un geste tendre, il s'inclinait vers le poignet blessé qui ne portait plus qu'un léger pansement, y posait ses lèvres.

« Nous sommes ensemble, Thomas! »

La fille coquette qui s'amusait des hommages reçus et savait si bien les susciter s'était éloignée sans esprit de retour. Celle qui levait vers Thomas un visage nu comme la vérité ne savait plus jouer avec les cœurs : elle venait, pour toujours, d'échanger le sien contre un autre...

Le feu baissait. La ronde continuait cependant à dérouler ses méandres.

Côme se pencha au-dessus de l'épaule de Marie, qui se tenait sagement, en raison de son veuvage, près de son beau-père, parmi les spectateurs de la scène.

« J'ai grande envie de mener avec vous une autre danse, ma mie », souffla-t-il tout bas.

La jeune femme ne répondit pas, mais sourit discrètement, tandis qu'une bouffée de sang enflammait son visage. Les lueurs vacillantes du bûcher permirent à son amant de s'en apercevoir. Encouragé, il frôla d'une main enveloppante la hanche ronde que moulait la cotte de toile légère. Marie tourna la tête, lui fit un signe de connivence amusée, suivi aussitôt d'un recul prudent.

Charlotte, qui s'était approchée des flammes dès qu'elles avaient jailli, afin d'y fumer les herbes de la Saint-Jean cueillies alors que midi sonnait, se retourna juste à ce moment pour parler à sa nièce. Elle surprit le manège du couple.

« Ceux-là aussi! se dit-elle. Décidément, c'est une épidémie amoureuse qui sévit ici! Contre elle, pas plus que contre la lèpre, mes remèdes ne peuvent rien... »

Elle se sentait soudain plus âgée, plus lasse qu'auparavant, exclue à jamais de la fête incertaine mais si précieuse des cœurs et des corps, rejetée vers les rives grises de la vieillesse. Mathieu Leclerc l'interpella juste à ce moment.

« Après le fumage que vous venez de leur faire subir, Charlotte, j'espère que vos simples nous débarrasseront cet hiver de tous nos maux! »

Bien que plus chargé d'ans qu'elle-même, il ne paraissait pas ressentir d'amertume devant les manifestations d'une gaieté juvénile qu'il contemplait avec sérénité.

« Hélas! mon pauvre ami, il est des maladies qu'aucune médecine ne peut guérir », dit-elle en détournant les yeux.

Les fagots achevaient de se consumer. Des écroulements de brindilles calcinées se produisaient en libérant des gerbes d'étincelles.

« A présent, on peut sauter! » s'écria Perrot, dit Brise-Faucille, le frère aîné de Colin.

C'était un colosse rieur et borné, aimant mieux s'amuser que labourer, au dire de son père. Le fermier de la Borde-aux-Moines le faisait, cependant, filer doux et trimer dur.

La ronde se disloqua. Perrot prit son élan, bondit, franchit le tas de braises où couraient encore quelques traînées de feu. D'autres garçons l'imitèrent, parmi lesquels se trouvait son frère.

Aude, revenue auprès de Marie, regardait, comparait, se disait que Colin était beau et qu'elle l'aimait.

Des femmes, des enfants, des gens de tous les âges se précipitaient enfin vers ce qui restait du bûcher mourant pour y prendre, dans une poignée d'herbe ou de feuilles, des braises et des charbons encore fumants : les tisons du feu de la Saint-Jean, rapportés à la maison, garantissaient de la foudre et des incendies.

« J'en ai pris un gros, annonça avec satisfaction Eudeline-la-Morèle à son maître en lui montrant un brandon qu'elle venait d'aller éteindre, en compagnie d'autres commères, dans l'eau de la rivière. Je le déposerai dans la cuisine, au-dessus de la huche à pain, et nous serons préservés jusqu'à l'an prochain des méfaits de l'orage!

– Rentrons souper, dit Mathieu Leclerc. Il fait faim. »

86

Du foyer piétiné, pillé, dispersé, il ne restait plus que cendres éteintes.

Bien que le ciel demeurât plus clair vers l'ouest, l'obscurité envahissait doucement la vallée. On s'égaillait, on traînait un peu sur les sentiers, mais point trop, car on était pressé, en dépit des charmes de l'heure, de rentrer chez soi, de se mettre à table, de prolonger la fête du feu par celle des ventres.

La nuit gagnait les retardataires, les enveloppait de la tiédeur énervante des soirées trop belles. Au long des rues, des chemins creux, des venelles, le long des haies, des clos, on entendait des rires, des chuchotements, des appels.

Une fois franchie la Bièvre, qui luisait entre les branches des saules, la maisonnée de Mathieu Leclerc traversa le pré. La clarté nocturne fardait de bleu les toiles des tentes où couchaient les garçons. On pénétra dans le petit bois. La touffeur du jour s'y attardait encore.

Jannequin, le palefrenier, Lambert, le jardinier, se firent rabrouer par Guillemine et Almodie parce qu'ils entendaient profiter à leurs dépens de l'heure équivoque. Pendant ce temps, Thomas enlaçait Agnès sans qu'elle songeât à s'en plaindre, et Côme, à la faveur de l'ombre, trouvait le moyen d'étreindre entre ses mains la taille de Marie qui marchait devant lui, entre ses enfants.

En arrivant dans le jardin, ils furent tous assaillis par les violents parfums des parterres et des plates-bandes.

Sur le terre-plein, devant la maison, on avait dressé une longue table faite de planches posées sur des tréteaux. Une nappe blanche la recouvrait.

Gerberge, la cuisinière, qui était demeurée au logis pour surveiller les derniers préparatifs du souper et garder la maison en compagnie du chien noir, cria que tout était prêt et qu'on vînt l'aider.

On se lava les mains et on s'installa.

Au bout de la table, Mathieu Leclerc prit place sur sa cathèdre à haut dossier, puis tout le monde, amis, famille, domestiques, s'assit sur les bancs disposés de chaque côté.

On avait mis sur la nappe quelques lourds chandeliers à plusieurs branches, et posé à même le sol, derrière les convives, des lanternes qui éclairaient les abords de la place. Leurs lumières conjuguées, tremblantes, bien qu'il n'y eût pas un souffle de vent, éclairaient de reflets fauves les écuelles, les brocs, les gobelets d'étain, tout en faisant briller les lames des couteaux, les prunelles, l'émail des dents.

On apporta pour commencer trois vastes récipients. L'un contenait des cerises, le second des écrevisses en buisson, le troisième, des légumes verts au jus.

Marie, qui se trouvait à la gauche de son beau-père, fit asseoir Côme auprès d'elle. Charlotte, placée à la droite du maître de maison, entreprit de distraire Djamal. Elle lui conta comment des bergers, voyant que leurs moutons ne redoutaient plus les morsures de vipères après avoir mangé des genêts en fleur, avaient contribué à faire découvrir les propriétés curatives de ces plantes.

Les autres s'installèrent à leur gré, parmi les rires et les plaisanteries.

Il y eut pourtant un moment de silence, réclamé par Mathieu Leclerc, afin que la petite Aude récitât le bénédicité. Tout de suite après, l'animation reprit de plus belle.

Le vin clairet, la grenache, la cervoise et l'hydromel coulaient généreusement. L'eau restait dans les pichets où on l'avait prudemment versée.

On dévora pour commencer les cerises avec du pain frais.

Comme on attaquait ensuite la charbonnée de

mouton, les lapereaux au saupiquet, les écrevisses, Ursine se leva pour faire une proposition :

« Gildas et moi pourrions jouer alternativement de la viole et du chalumeau durant le repas, dit-elle. Chacun de nous deux mangera pendant que l'autre s'exécutera. »

On accepta avec enthousiasme.

Aude, qui s'était d'abord placée entre Vivien et Blanche, quitta soudain sa place pour venir rejoindre sa mère.

« Je voudrais m'asseoir près de vous.

— N'étiez-vous pas mieux du côté des plus jeunes, ma petite fille ?

— Non. Je préfère être avec vous.

— Mettez-vous donc entre votre grand-père et moi. »

Marie se rapprocha un peu plus de Côme, dont la jambe se collait déjà étroitement à la sienne. Assise entre son amant et sa fille, elle mesurait mieux les difficultés qu'elle allait avoir à affronter sans cesse. Entre ces deux êtres possessifs, et ne voulant à aucun prix inquiéter l'enfant dont elle connaissait l'ombrageux attachement, la jeune veuve songeait qu'elle aurait, désormais, à maintenir un équilibre bien délicat entre sa vie de femme et sa vie de mère.

Toute sa tendresse, toute son attention ne serait pas de trop si elle ne voulait meurtrir ni Côme ni Aude...

« Goûterez-vous de ce brochet en galantine ? » demandait pendant ce temps Thomas à Agnès.

Ils ne cherchaient pas à dissimuler leur amour. Autour d'eux, personne ne paraissait surpris de l'événement. Sans doute, faute de le prendre au sérieux. Après les révélations de Charlotte Froment, Marie avait décidé d'attendre, pour parler à son neveu, que la fête fût terminée, que l'effervescence produite par l'accident de l'après-midi se fût dissipée. Seul, Djamal, douloureusement lucide, parce que la jalousie le torturait, tournait de temps en temps vers le couple un regard lourd de regrets.

« Je n'ai guère faim, Thomas, je me sens lasse...

— Ce n'est pas étonnant après la journée que vous venez de connaître, ma mie. Voulez-vous vous retirer?

— Plus tard. Je suis si bien près de vous... »

Vivien fit tomber sa cuillère et se baissa aussitôt pour que le chien noir, qui flairait tout ce qui était à terre, ne vînt pas la lécher. A la lueur des lanternes posées sur le sol, il s'aperçut qu'Almodie, sans doute incommodée par la chaleur, avait, sous la table, remonté sa cotte assez haut sur ses cuisses. A même la peau blanche ainsi découverte, il vit très nettement la main brune de Jannequin qui progressait. Dans l'émoi de sa découverte, il se redressa brusquement. Son front heurta alors avec violence le rebord mal équarri des planches que recouvrait la nappe. Un gobelet se renversa. Le vin clairet se mit à couler entre les morceaux de pain tranchoir.

« Vous êtes-vous fait mal? demanda Blanche, placée à la gauche de l'enfant.

— Non point. Ce n'est rien!

— Mais vous vous êtes écorché le front! Regardez-moi. »

La jeune fille voulut attirer Vivien vers elle. Vexé, il se dégagea d'un geste brusque, se leva, et s'éloigna en courant.

« Où allez-vous? cria Blanche.

— Laissez-le, dit Ambroise. Il est gentil, mais impulsif et coléreux. Le mieux est de le laisser se débrouiller tout seul.

— Sans doute, mais il s'est blessé... »

Placé à côté du bourrelier, Lambert, le jardinier, intervint.

« Ne vous inquiétez pas, demoiselle. Je vais le chercher. »

Sans hâte, avec le mélange de force et de mollesse qui le caractérisait, il se leva à son tour et prit une lanterne par terre afin d'éclairer le chemin.

Vivien s'était dirigé vers le jardin. Bien que la nuit fût tombée depuis longtemps, il ne faisait guère sombre parmi les plates-bandes. En son premier quartier, la lune mêlait sa clarté à celle des étoiles dont le ciel était parsemé. On distinguait les formes des feuilles, des tiges, des branches, mais tout était décoloré par la pâleur blafarde qui coulait comme une eau paisible sur la campagne. Les lis paraissaient bleus, les roses grises, les choux, formés en carré, semblaient cendreux.

Les bruits du souper ne parvenaient plus aux oreilles que sous la forme d'une rumeur futile, un peu inconvenante, qui rompait le silence de la nature et forçait les oiseaux nocturnes à se taire.

Le jardinier rejoignit Vivien, immobile au milieu d'une allée.

« Qu'avez-vous, petit? » demanda-t-il d'un air bonhomme.

Il éleva sa lanterne pour mieux voir l'enfant.

« Voilà une belle écorchure, constata-t-il avec sa placidité coutumière. Pour arrêter le sang, il n'y a rien de meilleur qu'un morceau de feuille de chou. Le saviez-vous? »

Il n'eut qu'à se baisser pour en cueillir une, large et frisée, en déchira un lambeau, se mit en devoir de le froisser avec application entre ses doigts, essuya l'écorchure d'où le sang coulait encore.

« Je vais vous en mettre une autre, toute fraîche, sur la plaie, dit-il. Mais il va falloir bien l'appuyer contre votre peau si vous voulez qu'elle puisse faire de l'effet.

— Je ne peux pas la tenir tout le temps avec la main!

— Sans doute. J'ai de minces cordelettes dans ma

remise. Allons en chercher. Je vous attacherai la feuille autour du front avec l'une d'elles. »

La petite bâtisse carrée au toit pentu qui servait à abriter les outils de jardinage était fermée par une porte de bois fendillée. Au moment où Lambert la poussa, une forme sombre se dressa dans l'encadrement qu'éclairait la lune.

Le jardinier leva de nouveau sa lanterne.

« Par tous les saints! C'est toi! »

Vivien distingua un visage étroit, des cheveux clairs, des yeux dont il ne put reconnaître la couleur mais qui semblaient deux trous où aurait lui une flaque d'eau. L'enfant n'aima pas l'expression railleuse de la bouche mince aux lèvres presque inexistantes. L'homme lui parut plus jeune que le jardinier. Il était aussi grand que lui et vêtu d'une cotte rouge.

« J'ai à te parler.

— Aujourd'hui! A cette heure!

— Il le faut. »

Lambert grogna.

« Qui est-ce? demanda Vivien, un peu rassuré par la présence de son mentor.

— Un vieil ami de la famille, lança l'inconnu avec on ne savait quel ricanement dans le ton.

— Venez, je vais vous attacher la feuille de chou sur le front, reprit le jardinier qui semblait fort mal à l'aise. Toi, pousse-toi! »

A l'intérieur de la resserre, il faisait chaud. Une odeur de chanvre et d'oignons mis en réserve flottait sous les tuiles.

« Voilà. Votre pansement va tenir. Vous pouvez repartir. Tenez, prenez la lanterne.

— Mais vous?

— La clarté de la lune me suffira. Je connais le chemin. »

L'enfant jeta un dernier regard au visiteur mystérieux qui demeurait muet à présent et s'éloigna en sifflotant. Seul, son amour-propre l'empêchait de courir.

Qui était cet homme? Que faisait-il, là, ce soir, caché dans la remise du jardinier?

De loin, la table environnée d'un halo de lumière, de rires, de musique, de toute une animation joyeuse, lui parut un havre. Il avait l'impression d'avoir échappé à un danger, comme si la présence de l'inconnu dégageait une émanation maléfique.

Il se glissa à sa place.

« Tout va bien, maintenant? s'enquit Blanche.

– Beaucoup mieux. J'ai encore un peu mal, mais le sang ne coule plus », dit l'enfant en montrant le lambeau de verdure attaché à son front.

On apportait des salades, des tartes au fromage, des pâtés de pigeons et d'anguilles. Le ton montait. Gildas, las de chanter au milieu de tant de bruit, se rassit.

« Abandonnons un moment la musique et mangeons », lui dit sa sœur.

Vivien se pencha vers Ambroise.

« Dans la petite remise de Lambert, il y avait un homme que je ne connaissais pas, souffla-t-il.

– Un homme? Quel homme?

– Je ne sais. Je ne dois pas l'avoir jamais rencontré par ici.

– Qu'a-t-il fait?

– Il a dit à Lambert qu'il avait à lui parler.

– Rien de plus?

– Non. Ils ont attendu que je sois parti pour s'expliquer... mais j'ai remarqué qu'ils semblaient bien se connaître et qu'ils étaient aussi inquiets l'un que l'autre.

– Tiens, tiens...

– Vous voyez qui ce peut être?

– J'ai bien une idée, mais je préfère la garder pour moi. »

Vivien se pencha davantage, jusqu'à frôler le

menton mal rasé du bourrelier dont la discrétion l'agaçait soudain.

« Même à moi, Ambroise, vous ne voulez rien dire?

– A vous ni à personne... je dois me tromper... de toute façon, si celui que vous avez vu est celui que j'imagine, ce n'est pas quelqu'un d'intéressant, croyez-moi, ni de fréquentable. Il est préférable de l'oublier. »

Almodie, que Jannequin caressait un moment plus tôt sous la table, aidait à présent à enlever les plats vides, en apportait d'autres avec Guillemine : les fraises, les framboises cueillies dans l'après-midi, des flans, des galettes sucrées, du jambon salé, des gaufres, du fromage rôti.

Vivien, qui suivait la fille de cuisine des yeux, la vit qui lançait une œillade au palefrenier.

« Ces repas de fête sont bien longs », remarqua Côme en se tournant vers Marie.

Il venait de sacrifier aux convenances en entretenant avec Ursine une conversation sur les mérites respectifs de la flûte et du pipeau.

« Après le souper, on ira danser au village, lui fut-il répondu d'un air moqueur.

– Pourquoi pas? La danse permet maints rapprochements...

– Il ne faut jamais témoigner de préférence à une danseuse plus qu'à une autre, Côme, vous le savez bien! »

Leurs jambes accolées depuis le début du repas leur tenaient lieu de confidences.

Côme laissa choir le morceau de galette qu'il tenait à la main, se baissa afin de le ramasser, posa un instant ses lèvres sur les genoux de son amie, se redressa.

« Vous êtes tout décoiffé! »

Aude s'exprimait sans aménité. Tout en écoutant son grand-père qui lui contait le lai de Guingamor, elle jetait de fréquents coups d'œil en direction de sa mère.

« Pourquoi n'êtes-vous pas marié? demanda-t-elle ensuite à Côme, sans souci de logique.

– Parce que je n'ai sans doute pas rencontré plus tôt la femme qu'il me fallait, petite Aude.

– Il serait grand temps! Vous n'êtes plus très jeune.

– Eh non! Que voulez-vous, le temps a passé pendant que je cherchais.

– Voyons, ma fille, que racontez-vous là? Est-ce des questions à poser à un invité? »

Marie réprimandait Aude, mais ses yeux riaient. L'enfant fit la moue.

« Je vous demande pardon, ma mère, mais il y a déjà longtemps que j'avais envie de me renseigner auprès de votre ami.

– Vous êtes bien curieuse!

– Ne l'êtes-vous donc pas? »

Une complicité évidente les liait l'une à l'autre.

« Ma bru, je vous trouve trop coulante avec cette petite », remarqua Mathieu Leclerc, qui terminait son fromage rôti.

Tout le monde savait que le vieil homme se souciait de l'avenir de ses petits-enfants. En l'absence de leur père, il se voulait le gardien des traditions de fermeté qui lui semblaient nécessaires aux adultes qu'ils deviendraient plus tard.

« Marie les traite toujours comme les nourrissons qu'ils ne sont plus, disait-il souvent à Charlotte. Elle oublie que l'enfance est brève, qu'il faut élever Aude et Vivien en songeant à l'homme, à la femme qu'ils seront dans quelques années. Elle ne devrait pas hésiter à les contraindre, au besoin, plutôt que de céder devant eux, toujours!

– Bah! la vie les formera, répondait la physicienne.

– Ce sera, hélas! à leurs dépens. »

Très jalouse de ses droits maternels, très assurée du bien-fondé de sa façon d'agir, Marie n'acceptait pas sans broncher les rappels à l'ordre de son beau-père. Ce soir-là, elle entoura de son bras les épaules fragiles de sa fille.

« Allons, mon père, n'assombrissons pas la joie de nos enfants en ce jour de fête, dit-elle d'un ton faussement léger. Ne songeons qu'à nous divertir. »

Son regard s'était durci.

Le souper se terminait. On apportait des coupes de dragées et de fruits confits.

« Je vais rentrer, dit Ambroise à Vivien. Vous me voyez bien content d'avoir passé cette soirée en votre compagnie à tous, mais je n'ai pas l'habitude de veiller et mes yeux se ferment.

– J'irai vous voir bientôt à la bourrellerie », promit l'enfant, qui préférait de beaucoup rencontrer son ami chez lui que dans des endroits où la timidité le privait de ses moyens.

Lambert revenait juste à ce moment de son étrange conciliabule nocturne. Il paraissait soucieux et marchait encore un peu plus pesamment qu'à l'ordinaire.

« On doit danser depuis un bon moment déjà sur la place de Gentilly, dit Jannequin. Si on allait rejoindre les autres? »

Debout, il cambrait la taille et frappait le sol du pied ainsi que le faisaient, dans leur écurie, derrière la maison, les chevaux dont il s'occupait tout au long du jour.

« Vous piaffez comme un étalon! remarqua Eudeline-la-Morèle que le côté fringant du palefrenier agaçait visiblement. Par ma sainte patronne, calmez-vous un peu, mon garçon!

– Et pourquoi donc, Morèle? Je suis jeune, moi, et ce n'est pas toujours fête! »

Ses dents aiguës, ses yeux noirs, luisaient d'appétit.

« Venez donc, les pucelles, venez vous amuser! »

On débarrassait la table. Pour que ce fût plus vite fait, tout le monde y prêtait la main et une agitation intense refluait du terre-plein vers la maison.

« Qui va danser? » demanda Côme.

Il remportait des pichets vides à la cuisine. Marie, qui le précédait en tenant deux coupes de dragées sérieusement entamées, lança par-dessus son épaule :

« Vous, moi, tous ceux qui souhaitent se divertir! »

Depuis deux ans qu'elle était veuve, elle s'était scrupuleusement abstenue de toute manifestation tant soit peu voyante de gaieté. Ce soir, elle décidait de rompre avec cette réserve : son deuil était bien fini... Au risque de heurter les coupes et de répandre leur contenu, elle se retourna vers son amant, l'œil rieur.

« Nous serons sur pied toute la nuit », assura-t-elle avec provocation.

Côme ne répondit pas, mais sourit à son tour.

« Quand il prend cette expression, il ressemble à un chat lorgnant quelque nouvelle couvée », se dit Marie avec amusement.

La table desservie, démontée, rangée, Blanche, Gildas, Ursine et Djamal se retrouvèrent dans le jardin.

La nuit chaude, laiteuse, trouée des lumières dispersées des lanternes ou des torches, retentissait de cadences musicales.

« Ecoutez! On entend d'ici les tambours, les cymbales, les flûtes qui s'en donnent à cœur joie au village, dit Ursine.

— Elles nous appellent à leur façon, dit Gildas. Ne les faisons pas languir... Venez, Blanche...

« – Toute cette jeunesse est étourdie comme le premier coup de matines, soupira Charlotte. Elle court après le plaisir sans se soucier de ses suites! »

Appuyé au mur de sa maison, contre le chèvrefeuille dont le parfum l'environnait, Mathieu Leclerc caressait son chien noir. Il tourna la tête vers la physicienne.

« C'est le temps des apprentissages, Charlotte. Je vois là une manifestation toute naturelle de l'ordre de l'univers... cet ordre que Dieu a voulu, mis en place, pour soutenir les êtres humains dans leur périlleuse traversée vers un autre monde. Il en a fait bénéficier toutes ses créatures, qu'elles le sachent ou non. La succession des générations n'a pas d'autre signification à mes yeux. Chaque âge apporte sa moisson à engranger. Le nôtre, expérience faite, est celui des réflexions, des leçons à tirer, de la méditation fructueuse... »

Il s'interrompit, prit la tête du chien entre ses mains, fixa un moment, sans plus rien dire, les yeux brillants de l'animal.

Le silence de la campagne, revenu après le départ des jeunes gens, n'était plus troublé que par de lointaines cadences et par les bruits familiers provenant de la cuisine.

« Pardonnez-moi une gravité qui peut paraître déplacée en un pareil moment, reprit l'ancien enlumineur, mais, voyez-vous, j'ai eu la chance de pouvoir assister à certains cours du maître Thomas d'Aquin, en 1258, si j'ai bonne mémoire, quand il enseignait à l'Université de Paris. J'ai consigné par écrit l'essentiel de sa doctrine que je suis en train de relire, une fois encore, pour ma propre édification. Je puise dans ses Sentences une grande sérénité.

– Je vous envie, Mathieu. Pour ma part, je ne suis pas arrivée à trouver un équilibre satisfaisant entre un passé plein de manques et un avenir, sans doute bref, où il me reste tant à faire pour être prête, le moment venu, à paraître devant mon Créateur.

– Il me semble que vous donnez, au contraire, l'image parfaite d'une femme raisonnable et remplie de sagesse.

– Dieu vous entende! Seul Il sonde les reins et les cœurs... J'espère que le désir de m'améliorer, qui m'obsède, me sera compté, car, pour ce qui est des résultats obtenus, ils sont plutôt maigres! »

Aude avait rejoint son frère à la limite du terrain éclairé par les lanternes, là où l'obscurité et la nature reprenaient leurs droits.

« Notre mère s'en va danser, dit-elle. Qu'allons-nous faire?

– La suivre. Regarder le bal.

– Je n'en ai pas envie. Je vais rester avec grand-père.

– Il va vous dire d'aller vous coucher.

– Eh bien, il le dira, et je ferai ce que je voudrai! »

Vivien leva les épaules.

« A votre guise. Moi, je descends avec les autres au village. »

Le regard dont Aude suivit son frère était rempli de commisération. Puisque leur mère, ce soir, ne paraissait pas se préoccuper d'eux, elle en profiterait à sa manière...

La voix de Marie s'éleva :

« Où sont les enfants? »

Elle était donc encore là! Aude sentit monter en elle une onde de joie.

« Je vous croyais déjà partie...

– Auparavant, ma fille, je me soucie de vous! »

L'enfant se coulait entre les bras maternels, jetait un coup d'œil à Côme, qui se tenait à quelques pas.

« Ne vous attardez pas trop, dit-elle. Je vous

attendrai ici en compagnie de grand-père et de tante Charlotte.

– Vous ne voulez pas venir un moment avec moi assister aux danses du village?

– Je préfère demeurer à la maison. »

Le baiser de Marie se posa sur la joue lisse.

« Je remonterai bientôt.

– Je l'espère bien! » dit la petite fille.

Tout en regardant s'éloigner sa mère en compagnie de Côme, Aude tirait sur ses nattes d'un geste machinal.

« Que faisons-nous? » demandait au même moment Agnès à Thomas.

Pendant toutes ces allées et venues, ils étaient demeurés tous deux au pied du grand if qui ombrageait le terre-plein à l'ouest de la demeure. Allongée sur une couverture de laine, la tête posée sur un coussin, l'adolescente n'avait pas pris garde à l'agitation qui les entourait. Sa main dans celle de Thomas, assis auprès d'elle, elle flottait, loin du reste du monde, dans une brume d'extase.

Le garçon se pencha vers la tache claire que faisait le visage de son amie parmi l'ombre épaisse.

« J'ai envie de vous conduire sous ma tente, d'y passer la nuit avec vous, murmura-t-il.

– Comme il vous plaira...

– Ne vous méprenez pas sur mes intentions, ma mie! Nous resterons ensemble, mais je ne vous toucherai pas. Ainsi que Tristan et Yseult-la-Blonde dans la forêt du Morois, nous dormirons côte à côte, ma fine dague entre nous deux!

– Il en sera fait selon votre guise.

– Demain, après la messe, je partirai pour Paris voir mon père, qui, Dieu merci, ne court pas les routes. Il est retenu par la foire du Lendit. Je lui ferai part de notre projet de mariage. Je tiens à pouvoir lui parler de vous comme de ma fiancée très pure. Intacte. Dès que j'aurai son assentiment et celui de ma mère, je me rendrai en Touraine demander leur consentement à vos parents adoptifs. Ensuite, nous nous marierons très vite. Alors, alors seulement, vous deviendrez ma femme et la présence de la dague ne sera plus nécessaire entre nous! »

Il s'inclina, hésita un instant, posa enfin ses lèvres sur la tendre bouche dont le goût de fleur participait à celui du jardin épanoui. C'était la première fois qu'ils s'embrassaient ainsi, qu'ils mêlaient leurs haleines, leurs salives, les pulsations de leur sang. Les ébranlements de leurs cœurs accolés les secouaient sourdement tous les deux, au même rythme.

Au-dessus de leurs têtes, le ciel d'été, la coulée de lune entre les branches de l'arbre protecteur, l'odeur puissante de la terre fécondée, les rumeurs de la fête lointaine tournoyaient ainsi que les danseurs, un moment plus tôt, autour du foyer embrasé...

« Garde ton corps, pense à ton âme! » chuchota non loin d'eux, avec un insupportable accent de connivence, une voix railleuse, venue on ne savait d'où.

Thomas se leva d'un bond, s'élança derrière le tronc d'où semblait provenir l'apostrophe. Rien. Personne.

Dans l'allée assombrie qui descendait vers le bois, il était difficile de distinguer ce qui se passait à plus de quelques toises. Seules, de minces traînées de clarté parvenaient à se faufiler, par d'étroites trouées, entre les feuillages de juin. Pourtant, une ombre preste sembla, un peu plus loin, se glisser entre les arbres pour disparaître en direction des champs.

« Thomas! » cria la voix angoissée d'Agnès.

Il hésita, fit demi-tour, revint vers celle qui l'appelait.

« J'ai peur, mon amour. Restez auprès de moi. Ces mots m'ont glacé le sang.

— Par la coiffe Dieu! Je donnerais cher pour tenir entre mes mains le démon qui vient de se manifester si insolemment! Qui ce peut-il être?

— Oublions-le, Thomas. Allons sous votre tente. »

V

« Non, Gildas, non! dit Blanche. Je ne suis pas de celles à qui cette nuit tourne la tête. Si vous voulez vous amuser d'une fille, cherchez-en une autre!

– Mais, enfin, par le sang du Christ, je vous aime!

– Vous m'aviez promis de ne plus jamais me parler de votre... attachement pour moi.

– C'est au-dessus de mes forces! Comment pouvez-vous demeurer insensible aux charmes d'une heure comme celle-ci?

– Qui vous dit que j'y suis insensible? Je peux fort bien en goûter les séductions, sans, pour autant, tomber dans vos filets.

– Par Dieu! Je n'ai vraiment pas de chance! A je ne sais combien de lieues à la ronde, vous êtes, c'est certain, la seule femme qui ne se laisse pas aller aux bras de son amoureux! Tout le monde doit être en train de s'aimer, autour de nous! »

Revenus du bal vers la mi-nuit, ils s'étaient vus assez vite laissés à leur dialogue de sourds par leurs compagnons de fête. Il n'y avait pas jusqu'à Ursine, lassée, semblait-il, de chaperonner son frère malgré lui, qui ne se fût résignée à regagner la chambre des filles.

Seuls sur le terre-plein, les deux jeunes gens se

retrouvaient face à face, en un tête-à-tête qui ne satisfaisait ni l'un ni l'autre.

« Jamais pareille occasion ne se représentera à nous, reprit Gildas, qui s'obstinait. Même si vous ne croyez pas m'aimer, je vous en prie, Blanche, accordez-moi un geste d'amitié... Pour que les amants aient la possibilité de se mieux connaître, le Fin'Amor n'admet-il pas des privautés qui peuvent aller fort loin? Les dames les plus renommées pour leur délicatesse acceptent parfois de convier les adorateurs qu'elles se sont choisis à passer des heures auprès d'elles, dans leur propre couche. Ils les serrent entre leurs bras, échangent baisers et caresses, mais se comportent en tout point avec courtoisie, et ne vont jamais au-delà des limites permises. C'est là une preuve de confiance que je brûle de vous voir m'accorder, mon amie!

– Vous êtes fou! Par Notre-Dame, il ne sera jamais question de rien de pareil entre nous!

– Pourquoi? Pourquoi, au nom de Dieu?

– Parce qu'aucun homme, et vous pas plus qu'un autre, Gildas, ne m'a, jusqu'à présent, suffisamment émue pour qu'il me vînt à l'esprit de le soumettre à l'essai amoureux dont vous parlez. Cet assag ou ce jazer dont notre littérature courtoise nous rebat les oreilles et dont je juge, pour ma part, les jeux inconvenants et malsains, ne me tentent en rien. Si, un jour, j'aime quelqu'un, je ne ferai pas tant de façons pour me donner à lui. Voyez-vous, l'idée de l'amour sans acte me paraît tout aussi absurde que celle de l'acte sans amour!

– C'est à moi que vous parlez ainsi! Par Dieu, savez-vous bien que je ne puis supporter de vous imaginer éprise d'un autre.

– Soyez donc satisfait : personne n'est encore parvenu à me plaire et notre conversation n'a pas de sens. Quittons-nous, je vous prie. J'ai sommeil. Bonne nuit.

– Ah! non. Vous n'allez pas m'abandonner ainsi! »

Avec l'emportement des timides poussés hors de leurs gonds, Gildas saisit l'adolescente par les épaules, l'attira contre lui et, avec une fougue qui ne laissa pas à sa victime le temps de parer l'assaut, l'embrassa sur la bouche.

Une gifle claqua dans le silence de la nuit.

« Je vous disais bien que vous étiez fou! »

Courant, Blanche s'éloignait, disparaissait dans la maison.

Le bruit de l'altercation, suivi de celui d'un claquement sonore, avait réveillé Aude, qui dormait au premier étage, fenêtres ouvertes, dans la chambre de sa mère. A sa gauche, Vivien, tout en sueur, continuait son somme à sa manière agitée, que le repos lui-même n'apaisait pas.

La petite fille s'assit sur le large lit à colonnes dont les courtines étaient relevées pour laisser circuler la fraîcheur nocturne. Sans perdre de temps, elle glissa la main sous son oreiller afin de s'assurer que les feuilles d'armoise, déposées à son coucher, y étaient toujours. Elles s'y trouvaient bien, mais n'avaient pas encore produit leur effet : Aude ne se rappelait rien des rêves qu'elle avait pu faire. Aucun visage masculin ne s'en détachait. L'apparition espérée viendrait sûrement plus tard, quand le sommeil la prendrait de nouveau... D'un geste machinal, elle tâta la place qui, à sa droite, était celle de Marie. Personne!

Etait-il tard? Etait-il tôt? D'où venaient les éclats de voix qui l'avaient tirée de ses songes?

Elle se leva, passa sur son corps mince la chemise qu'elle avait déposée, selon la coutume, sur la perche de bois fixée au mur afin qu'on y mît les vêtements du jour lorsqu'on les quittait, et se retrouva, les pieds nus dans l'herbe odorante qui jonchait le parquet, devant la fenêtre ouverte.

Il n'y avait plus personne sur le terre-plein que

pâlissait la lumière de la lune. La nuit paraissait tranquille. Le coassement caverneux, monotone, des grenouilles, la note flûtée des crapauds troublaient seuls le calme campagnard.

Où pouvait être Marie?

Couchée, comme son frère, après le retour des danseurs, Aude n'avait rien décelé d'anormal dans le comportement maternel. Elle avait même été heureuse de voir la jeune femme revenir du village plus tôt que prévu. Après avoir souhaité le bonsoir à son ami Côme Perrin, Marie était montée, selon son habitude, avec ses enfants et s'était mise au lit en même temps qu'eux.

La petite fille, n'ayant rien trouvé de bien intéressant à faire durant le temps où elle était demeurée en compagnie de son grand-père et de tante Charlotte, qui jouaient aux échecs, en avait conclu que la nuit de la Saint-Jean n'était pas aussi chargée de mystère qu'on voulait bien le dire.

Etait-ce la sensation du vide à ses côtés ou le bruit retentissant d'une gifle qui l'avait éveillée subitement, à une heure qui ne lui était pas coutumière? Elle l'ignorait. La lune, encore haute dans le ciel, lui prouvait que la nuit n'était pas achevée... mais où pouvait bien être sa mère? Que faisait-elle? Malade, serait-elle sortie pour prendre le frais? L'air restait lourd dans la pièce, en dépit des fenêtres ouvertes...

Aude n'hésita plus. Elle enfila ses fines chaussures de cuir de Cordoue et sortit sans bruit.

La maison était silencieuse. Légère, la petite fille glissa comme une ombre le long de l'escalier en colimaçon qui conduisait au rez-de-chaussée.

Le chien noir, qui dormait sur le seuil de la salle, dressa la tête, remua la queue, n'aboya pas, quand Aude, relevant sa chemise, l'enjamba pour passer.

Si Marie s'était sentie souffrante, peut-être s'était-elle rendue dans la cuisine pour s'y confectionner une boisson chaude avec des simples?

La grande pièce était vide. Seul y flottait le relent des nourritures qu'on y avait préparées dans la journée.

La genette sauta du banc où elle léchait avec minutie son pelage, pour venir se frotter aux jambes de l'enfant, qui la caressa distraitement.

Une porte, coupée, à deux vantaux, donnait sur la cour intérieure de la maison, que bordaient les remises, les resserres diverses, le fruitier et l'écurie. Trois chevaux, un mulet et une mule, y logeaient.

Poussée par l'inquiétude, Aude sortit. Dehors, il faisait étrangement doux. Une odeur de crottin et de foin stagnait entre les murs encore tièdes qui conservaient un peu de la chaleur emmaganisée tout au long du jour.

Il sembla à l'enfant entendre des rires dans l'écurie.

Il était peu vraisemblable que Marie s'y trouvât, mais sait-on jamais?

La porte, entrebâillée, permit à la petite fille de se faufiler à l'intérieur du bâtiment sans attirer l'attention de personne.

Une lanterne, accrochée par un clou à un pilier central de soutènement, éclairait les croupes luisantes, les litières piétinées et souillées, les mangeoires vides, les bat-flanc de bois qui séparaient les bêtes les unes des autres. L'enfant remarqua que le cheval gris pommelé de Côme s'agitait plus que ses compagnons et semblait nerveux.

C'est alors qu'elle aperçut, non loin du pur-sang, couchées sur la paille amoncelée dans un coin qui servait à changer les litières, deux formes emmêlées. Elle ne distingua d'abord, de dos, qu'un corps musclé, nu, un corps viril, qui se démenait au-dessus d'un froissement d'étoffe claire et de cheveux blonds répandus. Deux jambes à la peau très blanche l'enserraient à la hauteur des hanches. Des mouvements spasmodiques agitaient au même rythme l'homme et la femme confondus.

Figée près de la porte, la petite fille voyait mal la scène qui se déroulait assez loin de l'endroit où elle se trouvait.

Deux respirations saccadées, bruyantes, puis de petits cris, qui ne semblaient pas traduire une douleur mais une sorte de plaisir aigu et, enfin, confus et mêlés, des râles qui culminaient en une sorte de complainte bestiale s'élevèrent du tas de paille vers les grosses poutres du toit.

Ensuite, ce fut le silence, puis, un moment après, des mots proférés à mi-voix, des mots incertains, incompréhensibles, coupés de rires gras, couverts par le bruissement de la paille remuée. L'enfant reconnut cependant la voix d'Almodie, essoufflée, et celle de Jannequin, le palefrenier, plus basse que d'ordinaire.

Souplement, évitant de faire le moindre bruit, mesurant chacun de ses gestes, Aude se faufila dehors par l'entrebâillement de la porte.

Une fois dans la cour, elle s'appuya un moment, le dos au mur, sans se soucier de la clarté blafarde qui l'éclairait. Son cœur battait, ses jambes tremblaient, une petite sueur coulait le long de son échine. Elle essuya ses mains moites sur la fine toile de sa chemise. Le trouble se doublait en elle de dégoût.

C'était donc ainsi? Elle avait souvent pu voir à la ferme de la Borde-aux-Moines ou à Pince-Alouette le taureau couvrir la vache, l'étalon saillir la poulinière. Dans la campagne ou même dans la rue, à Paris, il lui avait été donné d'assister à des accouplements d'animaux ou d'insectes, mais un homme et une femme, en un tel moment, en pareille posture, jamais encore... jamais... Voilà donc ce qu'on appelait l'amour? Ces gesticulations, ces cris, ces râles? Les bêtes, elles, au moins, se taisaient. Il semblait à l'enfant que, pour de telles pratiques, le silence était plus digne...

Pendant un laps de temps qu'elle n'aurait su estimer, Aude demeura ainsi, comme médusée par la découverte qu'elle venait de faire, puis elle se détacha du mur. La nuit de la Saint-Jean lui avait réservé un genre de surprise auquel elle ne s'attendait guère, voilà tout! Il ne convenait pas pour le moment de s'y attarder davantage. Plus tard, il faudrait y réfléchir. Ce qui était urgent, à présent, n'avait pas changé : il fallait retrouver Marie. Pourquoi être venue la chercher du côté des écuries? Pouvait-elle se trouver de nuit en un pareil endroit? Non, bien sûr... Malade, elle devait plutôt s'être dirigée vers le jardin ou le verger.

Quittant la cour, Aude contourna la maison, atteignit le terre-plein. Le jardin ombreux était désert. En revanche, dans le pré, une des tentes occupées par les garçons paraissait éclairée. Derrière la toile tendue, une lumière tremblait. Peut-être Marie s'y trouvait-elle?

A travers les plates-bandes odorantes et le verger, la petite fille courut vers la lueur qui apportait, au cœur de la campagne livrée aux sortilèges nocturnes, une sorte de douceur familière.

Le pan de tissu fermant d'habitude la tente était relevé. A l'intérieur, environnés de toile pourpre, couchés l'un près de l'autre sur le matelas de fougères recouvert d'une couverture de coton blanc, Thomas et Agnès dormaient. Placés chacun à un bord de la couche, tout habillés, ils avaient mis entre eux, fichée droit dans le lit, une dague qui dressait, pour séparer leurs corps, son manche en forme de croix. A leur chevet, posée sur le sol, une lampe à huile ajoutait sa clarté à celle de la lune qui, pénétrant par l'ouverture qui tenait lieu de porte, projetait sa lumière laiteuse sur le couple endormi.

Emerveillée, Aude demeura longtemps immobile à contempler les amoureux assoupis, à les admirer. Comme ils étaient beaux et calmes, tous deux, dans l'abandon de leur pur sommeil! Tels des gisants sur une dalle, droits, les mains ouvertes le long de leurs corps, ils reposaient sans même qu'on entendît leur souffle.

L'ombre de l'enfant, noire, plate, se découpait entre Thomas et Agnès ainsi qu'une troisième présence silencieuse.

« Ceux-là, au moins, sont respectables, pensa Aude. Ils s'aiment, c'est sûr, mais ne se comportent pas comme le feraient des animaux! »

Depuis l'arrivée des six jeunes gens, elle avait pourtant cru observer qu'Agnès se souciait davantage de Djamal que de son cousin, mais le spectacle qu'elle avait sous les yeux lui prouvait le contraire. Ou elle s'était trompée, ou les sentiments de l'adolescente avaient brusquement changé... qu'importait...

Doucement, à reculons, afin de les voir le plus longtemps possible, l'enfant s'éloigna de la tente pourpre. Celle que partageaient Gildas et le jeune Egyptien, toute proche, demeurait close et muette. Ses occupants, après avoir beaucoup dansé, devaient maintenant dormir, assommés de fatigue, sans ressentir le besoin de conserver de la lumière auprès d'eux. Si Agnès et Thomas avaient ainsi éclairé et ouvert leur abri, c'était, sans doute, pour que les passants éventuels eussent la possibilité de constater sans ambiguïté la sagesse dont ils faisaient preuve.

« Décidément, la nuit de la Saint-Jean se révèle aussi surprenante que je l'espérais, se dit la petite fille. Et je ne suis peut-être pas au bout de mes découvertes! »

Comme elle ne savait plus où chercher sa mère, elle remonta vers la maison. Durant son absence,

Marie était certainement retournée dans leur chambre. Il suffisait de s'y rendre pour retrouver sa présence chaleureuse, sa tendresse...

L'enfant pénétra dans la demeure par la porte qui donnait sur le jardin. Le chien noir n'avait pas bougé. Il ne broncha pas quand il fut une seconde fois enjambé et se contenta de grogner en signe de reconnaissance.

Au moment où la promeneuse nocturne parvenait au bas de l'escalier à vis qu'elle avait déjà emprunté pour descendre, elle entendit des chuchotements qui provenaient de la chambre attribuée à Côme lors de son arrivée. Située dans un renfoncement, à droite des premières marches, la porte s'entrouvrait avec lenteur. Reculant sans bruit jusqu'à la courtine qui fermait le passage qu'elle venait de franchir, Aude se dissimula derrière la lourde tapisserie, tout en prenant soin d'en tenir un pan écarté du mur, afin de découvrir qui allait sortir de la pièce. Le battant de bois sculpté s'ouvrit enfin et Marie, en simple chemise de toile safranée, nu-tête, ses lourdes nattes blondes sur le dos, apparut. Nul autre que ses enfants ne la voyait d'ordinaire dans cette simple tenue, sans rien pour dissimuler ses cheveux, avec cette coiffure du coucher qui la rajeunissait tellement !

La jeune femme jeta un rapide coup d'œil aux alentours, afin de s'assurer que le passage demeurait libre, puis se retourna vers celui qu'elle quittait.

Debout dans l'encadrement de la porte, Côme, aussi peu vêtu que son amie, l'attira contre lui d'un geste possessif. Prenant entre ses mains, comme il l'aurait fait d'un fruit, la tête rieuse, il se pencha vers les lèvres offertes, les baisa longuement.

« Je ne puis me décider à vous laisser me quitter de la sorte, ma mie, dit-il à mi-voix en redressant un visage enflammé pendant que ses doigts, glissant le long du cou, des épaules, des seins, effectuaient un parcours familier. Après les moments que nous venons de vivre, me séparer de vous m'est déchirement.

– Soyez raisonnable, Côme, je vous en conjure! Vous savez combien je dois me montrer prudente.

– J'ai besoin de vous... »

Posant une main sur la poitrine de son amant, Marie le repoussa avec douceur vers la chambre dont on apercevait, par l'ouverture de la porte, le large lit défait, aux draps malmenés.

« Rester ici, ensemble, en cet endroit est trop dangereux. Au revoir, Côme... à bientôt! »

Elle se dégagea de l'étreinte qui voulait la retenir et s'élança vers l'escalier où elle disparut.

Le mercier demeura un instant immobile sur le seuil de sa chambre à écouter les pas rapides qui s'éloignaient, puis referma sa porte avec précaution.

Aude se cramponnait à la courtine, qui sentait la poussière et l'humidité. Les lèvres serrées, les yeux durs, elle avait suivi les gestes et l'entretien final du couple, tout entendu, beaucoup deviné.

Ainsi donc, alors qu'elle la recherchait, la croyant malade, seule, sa mère, cette mère qu'elle vénérait, se comportait avec un homme de la même façon qu'Almodie avec le palefrenier, comme la jument avec l'étalon!

L'enfant fut arrachée à la souffrance qui montait en elle par un bruit de pas qui, de nouveau, retentissait dans l'escalier, mais, cette fois-ci, pour le descendre. Sans aucun doute possible, elle reconnut la façon, agile, qu'avait Marie de sauter les marches en courant. La jeune femme, à son tour, devait partir en quête de l'absente, après avoir constaté que le large lit familial ne comportait plus qu'un occupant.

Se trouver face à elle, après ce qu'elle venait de découvrir, parut intolérable à Aude.

La petite fille recula, se coula, ainsi qu'une couleuvre, vers la cuisine, y entra sans bruit, la traversa, sortit une seconde fois dans la cour et, rasant les murs, tourna au plus court, vers l'allée de tilleuls qui conduisait au verger, au bois...

« Aude! »

Entre les carrés de fleurs et de légumes, Marie allait et venait, sans savoir où porter ses pas. Qu'était-il arrivé à sa fille? Pourquoi avait-elle quitté la chambre où elle dormait si profondément auprès de Vivien au moment où elle-même s'était levée pour rejoindre Côme? L'enfant aurait-elle entendu sa mère s'éloigner? Certainement pas. A son âge, le premier sommeil, surtout tardif, est inébranlable!

Que penser? Elle frissonna. Ce n'était pas de froid. Elle avait passé une cotte, jeté un voile sur ses cheveux, et la nuit, qui déclinait à présent, demeurait tiède. L'aube ne serait point aigre comme c'était si souvent le cas, mais douce comme une caresse... Dieu! Si jamais Aude découvrait les relations que sa mère entretenait avec Côme, de quoi ne serait-elle pas capable?

« Aude! »

Au début de ses recherches, Marie avait craint d'élever la voix, d'appeler tout haut, afin de ne pas réveiller la maisonnée endormie, afin, surtout, d'éviter d'avoir à fournir des explications sur sa propre absence... Bah! Elle pourrait toujours affirmer que la petite fille avait quitté la chambre en profitant du sommeil de tous. Ce n'était pas là ce qui importait.

Une angoisse de plus en plus vive serrait la poitrine, le ventre, de Marie... Réveillée, et pour quelque raison que ce fût, Aude n'avait pu que constater le vide laissé à ses côtés par le départ de sa mère. Qu'en avait-elle pensé? S'était-elle levée pour partir à sa recherche? Dans quelle direction? Pourquoi n'était-elle pas revenue ensuite au logis?

Soudain, un coq chanta non loin de là. Un autre répondit. Comme à un signal, quelques trilles, des pépiements, puis des roulades fusèrent. De chaque arbre, de chaque buisson, de chaque recoin, des chants d'oiseaux éclataient, se répondaient, se multipliaient.

Vers l'est, une pâleur incertaine diluait l'obscurité.

Quelqu'un sortit de la maison.

« Que se passe-t-il, Marie? s'enquit Mathieu Leclerc. Vous appelez Aude?

— Mon père, elle a disparu!

— Comment, disparu?

— J'imagine qu'elle a quitté notre chambre pendant mon sommeil. Du moins, lorsque je me suis réveillée, je ne l'ai plus trouvée près de moi.

— Par tous les saints, où voulez-vous que cette enfant soit allée en pleine nuit?

— C'est bien ce que je me demande. »

Des bruits de pas se faisaient entendre dans la salle dont on passait la porte. Charlotte Froment et Eudeline-la-Morèle, hâtivement habillées, achevant de fixer coiffe ou bandeau de mousseline, sortaient presque ensemble de la salle. Il fallut les mettre à leur tour au courant de la disparition d'Aude.

« Voyons, voyons, dit tante Charlotte en grattant de l'ongle son grain de beauté, où peut bien s'être rendue une jeune créature sensible et imaginative comme votre fille en cette nuit de mystère?

— Mabile va partout racontant que, durant ce temps béni, il convient de se purifier par l'eau. Pas plus tard qu'hier, je l'ai entendue affirmer que la rosée de la Saint-Jean était si bienfaisante qu'on devait, avant l'aube de ce jour-fée, aller s'y rouler entièrement nu!

– Vous croyez vraiment, Eudeline, que ma fille?...

– Pourquoi pas? J'ai souventes fois remarqué qu'elle prenait pour paroles d'Evangile tout ce qui tombait de la bouche puante de cette vieille folle, affirma la Morèle. De là à mettre ses racontars en pratique, il n'y a pas loin!

– Qu'en pensez-vous, mon père?

– Ma foi, je pense que cette petite est habituée à en faire un peu trop à sa tête et qu'à force de lui laisser la bride sur le cou, il n'y a pas à s'étonner si elle prend le large quand elle en a envie... Ne vous formalisez pas de ma remarque, Marie, mais reconnaissez que vous suivez plus que vous ne guidez les tempéraments de vos enfants. D'autre part, j'ai, moi aussi, observé qu'Aude subissait l'ascendant de Mabile et de ses contes à dormir debout... Il ne me paraît donc pas impossible que nous ayons quelque chance de retrouver notre petite fille en train de se rouler dans la rosée... Nous voici, justement, à l'heure prescrite. L'aube point. »

L'espoir revenait. Qu'importaient les critiques? Comment avoir pu oublier la confiance qu'Aude faisait à cette vieille? se disait Marie. Fallait-il qu'elle-même eût mauvaise conscience pour avoir tout de suite redouté le pire et s'être pareillement affolée pour une sottise sans conséquence?

« Certains prétendent qu'il est également bon de se baigner, au petit matin, dans la rivière, ou de boire de l'eau à la source la plus proche, afin de se protéger des maladies possibles ou de s'assurer un an de bonheur, reprit Charlotte Froment. Ces superstitions courent les campagnes depuis toujours et conservent des partisans même parmi les grandes personnes. A plus forte raison chez une enfant.

– Dans ces conditions, que faire? demanda Marie, impatiente.

– Nous disperser et chercher chacun à un endroit

différent, conseilla maître Leclerc. J'irai à la fontaine. Vous, Eudeline, courez à la rivière. Il reste les prés. Le nôtre et celui de Léonard. Préférez-vous, Marie et Charlotte, les explorer ensemble ou séparément?

– Perdons le moins de temps possible, trancha Marie. Voulez-vous, ma tante, vous rendre à notre pré? J'irai dans celui du fermier. »

Ils s'éloignèrent tous quatre.

Le jour se levait. Un air frais, encore vif, déjà doux, circulait à travers le vallon, éveillant un frémissement de vie à la place du calme mystère de la nuit. Les oiseaux s'égosillaient, le ciel devenait rose et or. Provenant du village, on entendait des bruits de portes et de fenêtres ouvertes, des grincements de poulies, des tintements de seaux.

En ce jour férié, personne ne travaillait, mais l'habitude de se lever avec le soleil demeurait et beaucoup devaient s'affairer à se laver de la tête aux pieds avant de partir pour la messe. Il s'agissait d'être propre, corps et âme, en cette grande occasion.

A la Fontaine-aux-Cailles, quelques villageois, hommes et femmes mêlés, achevaient de boire de l'eau.

« Vous n'avez pas vu ma petite-fille?

– Non point, maître Leclerc. Elle n'est pas venue par ici. On l'aurait remarquée. »

Eudeline-la-Morèle eut beau, elle aussi, de son pas sec comme celui d'une mule, longer les bords de la Bièvre, elle ne rencontra que trois ou quatre gamins qui nageaient en s'éclaboussant, et des quantités de grenouilles qui, à son approche, sautaient parmi les joncs.

De son côté, Charlotte découvrit dans le pré, couchés l'un à côté de l'autre, mais toujours séparés par la dague, Thomas et Agnès, dormant sous la

116

toile de tente à travers laquelle l'aurore se teintait de pourpre.

« Ces deux-là sont en train de commettre la plus grande sottise de leur vie, songea-t-elle avec irritation. Ils n'ont même pas l'air de songer aux foudres qu'ils vont déchaîner dès que leurs intentions seront connues! Quels étourneaux! »

Elle fut bien obligée d'admettre, d'autre part, que personne ne se roulait dans l'herbe couverte de rosée scintillante. Des milliers de gouttelettes s'irisaient des premiers reflets de la lumière matinale. Le soleil illuminait l'horizon. Mais, seule, Charlotte était à même de profiter du spectacle...

Un vent joueur, porteur de tous les arômes, si puissamment voluptueux, de la terre luxuriante de juin, enveloppa la femme vieillissante qui parcourait le pré à grandes enjambées, en prenant soin, toutefois, de retrousser le bas de sa cotte pour la préserver de l'humidité. En dépit de son âge et de sa préoccupation présente, Charlotte en fut remuée.

« Avoir seize ans en un pareil matin! Savoir qu'un garçon vous attend, le faire languir, et songer qu'on a toute la vie, tant d'autres nuits, tant d'autres aubes, devant soi! »

Elle serra les lèvres, se tança.

Allons, Aude n'était évidemment pas dans le pré. Il fallait revenir à la maison. Devant la tente pourpre, elle s'arrêta un instant. Proches et toujours séparés, les amants poursuivaient côte à côte des songes où ils devaient s'unir.

« J'ai eu tort, en passant, tout à l'heure, de les blâmer. S'ils entendent mordre à belles dents ce gâteau ruisselant de lait et de miel, est-ce à moi de le leur reprocher? Moi qui ne souhaiterais qu'une chose : me trouver à leur place! Quand l'occasion de connaître cet accord parfait, intime, entre notre propre corps, notre propre cœur et la nature nous est octroyée, il ne convient pas de la dédaigner. Elle ne se renouvelle pas souvent. Il est un temps pour tout, comme me le disait hier au soir maître Leclerc. Un temps pour aimer, et ceux-là ont la chance de s'y trouver, un temps pour méditer... il paraît que j'y suis arrivée. Fasse le Seigneur Dieu que je ne le laisse pas, celui-là aussi, passer sans savoir davantage en profiter que du précédent! »

Marie, qui revenait du pré de la Borde-aux-Moines, aperçut, de loin, sa tante.

« L'avez-vous vue? cria-t-elle.

– Hélas! pas plus que vous, à ce que je constate! »

La maison s'ébrouait. Almodie, les cheveux tirés, l'air sage avec sa coiffe de toile nouée sous le menton, descendait d'un pas guilleret au village quérir du lait et des fromages pour le déjeuner qu'on prendrait après la messe.

Gerberge, suant et soufflant déjà, passait, du menu bois plein les bras. Elle allait allumer le feu dans la vaste cheminée de la cuisine pour y faire rôtir du pain.

Derrière la demeure, on entendait Jannequin, le palefrenier, qui sifflait en commençant à étriller les chevaux.

« Aude n'était pas à la fontaine...

– Ni à la rivière...

– Où peut-elle bien se trouver? »

Après avoir parcouru en vain la pâture du fermier, tout en répétant sans cesse : « Seigneur, gardez-la! Notre-Dame, protégez-la! », Marie avait fini par s'agenouiller dans l'herbe brillante de rosée. Une oraison pressante lui était montée aux lèvres : « Mon doux Seigneur, je vous en prie, rendez-moi ma fille saine et sauve! J'ignore pourquoi elle nous laisse ainsi dans l'angoisse, mais Vous le savez. C'est peut-être une vengeance d'enfant blessée. Dans ce cas, ne lui permettez pas d'aller au bout de sa rancune... Quant à moi, je prends devant Vous l'engagement solennel de cesser sans tarder de mener une vie si peu conforme au respect que chacune de vos créatures se doit à elle-même... Mais il me faut un peu de temps pour mesurer à leur juste valeur les sentiments que j'éprouve envers Côme. Accordez-moi quelques semaines de réflexion. Si, d'ici la fin de l'été, je pense pouvoir lier sans trop de risques ma vie à la sienne, nous nous marierons aussitôt. Dans le cas contraire, je mettrai fin immédiatement à une liaison que rien ne justifierait plus... Je jure solennellement, sur les Saintes Reliques révérées par notre gentil roi, de m'en tenir à ce que je viens de Vous promettre. Sire Dieu, écoutez ma prière! Doux Seigneur, exaucez-moi! »

Repartie, elle était passée par le petit bois où elle savait que sa fille possédait des caches secrètes. Sous les branches, au creux des taillis, elle avait débusqué un renard, des écureuils, quelques hérissons. Une fouine avait traversé en souplesse le sentier qu'elle suivait. D'une touffe de fougères, un faisan s'était levé un peu plus loin, dans un grand mouvement d'ailes agitées, et plusieurs lapins avaient bondi à son approche, mais Aude était demeurée introuvable.

« Mon père, j'ai peur! »

D'instinct, Marie se tournait vers le patriarche, celui qui se devait de protéger sa maisonnée.

« Calmez-vous, ma fille. En aucun cas, il ne faut perdre l'espoir. Notre enfant ne peut pas être bien loin. Hier soir, elle s'est montrée gaie et tranquille. Avant de monter se coucher avec vous, elle est venue m'embrasser de la façon la plus naturelle du monde. On ne voit pas ce qui aurait pu, durant la nuit, l'inciter à disparaître ainsi en nous plongeant dans l'inquiétude. Elle nous est trop attachée pour accepter de nous faire de la peine... Non, non, je continue à penser qu'elle doit se livrer, non loin d'ici, à quelque mystérieuse pratique, sous la directive de la vieille Mabile... Il serait peut-être avisé de se rendre à la ferme...

– Puis-je savoir ce qui est cause de tant d'agitation? »

L'air heureux, vêtu d'un surcot tout neuf de fine toile verte, coiffé avec soin, rasé de près, Côme sortait de la maison. Il respirait le bonheur.

« Ma fille s'en est allée en pleine nuit, on ne sait où! » lui lança Marie, non sans reproche.

Brièvement, Charlotte mit leur hôte au courant des recherches effectuées.

« On ne disparaît pas de la sorte, à huit ans, sans raison, remarqua le mercier. Si cette petite est partie, c'est, sans doute, pour rejoindre quelqu'un.

– Qui voulez-vous qu'une enfant de cet âge aille rejoindre ainsi, sans m'avertir, au cœur de l'obscurité? »

L'agressivité de la jeune femme était si évidente que Côme n'insista pas. Déconcerté, il se tut.

Vivien apparut au même moment, bientôt suivi de Blanche et d'Ursine.

On tint alors conseil. Interrogé, Vivien avoua tout ignorer de ce qu'avait pu faire sa sœur. A peine couché, il s'était endormi et n'avait plus ouvert l'œil jusqu'au matin.

« Vous parliez, tout à l'heure, mon père, de vous rendre à la ferme interroger Mabile...

– Il est vrai. La mère de Léonard reste notre seule chance. J'y vais de ce pas.

– Puis-je aller avec vous, grand-père? supplia Vivien.

– Bien sûr, mon garçon, partons. Nous avons juste le temps avant la messe. »

Marie les suivit des yeux.

« Durant leur absence, je vais aller me préparer, dit-elle à sa tante. Je ne pourrais attendre leur retour sans m'occuper. Je suis bien trop inquiète! »

Elle évitait avec soin de s'adresser à Côme, l'ignorait, se retirait.

Dans sa chambre, elle trouva Guillemine, sa chambrière, qui avait sorti le baquet de bois cerclé de fer qu'on utilisait pour le bain. Un molleton en doublait le fond. De l'eau chaude sur laquelle flottaient des pétales de roses fumait dans la lumière allègre du matin.

« Il fera très beau, aujourd'hui encore, remarqua la servante.

– Eh oui! Quelle belle journée nous aurions eue, cette année, si ma petite Aude ne s'était pas sauvée! » soupira Marie.

Elle se déshabilla, entra dans le liquide chauffé à point où trempait un sac de toile très fine rempli de son, afin de rendre sa peau plus douce, et se laissa savonner avec une pierre de savon pétri de miel. D'ordinaire, elle prenait plaisir à soigner son corps. Aujourd'hui, elle s'en désintéressait et agissait de façon machinale. Un tourment, que chaque instant écoulé renforçait, l'obsédait. A force de songer aux événements de la nuit, une conclusion s'était imposée à elle : si sa fille s'était sauvée de manière tellement insolite, c'était qu'un événement nouveau était intervenu dans sa jeune existence, et un événement assez douloureux pour lui faire négliger le chagrin, la détresse aisément prévisibles d'une mère qu'elle adorait.

Il ne s'agissait plus de s'illusionner en invoquant la possibilité d'une intervention malencontreuse de Mabile. La réalité, hélas, devait être plus cruelle! D'une façon ou d'une autre, l'enfant avait surpris le secret des amours maternelles. Blessée, indignée, elle s'était éloignée avec répulsion de celle dont elle ne pouvait supporter de découvrir l'indignité. Compte tenu de son âge et de sa nature passionnée, elle jugeait nécessairement sans indulgence une faiblesse qu'elle ne comprenait pas, qu'elle considérait seulement comme souillure et abominable trahison... Dans ce cas, tout était à redouter!

« Dame, vous pleurez!

– Ne fais pas attention, Guillemine. Je suis inquiète...

– Je comprends, dame, je comprends... »

Qu'avait-il pu se passer dans l'esprit d'un petit être aussi pur, aussi intransigeant qu'Aude, si elle avait eu la malchance de découvrir la liaison de sa mère? Quelle révolte? Quel mépris? Quel acte désespéré?

Avec de l'huile d'amande douce, la servante massait à présent les beaux seins fermes de Marie. Côme prétendait qu'il n'avait jamais rien vu de plus parfait au monde! Il exagérait, comme tous les hommes épris... Il fallait éviter de songer à celui qui se trouvait être, en partie, par son goût du plaisir, le responsable de la fuite de l'enfant perdue...

Guillemine appliquait ensuite sur la gorge blonde un linge épais, trempé dans un seau d'eau froide, l'essuyait, la lotionnait enfin avec une toile très douce imbibée d'essence de serpolet.

« Dépêche-toi! Je veux être prête le plus vite possible! »

Séchée, poudrée, peignée, nattée, coiffée, Marie enfilait sa chemise, passait une cotte blanche à manches violettes, un léger surcot de soie immaculée, sa guimpe de veuve, des chaussures de peau souple.

Contrairement à son habitude, elle descendit l'escalier avec lenteur. Quelle nouvelle allait-on lui apprendre? Son beau-père aurait-il, en dépit de ce qu'elle imaginait, pu tirer quelque renseignement utile de la vieille fermière?

Au bas des marches, elle rencontra Gildas et Djamal, les cheveux encore mouillés, le visage assombri, qui revenaient de la rivière où ils étaient allés se baigner comme ils le faisaient chaque matin.

Les cloches se mirent à sonner pour prévenir les paroissiens que la messe ne tarderait pas.

Réunie dans la salle, une partie de la maisonnée attendait le retour de Mathieu Leclerc avant de gagner l'église.

Thomas et Agnès n'avaient pas encore donné signe de vie, mais on ne s'en inquiétait pas. On savait que, de ce côté-là, il n'y avait pas de mystère. Une gêne pesait. On parlait à peine. Chaque moment écoulé appesantissait un peu plus l'angoisse...

C'est alors que la porte s'ouvrit sans bruit. Blanche entra, tenant Aude par la main. Vêtue de sa seule chemise froissée et salie, décoiffée, les yeux baissés, l'enfant demeura près de la jeune fille dont elle semblait souhaiter la protection.

« Ma fille! Ma petite fille! »

Marie s'élançait, prenait Aude dans ses bras, serrait contre elle avec emportement un mince corps passif, sans réaction, passait outre et embrassait avec transport le petit visage où des traces de larmes restaient marquées dans la poussière qui le barbouillait.

« Seigneur! Que j'ai eu peur!

– Il ne le fallait pas, dit Blanche avec une calme autorité. Vous n'aviez rien à craindre : votre fille était sous bonne garde!

– Où se trouvait-elle donc?

– Dans la petite chapelle dédiée à Notre-Dame, à la sortie du village. Elle dormait contre l'autel, aux pieds de la statue de la Vierge Mère.

– Comment avez-vous eu l'idée de la chercher là-bas? »

Afin de dissimuler la gratitude empreinte d'émerveillement qui faisait briller ses yeux, Blanche détourna la tête.

« On m'a mise sur le chemin, voilà tout! dit-elle avec un accent plein de tendresse. Ne m'en demandez pas davantage. »

Marie n'insista pas. Elle serrait contre elle sa fille retrouvée.

« Aude, ma douce, ma petite perle, pourquoi vous être sauvée ainsi, sans rien dire? Pourquoi nous avoir laissés si longtemps dans l'inquiétude?

– Cette nuit n'était pas comme les autres... J'ai voulu me mettre à l'abri du Mauvais, loin de lui, près de sainte Marie, parce qu'elle est toute pure et que vous portez, vous et elle, le même nom... », dit l'enfant.

VI

Le tintement des cloches réveilla Thomas.

Touchée par le flamboiement du soleil, la toile pourpre de la tente s'éclairait, se nuançait en transparence, de rouge vif, vermeil comme le sang. La chaleur commençait à se faire sentir.

« Comment avons-nous pu nous endormir l'un près de l'autre comme deux enfants, malgré l'émerveillement? En dépit du désir? songea le jeune orfèvre. C'est en contemplant Agnès que j'ai été saisi par le sommeil, c'est en la regardant que je veux saluer le jour! »

Il se redressa sur un coude, considéra avec enivrement l'adolescente endormie près de lui, si proche et, cependant, intouchable... A demi enfantin dans son repos, noyé dans la blondeur mousseuse des cheveux qu'elle avait consenti, pour lui seul, à dénouer avant de se coucher, le clair visage de la dormeuse bouleversa Thomas. Elle respirait calmement, mais ses lèvres remuaient comme si elle récitait en rêve quelque litanie... Son teint, rosi aux pommettes, conservait la blancheur des pétales de l'héllébore. Des veines à peine visibles couraient sous la peau fragile des tempes, du cou... Le surcot de fine toile brodée moulait un corps menu, aux attaches délicates, bien qu'aux formes prometteuses...

« Ma mie, il vous faut réveiller! La messe sonne et nous devons partir sans plus tarder si nous ne voulons pas en manquer le début. »

Il se pencha, retira la dague du matelas où il l'avait enfoncée la veille avant de s'étendre, baisa d'un effleurement les lèvres dont la chaleur l'incendia et se leva d'un bond.

« N'y a-t-il pas moyen de descendre à la rivière pour nos ablutions? s'enquit Agnès d'une voix encore molle de sommeil.

– Par Dieu non, ma mie! Nous avons tout juste le temps de gagner l'église si nous voulons demander les grâces et les bénédictions qui nous sont nécessaires. »

L'adolescente se redressa, se mit debout, s'approcha de son ami, posa bien à plat une de ses mains sur la poitrine d'athlète où le cœur bondissait.

« Savez-vous que je vous aime? murmura-t-elle doucement. Toute la nuit, j'ai rêvé de vous et n'ai pas cessé de vous le dire et redire.

– Nous nous aimons, Agnès, nous nous aimons et l'avenir est à nous! »

Les yeux clos de félicité, il la souleva entre ses bras, la pressa contre lui.

« Après la messe et afin de gagner du temps, je me rendrai à cheval chez mon père, à Paris, pour lui faire part de notre décision de nous marier et pour le prier de nous bénir, reprit-il avec passion. Il me tarde tellement que vous soyez mienne!

– Je suis vôtre, et si vous le souhaitez...

– Ne me tentez pas. Venez, partons. »

Dehors, il ne faisait pas encore vraiment chaud. Le soleil montait à l'horizon, mais l'air conservait une certaine alacrité matinale. Le pré embaumait.

« Nos voisins sont déjà sur le chemin de la messe, remarqua Thomas. Leur tente est vide. Rejoignons-les. »

Dans l'église remplie de monde jusque sur le

parvis, parmi les senteurs de l'encens et des roses qui fleurissaient l'autel, l'office se déroula avec solennité.

Comme un autre encens, comme un autre arôme, les prières qui s'élevaient de chaque âme cherchaient à rejoindre, sur le rythme des chants liturgiques, le cœur du monde, le cœur de Dieu.

Éperdus d'amour, Agnès et Thomas faisaient avec ardeur oraison l'un pour l'autre, pour leur union, pour leur avenir.

Ils ne remarquèrent pas la mine défaite de la petite Aude debout près de sa mère. Marie suppliait la douce et sainte Vierge de venir en aide à l'enfant qui, au cours de son mystérieux périple nocturne, avait cherché refuge dans la chapelle mariale. Que savait au juste la petite fille? Avant de monter se laver et se changer, si rapidement qu'elle n'avait eu le temps de rien expliquer, pourquoi Aude avait-elle parlé du Malin et de la pureté de Notre-Dame, de la pureté de Marie?

Placé entre Vivien et Charlotte Froment, Côme, assombri, se répétait qu'il était urgent d'obtenir un moment d'entretien pour avoir une explication avec son amie.

Mêlé aux fidèles qui se tenaient bien droits, les pieds au frais parmi l'herbe et les fleurs qui jonchaient le carrelage, dans une odeur de verdure piétinée et de corps récemment nettoyés, le reste de la famille offrait des actions de grâces pour le retour de la brebis perdue et retrouvée.

L'abbé Piochon fit un sermon sur saint Jean-le-Baptiste, dernier prophète avant le Messie.

Le curé de Gentilly s'exprimait avec force et conviction. Robuste, presque aussi large que haut, avec une tête carrée, des épaules de paysan, un regard sans détour, il avait la réputation d'allier un rude bon sens à une foi pleine de santé.

« Je me nomme Piochon, avait-il l'habitude de

dire en riant, pour ce qu'il m'est échu d'être, ici-bas, le pic de Dieu! Toujours à creuser, à piocher, à fouiller, à défoncer vos épaisses cervelles, vos consciences endormies, vos âmes de mécréants! »

Bon vivant, il proclamait sa confiance dans le Seigneur avec vigueur, nettement, sans ambiguïté, ce qui était bien vu de la plupart de ses ouailles.

Certains lui reprochaient d'être trop porté sur les plaisirs de la table, de manger et de boire avec excès, mais, dans l'ensemble, on le lui pardonnait volontiers. Ce n'était pas là ce qui comptait.

La messe chantée, on sortit de l'église dans un caquetage de volière. La jeunesse du village gagna derechef le pré de la butte qui descendait vers la rivière. Un grand concours de tir à l'arc y avait été organisé.

Sur le chemin du retour, en passant devant une maison dont la propriétaire vendait à sa fenêtre des aulx et des oignons, ainsi que des chapeaux de jonc tressé, Thomas s'arrêta pour acheter un brin de jonc.

« Conformons-nous à la coutume, ma mie, proposa-t-il, et apprêtons-nous à tirer chacun de notre côté sur ce scion afin de savoir celui de nous deux qui est le plus épris.

– En Touraine, on ne connaît pas cet usage, dit Agnès. Que faut-il faire? »

Le reste de la famille s'éloignait, les laissant seuls devant la maison de la marchande. La femme se mit à rire.

« En ce jour de la Saint-Jean, vous devez tirer sur ce brin de toutes vos forces et en même temps, demoiselle, vous et votre amoureux. Si le jonc se rompt exactement par le milieu, c'est que votre amitié est exactement partagée. S'il se casse en deux parts inégales, c'est celui qui détient le morceau le plus long qui est réputé le plus aimant!

128

« – Mais, Thomas, je suis beaucoup moins forte que vous!

– Peu importe, ma mie. Ce n'est pas une question de vigueur, mais de sentiment! Essayons toujours. »

Le rameau se rompit par la moitié.

« C'est un bon présage, estima la marchande. Il est rare que, dans un couple, il n'y en ait pas un des deux plus épris que l'autre! Vous avez de la chance.

– Dieu vous entende, commère! Qui n'en a besoin? »

Ils ne s'attardèrent pas davantage en route et gagnèrent la maison des champs où chacun se préparait à attaquer le déjeuner du matin. Restés à jeun pour communier, les commensaux de maître Leclerc n'en étaient que plus affamés.

« Je vais faire seller un des chevaux de notre hôte et partir sur-le-champ sans perdre du temps à manger, dit Thomas. J'ai hâte que notre mariage soit réglé.

– Je vous attendrai en me morfondant, mon amour, mais vous avez raison, il convient d'avertir vos parents immédiatement, puis les miens, tout de suite après. »

Pour le premier repas de la journée, pris en commun dans la salle, on servit du fromage, du lait caillé, de la soupe au vin, du jambon, du miel, des crêpes et des tranches de pain rôties.

Au sortir de la table, où maîtres, amis et serviteurs s'étaient restaurés dans la bonne humeur, et pendant qu'on démontait la table pour nettoyer la salle, changer la jonchée d'herbe et essuyer les meubles, Côme parvint à retenir un bref moment Marie. Il l'entraîna derrière la courtine qui fermait le passage vers l'escalier.

« Il faut que je vous parle.

– Je n'en ai pas le loisir!

« – Vous me boudez!

– Non point. J'étais tourmentée, voilà tout.

– Je vous vois, à présent, si différente de cette nuit!

– Les circonstances ne sont pas les mêmes non plus! Vous semblez oublier combien je me suis fait de souci.

– Par Dieu! Je ne l'oublie pas! Mais pourquoi, je vous prie, m'en tenir rigueur à moi? A moi qui ne désire que votre bien!

– Je ne vous en veux pas, mon ami... du moins, je ne vous en veux plus... Séparons-nous, maintenant que je vous ai tranquillisé. Nous ne pouvons pas demeurer plus longtemps dans ce coin sans éveiller l'attention.

– Toujours votre prudence!

– Hélas! J'ai bien peur de ne pas en avoir suffisamment fait preuve cette nuit!

– Que voulez-vous dire?

– Rien... Rien... Quittons-nous! »

Elle relevait la courtine, rejoignait les autres.

« Venez-vous avec nous, Marie?

– Où donc?

– Nous allons nous promener au bord de l'étang du Sanglier Blanc.

– C'est trop loin et il fait trop chaud! Je reste ici. »

Sollicitée à son tour, Agnès prétexta la fatigue pour ne pas s'éloigner de la maison. Afin de tuer le temps qui lui durait, elle monta filer sa quenouille dans la chambre des filles.

« J'aime! J'aime! se disait-elle avec ferveur. Il me faut conserver précieusement en mon souvenir chaque détail de ces premiers moments de notre amour, les y graver à jamais! »

Elle se penchait sur son miroir d'étain poli, s'y contemplait avec respect : « Voici donc le visage d'une fille amoureuse! », allait à la fenêtre, observait avec application la vallée, les toits du village derrière les peupliers, le bois, le jardin... « Il ne faudra rien oublier, fixer pour toujours ces heures qui sont le plus beau présent que Dieu ait pu nous faire! »

A l'ivresse, succédait bientôt l'angoisse : pourquoi Thomas restait-il si longtemps absent? Paris n'était éloigné de Gentilly que d'un peu plus d'une lieue... il aurait déjà dû être de retour...

On approchait de onze heures, du repas pris en fin de matinée, quand le bruit d'un trot précipita la fileuse à sa croisée. Ce ne fut pas Thomas qu'elle vit apparaître, mais Bertrand Brunel, le père de son ami. Il avait l'air mécontent.

« Doux sire Dieu, protégez-nous! Je Vous en supplie, ne nous abandonnez pas en chemin! Qu'a-t-il bien pu se passer à Paris pour que Thomas ne revienne pas? »

L'orfèvre l'avait remarquée à sa fenêtre.

« Pourriez-vous descendre un moment, Agnès? cria-t-il de loin. J'ai à vous entretenir.

– Me voici. »

Le visiteur sautait du cheval qu'il confiait à Jannequin, aussitôt accouru. Agnès le rejoignit sur le terre-plein.

« Dieu vous garde, mon oncle. Désirez-vous entrer dans la salle?

– Non point. Les préparatifs du dîner nous gêneraient pour parler. Rendons-nous plutôt dans le verger. »

Sous un pommier, un banc accueillit Agnès, dont le corps défaillait. Bertrand Brunel préféra rester debout devant elle. A travers les branches chargées de petites pommes vertes, le soleil, de nouveau redoutable, glissait en taches de lumière qui tremblaient sur le visage aux mâchoires accusées et le surcot bleu du père de Thomas. Grand, musclé, mais sans un pouce de graisse, l'orfèvre était un bel homme. D'ordinaire empreints de courtoisie, ses traits indiquaient en cet instant une grande contrariété. Agnès le savait autoritaire déjà en temps normal et appréhendait un caractère dont la réputation d'exigence n'était plus à faire. Au cours des ans, le jeune homme remuant et gai de jadis s'était durci. Il se voulait maintenant totalement responsable et armé de fermeté face aux assauts de l'existence. S'il savait encore se montrer bon compagnon quand les circonstances le permettaient, il n'en demeurait pas moins vrai que la nécessité de prendre en main les affaires familiales, les complications inhérentes à la vie de père de famille et la quarantaine proche, avaient trempé l'homme au maintien courroucé qui dévisageait sans indulgence l'adolescente assise devant lui.

« Une scène très pénible nous a opposés, Thomas et moi, commença-t-il sans ménagement. Je ne l'aurais jamais cru capable de tant de violence à mon égard, surtout en présence de sa mère... Je me suis vu contraint de le faire enfermer et garder dans une pièce de notre maison. Il s'agissait de l'empêcher à tout prix de venir vous rejoindre ici. »

Il se tut. Agnès se mordait les lèvres pour ne pas pleurer.

« Bien entendu, vous êtes au fait du fol entêtement qui pousse Thomas à vouloir vous épouser. »

Ce n'était pas une question, mais une affirmation et un reproche.

Un merle, qui se régalait de cerises un peu plus loin, lança quelques roulades moqueuses qui avaient l'air de se rire des démêlés humains.

« Nous nous aimons, dit Agnès en manière de justification. Vous ne pouvez pas savoir combien nous nous aimons.

— Par tous les diables, comment pourrais-je l'ignorer? Thomas n'a pas cessé, durant notre altercation, de clamer ses sentiments pour vous et de se porter garant de ceux que vous lui vouez!

– Il avait raison.

– Il a tort! »

Bertrand Brunel croisa les bras.

« Comment en êtes-vous venus à oublier l'un et l'autre que vous êtes cousins germains?

– Non par le sang!

– Qu'importe? En vous adoptant, ma sœur Florie vous a introduite dans notre famille de façon définitive. Cette parenté-là est tout aussi inviolable que l'autre. Jamais l'Eglise ne donnera son consentement à votre mariage!

– Nous ne pouvons plus vivre l'un sans l'autre!

– Il faudra pourtant bien vous y accoutumer, ma nièce! »

Le regard clair se fit plus dur, réprobateur.

« Ce n'est pas uniquement pour vous faire part d'un refus, qui n'aurait jamais dû, si vous aviez tant soit peu de jugement, faire le moindre doute dans votre esprit, que je suis venu vous trouver, mais pour vous demander de préparer vos affaires sans plus attendre. Je vous emmène avec moi sur-le-champ. »

Agnès se leva. Sa petite taille la désavantageait face à un interlocuteur de la stature de Bertrand, mais elle puisait dans son amour le courage de défier celui qui s'interposait entre elle et son bonheur.

« Je ne vous suivrai pas.

– Il ferait beau voir...

– C'est tout vu! A moins que vous ne me conduisiez auprès de Thomas.

– Pour vous donner ma bénédiction, sans doute?

– Nous aurions aimé la recevoir, mon oncle, soyez-en certain. Mais, puisque vous nous la refusez, nous serons bien obligés de nous en passer. Vous

133

savez que l'accord des parents n'est pas indispensable à un mariage.

– Par Dieu! Vous ne manquez pas d'audace, Agnès! et je constate que vous voilà aussi enragée que mon étourneau de fils! Je me vois donc forcé de vous redire ce que je n'ai cessé de lui répéter : ce n'est pas de notre propre chef que sa mère et moi-même nous opposons à votre projet. C'est la loi qui interdit toute union entre cousins germains!

– Je ne suis pas vraiment la cousine de Thomas!

– Vous l'êtes! N'en doutez pas! »

La force nerveuse de l'adolescente l'abandonna soudain. Sa jeunesse n'était pas habituée à de semblables affrontements et le désespoir l'emporta dans son cœur. Elle poussa un gémissement et tomba sur l'herbe, pâmée.

Bertrand Brunel se pencha vers elle. La pitié prenait à présent en lui le relais de la colère. Il souleva le corps fragile entre ses bras et se dirigea vers la maison.

Comme il parvenait au terre-plein, Marie sortait de la salle. Elle paraissait agitée.

« Qu'est-il encore arrivé à Agnès? demanda-t-elle en s'immobilisant dans la brutale lumière de cette fin de matinée, qui lui faisait plisser les paupières.

– Elle souffre du cœur! lança Bertrand à sa sœur.

– Du cœur? Mais il faut la soigner au plus vite!

– N'ayez crainte, Marie, ce n'est pas d'un mal corporel que je faisais état, mais d'une peine sentimentale! Ni vous ni moi ne sommes en mesure d'y porter remède. »

La jeune veuve n'eut pas besoin d'autres explications. Ce que tout le monde avait pu observer depuis la veille et ce que sa tante lui avait confié au sujet des deux jeunes gens lui revinrent à l'esprit. Ses propres préoccupations l'en avaient distraite.

« Je vois de quoi il s'agit, dit-elle. Que comptez-vous faire ?

— Les séparer. C'est l'unique solution. J'ai déjà été forcé d'enfermer Thomas chez moi, mais je crains sa violence et son opiniâtreté. Pour revenir ici chercher sa belle, il est bien capable de se sauver par quelque tour de sa façon. C'est ce que je veux éviter. Aussi, vais-je conduire cette enfant en lieu sûr. Sa pâmoison me facilite la tâche.

— Il est triste d'avoir à étouffer dans l'œuf un premier amour, soupira Marie. Mais il est également certain qu'aucun prêtre ne consentira à unir des cousins germains...

— C'est ce que je m'évertue à leur faire admettre à tous deux ! Mais ils sont butés l'un et l'autre comme des mules !

— Pauvres mules qui ne pourront pas tirer de compagnie la charrette de leurs espoirs, dit Marie avec mélancolie. La vie est bien étrange, Bertrand, qui sépare certains et en unit d'autres sans beaucoup de discernement.

— Il ne s'agit jamais que des apparences, ma sœur. De rien de plus, de rien de moins... Savons-nous ce qui se dissimule derrière elles ? N'oublions pas que ce qui nous paraît noir est presque toujours blanc, alors que ce qui nous semble blanc est noir !

— Il est tellement aisé de se laisser abuser...

— Bien sûr. La difficulté est d'accepter que les opinions le plus généralement admises sont fausses, et que nous sommes de pauvres créatures enfoncées dans l'erreur. Il est dur, mais nécessaire de reconnaître que la facilité nous perd alors que les épreuves nous font le plus grand bien.

— Vous êtes dans le vrai, reconnut Marie, mais, Dieu ! que nous sommes donc faibles et mal armés pour un tel combat !

– Sans doute... mais nous ne sommes ni seuls ni totalement démunis. Il ne faut pas que ce soit en vain que la foi nous ait été donnée! »

Une porte claqua. Vivien apparut.

« Allons-nous bientôt dîner? demanda l'enfant, sans se soucier de troubler l'entretien de sa mère et de son oncle.

– Je pense que oui...

– Je m'en vais donc, dit Bertrand. J'emmène avec moi cette écervelée. Elle n'a pas fini de se débattre dans les mailles du filet où la voilà prise!

– Elle est arrivée ici avec un coffre rempli d'effets...

– Croyez bien, Marie, que je regrette d'interrompre si abruptement le séjour que vous offrez avec tant de générosité à ces enfants. Mais, vous le constatez, je ne pouvais faire autrement. Pour le coffre, soyez tranquille! je vais l'envoyer prendre! »

Il gagna l'écurie, réclama son cheval, déposa son fardeau entre les bras du palefrenier, se mit en selle, et hissa enfin à sa hauteur Agnès toujours évanouie. D'un bras ferme, il la maintint contre sa poitrine afin de l'empêcher de glisser.

Jusqu'à Paris, le trajet ne fut guère long. Pourtant, il y avait pas mal de monde sur la route qui longeait le cours verdoyant de la Bièvre, et davantage encore dans les prairies avoisinantes où la rivière se divisait en deux bras très proches. Beaucoup de Parisiens et d'écoliers avaient coutume de venir se promener dans les parages, les jours de fête, afin de se délasser des contraintes de la cité. Certains pêchaient poissons ou écrevisses, d'autres jouaient aux quilles, aux boules, aux palets. Femmes et filles cueillaient des brassées de fleurs des champs et de feuillages.

Au moment où passait Bertrand Brunel, des groupes s'étaient installés un peu partout à l'ombre des saules ou des aulnes, autour de nappes étalées sur l'herbe, et déballaient des victuailles apportées dans de grands paniers d'osier.

Quelques regards curieux se tournèrent vers le cavalier et son étrange fardeau, mais personne ne jugea bon d'intervenir.

Passé la porte Saint-Victor, la traversée des rues, de la Cité, des ponts, vidés par l'heure du repas autant que par la chaleur, se fit sans encombre.

Au lieu de se rendre à son domicile, rue des Lavandières, Bertrand se dirigea sans hésiter vers la rue des Bourdonnais.

« Où me menez-vous donc ? » balbutia Agnès, qui avait repris connaissance.

L'orfèvre l'aida à se redresser et la dévisagea avec sévérité.

« Chez mon père, où vous serez en sûreté, protégée de vous-même et de ce fou de Thomas, répondit-il sans ambages. Vous connaissez le logis et Tiberge-la-Béguine vous y accueillera bien volontiers. Je l'ai fait prévenir de votre venue et de ses raisons. »

Depuis la mort de Mathilde, la belle demeure de maître Brunel avait perdu beaucoup de son animation. Une fois veuf, Etienne s'était entièrement tourné vers ses souvenirs et entretenait sous son toit le culte de la disparue. Il vivait seul avec sa vieille intendante et quelques serviteurs.

Son isolement s'était encore accru après le départ de son fils aîné, Arnauld, qui avait depuis peu quitté l'aile du domicile où il s'était installé au moment de son mariage, pour gagner l'Italie en compagnie de son épouse égyptienne, Djounia et de leurs deux enfants. C'était Louis IX en personne qui avait dépêché, à titre d'ambassadeur, son trouvère préféré, son ancien compagnon de Saint-Jean-d'Acre, auprès de son propre frère Charles d'Anjou. Devenu roi de Naples et de Sicile depuis la victoire de

Bénévent, remportée au mois de janvier précédent sur son rival Manfred Hohenstaufen, ce prince fastueux tenait sur ses terres une véritable cour. Arnauld et les siens ne semblaient pas s'y déplaire.

Aussi la grande demeure était-elle devenue fort silencieuse.

Bertrand y fut accueilli par Tiberge-la-Béguine, toujours aussi imposante par son maintien et par sa corpulence.

« Je ne veux pas déranger mon père, dit l'orfèvre. Vous le préviendrez quand vous en jugerez le moment venu. Pour l'instant il ne s'agit que de ne pas laisser cette enfant quitter le logis. J'en suis navré pour elle, pour vous, pour nous, mais il est indispensable de la tenir enfermée en attendant que nous ayons décidé de la marche à suivre pour le bien de chacun. Je compte sur vous, Tiberge. Veillez sur elle. Je vous la confie. »

La vieille femme considérait avec commisération l'adolescente que Bertrand venait de déposer à terre.

« Je l'ai connue toute petiote, dit-elle en avançant la lèvre inférieure en une sorte de moue édentée qui lui était familière. C'est une vraie pitié d'avoir à la tenir prisonnière à présent!

— Dieu me garde, Tiberge! Ce n'est pas non plus de bon cœur que je me suis résolu à cette extrémité, mais je ne vois pas le moyen de procéder autrement. Veillez, si c'est possible, à ce que le temps ne lui pèse pas trop, mais songez que son honneur et la paix de toute notre famille sont sous votre responsabilité!

— Je vais la conduire dans l'ancienne chambre des filles et l'y enfermer à double tour, assura l'intendante. N'ayez crainte, je ne la laisserai pas s'échapper! »

Bertrand se pencha sur sa selle.

« Voyez, Agnès, ce que votre inconséquence, à Thomas et à vous, nous conduit à faire! Je veux espérer que la sagesse vous viendra assez vite pour qu'on puisse sans tarder vous rendre à la liberté. Maintenant, il me faut m'en retourner vers mon forcené de fils! »

Il salua, passa le portail, disparut.

« Venez, petiote, dit Tiberge-la-Béguine. Vous coucherez ce soir dans le lit où notre Florie a dormi jusqu'à son mariage. Espérons que vous vous y trouverez bien. »

Quand la porte de la chambre se fut refermée sur elle, Agnès se laissa tomber sur la couche et se mit à pleurer. Que faire? Comment prévenir Thomas du lieu où elle se trouvait? Comment le rejoindre?

Un désespoir où demeuraient des restes d'enfance la secouait de sanglots. Passer sans transition de l'exaltation amoureuse la plus intense à l'abattement qui l'accablait n'était pas supportable. A peine éclos, son bel amour était donc condamné! Qu'allait-elle devenir si son ami ne trouvait pas le moyen de venir la délivrer? Resterait-elle longtemps enfermée dans cette maison? Cette maison qu'elle avait jadis connue toute bruissante de vie et qui s'était tristement refermée depuis lors sur la mémoire d'une absente?

A la rigueur, elle pouvait envisager de s'enfuir durant la nuit par la fenêtre, à l'aide de draps noués, mais le mur abrupt qui, de l'autre côté de la cour, la séparait de la liberté, était beaucoup plus difficile à franchir. En plus, l'idée de se retrouver, après une éventuelle évasion, seule, perdue dans la grande ville qu'elle connaissait à peine, l'épouvantait.

Quand Tiberge lui apporta, un peu plus tard, sur un plateau de vannerie, un repas froid, l'adolescente avait cessé de pleurer. Etendue sur le lit, les sourcils froncés, elle nattait ses cheveux.

« Je n'ai pas faim.

– Il faut vous nourrir. Vous prendrez bien une aile de ce chapon rôti, ou une tranche de ce pâté de chevreau, à moins que vous ne préfériez deux ou trois beignets de fleurs ou un peu de ce bon fromage à la crème que voilà!

– Non. Je ne veux rien. Si on me tient séparée de Thomas, la vie ne m'intéresse plus. Je n'ai plus qu'à me laisser mourir... de faim ou autrement, peu importe!

– Vous l'aimez donc si fort, ce rouquin!

– Plus que vous ne sauriez l'imaginer. Pour toute la vie. Jusqu'à la mort.

– Racontez-moi comment vous est venu ce beau feu.

– Vous faites bien de parler de feu : nous avons été foudroyés tous deux, au même moment, voilà tout. Notre histoire est brève, Tiberge, mais elle durera jusqu'à notre dernier souffle.

– Comment pouvez-vous en être tellement certaine?

– Parce que nos êtres sont à jamais unis par l'échange de nos sangs, de nos cœurs, de nos âmes! J'ai été touchée par la grâce de l'amour comme d'autres le sont par la foi!

– Ce sont là serments de jeunesse. Nous en reparlerons dans dix ans!

– Vous ne comprenez rien à ce qui nous est arrivé, Tiberge! Nous sommes liés l'un à l'autre éternellement, comme Tristan et Yseult-la-Blonde l'étaient par le philtre qu'ils avaient bu.

– Ils sont morts cruellement.

– Ils sont partis ensemble! Tout est là. Je veux bien mourir demain, si c'est entre les bras de Thomas! »

L'intendante soupira, posa son plateau sur un escabeau, et s'en fut, les épaules courbées par l'accablement, trouver son maître afin de le tenir au courant de ce qui se passait sous son toit.

Assis dans un fauteuil à haut dossier, entouré de coussins, Etienne Brunel lisait un évangéliaire. La mort de sa femme l'avait éloigné de tout ce qui n'était pas un passé dont il remuait sans fin les cendres refroidies. Quand il partirait à son tour rejoindre Mathilde, il n'aurait pas grand-chose à quitter en un monde dont il se sentait totalement détaché. L'amertume que son épouse lui reprochait autrefois s'était, après son veuvage, muée en un dégoût de l'existence, en une lassitude, une répugnance à participer à l'agitation humaine, qui l'avaient vite conduit à se désintéresser de sa profession comme de tout le reste. Après avoir confié la marche de son orfèvrerie à Bertrand, il s'était retiré dans sa maison et n'en sortait plus que pour aller prier en l'église des Saints-Innocents où était ensevelie Mathilde. Sa famille elle-même lui était à charge. Agé de soixante-dix-huit ans, il attendait la mort et la jugeait bien lente à venir.

Le dos voûté, les gestes appesantis, le teint gris, il était devenu l'image même du chagrin, du renoncement. Ses traits ravagés, ses yeux aux pupilles décolorées gardaient une expression absente, vide de lumière.

Tiberge le mit au courant de l'arrivée chez lui d'Agnès, des motifs qui avaient amené Bertrand à prendre la décision d'enfermer l'adolescente.

« Si Thomas aime vraiment cette jeune fille, il trouvera bien le moyen de venir la reprendre, et tous les murs du monde n'y changeront rien! remarqua le vieillard.

– Votre fils m'a bien recommandé de veiller, justement, à ce que ça ne se produise pas!

– C'est qu'il méconnaît les ressources du cœur, Tiberge! En agissant comme un homme raisonnable, il oublie que l'amour, justement, n'est pas raisonnable, point du tout... »

Sa personne n'était-elle pas la preuve vivante de ce qu'il affirmait? Depuis onze ans que Mathilde était morte, n'aurait-il pas dû, raisonnablement, se résigner à sa perte?

« J'ignore ce que vaut l'attachement de ces enfants, reprit maître Brunel; mais, s'il est de qualité, je ne donnerais pas cher des précautions prises par mon fils! »

Il en avait presque l'air satisfait, comme si, dans sa détresse, l'évocation de l'amour, même chez autrui, était seule encore capable de le conforter.

Ce témoignage d'intérêt, cependant, fut de courte durée. Il rouvrit le livre qu'il avait posé sur ses genoux pendant les explications de sa gouvernante. Ses mains amaigries, aux veines noirâtres et gonflées, maniaient avec précaution le manuscrit enluminé dont Marie avait elle-même orné les feuillets avant de lui en faire présent.

« Bien que je comprenne les motifs qui poussent Bertrand à agir comme il le fait, reprit le vieil homme au bout d'un moment, je regrette son intervention. La tendresse humaine doit être sacrée, partout, toujours. Elle reste le seul sentiment capable de nous sortir de notre égoïsme... et puis, ne l'oublions pas, à la fin des temps, nous serons jugés sur l'amour!

– Pas sur l'amour illégitime, tout de même!

– Dieu seul sait... La vie est si difficile, dit Etienne Brunel en appuyant son pouce et son index sur ses yeux fatigués, le temps d'aimer si bref...

– Votre fils, pas davantage que Florie, ne peut accepter une union qui serait interdite par la loi, par l'Eglise!

– Sans doute, sans doute... »

Il reprenait sa lecture, inclinait vers le gros livre un front barré de rides.

142

Tiberge-la-Béguine considéra un instant son maître avec perplexité, puis, le voyant reparti vers son monde intérieur, elle tourna les talons et quitta pesamment la pièce. Partagée entre son sens du devoir et la commisération qu'elle ne pouvait s'empêcher de ressentir envers les amoureux dont elle devait combattre les projets, elle se sentait déchirée. Comme certaines femmes d'âge, elle se montrait bien plus sensible, vers la fin de sa vie, au pouvoir des passions qu'elle ne l'avait jamais été durant sa maturité. Mais que faire contre la loi?

La journée s'écoula dans une torpeur étouffante que troublait uniquement le bourdonnement des mouches.

Quand le soir s'annonça, l'intendante d'Etienne Brunel n'avait toujours pas trouvé de réponse à sa question.

Ce fut seulement après le souper, refusé par Agnès avec le même dédain que le dîner, que l'idée vint à Tiberge de se rendre à la chapelle la plus proche afin de confier au prêtre qui la desservait ses scrupules de conscience.

Pourvu qu'elle prît certaines précautions, s'absenter pour si peu de temps ne lui parut pas incompatible avec la mission reçue.

Comme chaque soir, après son repas, Etienne Brunel s'était retiré dans la chambre qu'il occupait autrefois avec Mathilde. Selon son habitude, il devait mettre la disparue au courant des événements de la journée. Bien souvent, à travers le bois de la porte où elle collait son oreille, Tiberge avait entendu le veuf parler à mi-voix à celle qui, pour lui, demeurait présente dans la pièce où elle avait rendu le dernier soupir.

Au début, ce discours qui n'obtiendrait jamais de réponse ici-bas, cet entretien avec une morte avait épouvanté l'intendante. A présent, elle s'y était accoutumée et ne s'en étonnait plus.

Afin de s'éloigner du logis, même pour peu de temps, l'esprit en repos, la vieille femme alla s'assurer que son maître procédait bien, une fois de plus, au récit des faits et gestes de la maisonnée dont il avait pu avoir connaissance au cours des heures précédentes. Quand elle eut reconnu le ton confiant et familier avec lequel Etienne contait ses impressions et ses remarques à l'auditrice invisible dont l'attention bienveillante ne faisait aucun doute pour lui, Tiberge se retira sans bruit. Après avoir posté une des petites servantes dans le couloir, devant la porte de la chambre fermée, et lui avoir enjoint de ne laisser entrer personne, elle quitta la demeure de maître Brunel.

Elle s'attarda néanmoins plus longtemps qu'elle ne l'avait prévu à la chapelle, où le prêtre qu'elle avait l'habitude de consulter, retenu lui-même au chevet d'un mourant, arriva avec du retard.

Aussi le soir commençait-il à descendre d'un ciel toujours aussi serein quand elle se retrouva dans la rue, l'âme affermie et assurée de son devoir.

Mais à peine eut-elle refermé derrière elle la porte de la maison de son maître, que toutes ces certitudes s'écroulèrent.

Debout sur le seuil de la salle, appuyé au bras de Thomas, et ayant retrouvé, semblait-il, un certain intérêt pour les événements qui se passaient hors de son monde clos, Etienne Brunel conversait avec le rebelle. En bonne intelligence, cela sautait aux yeux !

« Ne prenez pas cet air courroucé, Tiberge, dit-il en remarquant la mine chargée de reproches de son intendante. Ce que j'avais prévu est simplement arrivé, voilà tout. Ce garçon a trouvé le moyen de s'échapper de l'endroit où on le tenait enfermé et, dans un mouvement de confiance spontanée qui me touche beaucoup, il est aussitôt venu me trouver. Il voulait me demander aide et conseil... sans se douter un instant que je détenais la réponse à toutes ses questions en la personne de celle qu'il ne savait où aller chercher.

— Votre fils avait, pourtant, bien recommandé...

— Je suis encore maître chez moi, que je sache! C'est donc moi qui décide de ce qui est bon, céans, ou de ce qui ne l'est pas. Je réglerai cette question avec Bertrand quand je le reverrai... Il ne m'avait, d'ailleurs, mis en aucune façon au courant de tout cela et je ne me suis jamais engagé à quoi que ce soit envers lui.

— Dans ces conditions, je n'ai plus qu'à me taire, bougonna la Béguine.

— Absolument, opina maître Brunel. Mais ce n'est pas suffisant. Il vous reste, aussi, à nous prêter main-forte.

— Par tous les saints! Vous voulez donc, messire, me pousser à renier ma parole!

— Vous ne ferez qu'obéir à un ordre, rien de plus. C'est là un des avantages certains de votre charge. Vous ne pouvez en aucun cas être tenue pour responsable de l'exécution d'un commandement qui vous est imposé.

— Ma bonne Tiberge, dit Thomas avec un sourire enjôleur, ne vous tourmentez point. Si vous y tenez, je m'engage à témoigner devant mon père de votre parfaite loyauté envers lui, et de la réprobation que vous avez témoignée à l'égard de nos projets.

— Puis-je, au moins, les connaître? s'enquit l'intendante avec majesté. Puisqu'il semble qu'on ait, tout de même, besoin de mes services.

— C'est fort simple, reprit maître Brunel. Je ne puis garder chez moi ces enfants sans l'accord de leurs familles respectives. On aurait vite fait de les y reprendre et de les séparer. Or, je sais que vous vous êtes liée d'amitié avec la marchande de cire à laquelle nous avons coutume d'acheter cierges et chandelles quand nous nous rendons sur la tombe de ma chère femme, au charnier des Saints-Innocents. »

Il soupira.

« Eh bien, cette fréquentation va nous être fort utile, reprit-il en se forçant à continuer. Il vous faut aller de ce pas la trouver pour lui demander si elle consentirait à abriter pour quelque temps, dans son échoppe, sous la galerie voûtée où elle loge, mon petit-fils et la jeune Agnès.

– Seigneur! Que dites-vous là?

– L'espace béni où reposent les trépassés, tout en étant public, n'est-il pas sacré?

– Si. Bien sûr.

– A ce titre, ne jouit-il pas, comme les églises, du droit d'asile?

– Sans doute.

– Il m'apparaît donc comme le lieu de refuge idéal pour qui tient à se soustraire à des poursuites, de quelque ordre que ce soit. Je ne vois pas de meilleur abri pour nos amoureux!

– Dieu Tout-Puissant! Vous voulez les faire loger ensemble chez la venderesse de cire!

– Thomas m'a donné sa parole qu'ils sauraient demeurer chastes tant que nous n'aurons pas trouvé le moyen de les unir en mariage légitime.

– Vous l'avez cru? »

Le vieillard se redressa.

« Tiberge, vous n'êtes qu'une femme indigne de mon estime si vous ne vous montrez pas capable de discerner la pureté d'un amour comme celui dont je vous parle! Il ne s'agit en rien ici d'un simple entraînement. Thomas a eu, pour m'en entretenir, des accents auxquels je ne pouvais me tromper : j'en reconnaissais l'écho. »

VII

« Le temps qu'il fait durant les cinq jours qui séparent la Saint-Jean de la Saint-Pierre annonce sans erreur ce que seront les six mois à venir, dit Thomas à Agnès. Du moins la coutume l'affirme. Après l'orage que nous avons eu hier, voici le soleil revenu. C'est bon signe : nous aurons un bel été, ma mie! Un bel été d'amoureux!

Assis l'un près de l'autre sur le dernier degré d'une des hautes croix hosannières[1] qui parsemaient le cimetière des Saints-Innocents, ils observaient, dans la fraîche lumière que la pluie de la veille semblait avoir lavée, la foule des visiteurs qui, du matin au soir, envahissaient le vaste terrain séparé de la ville par une enceinte de dix pieds. Au-dessus de celle-ci se découpaient les toits pentus des maisons avoisinantes.

« Quel curieux endroit! dit Agnès, appuyée à l'épaule de son ami. Il ne m'a jamais été donné, nulle part, d'en voir de plus animé ni de plus bruyant. Il sert vraiment à tout! »

Thomas se mit à rire.

« N'oubliez pas que c'est là le plus grand champ clos de Paris, ma douce! Comme on y dispose de beaucoup de place, on en profite de toutes les

1. Calvaires où l'on se rendait en pèlerinage au chant de l'Hosanna.

façons : on y traite davantage d'affaires que sur un foirail, la justice y rend ses sentences publiques, les orateurs les plus réputés viennent s'y faire entendre, on y célèbre toutes sortes de cérémonies officielles, et, d'autre part, on y boit et on y mange autant que dans les auberges les mieux achalandées, on s'y promène plus à l'aise que dans les rues, et bien des amants s'y retrouvent pour s'entretenir de leurs amours!

– Je n'y étais jamais venue et n'en soupçonnais rien.

– C'est, pourtant, un lieu célèbre! Comme on y jouit des franchises de l'immunité, beaucoup de marchands préfèrent venir y vendre leurs produits plutôt qu'ailleurs. »

Des enfants, qui jouaient à cligne-musette, passèrent en piaillant.

– Malgré tout ce que vous m'en dites, je ne m'y sens guère bien, reprit Agnès. Les autres réfugiés qui sont venus s'y soustraire à la loi ne me paraissent pas le moins du monde rassurants. Certains d'entre eux me jettent des regards qui me mettent au supplice!

– C'est parce que vous êtes trop jolie, mon cœur! Les ribaudes dont ils font leur ordinaire ne vous sont en rien comparables. »

Il prit une des mains abandonnées sur le surcot de toile fine et en baisa dévotement chaque doigt.

En ce matin de la Saint-Pierre, ils habitaient depuis cinq jours chez la marchande de cire et commençaient à s'interroger sur la durée d'une hospitalité qui ne pouvait se prolonger encore bien longtemps. Guirande-la-Cirière était une brave femme à la vertu peu farouche, qui avait jugé divertissant de protéger les amours de deux adolescents en difficulté. Mais elle n'avait pas l'intention de leur laisser indéfiniment l'usage du réduit servant de chambre que comportait, en plus de son échoppe, son étroit logement adossé au mur du cimetière. Coincé entre les arcades et les niches funéraires qui encerclaient l'espace consacré, ce gîte minuscule n'avait, de toute évidence, pas été conçu pour qu'on y vécût durablement à plusieurs.

A certains signes, Thomas et Agnès avaient compris que les jours de répit dont ils profitaient leur étaient comptés. Ils n'en parlaient encore entre eux qu'avec prudence, mais un même souci les taraudait. Que deviendraient-ils quand il leur faudrait quitter un asile peu commode, certes, mais sûr? Où aller ensuite?

Le lendemain même de leur installation chez la cirière, Laudine, la mère de Thomas, avertie par son beau-père, Etienne Brunel, avait rendu visite aux deux jeunes gens. Laissant pour un moment les cinq enfants qui lui restaient à la maison, elle était venue se rendre compte de la situation de son fils et lui apprendre le départ de Bertrand vers la Touraine. Furieux et blessé d'avoir été trahi, l'orfèvre avait décidé d'aller trouver sa sœur et son beau-frère, afin de s'entretenir avec eux des suites à donner à la fugue des amoureux. Comment les parents adoptifs d'Agnès prendraient-ils les événements survenus depuis la Saint-Jean dans l'existence, jusque-là si sage, de leur fille? Comment envisageraient-ils ses projets matrimoniaux? Laudine n'avait pas dissimulé au couple qu'elle partageait à son égard la réprobation de son époux. Il paraissait certain que les membres raisonnables de la famille réagiraient de même.

Autour des fugitifs, se dressaient condamnations et interdits... L'amour éclairait cependant le moindre instant d'une intimité si neuve qu'elle les grisait comme un vin de fête. Ils ne se lassaient pas de se mirer dans les prunelles l'un de l'autre et repoussaient d'instinct, dans un avenir sans visage, les menaces qui pesaient sur leur félicité présente. Vivre ensemble suffisait pour un temps, bien qu'il leur fût de plus en plus difficile, le soir venu, de trouver le sommeil, séparés comme ils l'étaient par la dague plantée entre eux. Le désir les tourmentait et ils ne savaient plus si c'était respect de leur propre engagement, ou de la promesse faite à Etienne Brunel, ou bien répulsion pour le lieu indigne où il leur aurait fallu s'aimer, qui leur permettait de tenir parole.

« Doux ami, je donnerais dix ans de ma vie pour ne pas être considérée comme votre cousine, murmura Agnès en caressant la tête rousse inclinée sur ses mains. Nous serions si heureux sans cette adoption!

– Sans elle, nous ne nous serions jamais connus, ma mie! Ce qui aurait été pire que tout! »

Un moine se mit à prêcher non loin d'eux, du haut d'une chaire de pierre prise dans la façade de l'église, qui était tournée vers le cimetière. Sa voix grave, nasillarde, passait au-dessus des auditeurs qui se pressaient devant lui et parvenait jusqu'au couple assis au pied de la haute croix.

« Eloignons-nous, proposa Thomas. Je connais le frère Ernoul et n'ai pas envie de l'écouter. Il est un peu trop verbeux pour mon goût!

– J'aimerais aller saluer notre amie la recluse, dit Agnès. C'est une femme remplie de sagesse. »

Parmi les herbes folles et la terre caillouteuse qui affleurait partout, quelques tombeaux, d'autres croix hosannières en pierre ou en bois, une lanterne des morts, d'humbles tombes bosselant le sol ici où là composaient un décor mi-champêtre mi-macabre, familier à tous. Les Parisiens, en effet, aimaient à se promener dans cet espace public et préservé, à y faire collation, et même à y venir danser, en dépit des interdictions renouvelées par plusieurs conciles qui avaient tenté en vain de prohiber, dans ces lieux consacrés, les danses, les jeux de hasard, les exhibitions des jongleurs, des mimes, des musiciens ambulants, aussi bien que la vente du vin, des gaufres, du pain ou de toutes autres marchandises profanes.

« Je suis frappée de voir tant de petites sépultures enfantines en dehors de l'église, constata Agnès. Au fond, seuls les pauvres et les nourrissons sont enterrés ici.

– Chacun tient à se trouver le plus près possible du Saint-Sacrement, expliqua Thomas. C'est pourquoi les seigneurs, les membres du clergé, les riches marchands, les artisans bien établis, mais aussi pas mal de petites gens du menu peuple se font ensevelir au pied des autels, sous les dalles du chœur, dans les chapelles attenantes, sous le parvis, les auvents, les galeries adossées au mur de l'église ou dans les enfeus creusés dans ces mêmes murs que vous voyez là-bas. C'est uniquement faute de place qu'on en est venu à enfouir les défunts impécunieux et les tout-petits dans ce terrain à ciel ouvert. C'est également pour cette raison qu'on les y met gratuitement, alors que les tombes de l'intérieur, si recherchées, coûtent fort cher.

– Morts ou vifs, nous restons donc toujours soumis au pouvoir de l'or! soupira Agnès. Heureusement que certains savent encore s'en passer! »

Ils arrivaient devant un reclusoir. La cellule, fort exiguë, où s'était fait murer, afin de se consacrer à la prière et à la pénitence, celle qu'ils venaient visiter, donnait à la fois dans l'église et dans le cimetière.

Devant l'étroite fenêtre grillagée qui ouvrait de leur côté, une femme vêtue comme une humble veuve, un panier au bras, terminait une conversation avec la recluse. Dès qu'elle aperçut les jeunes gens, cette dernière les salua.

151

« Dieu vous bénisse, gentils amoureux! J'ai prié pour vous cette nuit », dit-elle en souriant.

Enfermée dans son étroite demeure depuis plus de dix ans, Enid-la-Lingière offrait l'image d'une gaieté sereine qui lui valait, de la part de ceux qui ne cessaient de venir lui demander conseil ou réconfort, une véritable vénération.

Ancienne ouvrière du linge, sa piété, au dire de ceux qui la connaissaient alors, avait toujours été exemplaire. Autour de la trentaine, elle avait décidé de renoncer aux biens de ce monde et de se faire emmurer par son évêque, au cours d'une cérémonie solennelle. Elle voulait se vouer à l'oraison. Le champ des morts qu'elle avait choisi pour unique et définitif horizon inspirait ses méditations mais ne semblait en rien les assombrir.

« Regardez comme on me gâte », dit-elle à ses visiteurs.

A travers le grillage, elle leur montrait un pain rond et un fromage de chèvre à la croûte bleutée que la veuve venait de déposer sur le tour fixé dans l'épaisseur du mur afin que la recluse, en le faisant pivoter, pût s'en emparer.

« Si j'acceptais de manger tout ce qu'on me donne, reprit-elle avec un rire, je serais si grasse que je ne tiendrais plus dans ma cellule. Il faudrait l'agrandir! »

On savait qu'elle distribuait la majeure partie des offrandes qu'elle recevait aux nécessiteux et aux habitants plus ou moins recommandables qui fréquentaient le charnier où elle s'était établie.

« Bonne dame, nous souhaiterions, nous aussi, vous faire don de nourriture, mais, vous le savez, nous sommes à présent sans ressources, avoua Thomas d'un air gêné. Ne nous en veuillez pas! »

Quand il s'était enfui, après avoir, dans sa fureur, brisé la porte de la pièce où son père l'avait enfermé, l'adolescent avait dû verser entre les mains du valet chargé de le garder tout le contenu de sa bourse. Il fallait bien dédommager ce serviteur complaisant de la perte certaine de sa place. Thomas se serait donc retrouvé sans un sou si son aïeul ne s'en était avisé. C'était Etienne qui avait fourni à son petit-fils ce dont il avait besoin pour payer le loyer, les repas et les scrupules de Guirande-la-Cirière. A présent, il ne restait plus rien de ces subsides.

Depuis que Bertrand Brunel l'avait enlevée de force, Agnès, de son côté, n'avait pu recouvrer ce qui lui appartenait et qui était demeuré chez Mathieu Leclerc.

« Ce n'est certes pas à des jouvenceaux comme vous de m'entretenir, moi qui pourrais être votre mère! s'écria Enid-la-Lingière avec vivacité. Il y a bien assez de gens charitables pour subvenir à mes besoins! »

La femme au panier s'éloigna.

« Dame, dit Agnès en appuyant son front au treillage, dame, nous vous remercions de faire oraison à notre intention. Nous sommes si démunis que, seul, le Seigneur peut nous tirer d'affaire.

— On ne Le prie jamais assez, demoiselle! Quand on les Lui demande, on acquiert tant de grâces qu'on en est comblé, mais, voyez-vous, tout le monde méconnaît la puissance infinie de la prière.

— Heureusement qu'il se trouve des personnes comme vous pour y consacrer leur vie, dit Thomas. Il faut être aveugle et sourd pour ne pas admettre l'immense utilité des contemplatifs. Ils sont nos avocats auprès du Très-Haut!

— Qui parle d'avocats? Voilà une engeance détestable! »

Deux hommes jeunes, qui flânaient autour de l'église, venaient d'interrompre leur déambulation pour se mêler à la conversation. Vêtus de surcots sales et rapiécés, la tête couverte d'une coiffe attachée sous le menton et aussi malpropre que les cheveux gras qui en dépassaient, ils avaient assez mauvaise allure.

« Vous avez eu à vous en plaindre? s'enquit la recluse avec intérêt.

– Certes oui! Par les cornes du diable! Nous comptions sur certains d'entre eux pour nous tirer d'un mauvais pas où la perfidie d'un ami nous avait mis, répondit le plus âgé, qui ne devait guère avoir plus de vingt-cinq ans et dont l'œil droit était voilé d'une taie blanchâtre, mais, après nous avoir, par de belles promesses, extorqué nos espèces sonnantes et trébuchantes, ils n'ont rien fait pour notre cause! Charognards et compagnie, voilà ce qu'il en est, des avocats! Croyez-moi sur parole! »

Personne ne jugea utile de lui demander des explications sur l'affaire à laquelle il faisait allusion. Entre les résidents temporaires des Saints-Innocents, la discrétion était de mise.

« Bien peu de ces individus le sont, innocents, songea Thomas. A les entendre, ce sont toujours les autres qui les ont plongés dans l'embarras, mais chacun sait que les réfugiés contraints à chercher protection dans cet enclos ont, fort souvent, la conscience des plus alourdies! »

Les autres habitants du lieu, dont certains étaient installés en la place depuis assez longtemps pour y avoir élevé un petit logement, semblaient s'accommoder sans trop de difficulté d'un voisinage plus que douteux.

Pendue au bras de son ami, Agnès gardait obstinément les yeux baissés tandis que les deux truands détaillaient avec une tranquille impudence son corps avenant dont une simple cotte moulait le buste.

« Merci pour vos oraisons, chère dame, et à bientôt, trancha Thomas, qui ne pouvait se permettre de faire un esclandre dans le seul endroit où il

154

leur avait été donné de trouver refuge. Nous reviendrons vous voir sans tarder. »

Il entraîna Agnès vers l'église.

« Quelle pitié, ma mie, de vous voir forcée de cohabiter avec de semblables vauriens! gronda-t-il dès qu'ils furent hors d'écoute. Par Dieu! Mes poings me démangeaient de belle façon durant que ces deux-là vous lorgnaient comme chair de bœuf à l'étal d'un boucher!

– Oublions-les, mon cher amour. Votre force est ma meilleure protection. Vous n'avez même pas besoin de vous en servir. Il suffit que ces ribauds mesurent votre carrure pour leur ôter toute envie d'insister. »

Sous le porche de l'église, des marchands de petits pains, de saucisses cuites et de cervoise offraient leurs denrées aux passants.

A l'intérieur de la nef, où ils avaient suivi, un peu plus tôt, la messe matinale, Agnès et Thomas prièrent un moment, la main dans la main. Autour d'eux, des gens allaient et venaient. Certains conversaient à mi-voix, d'autres traitaient des affaires, concluaient des marchés, se fixaient rendez-vous pour la fin de la journée, ou se retrouvaient pour s'en aller, enlacés, vers des coins d'ombre. Des mères de famille, assises dans l'herbe répandue sur le dallage, allaitaient leurs petits tout en surveillant les plus grands qui, en courant, sortaient de la maison de Dieu ou y entraient.

Une femme agenouillée dans le chœur, à quelque distance du couple, se leva au bout d'un moment, secoua le bas de sa cotte où des brins de verdure demeuraient suspendus, et se dirigea vers les jeunes gens. C'était Blanche.

« Vous, ma sœur! Soyez la bienvenue!

– J'ai précédé d'une journée le reste de la famille qui rentrera demain seulement de Gentilly, où ne resteront que les enfants sous la garde de maître

Leclerc et de tante Charlotte, expliqua la nouvelle venue. Je tenais à vous voir sans tarder.

— Vous ne pouvez savoir quelle joie c'est de vous retrouver, dit Agnès. Nous nous sentons si perdus en cette étrange retraite.

— Venez. Il y a trop de monde dans la nef. »

En se frayant un passage à travers la foule et sans se consulter, ils gagnèrent une chapelle latérale pour laquelle ils avaient une prédilection. C'était là en effet, sous la dalle se trouvant au bas des marches de l'autel dédié à la Sainte-Famille, que reposait Mathilde Brunel, la grand-mère de Blanche et de Thomas. Près de la pierre gravée d'une simple croix, que diaprait de reflets violemment colorés la lumière du jour filtrant à travers un vitrail, ils se sentaient soutenus, protégés par celle qui s'en était allée rejoindre le Seigneur.

La chapelle était presque vide. Une vieille femme, à genoux, priait près de l'entrée et, dans un coin, deux mendiants se frictionnaient les jambes, les bras et les joues avec des tiges et des feuilles écrasées. Ce devaient être des pieds de renoncule scélérate dont on savait qu'ils usaient pour se provoquer des ulcères de la peau afin d'apitoyer plus aisément les passants.

« Depuis votre départ, on ne parle que de vous deux à Gentilly, dit Blanche à mi-voix quand ils eurent pris place tous trois sur les degrés de pierre de l'autel. Vous devez vous en douter.

— Que dit-on ?

— C'est selon. Certains vous blâment, d'autres vous plaignent. Je suis persuadée que beaucoup vous envient. »

Elle considérait le couple avec bienveillance. Il était clair qu'elle ne se rangeait parmi aucun de ceux dont il venait d'être question, mais que sa sympathie n'en était pas moins assurée aux deux réprouvés.

« Qu'avez-vous au juste à nous dire? s'enquit Thomas, qui n'aimait pas attendre. Parlez, je vous en conjure!

– Je suis venue me renseigner auprès de vous, mon frère. Trop de bruits courent sur votre compte pour que j'aie voulu me faire une opinion avant de m'en être expliquée avec vous. Ce que je sais tient en peu de mots : fous l'un de l'autre, vous vous êtes enfuis pour vous réfugier en ce charnier qui est lieu d'asile comme l'église qu'il entoure. Très bien, mais il me semble que cet abri est précaire et que vous ne pouvez songer à y demeurer fort longtemps.

– Nous ne souhaitons qu'une chose, assura Agnès, sortir d'ici le plus vite possible.

– Pour aller où?

– Par tous les saints! dit Thomas, nous n'en savons rien! Toute la question est là! En attendant, nous voici enfermés dans cet enclos comme rats en souricière! »

D'un geste qui rappela à sa sœur des chagrins enfantins qui n'étaient guère lointains, il fourrageait des deux mains dans sa chevelure de cuivre, comme s'il avait espoir d'en faire jaillir la lumière.

« Comment envisagez-vous l'avenir? reprit Blanche. Vous n'ignorez pas plus que moi à quel point la loi ecclésiale se montre sévère en matière de parenté prohibée.

– Aucun lien de sang n'existe entre Agnès et moi!

– Ne jouons pas sur les mots, Thomas! La parenté spirituelle est jugée tout aussi réelle que l'autre. Aux yeux de l'Eglise, vous êtes cousins germains. Chacun sait qu'en droit canon un motif de cet ordre est, presque toujours, décisif. Il n'y a pas à sortir de là : ou bien vous l'admettez, et il ne vous reste plus qu'à vous quitter à jamais, ou bien vous récusez l'ordre chrétien et, en même temps, vous vous condamnez tous deux à un destin de bannis.

– Rien ne peut nous séparer!

– Je pensais bien que vous réagiriez ainsi, dit Blanche. C'est pourquoi je suis venue.

– Vous accepteriez de nous venir en aide en dépit de la forfaiture dont on va nous accuser? »

Thomas se penchait avec incrédulité vers sa sœur, dont le visage, dans la pénombre chaude et parfumée d'encens, reflétait une détermination tranquille.

« Entendons-nous bien, dit-elle. Il ne s'agit pas pour moi de pactiser avec des révoltés, mais de porter assistance à des êtres que j'aime tendrement et auxquels m'attache le degré de parenté le plus proche qui soit. Je vous vois acculés à prendre une décision dont dépendra tout le reste de votre existence. C'est un choix d'une extrême gravité pour vous et pour ceux qui éprouvent de l'affection pour vous. Il ne me semble pas possible de vous abandonner en une telle situation! »

Dans un élan de gratitude, Agnès embrassa Blanche avec fougue.

« Soyez bénie, dit-elle, pour votre amitié et pour votre courage!

– J'espère bien être bénie! s'écria la jeune fille avec vivacité. C'est là mon plus cher désir! »

Thomas secoua la tête avec amertume.

« Vous allez vous mettre toute la famille à dos pour pas grand-chose, ma pauvre sœur, dit-il. Il ne faut pas nous leurrer. En dépit de vos intentions, si bonnes soient-elles, que pouvez-vous faire pour nous?

– Vous éviter le pire!

– Comment? Réfléchissez : qui prête main-forte à des criminels devient leur complice...

– Je n'ai pas l'intention de vous aider à braver les lois, mon frère, mais, tout au contraire, à trouver une solution qui vous permette de les avoir avec vous.

– Vous avez une idée?

– Peut-être... »

Elle s'interrompit parce qu'une femme entre deux âges, et richement vêtue, hésitait à pénétrer jusqu'à eux. Visiblement à la recherche d'un coin tranquille où s'entretenir avec le jeune écrivain public qui se tenait d'ordinaire dans un des bas-côtés de l'église, elle pinçait les lèvres de mécontentement en trouvant la chapelle occupée. Cette découverte avait interrompu une conversation animée qu'elle entretenait avec le clerc. Il semblait qu'elle voulût entraîner le pauvre garçon dans une machination contre laquelle il se rebellait. Quand elle vit la place prise, elle s'en détourna avec un geste de dépit et s'éloigna, entraînant sa victime dans son sillage.

Le trio la suivit des yeux, attendant qu'elle fût hors de portée pour reprendre l'échange interrompu. Dans leur coin, les mendiants continuaient leur triste besogne.

« Vous disiez? reprit Thomas en s'appliquant à mettre une sourdine à ses habituels éclats de voix.

– Il y a une solution, dit Blanche. Une seule. »

Sous le léger couvre-chef de lingerie qui dissimulait en partie ses cheveux, son visage reflétait une énergie qui la vieillissait un peu et laissait pressentir ce que la maturité ferait d'elle.

« Depuis que j'ai appris votre fuite, continuat-elle, ce que tout le monde appelle votre folle équipée, j'ai beaucoup réfléchi à votre situation et me suis mis la cervelle à l'envers pour y trouver un remède. Il ne convient pas, dans un cas comme celui-là, d'agir à l'étourdie. Surtout pas! Bien que notre père n'ait point encore porté plainte contre vous, il ne saurait manquer de le faire en rentrant. Vous savez qu'il s'est rendu en Touraine, à Thuisseau, afin d'avertir les parents adoptifs d'Agnès de ce qui vous arrive et pour aviser avec eux. Vous disposez donc de quelques jours pour adopter une ligne de conduite, après, il sera trop tard.

— Hors du fait que nous n'accepterons jamais de renoncer à notre amour, nous ne savons que décider, avoua Thomas.

— Pour sauver cet amour, il va vous falloir consentir à un sacrifice momentané, dit Blanche. Voici ce que je vous propose : grâce à une ruse que je vous exposerai en détail une autre fois, je crois pouvoir vous faire sortir d'ici sans encombre, en déjouant l'attention des gardiens qui veillent toujours aux portes. Une fois dehors, je conduirai Agnès soit chez grand-père Brunel, qui a pour vous une indulgence certaine, soit chez une amie, ou bien dans un couvent. Ce sera à elle de choisir. Pendant ce temps, mon frère, vous partirez pour Rome, à bride abattue. Une fois là-bas, vous vous démènerez tant et si bien que vous obtiendrez du pape, il faut l'espérer, une dispense de mariage sans laquelle vous ne pouvez songer à vivre en paix. Le plus souvent on n'en accorde qu'aux grands de ce monde, mais je connais sur place quelqu'un qui pourra, peut-être, vous aider... »

La mine réservée des amoureux la fit sourire.

« On peut faire confiance à Thomas pour ne pas perdre de temps en route, dit-elle avec enjouement. Dès son retour, vous serez libres de vous marier. Un tel résultat ne mérite-t-il pas quelques renoncements? »

Il y eut un silence, meublé par le bruit de jupes de la vieille femme, qui devait avoir fini ses prières, et s'en allait.

« Avez-vous jamais été amoureuse, Blanche? demanda Agnès.

— Ma foi, non!

— Si vous l'aviez été, vous comprendriez mieux ce que votre proposition a d'inacceptable, ma mie. Nous séparer, fût-ce pour une heure, est un supplice. Que serait-ce durant des mois? Nous n'y survivrions pas! »

Blanche inclina la tête, comme pour écouter un écho au fond de son cœur.

« L'amour humain comporte donc de telles exigences? demanda-t-elle.

— Plus encore que vous ne pouvez l'imaginer!

— Tant pis! Réfléchissez tout de même, je vous en prie, à l'offre que je viens de vous faire. Votre bonheur futur n'est possible qu'au prix d'un peu de temps perdu. N'en vaut-il pas la peine?

— Si je quitte Agnès, on parviendra, d'une façon ou d'une autre, à s'emparer d'elle. Je ne la retrouverai jamais! »

Thomas parlait avec conviction. Le front baissé, les yeux durcis, il ressemblait plus que jamais à un taureau prêt à charger.

« Je la garderai à l'abri des intrigues.

— C'est ce que vous croyez, ma sœur! N'oubliez pas que vous serez seules, toutes deux, contre une famille nombreuse et déterminée. »

Il s'interrompit. Les deux mendiants, qui en avaient terminé avec leur répugnante opération, s'agitaient dans l'angle de la chapelle. Ils ne se décidèrent toutefois pas à quitter les lieux et s'étendirent l'un près de l'autre, fraternellement, dans des remugles nauséabonds de loques crasseuses, avec l'évidente intention de faire un somme.

« Dieu me pardonne, reprit Thomas en s'efforçant de nouveau de parler bas, mais il n'est nullement certain que j'obtienne jamais cette maudite dispense! Si je reviens sans elle de mon voyage à Rome, que deviendrons-nous alors?

— Nous en serons ramenés à l'état présent des choses, mon frère.

— Justement! Pourquoi, je vous le demande, tant de peines, de pleurs, de temps envolé, si c'est pour nous retrouver là où nous en sommes aujourd'hui! »

Un homme et une femme tendrement enlacés vinrent s'incliner devant l'autel de la Sainte-Famille et y firent une courte oraison avant de gagner la chapelle voisine.

« Vous n'acceptez donc pas ma proposition? reprit Blanche avec regret quand ils eurent disparu.

— Hélas! Nous ne le pouvons, ma mie! Soyez-en pourtant remerciée de tout cœur. Nous n'oublierons pas votre bonté pour nous. Seulement, voyez-vous, vivre l'un sans l'autre ne nous est plus possible. »

Agnès parlait d'une voix calme, mesurée, mais il n'y avait pas à se méprendre sur son intonation. Elle était capable de mourir s'il le fallait plutôt que de se séparer de Thomas. Blanche songea que rien ni personne ne parviendrait jamais à contraindre cette âme-là.

« Votre projet était généreux, ma sœur, dit Thomas à son tour, mais impraticable. Il n'y faut plus songer.

— Alors, que faire?

— Je ne sais. Dieu nous aidera.

— Eh bien, puisque vous êtes inébranlables, dit Blanche en se levant comme sous le coup d'une inspiration, c'est moi qui partirai pour Rome à votre place!

— Vous!

— Pourquoi pas? Il ne manque pas de pèlerins désireux de partir pour la Ville Eternelle. Je me joindrai à eux.

— La route n'est pas sans danger.

— Rien n'est sans danger, Thomas! Des centaines, des milliers de gens partent chaque année en pèlerinage. Je ne ferai pas autre chose que ce qu'ils font tous.

162

– Risquer une pareille aventure sans personne de la famille pour vous tenir compagnie serait fort imprudent, ma mie. N'oubliez pas que vous êtes fille et, à ce titre, plus vulnérable que beaucoup.

– Nous verrons bien!

– Nos parents trouveront dans votre départ une raison de plus de nous en vouloir, renchérit Thomas. Ils vont nous accuser de vous avoir précipitée dans les plus affreux périls! »

Blanche haussa les épaules.

« Il m'importe peu, dit-elle avec obstination. Vous connaissez le respect que je porte à nos parents, mais, au-dessus d'eux il y a notre Père du ciel. En vous aidant, je suis certaine de ne pas contrevenir à sa loi d'amour. Le reste... »

« Qu'aurait pensé Mathilde Brunel, qui gît là, sous cette dalle, du nouveau scandale qui va éclabousser les siens? » se demanda fugitivement Agnès en se rappelant un autre événement douloureux dont son enfance avait subi le contrecoup.

Avant de quitter la chapelle, ils s'inclinèrent tous trois devant l'autel et devant la tombe de pierre polie, puis gagnèrent la nef où la foule circulait de plus belle.

« Par Notre-Dame! s'écria Blanche tout à coup. Je sais ce que je dois faire! Je vais aller trouver notre grand-mère Ripault. Elle n'hésite jamais à partir en pèlerinage pour demander aux saints thaumaturges la guérison de notre pauvre oncle Marc. Elle ne refusera certainement pas de venir avec moi. »

Tout le monde s'apitoyait sur l'acharnement de cette mère qui ne se lassait pas d'aller implorer un miracle en faveur du fils infirme qu'elle adorait. Depuis des années, Yolande Ripault parcourait tous les lieux sanctifiés dont elle entendait parler.

« Il est vrai qu'elle ne s'est pas encore rendue à Rome, admit Thomas en enjambant une jeune fille qui, les bras en croix, semblait en extase au milieu de la presse environnante.

– Vous voyez! Tout va s'arranger. Ne désespérez pas. Je reviendrai bientôt vous tenir au courant de mes préparatifs de voyage. En attendant, prenez patience. Une fois au but, je ferai tout au monde pour obtenir la dispense nécessaire à votre mariage! »

On sentait que la décision qu'elle venait de prendre comblait d'aise cette âme de bonne volonté. Après son départ, Agnès entraîna Thomas dans la chapelle de la Vierge. Ils s'y attardèrent pour prier la Mère du Verbe Incarné de leur venir en aide...

Un long moment après, ils se retrouvèrent sur le parvis, éblouis par la lumière ardente qui inondait le champ clos. On les bousculait. Des enfants, qui jouaient au cheval, se jetèrent dans leurs jambes...

Ils demeurèrent silencieux en haut des marches à contempler l'agitation qui ne cessait jamais de se manifester entre les murs du cimetière.

« Qu'allons-nous devenir? soupira Thomas en écartant d'un geste excédé la main d'un aveugle qui tendait aux passants une sébile de bois où tintaient quelques pièces.

– J'ai bien peur que nous ne soyons forcés de demeurer chez la cirière plus longtemps que nous ne le voudrions, admit Agnès à contrecœur.

– Sait-on? Sait-on? lança derrière eux une voix à la prononciation affectée. La vie est pleine de surprises, mes agneaux! »

Ils se retournèrent.

Le sourire aux lèvres, qu'il avait fardées avec soin, un personnage extravagant les contemplait, non sans ironie.

Parmi la foule colorée, variée, composée pourtant d'éléments inattendus, qui hantait l'enclos des Saints-Innocents, il tranchait comme un perroquet au milieu d'une basse-cour.

Grand, mince, blond, l'homme, qui devait avoir un peu plus de vingt-cinq ans, portait, sous une couronne de roses, des cheveux roulés au fer qui glissaient le long de joues rasées au plus près, poudrées, rosies, lisses comme celles d'une femme. Sous ses sourcils épilés, des yeux d'un bleu de pierre fine distribuaient des œillades frôleuses tout autour de lui. Ses mains, qu'il devait poncer et soigner à l'aide d'huile d'amande douce et de lait d'ânesse, étaient d'une finesse que bien des dames auraient pu lui envier. Les bagues dont chacun de ses doigts était couvert n'en tiraient que plus d'éclat. Une cotte, beaucoup plus courte que ce n'était ordinairement l'usage, et ceinturée d'un galon d'orfroi, moulait son torse élégant d'une étoffe de soie vert émeraude brodée de fils d'or. Il arborait par-dessus, avec une fierté évidente, un mantel flottant, de samit blanc dont les manches étroites étaient lacées jusqu'aux poignets, eux-mêmes ornés de lourds bracelets d'argent. Une aumônière de soie brodée à ravir pendait à sa ceinture. Des chausses violettes, d'une finesse extrême, gainaient ses mollets de cavalier, et ses chaussures, en cuir de Cordoue blanc, dorées au fer, emprisonnaient des pieds dont la minceur et la cambrure auraient fait pâlir de jalousie bien des demoiselles.

« Que nous voulez-vous? demanda d'un air mécontent Thomas au dameret.

– Beaucoup de bien, mes tourtereaux, rien que du bien, soyez-en sûrs! Par le Corps-Notre-Dame! nous n'avons que d'excellentes intentions à votre égard! »

Il zézayait et se refusait manifestement à prononcer comme le reste des mortels les sons durs qui devaient le blesser.

« De quoi vous mêlez-vous? »

Le sourire complice s'accentua. L'homme se pen-

VIII

Sɪ, de l'extérieur, le logement où leur étrange mentor conduisit les deux jeunes gens ressemblait à celui de la cirière, il en était tout autrement à l'intérieur. Ici, ni pauvreté ni fade odeur de cire, mais un luxe insolite et, flottant en fumée bleutée à travers la pièce, un arôme inconnu, lourd, tenace, qui s'échappait des flancs de cuivre d'un volumineux brûle-parfum, où étaient gravés des dragons tortueux...

Des tapis d'Orient aux reflets de soie décoraient les murs de la salle et certains d'entre eux, sans doute pour étouffer tout bruit, en couvraient même le sol. Un coffre d'ébène, un autre de cèdre occupaient, avec une crédence et un cabinet mauresque incrusté de nacre, l'espace disponible contre les parois. Des plats d'argent ciselé étaient disposés un peu partout sur les meubles.

Il y avait quelque chose d'étouffant dans cette accumulation d'objets somptueux en un si petit espace.

Des lampes à huile, suspendues au plafond par des chaînettes de métal, entretenaient en permanence dans le local dont les deux étroites fenêtres étaient soigneusement closes, une douce lumière que complétaient les bougies rouges d'un lourd candélabre d'étain à cinq branches. Posé sur une table à laquelle s'accoudait un gros homme d'une cinquantaine d'années, il éclairait de ses lueurs mouvantes un masque épais de César, envahi par la graisse. Vêtu avec sobriété, mais assis sur une cathèdre à haut dossier, celui qui était manifestement le maître du lieu paraissait un personnage d'importance. Sa façon de se carrer sur le coussin de velours hyacinthe de son siège, aussi bien que l'éclat du gros rubis qui scintillait, seul, au pouce de sa main gauche, en témoignaient.

Derrière lui, debout et immobiles, les bras croisés sur la poitrine, deux hommes de main aux faciès de molosses lui servaient de gardes du corps. A en juger par la musculature de leurs bras et l'épaisseur de leurs torses que moulaient des broignes de peau recouvertes d'annelets de fer, il ne devait pas faire bon se frotter à eux de trop près!

« Soyez les bienvenus, jouvenceaux! » lança une voix aux intonations narquoises, tandis que, soulevant une portière de tapisserie, et précédé d'un grand lévrier gris, un autre occupant du logis apparaissait à son tour.

Agé d'une trentaine d'années, le nouveau venu devait être le frère aîné du dameret qui avait introduit le couple dans la maison des arcades. Il en avait la haute taille, l'aisance et la beauté. Si, chez lui, ces dons de nature n'avaient rien d'équivoque, ils n'en étaient pas moins inquiétants. Vêtu sans aucune afféterie bien qu'avec raffinement, son corps, qu'on devinait entraîné avec assiduité à la pratique des exercices physiques, offrait, sous la cotte de soie turquoise, une apparence de souplesse, de force maîtrisée, assez impressionnante. Des traits dignes de Lancelot, nez droit, yeux clairs, front élevé, que couronnait une épaisse chevelure brune, en auraient fait un parfait modèle de preux, si un sourire railleur, où désinvolture et cruauté se mêlaient subtilement, n'en avait compromis l'harmonie en entrouvrant ses belles lèvres sur des dents de loup.

« Prenez donc place », dit-il aux jeunes gens médusés qui restaient debout au milieu de la pièce.

D'un geste nonchalant, il désignait deux cathèdres ornées de coussins volumineux qu'on avait disposées devant l'unique table de la pièce.

« Vous boirez bien quelque chose, mes agneaux, proposa à son tour, sans rien perdre de son zézaiement, et en leur coulant une œillade complice, le dameret à la couronne de roses. Il fait si chaud dehors ! »

Sur un plateau, devant l'homme au visage de chef vieillissant, un broc et des coupes d'argent étaient disposés.

« Approchez-vous, n'ayez crainte, reprenait l'homme au lévrier gris. Nous ne vous voulons que du bien.

— Par le Corps-Notre-Dame ! je n'ai cessé de le leur répéter ! s'exclama le dameret en se baissant pour caresser le chien. Vous ne pouvez pas savoir, Amaury, comme ces tourtereaux sont méfiants !

— Paix ! dit le maître du logis en ouvrant la bouche pour la première fois. Paix ! Taisez-vous tous deux ! »

Il avait une voix nasillarde mais impérieuse qui était, de toute évidence, habituée à donner des ordres.

« Asseyez-vous, reprit-il en s'adressant à ses hôtes. Nous avons beaucoup de choses à nous dire.

— Vous, peut-être ! lança Thomas, qui retrouvait enfin ses esprits, mais nous, messire, nous ne vous connaissons pas !

— Je vous ai pourtant expliqué... commença le dameret.

— Je croyais vous avoir dit de vous taire, Joceran,

maudit neveu! dit sèchement l'homme au rubis. Je ne veux plus vous entendre! »

L'interpellé poussa quelques soupirs mélodieux et s'installa sur une pile de coussins, à côté du brûle-parfum, en ayant soin toutefois de prendre une pose mettant ses jambes en valeur.

Son frère s'était assis sur le coffre de cèdre, le chien couché à ses pieds.

« Peut-on savoir ce qui nous vaut une telle attention de votre part à tous trois? s'enquit Thomas, dont la patience s'épuisait.

— Goûtez à ce vin de malvoisie et écoutez-moi, dit le maître du logis avec autorité. Il s'agit de rien de moins que de vous faire sortir de cet endroit où vous ne pouvez demeurer plus longtemps.

— Par tous les saints! Pourquoi vous intéressez-vous tant à nous? reprit Thomas, qui ne désarmait pas.

— Parce qu'il se trouve que nous avons été fort liés, jadis, avec feu votre oncle Robert, répondit tranquillement celui auquel il s'adressait. Vous savez sans doute que le cher homme ne dédaignait pas de fréquenter un monde qui n'était pas précisément le sien?

— Je l'ignorais, avoua Thomas avec rogne.

— Il est vrai que vous étiez bien jeune quand le pauvre garçon fut occis, admit avec bonhomie son interlocuteur. Vous ignorez sans doute également qu'il était possédé du démon du jeu et aurait gagé jusqu'à ses chausses?

— C'est bien la première fois...

— Je n'en suis pas surpris. Voyez-vous, Robert était adroit et tout à fait capable de s'adonner à son penchant secret sans éveiller l'attention de personne.

— En admettant que vous disiez vrai, en quoi le passé d'un parent défunt depuis deux ans peut-il nous concerner?

170

– Vous êtes jeune, messire Thomas Brunel, vous trouvez donc que deux années, c'est beaucoup. Quand vous aurez mon âge, vous aurez appris que ce n'est rien.

– Si vous connaissez mon nom, nous ignorons, en revanche, tout du vôtre! remarqua Thomas avec agressivité. Auriez-vous la bonté de nous en faire part? »

L'homme eut une sorte de rictus à bouche fermée, qui pouvait passer pour un sourire.

« Bien sûr, mon jeune ami, bien sûr. On me nomme Foulques-le-Lombard, et je suis changeur de mon état. Ces deux garçons que voilà sont mes propres neveux et travaillent avec moi.

– En quoi votre profession vous a-t-elle amené à connaître un enlumineur comme Robert Leclerc? Partagiez-vous son goût pour le jeu? demanda Thomas, non sans quelque naïveté.

– Il ne serait pas faux de prétendre que les dés nous ont, en effet, rapprochés. »

Foulques-le-Lombard se tut, enfouissant son mauvais sourire dans la coupe de malvoisie qu'il vida à petites gorgées.

« En admettant que votre... amitié pour mon oncle justifie l'intérêt que vous semblez nous porter, continua Thomas avec opiniâtreté, je serais curieux de savoir ce que vous nous voulez au juste... »

Le changeur reposa sa coupe, mit ses coudes sur la table, et appuya sa lourde mâchoire sur ses poings fermés. Derrière lui, les deux gardes du corps ne bronchaient toujours pas.

« Voici les faits, dit-il enfin. Nous avons appris, mes neveux et moi, que vous souhaitiez quitter sans tarder l'enclos des Saints-Innocents où des démêlés d'ordre familial vous ont contraints à vous réfugier.

– Comment diable...

— Tout se sait ici, jouvenceau, absolument tout, remarqua Amaury, l'aîné des neveux, de son air narquois.

— Les mendiants…, murmura Agnès qui n'avait encore rien dit.

— Tout juste! les pauvres hères ulcéreux qui se tenaient tantôt non loin de vous, dans la chapelle, étaient des nôtres! Ni plus ni moins que tout un chacun en ce lieu de délices, mes agneaux! s'écria Joceran, le dameret, avec un rire de gorge qui fit tinter les chaînes d'or qu'il portait sur la poitrine.

— Paix! grogna de nouveau le Lombard. Vous tairez-vous? Vous pensez bien, continua-t-il en s'adressant à Thomas, que si je consens, chaque jour, à m'éloigner de mon hôtel de la rue de la Buffeterie pour venir ici, dans cet endroit sordide, ce n'est pas sans raison.

— En quoi tout cela nous regarde-t-il? murmura l'adolescent.

— En ceci, mon jeune ami : connaissant les empêchements qui retardent votre mariage, nous avons décidé de vous venir en aide. Nous organiserons votre fuite et nous vous procurerons le refuge où vous pourrez vivre sans souci dans l'attente de jours meilleurs. »

Il y eut un silence. Le lévrier grogna doucement.

« Un refuge? interrogea Agnès à son tour. Quel refuge, messire?

— Nous possédons, demoiselle, une maison forte non loin de Paris. Elle est discrète, isolée, entourée de solides murailles et bien gardée. Que diriez-vous d'y aller avec votre ami passer le temps jusqu'à ce que votre union soit reconnue?

— Je n'ai ni sou ni maille pour vous défrayer des frais que nous vous occasionnerions si cela se faisait, objecta Thomas.

— Qu'à cela ne tienne! Nous ne sommes pas à

court de ce côté-là, assura le changeur avec cynisme. Ne vous souciez de rien. Nous y pourvoirons! »

Sur ses coussins, le dameret partit d'un rire roucoulant et son frère sourit, lui aussi, d'un air énigmatique.

« Voilà donc la proposition que j'avais à vous faire, conclut Foulques-le-Lombard. Qu'en pensez-vous? Est-elle à votre convenance?

— Ma foi! Que répondre? dit Thomas. Il y a dans toute cette affaire je ne sais quoi d'incompréhensible.

— Vous oubliez la sympathie, mon jeune ami! La sympathie est seule en cause, croyez-moi. Avec, en plus, le rappel d'un ami cher trop tôt enlevé. »

Le dameret émit un nouveau gloussement.

« Joceran! cria le Lombard d'un air menaçant.

— Rien de tout cela n'est aisé à croire, souffla Agnès.

— Pour vous en convaincre, demoiselle, il n'est que d'accepter notre offre et de vous conformer à nos conseils amicaux, affirma le changeur.

— Comment comptez-vous donc procéder? interrogea Thomas d'un air soupçonneux.

— Nous avons dressé un plan qui devrait assurer votre fuite. Vous partirez à l'aube, le jour choisi, à l'heure où on ouvre les portes de la ville. Une charrette bâchée vous attendra devant une des sorties du charnier. Vous serez habillés en mendiants, avec un capuchon rabattu sur le visage. Vous monterez à l'arrière de la voiture afin que le dos du conducteur et des valets qui vous feront escorte vous dissimule aux yeux indiscrets. Vous serez ensuite conduits sans encombre, du moins je veux le croire, jusqu'à la maison forte dont je viens de vous entretenir. Une fois là-bas, vous n'aurez plus à vous soucier de rien.

— Vous semblez avoir tout prévu! lança Thomas,

non sans une hostilité impuissante qui le rendait hargneux.

– Si une entreprise de ce genre n'est pas préparée avec un soin rigoureux, il ne faut pas en escompter de résultats satisfaisants, expliqua le changeur avec placidité. J'ai une grande habitude de ces sortes d'affaires. »

Comme s'il avait entendu un trait d'esprit de la plus grande drôlerie, le dameret émit un rire perlé en cascade.

« Encore un peu de malvoisie? » proposa le Lombard sans paraître remarquer l'intervention de son neveu.

Thomas secoua la tête.

« Qui nous assure que vous nous conduirez bien là où vous le dites?

– Où que nous vous conduisions, l'essentiel n'est-il pas, pour vous, de partir d'ici et de vous retrouver à l'abri? Pourquoi, d'ailleurs, vous mentir au sujet d'une demeure dont vous ne savez rien? Vous êtes bien forcés de nous croire sur parole. Comment pourriez-vous vérifier nos dires? »

L'adolescent se mordit les lèvres d'énervement.

« Ne nous décidons pas tout de suite, mon ami, suggéra Agnès, qui ne se laissait pas, elle, entraîner par l'animosité de Thomas. Prenons le temps de peser le pour et le contre. Je suis persuadée que nos hôtes n'exigeront point de nous une décision immédiate. Ils comprendront certainement que nous ressentions le besoin de nous consulter avant d'accepter une proposition qui nous livre pieds et poings liés à leur merci. »

Amaury lui jeta un regard rapide, aigu, un regard de chasseur habitué à jauger le gibier sur les moindres indices. Son oncle s'inclina.

« Voici une jeune personne qui a de la tête au bout du cou! dit-il d'un air de connaisseur. Il va de soi que nous vous laisserons le temps nécessaire à une juste estimation de notre offre. Après tout, vous êtes concernés au premier chef et je trouve naturel que vous réclamiez un délai de réflexion avant de faire confiance à des inconnus. »

Quand la porte du singulier logis se fut refermée derrière eux, Thomas et Agnès se prirent par la main et s'éloignèrent aussi vite qu'ils le purent de l'endroit étouffant qu'ils venaient de quitter.

Retrouver le ciel d'été, libre, au-dessus de leurs têtes, la foule affairée qui déambulait dans l'enclos, l'agitation colorée et bonne enfant de tout ce monde, leur procura un immense soulagement.

« Je me suis retenu à quatre pour ne pas les envoyer promener! s'écria Thomas quand ils se furent suffisamment éloignés. Quelle portée de goupils!

— Ce sont de drôles de gens, admit Agnès. On ne sait qu'en penser.

— Les neveux pas plus que l'oncle ne me disent rien qui vaille! Comment faire confiance à des quidams aussi louches?

— Il est vrai qu'ils sont bien étranges... A quelles fins veulent-ils se servir de nous? Pourquoi? Qui sont-ils?

— Par Dieu! Je n'en sais rien! Des filous, sûrement, que la fortune des Brunel doit diablement intéresser! Mais je ne suis pas de ceux qu'on roule aussi facilement! »

Il enlaça la taille de son amie.

« Nous en remettre, vous remettre, vous, entre les mains de semblables individus serait de la folie! »

Agnès soupira.

« Nous ne pouvons pourtant pas demeurer durant des mois aux Saints-Innocents. On y est entouré de figures tout aussi suspectes que celles que nous venons de voir et rien moins qu'honorables! »

Thomas jeta un coup d'œil circonspect autour de lui. Qui, dans la foule qui les environnait, pouvait être considéré comme sûr? A qui se fier dans l'univers où le sort les avait précipités?

« Gagnons notre chambre, souffla-t-il à l'oreille de son amie. Il nous faut réfléchir au calme et parler sans craindre d'être entendus. »

Bâtie sous une arcade, la boutique de la cirière donnait sur l'extérieur par une ouverture que divisaient deux montants de bois. La porte d'entrée se trouvait à gauche de la façade, le reste de la fenêtre étant réservé à l'étalage. Les volets qui la fermaient la nuit s'ouvraient le jour par le milieu, horizontalement. Celui d'en bas s'abaissait vers le mur d'appui afin de recevoir les cierges, les chandelles, les arbres de cire, les torches offerts à la convoitise des clients éventuels. Le volet d'en haut se relevait. Maintenu en l'air par des crochets, il mettait à l'abri des intempéries les œuvres fragiles dont les abeilles avaient fourni la matière première.

Guirande-la-Cirière jeta un regard complice à ses locataires quand ils passèrent devant son éventaire.

« Alors, les amoureux, on rentre se mettre à l'abri des ardeurs du soleil? » lança-t-elle avec un rire gras.

Elle avait un large visage couperosé, des seins énormes qui tendaient ainsi que deux collines jumelles la toile de sa cotte vernissée par les manipulations constantes des chandelles, et des hanches si volumineuses qu'on se demandait comment elle ne les heurtait pas contre les montants des portes chaque fois qu'elle les franchissait.

A l'intérieur de la boutique, ils retrouvèrent l'écœurante odeur de cire et de suif qui stagnait en permanence entre les murs du local encombré de tonneaux où on entreposait la marchandise avant de l'exposer sur le volet rabattu. Dans le fond de la pièce, un jeune apprenti, qui partageait le travail et la couche de la marchande, confectionnait des cierges pour l'église voisine en coulant la pure cire vierge fondue au creux des moules appropriés.

Leur petite chambre, située juste au-dessus de l'ouvroir, était imprégnée des mêmes fades relents, en dépit des efforts que faisait Agnès pour les dissiper en tenant la fenêtre ouverte tout le jour et en brûlant, le soir, des herbes odoriférantes dans l'âtre.

« Venez çà, ma mie. »

Le lit prenait une grande partie de la place disponible. Un coffre, des chaises grossières et un baquet de bois où se laver complétaient l'ameublement. Thomas et Agnès évitaient toujours de s'asseoir sur la couette de plume, trop accueillante, et s'installaient, stoïquement, sur les sièges dont les coussins de crin n'offraient guère de possibilités d'abandon.

Ils s'y assirent, une fois de plus, l'un près de l'autre. La mine sombre, Thomas s'empara d'une des mains de sa compagne, et l'appuya sur sa joue.

« Ou nous acceptons la proposition de ces changeurs en nous en remettant à eux, ou nous demeurons ici pour je ne sais combien de temps, dit-il avec une rage sourde. Agir seuls serait folie. Je vous ai déjà fait courir assez de dangers comme ça! De toute manière, nous dépendons du bon vouloir d'autrui!

– Que de complications! soupira Agnès. J'espérais, je croyais, jadis, qu'aimer n'apportait qu'aise et plaisir, je m'aperçois à présent qu'il n'en est rien!

– Regrettez-vous...?

– Non! Non, mon Thomas, rassurez-vous! Je ne regretterai jamais nos amours! Elles sont devenues toute ma vie. »

Elle inclina sa tête blonde sur l'épaule de son ami.

« Dans les romans courtois que j'ai eu l'occasion de lire chez mes parents, dit-elle, les héros sont toujours soumis à de dures épreuves avant de pouvoir goûter les joies promises aux parfaits amants. Nous sommes comme eux. »

Thomas se pencha vers la bouche tendre comme un fruit, y posa ses lèvres, s'en détacha à grand-peine.

« J'ai tellement envie de vous, ma douce, dit-il d'une voix assourdie, tellement envie que j'accepterais n'importe quelle avanie pour pouvoir, enfin, vous posséder!

– Moi aussi, vous le savez, je désire être à vous... »

Leur sang battait au même rythme dans leurs veines et la jeunesse y brûlait si intensément que des larmes leur en vinrent aux yeux.

« Que Dieu me pardonne! Seule, l'offre des Lombards apporte une solution à nos tourments, dit Thomas en se levant brusquement pour chasser, une fois encore, la trop forte tentation qui le poignait. J'enrage, mais ne vois pas comment éviter leur intervention! »

Il vint, derrière son amie, s'appuyer au dossier de la chaise où elle était assise.

« Je n'en puis plus, confessa-t-il tout bas, la bouche sur les cheveux mousseux dont les tresses, nouées sur la nuque et retenues par une résille de soie, laissaient échapper des frissons où s'accrochait la lumière. Je ne suis pas capable de résister davantage au désir que vous m'inspirez, ma dame, mon amour, mon cœur, mon espérance, vous qui êtes tout ce que j'aime, ma fée! »

Posées sur les épaules rondes, ses mains tremblaient de fièvre.

« Vous le savez, je dors de plus en plus difficilement à vos côtés et je pense devenir fou si je dois, encore longtemps, me priver de vous!

– Mon ami, dit avec douceur Agnès en levant la tête vers lui et en le fixant de ses yeux très purs où se reflétait une détresse toute nouvelle, mon ami, que ce soit ici ou n'importe où, en cessant de lutter, en cédant à la chair sans avoir reçu le sacrement de mariage, nous commettrons un péché. Péché d'autant plus grave qu'il nous conduira à rompre un double engagement. Envers votre grand-père et envers nous-mêmes.

– Par tous les saints! je le sais bien, gémit Thomas, mais le moyen de faire autrement? »

Ils se turent. Par la fenêtre ouverte, montait la voix éraillée de leur logeuse qui devait discuter avec un client. Plus loin, plus confuse, la rumeur de l'enclos, faite de rires, de jurons, d'appels de marchands ambulants.

« Si nous demandions aux changeurs, quand nous serons chez eux, de faire venir un de ces ermites qui vivent seuls dans les bois, loin du bruit du monde et des discussions théologiques, proposa soudain Agnès, saisie d'une inspiration. Il doit bien y en avoir qui accepteraient de nous bénir, même si nous ne sommes pas tout à fait en règle...

– N'est-ce pas, justement, l'impossibilité où nous nous trouvons d'y prétendre, qui est à l'origine de tous nos maux? demanda Thomas d'un air découragé.

– Ce n'est pas la même chose! Il ne s'agirait en rien d'un mariage solennel, mon cher amour, puisque, hélas! c'est infaisable! Mais d'une simple bénédiction donnée et reçue dans le plus grand secret!

– Dans ce cas, tout le monde l'ignorerait...

– Bien sûr! Que voulez-vous, ce serait mieux que de nous passer de prêtre, et nous serions bénis! Ce sera ensuite à nous de nous comporter en véritables époux, en attendant que Blanche ou quelqu'un d'autre découvre un moyen d'obtenir la dispense qui nous est nécessaire. »

Thomas frappa dans ses mains.

« Comment n'y avons-nous pas songé plus tôt? s'écria-t-il. Voilà la solution! Notre grand-oncle, le chanoine Pierre Clutin, du temps où il vivait encore, déplorait souvent qu'il existât dans le royaume beaucoup de mariages clandestins. Je m'en souviens maintenant... Le nôtre n'en fera jamais qu'un de plus!... Il nous soulagera la conscience en attendant la consécration que j'espère bien nous voir obtenir un jour! »

Pour se délivrer de ses futurs remords, pour forcer la porte d'un bonheur auquel tout son être aspirait, Thomas était disposé à accepter n'importe quel compromis, à admettre n'importe quel subterfuge.

Il saisit Agnès par la taille, la souleva en l'air avec fougue, renversa en arrière sa tête rousse, tout en clignant des yeux dans la brutale lumière de midi, afin de mieux dévisager son amie.

« Alléluia, ma dame! Nous serons bientôt mari et femme par-devant Dieu et par-devant nous-mêmes! Le reste nous sera accordé de surcroît! »

Agnès attendit d'être reposée à terre.

« Vous comptez donc donner votre accord à ces changeurs dont pourtant vous vous méfiez?

– Eh oui! Que voulez-vous, ma douce, la violence d'une passion se mesure aux risques qu'elle fait prendre! Je vous aime comme un fou. Il est normal, dans ces conditions, que j'accepte de sauter le pas pour vous avoir à moi! Si les Lombards tentent de nous escroquer, nous leur fausserons compagnie. Une fois sur place, nous pourrons toujours aviser.

– Faute de pouvoir demeurer ici, nous voici donc acculés à en passer par eux!

– Le sort en est jeté! A présent, sortons, proposa

Thomas. Rester ainsi seul avec vous, sans pouvoir vous toucher, m'est trop insupportable!

– L'heure du dîner est largement dépassée, ajouta Agnès, et je dois vous avouer que j'ai grand-faim. »

Le temps changeait. La chaleur se faisait plus lourde. Un nouvel orage se préparait. Son souffle brûlant pesait sur la foule, énervait chalands et badauds. Les mouches se manifestaient avec plus d'insistance, les enfants criaient et pleuraient davantage, le ton des voix montait.

A côté de la boutique de la cirière, un marchand de crêpes et de gaufres vendit aux jouvenceaux des gâteaux qu'ils consommèrent sur place. Il les connaissait bien pour leur en avoir souvent fourni. Ensuite, Thomas et Agnès allèrent boire de l'eau à la fontaine la plus proche.

« Marchons, dit Thomas. Le manque d'exercice, joint à la continence où je suis réduit, me met au supplice. »

Au bras l'un de l'autre, ainsi qu'ils en avaient pris l'habitude depuis leur arrivée, ils flânèrent devant les échoppes de dentelles, de patenôtres [1], de volailles cuites, de vin. Ils s'arrêtèrent un moment pour écouter un bateleur qui vendait potions et remèdes à tous les maux, avec un bagou qui les divertissait toujours. Ils passèrent à côté du four banal où on faisait cuire le pain pour les habitants du cimetière, et s'attardèrent auprès des tréteaux du montreur de masques et de ceux du joueur de harpe.

De loin, ils assistèrent à l'enfouissement d'un cercueil d'enfant dans un coin réservé de l'enclos. Peu de personnes y participaient. On ne se dérangeait guère pour la mort d'un nourrisson et les quelques parents qui se trouvaient là étaient entourés, cernés, frôlés par les allées et venues de toutes

1. C'est ainsi qu'on appelait les chapelets au XIIIe siècle.

sortes de gens indifférents, uniquement préoccupés de leurs propres affaires.

A l'est du terrain, du côté le plus proche des nouvelles halles construites sur l'ordre du feu roi Philippe Auguste, un tout autre commerce s'exerçait quotidiennement. Echappées des rues chaudes où, sur l'ordre de Louis IX, on les avait regroupées, pour en débarrasser le reste de la ville, certaines filles follieuses y trafiquaient de leurs charmes, les proposant à haute voix aux passants.

« N'allons pas plus outre, ma mie. Retournons plutôt voir notre amie Enìd-la-Lingière », suggéra Thomas.

La recluse était en grande conversation avec un vieil homme qui n'était autre qu'Etienne Brunel.

« Tenez, le voilà, votre petit-fils! Vous ne l'aurez pas attendu trop longtemps! »

Le vieillard se retourna.

« Je me suis rendu en premier lieu chez la cirière, qui m'a dit que vous veniez de sortir et je ne savais où vous chercher, mon cher enfant, dit-il comme pour se justifier de son arrêt au reclusoir. Ce temps lourd me fatigue beaucoup. »

Décolorés par l'âge, cernés de poches profondes, ses yeux, d'ordinaire si éteints, avaient retrouvé un semblant d'éclat. Il fallait que son attachement à l'aîné de ses petits-enfants fût bien fort pour l'avoir arraché à son rêve intérieur.

« Transportons-nous à présent chez Mathilde, proposa-t-il le plus naturellement du monde. Nous y serons à l'aise pour causer. »

Il parlait de sa femme défunte comme si elle était encore vivante. De leur maison, où il continuait à la tenir au courant de ses moindres faits et gestes, il s'en allait ainsi plusieurs fois par semaine sur sa tombe, pour lui rendre un culte familier.

Thomas et Agnès l'y suivirent. D'un regard, ils s'étaient mis d'accord. Ne rien dire à l'aïeul de leurs projets, trop hasardeux pour obtenir son assentiment.

Dans la chapelle où ils avaient conversé le matin même avec Blanche, il faisait plus frais. Aussi pas mal de gens y étaient-ils venus, ainsi que dans toute l'église, chercher un abri contre la chaleur. Parmi ceux qu'ils coudoyaient, lesquels se livraient à la dénonciation pour le compte de Foulques-le-Lombard?

Etienne se mit d'abord à genoux devant la dalle sous laquelle reposaient les restes de la femme qu'il avait aimée d'un si total et douloureux amour. Oublieux de tout ce qui n'était pas celle qui avait tenu entre ses mains les joies et les peines de son existence meurtrie, il s'abîma dans une oraison au cours de laquelle il devait égrener ses souvenirs comme on fait des grains d'un chapelet...

Quand il se releva, non sans difficulté, Thomas, qui l'avait soutenu, vit des larmes qui coulaient sur le visage ridé de son grand-père sans que celui-ci tentât un geste pour les dissimuler. Un sentiment, qui n'avait rien de commun avec la pitié, submergea l'adolescent. C'était un mélange d'admiration remplie de respect et du désir éperdu que son propre destin amoureux fût de la même qualité que celui qui bouleversait encore ce vieil homme, onze ans après la mort d'une épouse qu'il n'avait cessé d'adorer pendant les vingt-neuf années de leur vie commune! Serait-il capable d'une fidélité pareille? D'une si indestructible tendresse? Parce qu'il commençait à entrevoir, lui aussi, ce que pouvaient être la violence, les exigences, la nécessaire perfection du don fait par un être à un autre être dans l'échange des cœurs, il mesurait mieux qu'auparavant ce que cette constance représentait de précieux, mais aussi d'exceptionnel.

Se tournant vers Agnès, il rencontra son regard fixé sur lui. Il y lut des pensées identiques aux siennes. Une joie brutale l'inonda. Leur attachement, bien que récent, était bien enraciné dans la chair vive de leurs cœurs. Il y avait déjà poussé de longues racines qui les unissaient l'un à l'autre pour jamais!

« Mes enfants, dit Etienne Brunel quand ils eurent repris les places occupées le matin, je me soucie beaucoup de vous.

— Nous sommes heureux, grand-père, puisque nous sommes ensemble!

— J'entends bien, mais votre situation n'en demeure pas moins affreusement précaire. Je me reproche à présent, voyez-vous, d'avoir prêté la main à une aventure à laquelle je ne vois pas d'issue. »

Thomas passa un bras autour des épaules alourdies par le poids des ans et des chagrins.

« Ne vous tourmentez donc pas pour nous, grand-père, et, surtout, ne vous reprochez rien, dit-il avec affection. Grâce à vous, nous pouvons demeurer en paix dans cet asile. Nous y vivons au jour le jour, tout en espérant que nos prières seront entendues et qu'une solution surgira à travers les complications qui sont pour le moment notre lot.

— Blanche songe à partir pour Rome afin d'y demander au Saint-Père la dispense qu'il nous faut à tout prix obtenir, dit Agnès. Si elle y réussit, nous serons sauvés!

— Je n'étais pas au courant de ce projet, remarqua le vieillard. Elle vient pourtant souvent me rendre visite mais ne m'a encore entretenu de rien de semblable.

— Sa décision est toute récente. L'idée de ce voyage lui est venue aujourd'hui même.

— Rome est loin, les démarches à entreprendre fort longues, soupira Etienne Brunel avec appréhension. Comment vivrez-vous durant tout ce temps-là? »

184

Il s'adressa à son petit-fils :

« N'avez-vous point transgressé la promesse que vous m'avez faite, Thomas?

— Pas encore... mais je dois confesser...

— Je comprends, mon enfant, je comprends... »

Ils se turent. Des gens passaient. Une mère gifla son fils qui voulait à toute force grimper sur l'autel. Un mendiant s'approcha, son chapeau crasseux tendu à l'envers. De nombreuses piécettes luisaient tout au fond. Etienne Brunel joignit son obole aux autres, et le gueux alla quêter plus loin.

« Je ne vous vois pas demeurer des semaines, peut-être des mois, dans ce charnier, poursuivit le vieil homme, et je redoute pour vous l'état de péché.

— Dieu nous viendra en aide! dit Thomas avec conviction. Notre mutuel amour est trop sincère pour ne pas le toucher.

— Espérons-le! Mais la vie, ici-bas, n'est rien d'autre qu'un combat sans fin contre l'Adversaire avec lequel nous sommes en exil sur cette terre, mon pauvre enfant. Dieu Lui-même ne peut pas toujours nous préserver des incitations au mal de l'Autre... et nous sommes si faibles!

— Cessez donc de vous faire du souci, grand-père! A quoi cela sert-il? Promettez-moi de ne pas vous tourmenter à notre propos, quoi qu'il puisse advenir. Par mon saint Patron, nous disposons encore d'une bonne tranche de vie devant nous. Cette histoire s'arrangera. Il le faudra bien! »

Tout en parlant pour apaiser son aïeul, Thomas ressentait l'impression gênante d'être observé. Tournant les yeux vers le coin opposé de la chapelle, il découvrit, négligemment appuyé au mur du fond Amaury, l'aîné des neveux de Foulques-le-Lombard. Les bras croisés sur la poitrine, le jeune homme observait le trio assis sur les marches de l'autel. Son expression, où se lisait une constante

ironie et comme un rappel à l'ordre, déplut à
Thomas.

« Allons, dit Etienne Brunel, en soupirant derechef, allons, je vais vous quitter. Il me faut regagner
la rue des Bourdonnais. A bientôt, mes enfants. »

Les deux jeunes gens aidèrent l'aïeul à se redresser, à se lever, s'inclinèrent à sa suite devant la
pierre tombale de Mathilde, et gagnèrent la sortie.

Pour y parvenir, ils durent passer tout près
d'Amaury. Thomas croisa le regard clair, mais impé-
nétrable, de l'homme qui représentait pour Agnès
et pour lui un mystère qu'il aurait été urgent de
pouvoir percer à jour...

« Peut-on se fier à de pareilles gens? se demanda
l'adolescent, l'estomac noué. Le peut-on sans dérai-
son? Et pourquoi cette sollicitude? »

IX

Tenant d'une main sûre la mine de plomb gainée d'un cuir dont la teinte naturelle était devenue, par endroits, beaucoup plus foncée, tant elle s'en était souvent servie, Marie dessinait un cygne.

Penchée sur sa table, elle commençait à travailler à l'illustration d'un manuscrit que le copiste lui avait livré tout composé, sous forme de cahiers volants. Dans la marge, en face des espaces qu'il avait laissés en blanc, quelques indications, très succinctes, en caractères minuscules, donnaient le sens des scènes à représenter.

Trop indépendante pour accepter de se plier, ainsi que le faisaient certains de ses confrères, et selon l'usage couramment admis, à la simple imitation d'anciens modèles qu'on se contentait de recopier, la jeune enlumineresse préférait suivre son inspiration. Quelques mots lui suffisaient pour imaginer le sujet proposé et pour voir comment elle allait le traiter.

Ce matin-là, elle consultait du coin de l'œil un carnet de croquis posé à côté d'elle et sur lequel elle avait noté, au cours de ses promenades à Gentilly ou de ses déplacements parisiens, des idées de composition aussi bien que des dessins de fleurs, de feuilles, d'animaux qui avaient attiré son attention.

Chef d'atelier depuis la mort de son mari, elle n'ignorait pas que la renommée de sa maison dépendait en grande partie de sa faculté de créer, de son goût, de son savoir-faire, et qu'il ne lui était pas permis, au nom des préoccupations de sa vie personnelle, de négliger son métier.

Autour de la jeune veuve, la grande pièce bourdonnait comme à l'accoutumée. Eclairée par quatre fenêtres, dont deux donnaient, au nord, sur l'animation de la rue du Coquillier, alors que les autres ouvraient, au sud, sur le petit jardin vert et dru où poussaient ensemble fleurs et légumes, l'atelier s'affairait.

Dieu seul savait combien, en cette pluvieuse matinée de juillet, Marie était tentée de se soucier d'autre chose que de la *Chanson du Chevalier au cygne*, texte sur lequel elle œuvrait sans relâche. Mais la conscience de ses responsabilités pesait comme une main de fer sur sa nuque et la maintenait à l'ouvrage.

Les trois ouvriers enlumineurs, les quatre apprentis, les deux aides, qui composaient le personnel de l'entreprise et qui travaillaient sous sa direction, comptaient sur elle et lui faisaient confiance pour assurer la bonne marche de l'affaire. Elle se devait à eux autant qu'à ses clients, et l'accumulation de tous ces devoirs lui interdisait de laisser sa pensée errer autour des obstacles et des interrogations qui, depuis la veille, revenaient à tout propos l'assaillir...

« Je ne suis pas certaine d'avoir bien saisi l'expression du petit singe que vous avez esquissé à cet endroit-ci, remarqua soudain une des ouvrières qui peignaient à la table voisine. Pourriez-vous venir un instant, dame, voir ce qu'il en est ? »

Marie posa sa mine de plomb et se dirigea vers la femme encore jeune qui venait de s'adresser à elle. Vive, rieuse, bien en chair, la peau criblée de taches de rousseur, Kateline-la-Babillarde était, de loin, l'élément le plus chaleureux de son atelier.

Après la disparition de son époux, l'enlumineresse avait procédé à quelques remaniements parmi ses compagnons de travail. Elle avait éliminé un vieil ouvrier patelin et obséquieux qui lui donnait sur les nerfs pour le remplacer par Kateline, qu'elle avait connue lorsqu'elle était, elle-même, élève chez un maître où elles s'instruisaient toutes deux. Encombrée d'un mari qui passait le plus clair de son temps à se dire malade et à se faire dorloter par sa femme, Kateline était devenue pour sa maîtresse une amie en plus d'une précieuse collaboratrice. Son entrain et un enjouement, qu'aucun déboire ne semblait pouvoir entamer, contrebalançaient heureusement le caractère intransigeant de la première ouvrière qui, elle, datait du temps de Mathieu Leclerc. Arguant du prestige de cette ancienne coopération, Denyse-la-Poitevine ne manquait jamais d'insister sur la déplorable transformation des esprits et sur la légèreté des nouveaux venus dans la profession. Son expérience et une grande sûreté de main justifiaient pourtant la place importante qui demeurait la sienne auprès de Marie.

Le troisième compagnon, Jean-bon-Valet, était le plus jeune. Agé d'un peu plus de vingt ans, il ne bénéficiait en rien des grâces de la jeunesse et portait, sur des épaules de lutteur, une grosse tête à la face boutonneuse dont la lippe maussade disait assez le mauvais caractère. A cause de l'adresse dont il faisait preuve dans sa profession, il avait cependant été maintenu dans la fonction qu'il tenait de Robert Leclerc. Il maniait en effet l'or à la feuille aussi bien que Marie et pratiquait parfaitement l'art de lui donner au brunissoir un admirable éclat.

« Ce singe fait-il une grimace moqueuse ou boudeuse? » demanda Kateline à l'enlumineresse quand celle-ci l'eut rejointe.

Assise devant une table où étaient posés de nombreux godets contenant chacun une couleur différente et plusieurs cornes à encre, la jeune femme travaillait sur la page d'un cahier volant en parchemin qui faisait partie d'un gros bestiaire. Après avoir peint une lettre ornée, elle en était parvenue au moment où il ne lui restait plus qu'à indiquer, en quelques traits de plume, l'expression de l'animal qui servait de motif central à son illustration. A sa droite, plusieurs pinceaux de tailles variées trempaient dans un gobelet de grès, auprès d'une palette constituée par une simple omoplate de mouton, nettoyée et grattée, que constellaient des taches de couleur.

Non loin d'elle, pendues à deux perches horizontales, d'autres feuilles en cours de séchage éclairaient de leurs teintes vibrantes la grisaille du jour pluvieux.

Le petit croquis marginal à la mine de plomb qu'avait, au préalable, dessiné Marie, représentait un singe suspendu à une branche, mais retenu au tronc d'un arbre par une chaîne qui lui enserrait la taille.

« Est-ce une grimace comique que vous avez esquissée, chère dame, ou bien une grimace de colère ? répéta l'ouvrière perplexe.

– Les deux à la fois, Kateline. Cette pauvre bête est prisonnière, comme vous pouvez le constater, mais se moque de ceux qui la regardent. »

Un rire amusé répondit à la remarque.

« Je reconnais bien là une de vos subtilités ! s'écria Kateline. Si vous croyez qu'il est aisé de traduire tant de choses en si peu de place !

– Il le faut cependant. Croyez-moi, c'est tout à fait possible. »

En train d'agrémenter de petits filaments tracés à l'encre rouge et bleue l'intérieur d'une initiale de couleur déjà peinte, Denyse-la-Poitevine leva la tête.

De ses lèvres épaisses, elle fit une moue qui accentua sa ressemblance avec un gros poisson. A cause de cette similitude, ses compagnons l'avaient surnommée « Dame carpe ».

« L'essentiel de notre art réside dans de telles nuances, proclama-t-elle. La réputation d'un atelier en dépend. Si on n'est pas capable de les exécuter parfaitement, on se ravale au rang des barbouilleurs obscurs dont l'ouvrage n'est prisé de personne!

– A bon entendeur, salut! lança Kateline gaiement. N'ayez crainte, Denyse, je ne pense pas devenir jamais responsable de la ruine de notre vénérable maison! »

Marie posa une main apaisante sur l'épaule de l'ouvrière.

« Travaillons, Kateline, dit-elle d'un ton ferme. Nous n'avons pas de temps à perdre en discussions. »

Avant de regagner sa place, elle passa derrière les apprentis : trois garçons et une fille, dont les âges s'étageaient de douze à quatorze ans. Ils s'employaient à broyer des couleurs, à composer des mélanges de cinabre et de céruse avec de la charnure, peinture couleur chair, ou à préparer du minium.

« Ces enfants nous donnent l'exemple de l'application, affirma-t-elle après avoir vérifié les résultats obtenus. J'ai souvent remarqué que les plus jeunes font preuve de sérieux plus que leurs aînés!

– Je ne suis pas sérieux, moi! »

Jean-bon-Valet protestait avec amertume. On savait qu'à l'abri de la discrétion dont il entourait sa vie privée, il était des plus susceptibles.

« Je ne parlais pas pour vous, mon ami, mais plutôt pour moi. Ce matin, je suis fort distraite! »

Pour ne pas blesser son collaborateur, Marie évita de jeter un coup d'œil sur le semis d'étoiles d'or dont il parsemait un ciel nocturne sur la page d'un psautier qu'elle lui avait confié. Elle le savait jaloux de son travail et capable de ruminer pendant des jours une remarque qu'il aurait jugée mal venue.

Elle sourit aux deux aides, jumelles d'une quinzaine d'années assez accortes, dont la ressemblance était une source jamais tarie de facéties, et qui complétaient de façon divertissante l'équipe de l'atelier Leclerc. Assises sur des escabeaux, Perrine et Perrette s'affairaient à nettoyer un lot de pinceaux encrassés et à tailler des plumes.

« Vous ne manquez pas d'excuses pour justifier votre distraction! affirma Kateline-la-Babillarde. On serait préoccupée à moins! »

Tout le monde était au courant du scandale soulevé par l'installation de Thomas et d'Agnès au charnier des Saints-Innocents.

« Ces deux-là me causent, en effet, pas mal de souci, songea Marie en reprenant son dessin. Mais ce n'est pourtant pas tant leur folie qui me donne ce matin à penser que mes rapports respectifs avec ma fille et mon amant! »

Depuis son retour à Paris, au début de la semaine, la jeune veuve traversait des moments difficiles. Partagée entre ses inquiétudes maternelles et les nombreuses questions que sa liaison avec Côme faisait lever en elle, il ne lui était pas facile de trouver le repos.

Elle avait laissé à Gentilly, aux soins de son beau-père et de tante Charlotte, une enfant silencieuse, qui se refusait à donner le moindre éclaircissement sur les raisons de son changement d'attitude envers sa mère. En vain, s'était-elle évertuée à la faire parler, à l'amener patiemment à retrouver la confiance perdue. La nuit de la Saint-Jean semblait avoir compromis, beaucoup plus sérieusement qu'elle ne l'avait cru d'abord, des échanges jadis si aimants. Maintenant, Aude opposait à Marie un visage lisse, une politesse tout extérieure qui blessait douloureusement la tendresse ardente que sa mère lui portait. Rien n'y avait fait. Ni les demandes d'explication, si coutumières avant les événements qui avaient transformé la petite fille, ni les appels à une complicité disparue, ni une fermeté qui s'était heurtée à une détermination plus assurée qu'elle-même, ni, en fin de compte, les supplications d'un cœur anxieux.

Marie avait quitté sa fille dans les affres d'une incertitude que rien ne semblait pouvoir calmer, pour se retrouver, à Paris, aux prises avec des perplexités d'un tout autre ordre, mais non moins harcelantes.

Livrée aux tourbillons d'un amour qui l'essoufflait un peu, elle avait d'abord pensé que le changement intervenu dans ses relations avec Côme expliquait le malaise dont elle souffrait parfois en sa compagnie. Ivre du bonheur de posséder enfin sa maîtresse à lui tout seul, satisfait de la voir libérée d'entraves familiales qu'il jugeait pesantes, Côme se comportait à présent en homme comblé et possessif. Bien entendu, on ne pouvait pas lui demander de partager une souffrance qui lui demeurait étrangère en dépit des efforts qu'il accomplissait pour tenter d'y compatir.

Lucidement, la jeune femme pensait que son amant négligeait avec insouciance des tourments dont il était peut-être cause. Sans l'avoir voulu, bien sûr, ne se trouvait-il pas responsable de l'éloignement manifesté par Aude envers sa mère? Néanmoins, il refusait avec énergie de s'attarder à une semblable hypothèse et d'épiloguer sur les sautes d'humeur d'une enfant qu'il jugeait capricieuse et trop gâtée.

« Les chagrins puérils sont sans lendemains, alors que les fortes et belles amours demeurent exceptionnelles, ma mie, allait-il répétant. Il est impardonnable d'en perdre de savoureuses miettes sous le prétexte qu'une enfant lunatique vous oppose un mutisme qui mériterait bien plus une correction que l'attention excessive dont vous l'honorez! On n'a pas le droit de bouder la vie quand elle nous fait de si délectables présents! »

Les protestations de la jeune femme ne le laissaient pas, malgré tout, indifférent. Trop fin, trop épris aussi, pour ne pas sentir le besoin qu'elle éprouvait d'un cœur où s'épancher, d'une épaule où s'appuyer, il essayait de la comprendre, mais ses tentatives pour partager un désarroi qu'il blâmait en secret aboutissaient toujours à la même conclusion : « Les peines enfantines s'effacent sans laisser de traces, se dissipent comme rosée au soleil, alors que le temps des amours est compté. »

Satisfait de cette analyse, pour lui sans réplique, il souriait, attirait sa maîtresse contre lui et oubliait alors tout ce qui n'était pas sa passion.

« Que la vie est donc compliquée! songeait Marie en terminant le tracé du col sinueux d'un deuxième cygne. Je lui reproche son désintérêt pour mes chagrins de mère et, en même temps, je demeure extrêmement sensible à son charme, à l'esprit dont il sait si bien faire preuve quand il le veut, à tout ce qui m'a finalement attirée vers lui du temps où il me faisait la cour! »

Elle soupira, changea sa plume d'oie pour une autre, plus fine, mieux taillée.

« La vérité est que Côme n'est plus le Côme de Gentilly! s'avoua-t-elle à contrecœur. Là-bas, il se trouvait loin de chez lui, de sa vie active, de son univers de riche marchand. Le dépaysement, ses obligations d'invité l'avaient amené à adopter une contenance toute de bonne volonté et d'acquiescement. Rentré à Paris, revenu à son mode coutumier d'existence, il se montre moins soumis, plus impatient. Il faut également compter avec l'influence que sa sœur exerce depuis toujours sur lui. C'est une femme de poids! Elle l'a en partie élevé, et, d'après ce qu'il m'en a dit, continue à le considérer comme son bien. Ce n'est pas le mariage sans attrait qu'elle a contracté avec ce petit notaire dénué de prestige qui y a changé grand-chose... Bien qu'il reconnaisse la tyrannie qu'elle fait peser sur lui, son frère lui est tendrement attaché. J'aurai intérêt à la ménager... D'autre part, Côme est homme d'importance. A la tête d'une affaire réputée, habitué à être entouré de respect, d'égards, accoutumé à imposer à autrui sa volonté, il admet avec peine l'indépendance dont je continue à faire preuve envers lui... Et puis un amant est-il jamais le même avant et après qu'on lui ait appartenu? »

Les cloches de Saint-Eustache se mirent à sonner. L'heure du repas approchait. Il était temps d'interrompre le travail pour aller dîner.

Les ouvriers relieurs avaient le choix entre le repas pris en commun chez Marie ou celui qui pouvait les attendre à leur propre domicile. Selon les statuts corporatifs, les apprentis devaient être nourris et entretenus aux frais du maître, qui les logeait aussi sous son toit. Les deux aides restaient au dîner parce que c'était plus commode pour elles, mais rentraient le soir pour souper dans le logement de leurs parents, qui habitaient hors les murs de la ville. Leur père, bûcheron de son état, vivait de la forêt de Rouvray, et leur mère, qui cultivait des légumes dans son jardin, allait chaque jour les proposer aux chalands dans les rues de la capitale. Elle franchissait de bon matin la poterne Coquillière pour se rendre dans les quartiers du centre, et on l'entendait parfois, quand elle passait sous les fenêtres de l'atelier, mêlée aux autres marchands de vivres, qui criait d'une voix haut perchée : « Pois, fèves, salades, choux, oignons à vendre! »

La salle où chacun se retrouvait pour le dîner était située au premier étage, au-dessus de l'atelier d'enluminure. Couvrant tout le rez-de-chaussée, dotée d'une cheminée à chacune de ses extrémités, avec ses croisées qui n'ouvraient que sur le jardin, elle était chaude en hiver, claire en été. Des bahuts, des coffres, une crédence, des sièges, tous meubles en chêne, lustrés par l'usage fréquent de la cire, d'épais coussins de velours et une table qu'on ne dressait que pour les repas la garnissaient. Accrochées aux murs, des courtines brodées de grappes et d'épis la réchauffaient tout en la décorant. Dans une cage dorée posée entre deux fenêtres, des tourterelles roucoulaient.

Kateline était partie chez elle s'occuper de l'époux toujours souffrant dont elle parlait sans cérémonie mais qu'elle soignait avec dévouement.

Jean-bon-Valet, silencieux comme un chat et aussi peu démonstratif, s'était éclipsé selon son habitude. Seule, Denyse-la-Poitevine avait partagé le repas des autres compagnons.

On avait l'habitude d'être gai et bavard autour de la table de Marie, mais, ce jour-là, le temps maussade et, surtout, l'humeur soucieuse de la maîtresse du logis n'incitèrent pas les apprentis à taquiner les aides comme ils ne manquaient jamais de le faire d'ordinaire. Une fois expédiés le potage, les lapereaux au saupiquet, les cerises et le fromage, chacun disposa d'un moment pour faire la sieste ou muser dans le jardin.

Marie les laissa agir à leur guise et gagna sa chambre.

A colombages, haute et droite, la maison des Leclerc avait été bâtie une trentaine d'années auparavant sur les plans de Mathieu, qui avait choisi pour s'y installer ce quartier neuf, encore champêtre, où plusieurs terrains avaient alors été mis en vente. Depuis, d'autres constructions s'y étaient édifiées et la rue du Coquillier comportait à présent de nombreux chantiers qui transformaient insensiblement les prés ou les vignes d'antan en une artère animée et passante.

Au second, juste au-dessus de la grande salle où l'on se réunissait pour les repas et les veillées, se trouvaient deux chambres : celle que Marie partageait avec ses enfants, et celle que son beau-père s'était réservée pour ses courts passages à Paris.

Aux étages supérieurs, couchaient les apprentis, la cuisinière, son mari qui soignait le jardin, l'aide de cuisine, et les deux chambrières qui entretenaient le logis.

De la rue des Bourdonnais, Marie avait apporté des meubles qu'elle aimait parce qu'ils lui rappelaient son enfance protégée. Un vaste lit aux draps brodés, dont les courtines étaient en point de Hongrie, deux beaux coffres de chêne sculptés, une table, quelques chaises à haut dossier et une nuée de coussins disséminés un peu partout composaient un ensemble où le vert, couleur favorite de la jeune femme, dominait.

En dépit des sentiments qui l'agitaient, Marie goûta une fois de plus la quiétude de sa chambre quand elle s'y retrouva après le dîner. Elle alla à la fenêtre ouverte sur le jardin. La pluie se calmait enfin. Des odeurs de terre mouillée, de romarin, de chèvrefeuille, montaient jusqu'à elle. L'enclos foisonnant qu'elle avait sous les yeux était, certes, loin de posséder les dimensions de celui où elle avait été élevée, mais il jouxtait un fort bel hôtel, construit au début du siècle par le sire de Nesle et que le roi avait ensuite donné à sa mère, la reine Blanche. Cette princesse y avait habité pendant vingt ans, avant de se rendre à l'abbaye du Lys, à Melun, où elle s'était éteinte fort dévotement, une quinzaine d'années plus tôt. Personne n'y logeait plus, mais on l'entretenait. Le verger, les parterres et les bosquets d'arbres qu'on apercevait de la fenêtre de Marie, au-delà des murs de son propre jardinet, prolongeaient de leur belle ordonnance et de leurs frondaisons ses carrés, beaucoup plus simples, d'arbustes, de fleurs et de salades.

Le regard perdu dans la direction des allées ombreuses où s'égouttait la pluie, la jeune femme songeait à son passé. C'était dans des moments comme ceux-ci que l'absence de sa mère, de la confidente avisée dont elle ressentait un si grand besoin, lui était le plus sensible. A défaut de Mathilde et de son inépuisable tendresse, elle aurait pu aller trouver Charlotte Froment si cette dernière n'était demeurée à Gentilly... Restait son amie d'enfance, Marguerite Ménardier, mais pouvait-on demander à une fille qui ne s'était pas mariée, par amour pour un infirme, de comprendre ou même simplement d'admettre une situation si différente de la sienne?

Non, en vérité, Marie était seule. Seule pour réfléchir, seule pour décider.

En est-il jamais autrement à l'heure des choix essentiels, des alternatives décisives?

La veille au soir, pour la première fois depuis le retour de la campagne, elle s'était rendue chez Côme au lieu de le recevoir chez elle. Profitant de la liberté que lui donnait l'absence de ses enfants, elle préférait, d'ordinaire, faire monter son ami dans sa chambre, le soir venu, une fois servantes et apprentis couchés. Elle descendait alors lui ouvrir la petite porte du jardin. Ils escaladaient ensemble, sans bruit, les degrés de l'escalier, s'engouffraient dans la pièce accueillante, et l'huis se refermait ensuite sur leur secret. A l'aube, Côme s'en retournait par où il était arrivé.

Deux jours plus tôt, cependant, ils avaient décidé d'un commun accord que Marie rendrait à son tour visite à son amant le lendemain soir. Ce dernier, en effet, avait grande envie de montrer à la jeune femme, qui, jusqu'alors, n'avait fréquenté que l'élégante boutique de la Galerie du Palais, la demeure de la rue Troussevache qu'il tenait de ses parents défunts. En plus des entrepôts de la mercerie familiale à laquelle plusieurs générations de Perrin avaient contribué à donner un grand lustre, les trois principaux corps de bâtiment comportaient aussi un beau logis dont Côme était assez fier.

Marie n'ignorait pas combien l'état de mercier avait de prestige. Corporation à qui toute fabrication était interdite, mais qui possédait le droit de vendre les objets et les produits les plus variés, quelles que fussent leur nature ou leur provenance, ses membres jouissaient d'une réputation de prospérité et de distinction qui les mettait à part du reste des marchands. Marie savait aussi que, s'il y avait de nombreuses merceries à Paris, celle des Perrin était sans conteste une des plus renommées. Aussi éprouvait-elle une curiosité légitime à se rendre compte par elle-même du lieu où elle aurait peut-être à vivre un jour, et où, de toute manière, habitait son ami.

Sitôt son travail terminé, elle s'en était donc allée rejoindre Côme chez lui. Le riche logement, parfaitement entretenu et fort bien meublé, l'avait impressionnée plus que séduite. Dès l'abord, une sorte de malaise s'était emparé d'elle, pour ne plus la quitter par la suite.

La voyant incertaine, Côme avait cherché, tout au long de la soirée, à voiler l'éclat d'un bonheur qui transparaissait pourtant, en dépit de ses efforts, dans chacune de ses expressions.

Recevoir enfin sous son toit celle qu'il aimait et lui faire les honneurs du lieu où il espérait qu'elle serait sans tarder chez elle, le ravissait trop pour qu'il parvînt à dissimuler les témoignages de sa joie.

Il avait sans doute porté au compte de ses déboires maternels la gêne dont, si manifestement, Marie ne parvenait pas à se défaire. Par délicatesse et pour ne pas raviver entre eux, en des instants qu'il souhaitait parfaits, un sujet trop fréquent de discorde, il avait évité de reprendre une discussion sans issue.

Comment se serait-il douté de la vérité?

Sous la flatteuse apparence d'une réception où il avait mis tout son amour, Marie n'avait vu que le piège qui s'apprêtait à se refermer sur elle.

« Suis-je donc incapable d'aimer? se demandait-elle à présent avec désespoir. Je n'ai ressenti pour Robert que tiédeur et ennui; vais-je, cette fois-ci, fuir Côme en lui reprochant de trop m'aimer? De me vouloir toute à lui? »

Entre ces murs, elle avait mieux perçu qu'auparavant ce que serait son existence, si elle acceptait de devenir l'épouse du mercier. Dans l'opulente demeure qu'il tenait de ses ancêtres, elle ne serait plus, une fois mariée, que la femme de Côme Perrin. Y trouverait-elle sa suffisance?

Jusqu'à cette visite, elle avait évité de s'appesantir sur les perspectives d'un avenir dont elle n'avait pas encore décidé ce qu'il serait. L'aventure qu'elle vivait avec Côme conservait l'aspect agréable qu'elle avait eu à Gentilly. C'était un peu comme le prolongement de la fête de la Saint-Jean. Elle y songeait avec plaisir, mais se sentait encore libre d'elle-même. Tout d'un coup, elle venait de comprendre qu'elle s'était engagée beaucoup plus avant qu'elle ne l'imaginait. Dans l'esprit de son amant, elle était déjà installée rue Troussevache comme maîtresse de maison!

Une appréhension irrépressible la taraudait pendant le repas exquis et, par la suite, entre les courtines de soie émeraude que Côme avait tout spécialement fait refaire à ses couleurs... Ce mariage était-il souhaitable? Le désirait-elle?

Ses enfants accepteraient-ils un beau-père pour lequel ils ne semblaient pas éprouver une grande sympathie... Aude lui en voulait déjà. C'était, hélas! certain! Vivien avait également témoigné à l'ami de sa mère une sorte d'animosité encore vague où devait entrer pas mal de jalousie... Comment accueilleraient-ils l'un et l'autre l'annonce d'une union qu'ils ne souhaitaient aucunement, qui leur donnerait le sentiment de perdre, avec la chaleur d'une tendresse qu'ils considéraient comme leur bien, la précieuse intimité dont ils pensaient, à la manière des enfants, qu'elle durerait toujours? Avec quelque prétendant que ce fût, d'ailleurs, il en serait de même! Pourrait-elle jamais, du fait de ses petits, se résoudre à un remariage?

Il y avait là un obstacle considérable, et ce n'était pas tout!

Marie quitta la fenêtre, se mit à marcher avec nervosité de long en large.

Une autre évidence s'était imposée à elle, la veille. Obligée de quitter sa chère maison de la rue du Coquillier, il lui faudrait, en plus, laisser derrière elle son atelier. Jamais encore cette pensée ne l'avait assaillie : était-il concevable que le puissant mercier, dont elle avait mesuré sur place l'aisance, acceptât de voir sa femme exercer un métier si différent du sien? Un métier qui, en outre, ne l'intéressait pas le moins du monde! S'il admirait de bonne grâce les volumes qu'elle lui montrait parfois, c'était bien plus pour lui faire plaisir, ou par déférence envers leur valeur marchande, que par goût pour des illustrations qui ne retenaient jamais longtemps son attention.

Parce qu'elle ne lui avait en rien caché le plaisir très vif qu'elle prenait à exercer son art, parce qu'il respectait la façon de vivre qu'elle avait choisie, parce que, surtout, elle n'était pas encore sienne, il s'était interdit toute ingérence dans sa façon de vivre. Ne serait-il pas vite amené, après les noces, à lui conseiller de se détacher d'un travail dont elle n'aurait plus besoin pour subsister et qu'il devait juger sans intérêt?

Chef d'une entreprise dont elle était soucieuse d'étendre le renom parce que son beau-père l'avait placée sous sa responsabilité et qu'elle s'y était attachée, possédant la maîtrise d'enlumineresse, elle n'accepterait jamais d'abandonner son atelier. Même par amour.

Côme ne s'en doutait pas encore. Comment le prendrait-il quand elle le lui aurait clairement fait entendre?

Une découverte dont elle ne mesurait pas encore toutes les conséquences s'imposait à elle : il allait lui falloir choisir sans tarder entre deux voies opposées. Qui l'emporterait? Son amant ou son art?

Ainsi donc, l'antipathie de ses enfants à l'égard de Côme et l'indifférence de celui-ci envers ses angoisses maternelles ne suffisaient pas! Des difficultés touchant à son métier viendraient sans doute, un jour, s'y ajouter!

Marie serra les lèvres, tenta de réfléchir posément. Il s'agissait de ne pas céder au désarroi qui l'envahissait, de ne pas se laisser emporter par le vent de défaite qui tourbillonnait dans son esprit et dans son cœur.

« Ne suis-je pas en train de m'inventer des obstacles imaginaires? se dit-elle en interrompant sa déambulation pour venir s'asseoir sur son lit. Côme n'est-il pas le plus aimant des hommes? Ne m'entoure-t-il pas de soins et d'attentions qui satisferaient bien des femmes plus exigeantes que moi? Combien seraient heureuses de tenir sous leur joug un amant comme celui-là. Ne faut-il pas être folle pour ne voir que les mauvais côtés d'une situation qui en comporte de si bons? Puisqu'il m'aime tant, ne sera-t-il pas tout disposé à me laisser agir à ma guise? Ne m'a-t-il pas maintes fois répété qu'il ne souhaitait que bien s'entendre avec mes enfants? »

Elle se leva, marcha de nouveau du lit massif aux coffres sculptés que de fréquents astiquages faisaient reluire comme s'ils étaient vernis.

« Pourquoi de si noires pensées alors que tout ne dépend que de moi, de ma façon de présenter, tant à mon fils et à ma fille qu'à mon ami, mes choix et mes préférences? Une femme habile peut dicter sans qu'il s'en aperçoive sa conduite à un amant épris. N'en suis-je donc point capable? »

Elle s'immobilisa devant la table sur laquelle était posée une Bible superbe, dernièrement sortie de son atelier, l'ouvrit, en feuilleta quelques pages, sourit à la beauté délicate, si fraîche, des enluminures, se redressa.

« Veuve et pratiquant un art qui me comble, je suis libre de mes décisions. Personne ne peut s'y opposer. Mon avenir reste entre mes mains. Dans l'immédiat, rien ne presse, il n'est que de faire traîner les choses. Atermoyer conduit fort souvent à résoudre les difficultes de manière qu'on n'avait pas prévue à l'origine... »

Elle s'interrompit, se tourna vers le crucifix de cuivre suspendu au-dessus d'un prie-Dieu au chevet de son lit.

« Je sais bien, Seigneur, que je Vous ai promis de me décider avant la fin de l'été pour ne pas demeurer davantage dans une situation irrégulière et pécheresse. Je ne l'ai pas oublié, mais, si je sais employer ces semaines au mieux de nos intérêts à tous, je disposerai d'assez de temps pour être fixée quand viendra le terme de l'échéance que je me suis moi-même imposée. D'ici là, il me faut peser le bon et le mauvais, mesurer au plus juste mes besoins et mes pouvoirs, les estimer à leur exacte valeur et ne pas me tromper dans le dosage à opérer entre eux. Il me reste aussi, Seigneur, à Vous supplier de m'éclairer au moment d'un choix dont dépendra le sort de quatre de Vos créatures... »

Elle s'approcha du crucifix, en baisa dévotement les pieds.

« Dieu Vivant, soyez béni! Je sais que, si je tiens parole, Vous m'aiderez à me prononcer quand il le faudra... C'est donc contre ma faiblesse que Vous aurez à me fortifier... Comme toujours! Avec nous tous. »

Elle se signa, retourna vers la Bible ouverte sur la table, sourit en constatant que le feuillet qu'elle avait sous les yeux représentait Dalila coupant les cheveux de Samson.

« Avec l'appui du Seigneur, je viendrai à bout de toutes ces difficultés. J'en suis sûre à présent! Je serai la plus forte et trouverai bien le moyen de dénouer les fils de ma quenouille, d'allier mon amour de mère à mon penchant pour Côme, et l'enluminure à la mercerie! »

Elle avait retrouvé son entrain. De son père, elle tenait une nature changeante, connaissant sans cesse des sautes d'humeur, capable de passer sans transition de l'abattement le plus profond à la confiance la plus assurée.

Autant elle était agitée en pénétrant dans sa chambre, autant elle se sentait légère en en sortant, un moment après.

L'après-dîner se passa plus allégrement que la matinée. Le temps s'améliorait et Marie semblait avoir repris courage. L'atelier le devinait et en subissait les effets bienfaisants.

La jeune femme soupa rapidement entre ses quatre apprentis et les servantes, qui bavardaient tous à qui mieux mieux, puis gagna son jardin

pendant que les autres jouaient à des jeux innocents jusqu'à l'heure du coucher.

Il ne pleuvait plus, le ciel s'éclaircissait et des
rayons de lumière vespérale traversaient le feuillage encore trempé où luisaient comme des pierres
fines les gouttes d'eau en suspens.

Tout en longeant ses allées bordées d'ancolies et
de sauges, en respirant l'odeur des plantes mouil-
lées, en se baissant pour ramasser quelques menues
branches que l'orage avait cassées, Marie songeait
qu'elle avait été bien sotte de se tourmenter pour
des sujets que son imagination amplifiait. La vie
était belle et tout s'arrangerait sûrement si elle
savait s'y prendre et bien mener sa barque.

Quand elle eut entendu son petit monde aller se
mettre au lit, elle regagna sa chambre où l'attendait
Guillemine, qui l'aida à quitter sa guimpe de veuve,
sa cotte blanche, ses chausses, avant de lui brosser
longuement les cheveux tandis qu'elle restait en
chemise safranée, assise devant le coffre sur lequel
était posé un miroir de Venise fort beau, présent de
Côme, qui l'avait fait venir à son intention, tout
exprès, d'Italie. On en voyait peu et la rareté de
l'objet ne lui donnait que plus de prix.

La chambrière bavardait, rapportant à sa maîtresse les potins de l'atelier, de la rue, du quartier.
Les deux femmes s'entendaient bien. Marie appréciait la nature, tranquille bien qu'active, malicieuse
quoique honnête, de la jeune paysanne qui s'était
beaucoup affinée depuis six ans qu'elle était entrée
à son service. Le contact des apprentis, des aides de
l'atelier, celui de la grande ville aussi et, surtout,
celui d'une famille où elle avait rencontré la paix et
la sécurité qui lui faisaient si cruellement défaut à
la ferme de Pince-Alouette avaient transformé l'enfant timide et ignorante qu'elle était en une fille
bien plus sûre d'elle, plus responsable et capable de
prendre des initiatives en cas de besoin.

« Les jumelles sont tombées ensemble amoureuses du même garçon, dit-elle en riant. Il s'agit d'un ouvrier maçon qui travaille au nouveau chantier du bout de la rue. Il aura du mal à choisir entre les deux! »

Les aventures sentimentales de Perrine et de Perrette, les deux jeunes aides, ne se comptaient plus. Grâce à leur ressemblance, elles s'amusaient à troubler les amoureux qu'elles dénichaient avec une facilité qui était la fable de tous, et se les repassaient sans toujours les prévenir, ce qui était source de méprises inénarrables.

« Dame, voulez-vous que je vous frictionne à l'eau de fleurs? Par ces temps lourds, ce serait un bon moyen de vous rafraîchir », proposa la chambrière, quand elle eut fini de tresser les épais cheveux couleur de paille que la brosse avait longuement lissés.

Marie accepta. Elle savait que Côme aimait le parfum de cette lotion où dominait le jasmin.

Guillemine partie, il fallut encore attendre avant que la nuit ne descendît tout à fait. Alors seulement, après avoir changé sa chemise ordinaire contre une autre en soie ponceau, la jeune femme se faufila dans l'escalier, ouvrit sans bruit les portes qu'elle tenait toujours huilées avec soin, longea une allée du jardin heureusement recouverte d'épais berceaux de feuillage propres à dissimuler ceux qui cheminaient sous leur abri, et parvint au mur derrière lequel se tenait celui qu'elle venait chercher.

Sitôt entré, il la saisit par la taille, la serra contre lui avec une ardeur qui l'étouffa un peu.

« Par Dieu! que je trouve donc long le temps qui me sépare du moment de vous rejoindre, ma mie! dit-il quand ses lèvres eurent cessé un instant de parcourir le visage, le cou, la gorge tendre de sa maîtresse.

– Venez. »

Ils ne s'attardèrent pas en chemin et se retrouvèrent sans encombre dans la chambre de leurs amours. La porte refermée, Marie se retourna vers Côme, dans l'intention de lui parler, mais il l'attira de nouveau contre lui pour l'embrasser à sa façon, savante, gourmande, expérimentée.

En amour, cet homme si sincèrement épris, se comportait avec une habileté, un raffinement qui donnait un air de virtuosité à ses gestes les plus osés.

Marie reconnaissait l'art des caresses qui était le sien et ne pouvait s'empêcher de comparer sa maîtrise à la façon dont Robert, jadis, la traitait. Au lieu de la posséder comme pour accomplir un devoir dont il était urgent de se débarrasser au plus tôt et sans paraître y prendre grand plaisir, Côme s'attardait sans fin à des préliminaires dont il savait renouveler les délices. Il aimait les approches lentes, frôleuses, suspendues.

Il avait avoué à son amie que d'y songer à l'avance, de les imaginer tout au long du jour, jusqu'au milieu de son travail, dans n'importe quelle circonstance, était déjà pour lui un avant-goût du bonheur.

Elle reconnaissait à présent que certains mots ajoutent du piment aux gestes qu'ils accompagnent, et se laissait enfiévrer par eux.

Les mains un peu fortes de son amant devenaient d'une adresse de plume pour la préparer à la jouissance et si elle les avait jamais trouvées sans finesse, elle les appréciait à présent pour leur douceur, leur légèreté, leurs inventions.

Le visage de Côme, lui aussi, se transformait. Son regard se faisait plus aigu pour observer l'effet de ses entreprises, et il avait une façon de s'inquiéter des sensations qu'il lui donnait, en serrant la mâchoire, qu'elle jugeait émouvante. Ses cheveux glissaient le long de ses joues comme deux ailes, et leur frôlement était caresse nouvelle...

« Vous avez la peau la plus douce du monde, amie, disait-il d'une voix émerveillée, en épousant de la paume le tendre corps blanc dont il avait retiré sans hâte, en en faisant durer le plus longtemps possible le lent dépouillement, la chemise couleur de feu. La plus douce et la plus fraîche aussi. Même en ces temps de canicule, vous demeurez lisse comme du satin! »

Ses doigts, ses lèvres jouaient, éveillaient des sensations, les multipliaient, les diversifiaient, avec une telle virtuosité que Marie, qui préférait pourtant les prémices à la conclusion, lui demandait d'en finir pour parvenir à l'apaisement.

Les heures sonnaient à Saint-Eustache. Les chandelles de cire parfumée se consumaient au chevet du lit, bateau secoué par la bonne tempête, et la nuit enveloppait de son haleine tiède les corps que l'amour avait unis.

Quand venaient les accalmies, les amants prenaient, dans une large coupe d'orfèvrerie que la jeune femme veillait toujours à faire remplir de fruits et qu'elle déposait sur un trépied à côté de leur couche, des cerises, des groseilles sauvages, des amandes, des figues de Damas, dont ils avaient soudain faim et qu'ils arrosaient d'un vin gris provenant des vignes d'Etienne Brunel.

« Si je n'étais pas tellement désireux que vous deveniez ma femme et de vous voir porter mon nom, je dirais que les moments que nous sommes en train de vivre sont les plus suaves qu'on puisse rêver », dit soudain Côme, en dénouant les nattes que Guillemine avait tressées avec tant d'application.

Il plongea ensuite son visage dans le flot des cheveux épandus comme il eût fait dans une eau frissonnante et parfumée. Son long nez voluptueux, toujours à l'affût de sensations inédites (« votre flair de chien de chasse », lui disait Marie), respirait avec délectation l'odeur naturelle de gerbe ensoleillée qui émanait de la chevelure défaite, avec, en outre, des effluves de jasmin.

« Vous en convenez! Pourquoi souhaiter autre chose que ce bonheur tout simple? demanda Marie.

— Pour la tranquillité de mon cœur, amie, et pour assurer une félicité qui reste fragile tant qu'elle n'est ni sanctifiée ni reconnue.

— Je me trouve bien ainsi.

— Vous seriez encore mieux autrement.

— En êtes-vous certain?

— Tout à fait. Il en est du mariage comme de presque tout ici-bas. Il peut être la meilleure ou la pire des choses, suivant les cas. »

Il riait. Avoir trouvé, ce soir-là, sa maîtresse plus insouciante, plus gaie que la veille, lui suffisait. Une longue habitude des femmes lui avait appris à être heureux quand elles l'étaient et à savoir attendre, en d'autres circonstances, que le vent ait tourné.

Il changea de conversation, parla des gens qu'il avait rencontrés, des rumeurs de la cour qui filtraient jusqu'à la Galerie aux Merciers. On racontait depuis peu que Louis IX songeait à se croiser une seconde fois.

« Il est revenu de son premier séjour en Terre sainte en assez piètre état, remarqua Marie, et il demeure moins solide qu'auparavant... Sans compter que le royaume est en paix depuis un bon nombre d'années, tant à l'intérieur qu'avec ses voisins. Pourquoi compromettre un si beau résultat?

— C'est ce que disent ceux qui sont raisonnables. Mais, tout sage qu'il soit, notre sire est bien trop proche du Seigneur Dieu pour en juger comme eux. Il doit se ronger à l'idée que les Lieux saints sont, pour beaucoup d'entre eux, retombés aux mains des infidèles, que Nazareth a été saccagé et rasée l'église de la Vierge, que Césarée, Arsur sont perdus...

– Vous approuveriez, vous, mon ami, une telle entreprise?

– Je ne suis pas un ange, ma douce... point du tout... et vous me voyez tout prêt à vous le prouver... »

Décidément, avec Côme, l'amour était gai. Pourquoi demander davantage et se retourner les sangs alors qu'il était si plaisant de rire, si amusant de folâtrer avec lui?

La nuit glissa sur eux comme une soie.

Côme s'en alla un peu avant que le cor du guet eût averti les bourgeois de garde que leur service se terminait et qu'on pouvait relever les postes.

Marie s'étira alors entre ses draps froissés. Elle se dit que cet homme lui plaisait et qu'elle le manœuvrerait à sa guise. Qu'il cherchât à utiliser son savoir-faire d'amant pour la convaincre de l'épouser était flagrant. Qu'importait? Elle ne s'y laisserait pas prendre et ce n'était certes pas son habileté au déduit qui y changerait quoi que ce soit! Si elle aimait bien l'amour, elle n'était cependant pas son esclave et le considérait comme un divertissement, non comme un maître. Il en était tout autrement pour Côme. Elle le savait et en profiterait pour retourner la situation à son avantage...

Ce fut en fin de matinée, alors que Marie dessinait un autre cygne sur la feuille de parchemin à décorer, que Bertrand Brunel, son frère, entra tout d'un coup dans l'atelier inondé de soleil. Il semblait fort agité.

« Thomas et Agnès se sont enfuis! annonça-t-il sans se soucier des oreilles curieuses qui pouvaient l'entendre. Ils ne sont plus aux Saints-Innocents!

– Que dites-vous? »

Dans son émotion, Marie se leva avec une telle vivacité que sa mine de plomb roula à terre et s'y brisa.

« La vérité, hélas! Je suis rentré hier soir de Touraine où Florie avait fini par me convaincre de ne rien brusquer, de ménager l'avenir. Aussi, suis-je allé de très bonne heure ce matin à ce maudit charnier où je croyais trouver mon fils. »

Ce n'était plus le père outragé, décidé à faire un exemple, qui parlait, mais un homme déconcerté, anxieux, malheureux.

La jeune femme s'approcha de son frère, posa une main sur son bras.

« Ils ne logent donc plus chez la cirière? » demanda-t-elle, tout en se sentant gênée du peu de part prise par elle dans un conflit que son égoïsme l'avait poussée à ignorer.

Détournée par ses propres soucis de ceux qui perturbaient le reste de sa famille, qu'avait-elle fait pour lui venir en aide?

« Eh non! soupira Bertrand. Ils sont partis sans rien dire. C'est bien ce qui m'inquiète. Où ont-ils pu se rendre? Pourquoi ont-ils quitté un endroit d'où personne ne pouvait les déloger de force?

– Que dit la logeuse?

– Elle ne sait rien. Hier matin, elle dormait encore quand elle a été réveillée, avant l'aube, par des pas qui descendaient son escalier. Elle a pensé que les amoureux, comme elle les appelle, allaient à l'office de prime, ainsi que cela leur était déjà arrivé depuis qu'ils habitaient sous son toit. Elle ne s'en est pas autrement souciée... »

Bertrand s'interrompit. D'énervement, il tirait sur ses doigts jusqu'à les faire craquer les uns après les autres. Marie retrouvait là un geste coutumier à son frère, quand il était au comble de la contrariété, du temps de leur jeunesse...

« Il ne faut pas vous affoler, dit-elle. On ne disparaît pas ainsi, sans laisser de traces... »

Tout en parlant, elle ressentit une impression de déjà entendu. Ne lui avait-on pas répété les mêmes phrases de consolation vaine, la nuit de la Saint-Jean, après qu'Aude, elle aussi, s'en fut allée?

« Les gardes qui veillent aux portes du charnier n'ont-ils pu vous fournir aucune indication? reprit-elle aussitôt.

— Aucune. Ils n'ont rien remarqué... Je crois, d'ailleurs, savoir pourquoi. Le boulanger qui loge là-bas m'a rapporté à ce propos une chose intéressante. Il avait terminé sa première fournée, à l'aube, et il était sorti pour prendre l'air, quand il a distingué, à travers la demi-obscurité, des ombres qui se hâtaient en direction de la porte donnant sur la rue Saint-Denis. Or il connaissait un peu Thomas et Agnès pour leur avoir parfois vendu des petits pains. Il lui a semblé reconnaître la haute taille de mon fils et l'ombre menue de son amie, mais ils n'étaient pas seuls. Ils faisaient partie d'un petit groupe de gens vêtus en mendiants, le capuchon rabattu sur le visage. Intrigué, le boulanger s'est approché de la porte. Une charrette bâchée attendait au-dehors. Après être passés sans encombre devant les gardes, qui sont habitués aux allées et venues de ce genre et qui, paraît-il, semblaient connaître leur chef, ces promeneurs matinaux sont montés dans la voiture. Le conducteur a immédiatement fouetté son cheval et l'équipage a disparu dans la grisaille du petit jour. »

L'atelier tout entier avait écouté le récit de Bertrand. Un silence pesant suivit les derniers mots.

« Qui a pu les aider à prendre la fuite? Pourquoi? Pour aller où? murmura Marie.

— Je l'ignore. Mais, voyez-vous, ma sœur, parmi tous les truands qui hantent l'enclos des Saints-Innocents, il en est de dangereux. On peut craindre que des adolescents inexpérimentés comme les nôtres ne soient les proies, hélas! consentantes, d'individus de sac et de corde, capables des pires vilenies!

– Peut-être sont-ils aussi partis de leur plein gré, pour échapper aux poursuites qu'ils craignent sans doute de vous voir entreprendre contre eux? Peut-être n'ont-ils fait que changer de refuge?

– J'aimerais le croire, dit Bertrand. Mais, que Dieu me pardonne, ce départ si bien préparé ne me dit rien qui vaille! Comment ces deux enfants se seraient-ils, tout seuls, procuré une charrette, un conducteur, des acolytes? »

Les bras croisés sur la poitrine, la tête baissée, l'orfèvre réfléchissait.

« J'ai passé la matinée à interroger tous ceux qui pouvaient avoir remarqué quelque chose d'autre, reprit-il enfin. Cette enquête m'a convaincu que dans un endroit pareil règne une loi du silence impossible à briser. La peur, les intérêts les plus divers, des marchandages faciles à imaginer closent toutes les lèvres, arrêtent toutes les confidences.

– J'ai un cousin qui est sergent du roi, dit Denyse-la-Poitevine. Voulez-vous que j'aille le trouver?

– Pas encore. Il est trop tôt pour faire intervenir les gens d'armes. Il faut attendre pour voir ce qui va arriver, si quelqu'un va se manifester... En admettant qu'il s'en soit allé de son plein gré, je ne puis croire que Thomas nous laisse longtemps dans l'incertitude. Je le connais bien, il est violent, emporté, mais généreux. Je suis sûr qu'il est incapable de nous fausser compagnie sans un mot d'explication. »

Il se tourna vers sa sœur.

« A ce propos, reprit-il en s'adressant à elle, il ne peut être question de mettre notre père au courant de cette disparition. Il ne supporterait pas d'avoir perdu trace de son petit-fils.

– Et Laudine? demanda Marie.

– C'est à cause d'elle qu'au sortir du charnier je suis passé d'abord chez vous, ma sœur. Je vous avoue ne pas avoir eu le courage d'affronter tout seul le chagrin de ma femme. Je compte aller la prévenir en votre compagnie, si vous le voulez bien. Acceptez-vous de venir avec moi? Votre présence lui apportera un soutien féminin dont elle va avoir le plus grand besoin! »

X

« Par ma foi, mon bel agneau, vous me voyez bien aise de vous trouver enfin calmé, dit le dameret qui se tenait sur le seuil de la cellule. Nous commencions à désespérer de vous. A-t-on idée de se montrer aussi violent? »

Il pénétra tout à fait dans la petite pièce. Derrière lui, le gardien referma la porte devant laquelle il se campa, une main sur le manche de son épée, l'autre serrée sur son trousseau de clefs.

Thomas, dont les chevilles et les poignets étaient liés par des cordes qui lui permettaient tout juste de se mouvoir, détourna la tête sans répondre.

« Voyez à quelle extrémité vous nous avez réduits, mon pauvre ami! Par votre faute, vous voici entravé ainsi que taureau en foire! Pourquoi, aussi, avoir tout cassé comme un forcené? »

Thomas demeura muet.

« Par le Corps-Notre-Dame! vous êtes bien obligé de reconnaître, si vous êtes loyal, que nous avons commencé par vous traiter avec mansuétude, mais nous ne pouvions tout de même pas vous laisser tout saccager dans cette chambre! »

Il parcourut du regard la pièce exiguë éclairée par une étroite fenêtre munie d'épais barreaux. Un châlit recouvert d'une paillasse, un escabeau, une table de bois sur laquelle était posé un lourd broc d'étain muni de son gobelet, un seau en composaient l'ameublement.

« Vous avez de la chance d'avoir des anges gardiens aussi patients que nous, reprit-il avec un sourire perfide tout en vérifiant du bout des doigts l'équilibre de la couronne de bleuets qui ornait ses boucles blondes. Beaucoup d'autres vous auraient laissé méditer, au milieu de vos débris, sur la vertu de résignation et ses bienfaits. »

Le regard farouche que lui adressa le captif le fit partir d'un rire perlé.

« Heureusement, mon beau ramier, que vos yeux ne sont pas des épées! J'en serais transpercé! Avouez pourtant que, dans toute cette aventure, vous vous êtes conduits, votre amie et vous, comme des têtes de linottes! Fallait-il que vous soyez naïfs tous les deux pour nous avoir fait confiance sur nos bonnes mines! »

Il semblait bien s'amuser et le parfum de musc que toute sa personne exhalait soulevait le cœur du prisonnier.

« Vous êtes tombés comme deux innocents dans le piège que nous vous avions tendu. Je peux reconnaître à présent que nous n'osions pas l'espérer.

– Chien! gronda Thomas.

– Fi donc! Comment pouvez-vous être si grossier, mon beau pigeon? N'en avez-vous pas honte? Au lieu de m'injurier injustement, vous feriez mieux de vous soucier de votre avenir. »

Un haussement d'épaules exaspéré lui répondit.

Le dameret s'accota contre le mur de pierre sur lequel sa cotte de soie rose se détachait de manière incongrue.

« Vous n'êtes pas curieux, mon cher soleil, dit-il en zézayant de plus belle.

– Par le Sang-Dieu! Cessez de me parer de noms absurdes, et disparaissez de ma vue!

216

– Voyez comme vous avez le sang vif! Je continue cependant à prétendre que ce nom de soleil convient parfaitement à votre éclat de roux, continua Joceran sans se démonter. Quant à nos projets à votre égard, et bien que vous paraissiez vous en désintéresser, je vais avoir la bonté de vous en faire part. »

Il fit quelques pas vers le captif, mais l'expression de rage que son approche fit naître sur le visage contracté de Thomas l'incita à reculer aussitôt.

« Tout doux, l'ami, tout doux! dit-il comme s'il s'adressait à un animal dangereux. En vous parlant, j'ai l'agréable impression de m'adresser à un ours mal léché... C'est déplaisant. »

Il sortit de l'aumônière brodée qui pendait à sa ceinture un flacon de senteur dont il respira l'arôme en battant des cils comme une coquette.

« Allons, décidément, je suis beaucoup trop bon, soupira-t-il. Tant pis! On ne se refait pas. »

Avec élégance, il posa sa main droite, surchargée de bagues, sur sa hanche.

« Voici donc où nous en sommes : nous vous tenons à notre merci, mes douces colombes, que vous le vouliez ou non. Nous vous tenons! N'est-il pas tout naturel de vouloir en tirer profit?

– De quelle façon?

– Tiens, tiens, voici que je vous intéresse tout à coup! Vous m'en voyez ravi! Votre famille est riche, mon agneau, et sachez que nous ne sommes pas insensibles au tintement de l'or... Vos pères et mères doivent être navrés de votre disparition... aussi sommes-nous enclins à croire que ces bons parents seront tout disposés à payer pour obtenir la joie inestimable de vous retrouver sains et saufs. »

Il gloussa de nouveau.

« C'est pour cette raison que nous prenons soin de vous et qu'en dépit de vos mauvais traitements à l'égard de notre mobilier nous vous ménageons. Il faut que vous soyez frais comme l'œil quand nous vous échangerons, vous et votre amie, contre de belles pièces sonnantes et cascadantes! »

D'indignation, Thomas frappa de ses poings liés contre le mur.

« Une rançon! C'est donc une rançon que vous chercherez à extorquer à ma famille! cria-t-il. Par saint Georges! vous ne nous avez pas capturés sur un champ de bataille! De quel droit vous permettez-vous?... »

Un ricanement l'interrompit. Ce n'était plus le dameret, cette fois, qui se moquait de lui, mais le geôlier, lourd et épais comme un soliveau, qui avait été chargé par Amaury, le jour de l'enlèvement, de surveiller le couple prisonnier. Un second individu, de la même espèce, aidait cette brute à accomplir sa tâche.

« Que parlez-vous de droit? dit l'homme avec mépris en crachant par terre. Quel droit? Il n'y a que le droit du plus fort que je reconnaisse!

— Par ma foi, admit Joceran avec une moue chagrine, par ma foi, il est désolant de se voir contraint de l'admettre, mais ce brave Louchard n'a pas tort. »

Il examinait avec attention sa main gauche, tout aussi parée que la droite, dont les ongles, polis comme ceux d'une femme, semblèrent le satisfaire.

« Avez-vous déjà soumis vos propositions à mon père? demanda Thomas, poussé à continuer cette conversation révoltante par une curiosité qu'il ne pouvait contenir.

— Nenni, mon bel ami, nenni! Ce serait faire preuve d'inexpérience. Il est bon de laisser votre famille croupir dans son angoisse avant de nous manifester. Au bout de plusieurs jours passés à se ronger les sangs, les auteurs de vos jours se soumet-

tront beaucoup plus aisément à nos exigences...
croyez-moi, ça ne fait aucun doute! Il faut, décidément, tout lui apprendre! » conclut-il avec un clin
d'œil de connivence à l'adresse du gardien.

En dépit de ses entraves, Thomas voulut se jeter
sur son interlocuteur. Les jambes fauchées, il
s'écroula sur le sol.

« Allons, allons, par le Corps-Notre-Dame! Gardez
votre sang-froid, mon agneau! Votre amie est bien
plus raisonnable que vous. »

Thomas rugit. Depuis qu'on les avait brutalement
séparés, Agnès et lui, à peine descendus de charrette, pour les enfermer dans deux cellules de la
maison forte, le plus cruel, le plus insoutenable de
ses tourments était l'ignorance où on le tenait du
sort de son amour.

« Où est-elle? Qu'avez-vous fait d'elle? Si vous
avez seulement touché à un cheveu de sa tête, je
vous tuerai tous! hurla-t-il après s'être relevé. Je
vous étriperai!

– Vous n'aurez pas besoin d'en venir à une telle
extrémité, mon doux ami, assura Joceran d'un air
amusé. Nous veillons sur votre belle avec autant
d'attention que pourrait le faire sa propre nourrice!
Faites-nous crédit, si j'ose dire, pour ce qui est des
précautions dont nous entourons nos otages! »

Les deux truands s'esclaffèrent en chœur.

Thomas se tourna vers la fenêtre d'où il apercevait la cour. Plusieurs lièvres attachés à un bâton
qu'il portait sur l'épaule, le second gardien de la
maison forte rentrait de la chasse. Après avoir
fermé derrière lui le portail bardé de fer qui donnait accès à l'extérieur, il traversait le préau cerné
de hauts murs, pénétrait dans le corps du logis.
C'était lui qui devait s'occuper de l'approvisionnement et faire la cuisine pour les occupants du lieu.
Plus jeune que son compagnon, il lui obéissait
comme à un chef. Il semblait bien qu'ils fussent

tous deux, avec les captifs, les uniques habitants de la demeure.

Où était-elle située, cette bâtisse de malheur? Où les avait-on conduits? ne cessait de se demander Thomas.

Depuis qu'il était entré, sans appréhension, le cœur plein d'espoir, sous le porche de la maison où l'attendait la plus cuisante désillusion de sa vie, cette question l'obsédait. Durant le trajet qu'Agnès et lui avaient accompli, par raison de sécurité, accroupis au fond de la charrette bâchée, toute vue dissimulée par les épaules des trois hommes assis sur la banquette avant, la route suivie leur était demeurée invisible. Plus préoccupés l'un de l'autre que de l'itinéraire pris par leur conducteur, ils n'avaient pas même songé à se fixer des repères.

A présent, il s'en repentait avec emportement et s'injuriait tout seul de tant d'inconséquence et de sottise.

Après lui avoir retiré sa dague, on l'avait traîné de force, en dépit de ses hurlements et des coups qu'il distribuait à ses bourreaux, dans une des cellules que comportait cette insolite résidence campagnarde, et on l'avait laissé seul. Il disposait encore librement de ses mains et, dans un déchaînement de violence inouïe, il avait tout cassé, piétiné et réduit en miettes autour de lui. Aussi, vers le soir, les deux geôliers étaient-ils revenus, solidement armés de haches et munis de cordes. C'était alors, mais alors seulement, qu'ils lui avaient attaché chevilles et poignets, sans trop serrer tout de même, pour ne pas le blesser, mais suffisamment pour l'empêcher de se mouvoir à son gré.

Trois jours durant, on l'avait ensuite abandonné à ses réflexions, sans autre contact que celui du plus âgé des gardiens qui déposait matin et soir, sans un mot, une nourriture assez peu ragoûtante sur le seuil, près de la porte. Au début, Thomas avait piétiné en signe de dérision les aliments qu'on lui apportait.

Le matin de son deuxième jour d'incarcération, il s'était enfin ravisé. Après une nuit de méditation et de retour sur lui-même, il avait accepté de se nourrir, de façon délibérée, avec application, comme on prend un remède, dans l'unique but de conserver des forces dont il avait décidé de se servir dès que l'occasion s'en présenterait. Profitant de cette nouvelle attitude, ses gardiens avaient balayé les débris informes qui jonchaient la cellule avant de lui rapporter quelques objets de remplacement. Comme indifférent, Thomas les avait laissé faire. En réalité, une idée fixe l'habitait tout entier : fuir, libérer Agnès, s'évader avec elle de ce piège où ils s'étaient laissé enfermer comme des enfants, fausser compagnie aux truands qui les avaient si aisément enlevés...

Il y pensait sans cesse, et son esprit, totalement occupé par ce plan, observait, déduisait, retenait...

Vers la fin du quatrième jour, le dameret avait fait son apparition. Ni Foulques-le-Lombard ni Amaury ne s'étaient encore manifestés. A sa manière narquoise, avec le mélange de coquetterie et de cruauté doucereuse qui le caractérisait, Joceran était venu voir où en était le prisonnier.

« Charmé par la cordialité de votre accueil, disait-il justement, je vais avoir, mon bel agneau, la douleur de vous quitter. A bientôt. Je ne manquerai pas de vous tenir au courant de nos transactions! »

Sur un dernier gloussement et avec une pirouette, il s'éclipsa dans un bruit de soie froissée. La porte retomba derrière lui et son garde du corps. Seul, son odieux parfum demeura après son départ.

Les cordes qui entravaient Thomas étaient assez

longues pour qu'il pût se déplacer maladroitement. Il alla vers le châlit de bois, s'y laissa tomber.

L'envie de hurler le reprenait dès qu'il songeait à Agnès. Où se trouvait-elle? Où l'avait-on enfermée?

Après avoir follement espéré goûter aux douceurs de l'amour à l'abri d'une demeure dont ils ignoraient tout et dont ils se faisaient l'un et l'autre une bien fausse image, Thomas n'en était que plus atrocement malheureux devant l'écroulement de ses rêves. Etre séparé de son amie lui déchirait l'âme et affolait son corps. Sa jeunesse se livrait à la douleur comme à un vice, et son désespoir, doublé de fureur impuissante, le secouait ainsi qu'un ouragan.

Agnès! Sa dame, sa fée, son doux amour, sa belle! Qu'en avait-on fait? Quand il évoquait la possibilité du viol, il se sentait devenir fou... Lui qui l'avait traitée avec un si absolu respect, qui avait durement lutté contre le grand désir qu'il avait d'elle, afin de se conduire comme un chevalier et de ne la faire sienne qu'après avoir reçu la bénédiction qu'elle estimait nécessaire à leur bonheur, il ne supportait pas les images qui tournoyaient à ces moments-là dans sa tête. Pleurant à lourds sanglots, il se cognait alors le crâne contre les murs...

D'après ce que venait de dire Joceran-le-Puant, il ne semblait pas que cette abomination fût à craindre, du moins pour le moment. Les truands tenaient trop à leur prise pour en diminuer la valeur et en compromettre l'échange par une fausse manœuvre... Ces maudits ne s'intéressaient qu'à la somme qu'ils estimaient pouvoir soutirer aux familles de leurs victimes. Le reste leur importait peu!

Si, sur ce point, Thomas essayait de se rassurer, il n'en restait pas moins ravagé par une séparation qu'il ne pouvait supporter davantage. Allait-il donc attendre qu'on les vendît tous deux comme du bétail? Combien de temps l'infâme marché prendrait-il pour se conclure? On ne pouvait douter de la manière dont agiraient son père et sa mère, pas plus que les parents adoptifs d'Agnès, quand ils seraient avisés des prétentions des ravisseurs. Pour libérer leurs enfants, ils accepteraient d'en passer par où l'exigeraient les gibiers de potence dont ils dépendaient tous.

Mais une fois sauvés, arrachés aux griffes des truands, rendus à leurs familles, Agnès et lui se heurteraient de nouveau à l'interdiction de contracter mariage entre cousins. Ils retomberaient dans les difficultés inextricables que cette maudite parenté dressait entre eux. Ils n'auraient donc échappé à un péril que pour se retrouver en proie aux interdits qu'on ne manquerait pas de leur opposer.

Non! Il n'y avait qu'un parti à prendre : la fuite!

Thomas, qui était resté assis, à fourrager furieusement dans sa chevelure, se leva gauchement, s'approcha de la fenêtre. Située à mi-hauteur de l'unique tour de la maison forte qui ne semblait guère grande, l'étroite ouverture plongeait sur la cour, mais, en même temps, permettait d'apercevoir, au-dessus des murs, des cimes d'arbres.

Où se trouvaient-ils donc enfermés? A quelle distance de Paris? Dans quelle direction?

Il était indispensable de s'orienter avant d'établir un plan d'évasion qui ait quelques chances de réussir.

Le trajet de la charrette lui avait paru assez long. Mais il était alors – follement – impatient d'arriver à domicile et redoutait plus que tout qu'on les eût suivis, ce qui avait pu fausser son estimation...

De son poste d'observation, Thomas vit alors le dameret apparaître dans la cour. Avec force gestes, il parlait au geôlier, qui ne tarda pas à aller chercher le beau coursier de son maître. Joceran sauta en selle avec une telle aisance qu'instinctivement, en quête d'un admirateur, il leva les yeux vers la cellule où il savait que se tenait le captif. L'apercevant à la place où il comptait bien le découvrir, il lui adressa un sourire éblouissant et un salut moqueur où désir de plaire et mépris du vaincu se mêlaient curieusement.

« Je le tuerai! se promit Thomas en étreignant les barreaux de sa fenêtre. Dieu me pardonne! Avant de partir d'ici, j'écraserai cette punaise! »

Par le portail grand ouvert devant lui, Joceran s'en fut vers la liberté interdite...

A cette heure du jour, le soleil commençait à décliner et on le voyait baisser à l'horizon, par-delà les frondaisons. Thomas nota qu'on était donc à l'ouest, mais à l'ouest de quoi? Si c'était bien une forêt qui entourait la prison, de laquelle s'agissait-il? Il ne manquait pas de belles et vastes futaies autour de la capitale.

Sortir de ce lieu de détresse était urgent. Mais comment? Et, une fois évadés, si Dieu les aidait, où porteraient-ils leurs pas? Il faudrait se diriger sans erreur vers un refuge sûr. Lequel? Où le trouver?

En clopinant, Thomas retourna à sa paillasse. Les questions bourdonnaient sous son crâne comme en une ruche. Cependant, une toute nouvelle certitude y logeait. Son adolescence était morte. Il se sentait désormais suffisamment fort pour venir à bout de bien des obstacles. Transformé par la douleur et l'humiliation, il avait soudainement vieilli, il s'était durci. Ravagé en son for intérieur par l'épreuve qui l'avait calciné comme le feu vitrifie les parois d'une maison incendiée, il était devenu un homme.

La nuit passa, puis un autre jour, puis une cinquième nuit.

Dans la matinée qui suivit, le dameret réapparut.

Thomas entendit qu'on frappait au lourd portail,

puis il le vit s'ouvrir devant le cavalier vêtu de blanc et paré selon son extravagante habitude. Le gardien qui le recevait était, une fois encore, le plus âgé. L'autre avait dû repartir pour la chasse.

Le prisonnier attendit. Pendant les longues heures où il avait peu et mal dormi, il avait décidé d'utiliser toutes les occasions qui se présenteraient à lui. Toutes. Quelles qu'elles fussent.

Bientôt, la porte de la cellule fut poussé. L'homme aux clefs sur les talons, Joceran entra. Avec lui, l'odeur de musc réintégra la pièce.

« Sire Dieu, je jure sur mon âme, si j'en trouve le moyen, de tuer ce chacal, de la main que voilà! Je Vous prie, Dieu Juste, à l'avance, de me pardonner. Occire une bête malfaisante ne peut être pécher! »

– Alors, mon cher agneau? Comment se porte-t-on aujourd'hui? Avez-vous seulement vu combien il faisait beau? »

« Son cheval n'avait pas l'air fatigué, se dit Thomas. Par temps chaud, après un long trajet, il serait couvert d'écume. Il faut que je sache d'où il vient. »

« Paris me manque, dit-il d'un ton moins rogue.

– Vous avez tort. Vous êtes bien mieux ici. Tel que vous me voyez, j'en viens. Par les cornes du diable, c'est une fournaise. »

Joceran s'éventait avec les gants de peau blanche qu'il mettait pour préserver du hâle son délicat épiderme.

« Je constate avec plaisir que vous voici devenu beaucoup plus abordable, remarqua-t-il avec satisfaction. Nous allons enfin pouvoir bavarder tranquillement. »

Une lueur trouble dans son regard alerta Thomas.

« Que me veut-il? Pourquoi est-il le seul à venir me rendre visite? »

« Ça, causons », dit le dameret.

Il prit l'escabeau, s'y assit avec des mouvements languides.

« Savez-vous, mon beau ramier, que je suis prêt à fort goûter votre compagnie, si vous daignez demeurer calme et renoncer à vos excès?

– J'ai utilisé le temps très long dont j'ai disposé depuis notre dernière entrevue à réfléchir, dit Thomas. J'en suis arrivé à la conclusion que je n'avais pas intérêt à me faire de vous un ennemi.

– Par mon saint patron, que je suis donc heureux de vous l'entendre reconnaître! Soyez persuadé que je ne désire rien tant que votre amitié! »

Roucoulant d'aise, il rejeta en arrière sa tête couronnée de marguerites assorties à la couleur de sa cotte.

« Je l'assommerai! » se promit Thomas.

« Avez-vous fait connaître à mon père le montant de la rançon que vous exigerez de lui? reprit-il.

– Point encore. Ainsi que je vous l'ai expliqué l'autre jour, il est bon de différer notre démarche pour faire languir jusqu'à la limite du supportable votre estimable famille. Elle n'en sera que plus souple par la suite. Toutefois, il n'est pas indiqué non plus de trop tarder. Le moment propice approche à ce que je crois. »

Thomas fut sur le point de parler d'Agnès. Un instinct d'animal pris au piège l'en détourna.

« Pensez-vous que mon père acceptera vos exigences?

– Vous le connaissez mieux que moi... Il tient énormément à vous, qui êtes son fils aîné et déjà son successeur désigné...

– C'est bien pensé.

– Votre approbation me ravit, mon cher soleil! Littéralement, elle me ravit! »

Il zézayait et faisait des grâces.

« Pour être sincère, continua-t-il en froissant tout

à coup avec nervosité les chaînes d'or superposées qu'il portait sur la poitrine, pour être tout à fait sincère, je dois avouer que nous avons une certaine habitude de ce genre de tractation... »

La porte du bas claqua avec force, des pas rapides franchirent les marches de l'escalier, on frappa contre l'huis.

« Qui va là? s'enquit le geôlier.

– C'est moi! Brichemer! Ouvre-moi que diable! »

Le second gardien entra. Il était essoufflé et semblait au comble de l'excitation.

« Pourquoi nous dérangez-vous? demanda Joceran, manifestement irrité.

– Pardonnez-moi, messire, mais je viens de me trouver, dans la forêt, devant un gros sanglier, un solitaire superbe, blessé au défaut de l'épaule par un chasseur maladroit qui n'aura pas su ou pas pu l'achever...

– Et alors?

– Alors, je l'ai occis avec mon coutelas, mais la bête est trop lourde pour que je puisse la ramener seul ici. Il me faudrait de l'aide. J'ai pensé que Louchard... »

Le mécontentement du dameret tomba tout d'un coup. Un sourire satisfait étira ses lèvres peintes.

« Est-ce là tout? demanda-t-il avec une impatience soudaine, eh bien! Louchard, qu'attendez-vous pour aller prêter main-forte à ce brave Brichemer?

– Je ne sais pas si je peux...

– Bien sûr que si! Je ne suis pas une poule mouillée, par le Corps-Notre-Dame! De plus, je suis armé et ce damoiseau ne l'est pas. Allez, allez, ne tardez pas davantage et rapportez-nous ce magnifique cochon noir. Je ramènerai sa hure à Paris.

– Les clefs? Que vais-je faire des clefs? interrogea le geôlier.

– Laissez-les-moi, voyons! Vous ne songez tout de même pas à m'enfermer céans comme un prisonnier! Non plus que de laisser cette porte ouverte! »

Avec répugnance, le gros homme tendit à Joceran, qui le passa négligemment autour de son poignet, l'anneau de fer auquel pendait le trousseau.

« C'est bon, c'est bon, lança, non sans agacement, son maître. Partez donc! Il ne faudrait pas qu'un quidam vînt à passer à l'endroit où se trouve votre gibier et commençât à le dépecer sans vous! »

Les deux gardiens disparurent.

Leurs pas résonnèrent sur les degrés de pierre, la porte du bas claqua, on les entendit enfin traverser la cour.

« Vous me disiez que vous aviez l'habitude de traiter des affaires comme la mienne? » enchaîna Thomas en se retournant vers son interlocuteur.

Le dameret opina.

« Que voulez-vous, mon beau ramier, il faut bien vivre!

– Votre oncle est-il réellement changeur?

– Oui et non... il est tant de façons d'entendre le commerce auquel il se livre! »

Il eut un geste désinvolte qui expédia Foulques-le-Lombard à tous les diables.

« Ne parlons plus de ce vieil homme tyrannique, dit Joceran, dont les narines palpitaient. Parlons plutôt de vous. Savez-vous que vous m'intéressez au plus haut point?

– Je n'en doute pas, dit Thomas. Le mot intérêt me paraît tout à fait approprié dans un cas comme le mien!

– Par le Corps-Notre-Dame! Je ne l'entendais pas de la sorte! Non, non, mon bel agneau, je faisais allusion à un sentiment plus intime, plus personnel... »

Il se leva, rapprocha son escabeau du lit où Thomas était assis, posa une main blanche et alourdie de bagues sur le genou qu'il touchait presque avec les siens.

« Ne vous êtes-vous véritablement pas encore aperçu de la très grande sympathie que vous m'inspiriez? demanda-t-il en coulant entre ses paupières à demi fermées un regard enjôleur vers son prisonnier.

— Si vous ressentez quelque amitié pour moi, dit Thomas dont le sang battait la charge, vous devriez bien me délier les poignets, du moins pour un moment. Les cordes me blessent. »

Le dameret hésita, pinça ses lèvres peintes. Derrière son front incliné, la méfiance et la concupiscence se livraient un combat incertain.

« Vous me prenez pour un poussin de la dernière couvée! s'écria-t-il cependant avec une moue ironique. Je n'en ai plus l'âge, dites-le-vous bien, ni l'innocence! »

Un flot de sang inonda le visage de Thomas.

« Je pensais que vous teniez à me faire plaisir, dit-il d'un air bougon. Rien ne me plairait davantage que de recouvrer l'usage de mes mains... N'en parlons plus, puisque vous vous y refusez!

— Il pourrait vous prendre fantaisie d'en faire mauvais usage.

— Je suis entravé... Je n'ai point d'arme...

— Mais vous êtes fort et solidement bâti! Savez-vous, mon bel ami, qu'il est rarement donné à un garçon de votre âge d'être déjà si bien planté! »

Thomas baissa la tête. Joceran se méprit sur la gêne évidente éprouvée par le jeune homme. Il crut y déceler un trouble qui le flatta et l'inclina à persévérer.

« Que vous êtes donc avenant, ainsi, tout empourpré sous votre chevelure de feu! dit-il avec ravissement. Je verrai plus tard à vous dégager de vos liens... Il me semble plus important de mieux faire connaissance... »

Avec un regard allumé et un sourire de connivence qui accentuèrent son aspect équivoque, il se pencha un peu plus vers son prisonnier.

« Nous pourrions devenir de si bons amis... »

Thomas demeurait parfaitement immobile.

« Je peux me montrer gentil, très gentil, encore plus gentil que vous ne sauriez le croire, continua le dameret. Il suffirait que vous y apportiez un peu de complaisance... »

Thomas releva les yeux. Leur expression déconcerta Joceran.

« Ecoutez, mon beau poulain sauvage, reprit-il, écoutez un peu ce que j'ai à vous proposer... »

Il hésita un instant, se leva, vint s'asseoir sur le lit, à côté du prisonnier. Tout près.

Manifestement tiraillé entre ses penchants et un reste de prudence, il inclina lentement la tête vers l'épaule du jeune homme... Prompt comme un fauve, Thomas leva ses mains liées et les rabattit avec une vigueur de bûcheron sur le cou blanc où voletaient des boucles soigneusement frisées. Maintenant contre lui, entre ses bras de lutteur, l'ennemi qui se débattait dans un relent de musc, le jeune homme serra la gorge offerte, à l'aide des cordes qui l'attachaient lui-même.

Ils s'écroulèrent sur le lit, en un corps à corps qui n'avait rien de commun avec ce qu'avait pu imaginer auparavant le dameret. Etranglé, suffoquant, celui-ci se débattait avec de moins en moins de force, alors que Thomas accentuait son avantage.

Poussé par la haine, la fureur, la nécessité de faire vite, et l'espoir d'une liberté toute proche, il écrasait son adversaire sous son poids tout en continuant à l'étouffer.

Dans un ultime sursaut, Joceran chercha à tirer sa dague. Plus rapide, Thomas le jeta à terre, saisit à deux mains le pesant broc d'étain posé à côté de sa couche, et en assena sur le crâne de son ennemi un coup à fendre un casque.

Le Lombard s'affaissa... Le sang coulait de sa tête défoncée, de son nez, se répandait sur ses vêtements... Il n'était pas besoin de ce flux rouge pour attiser l'ivresse frénétique du justicier. Soûl de violence, il continuait de frapper avec le broc la face fardée, les épaules revêtues de soie, le torse couvert de chaînes d'or...

« Ah! porc! vermine! bête puante! Crève! crève! crève donc! hurlait-il comme un forcené. Que le diable t'étripe! »

Il s'arrêta parce que ses bras se fatiguaient. A ses pieds, le dameret était dans un triste état. Les marguerites massacrées se mélangeaient aux cheveux poissés de sang, le visage n'était qu'une plaie, des éclaboussures sanglantes souillaient la cotte et jusqu'aux chausses safranées.

Thomas lâcha le broc maculé, cabossé, qui roula à terre. Il s'empara ensuite de la dague qui pendait à la ceinture du vaincu, la coinça entre ses dents, et se mit en devoir de trancher les cordes de ses poignets. Il eut beaucoup de mal à y parvenir.

Quand il y fut arrivé, il essuya avec dégoût ses doigts gluants à sa paillasse et se redressa. La fade odeur du meurtre se répandait dans la cellule... Une nausée tordit l'estomac du jeune homme. Il appuya son front au mur de pierre et resta un moment hébété, incapable de surmonter l'horreur qui prenait maintenant en lui la place de la rage homicide.

« Sire Dieu! Il faut me pardonner! »

Pour la première fois de sa vie, il venait de tuer un homme! Tout se brouillait dans son esprit. Il crut qu'il allait se trouver mal, tant il tremblait... Le bruit de ses dents qui s'entrechoquaient le tira de son hébétude. Il se taxa de lâcheté, se força à regarder le corps qu'il avait privé de vie...

Qu'avait-il fait d'autre que de régler son compte à un truand criminel, à un malfaiteur perdu de vices, qui avait honteusement profité de leur inexpérience, à Agnès et à lui, pour les attirer dans un piège? Le nom aimé le réconforta. C'était pour elle qu'il avait agi, pour la délivrer d'une captivité haïssable...

Son énergie naturelle reprenait le dessus. C'était bien le moment de se forger des cas de conscience, de s'attendrir sur la fin du dameret maudit! Il avait mieux à faire : il avait à sauver son amour!

Il se baissa pour ramasser les clefs tombées à côté du cadavre et pour trancher les liens qui entravaient toujours ses chevilles. Le tremblement de ses mains, qui ne s'apaisait que peu à peu, le retarda pendant qu'il s'acharnait sur les cordes de chanvre, mais, une fois délivré, la joie de se sentir libre lui gonfla la poitrine.

Il glissa la dague dans sa manche et, serrant fébrilement le trousseau entre ses doigts, alla à la porte et l'ouvrit.

Où était Agnès?

Le silence régnait dans la maison forte.

Il n'y avait pas de temps à perdre. Si les gardiens rentraient avant que leurs prisonniers aient eu le temps de se réfugier dans la forêt voisine, tout était perdu. Le meurtre du Lombard serait cruellement vengé.

Comme il l'avait déduit des allées et venues de ses geôliers, personne d'autre qu'eux n'occupait la demeure. Les truands ne devaient pas souhaiter mêler trop de monde aux affaires louches et aux crimes dont ce lieu isolé devait être fort souvent le repaire. Leurs victimes s'y trouvaient donc seules pour le moment.

Thomas descendit aussi vite qu'il le put l'escalier à vis, et sortit dans la cour.

L'air surchauffé lui sauta à la face. Il retrouvait l'été qu'il avait presque oublié dans la cellule étroite où l'épaisseur des murs empêchait la chaleur de pénétrer.

Campé au milieu de la cour, et un peu anxieux d'avoir à rompre la lourde paix des pierres endormies au soleil, où ne bourdonnaient que des insectes, il appela :

« Agnès! Agnès! Agnès, ma mie! »

Sa voix puissante fit éclater le silence. Un cheval hennit dans l'écurie.

Parce qu'il se souvenait du dameret se mettant en selle, lors de sa précédente visite, et l'apercevant derrière la fenêtre de sa cellule, Thomas espérait qu'il pourrait découvrir par ce moyen l'endroit où était enfermée son amie.

Ce fut à une croisée du premier étage qu'il vit soudain, avec une émotion qui l'embrasa, apparaître le clair visage de celle pour la délivrance de qui il venait de mettre en péril son salut éternel.

Il bondit vers l'escalier, en franchit les degrés comme un fou, ouvrit, grâce au trousseau de clefs, la porte du palier, et découvrit enfin un couloir sur lequel donnaient quelques ouvertures.

Il appela de nouveau. La voix d'Agnès lui répondit. Il courut à la porte de bois derrière laquelle on avait emprisonné son âme, chercha la clef qui convenait, en essaya plusieurs en s'embrouillant dans le nombre, et, quand il l'eut trouvée, eut beaucoup de mal à l'introduire dans la serrure et à l'y faire tourner, tant ses mains tremblaient. De la sueur et des larmes coulaient sur son visage.

Lorsque le battant s'ouvrit, il reçut contre sa poitrine une créature en pleurs qui répétait son nom comme une litanie.

« Thomas! Thomas! Thomas! »

Ses cheveux répandus sur ses épaules, ses joues amaigries, l'effroi encore présent au fond de ses prunelles contribuaient à faire paraître Agnès encore plus fragile, plus jeune, plus vulnérable qu'à l'ordinaire.

« Amie! Amie! Mon amour! Ma douce! Vous voici, vous voici donc! »

De joie et de peine, dans les bras l'un de l'autre, ils n'en finissaient plus de s'émerveiller et de pleurer, de s'embrasser, de se caresser mutuellement le visage, de s'émerveiller encore...

« Comment... Comment êtes-vous parvenu?... chuchotait l'adolescente en s'accrochant aux épaules de Thomas.

– Il faut partir, mon aimée, répondit celui-ci. Je vous conterai plus tard ce qui est arrivé... Venez, venez vite! Sauvons-nous! »

Se tenant par la main, ils coururent jusqu'à l'escalier, se retrouvèrent dehors.

« Il y a un cheval dans l'écurie. Prenons-le! »

Dans le local où deux roussins mâchaient du foin avec indifférence, le beau coursier pommelé de Joceran, tout sellé, attendait son maître.

Thomas le détacha et, en dépit des résistances de l'animal surpris de ce changement de main, l'amena, toujours courant et suivi d'Agnès, jusqu'au portail de la maison forte. La plus grosse clef du trousseau l'ouvrit en grinçant.

« Nous sommes libres! Mon amie! Libres! s'écriat-il avec exaltation. Venez! »

Il sauta en selle, aida sa compagne à monter en croupe derrière lui.

« Tenez-vous solidement à moi, ma douce! Il va nous falloir galoper! »

Le coursier énervé partit comme un trait.

Un chemin de terre conduisait du portail à la route.

« Il ne convient pas de rester plus longtemps à

découvert, dit Thomas. On pourrait nous apercevoir. Gagnons la forêt. »

Un sentier cheminait entre les hauts fûts des hêtres aux troncs lisses et mats comme des colonnes d'argent bruni. Ils le quittèrent bientôt pour progresser au jugé sous les branches, afin de ne pas laisser d'empreintes derrière eux.

Une odeur familière de fougères, de feuilles, de terreau, soulevée par les sabots du cheval, emplissait leurs poitrines d'une ivresse à goût de liberté.

Au sortir de la cour incendiée de soleil, au sortir de la peur qui les avait tenus au ventre si durement, la fraîcheur régnant sous les branches des beaux arbres tutélaires leur faisait l'effet d'un souffle lustral et purificateur.

Les bras passés autour de la taille de son ami, Agnès, qui avait posé sa joue contre le large dos revêtu de toile verte froissée et salie, se disait que c'en était fini des jours de douleur, que la vie reprenait son cours et que leur amour, après avoir surmonté une telle épreuve, était de taille à lutter contre tous les dangers et à triompher de tous les obstacles.

Redoutant de retomber à l'improviste sur ses deux gardiens, qui se trouvaient dans la forêt, Thomas, aux aguets, ne partageait pas complètement l'euphorie de l'adolescente et poussait le cheval afin qu'il ne ralentît pas son allure.

A part quelques hardes de cerfs et de biches, une laie suivie de ses marcassins, d'innombrables rongeurs qui fuyaient à leur approche, et, quand ils traversaient des taillis, l'envol fracassant, en de grands claquements d'ailes, de faisans, de coqs de bruyère, ou de ramiers, ils ne rencontrèrent personne.

Au bout d'un moment, Thomas laissa sa monture se mettre au pas. On ne pouvait plus maintenant relever leurs traces. Ils étaient bien sauvés! Le plus important était donc accompli. Il ne restait plus qu'à s'orienter convenablement et, surtout, à être fixé sur le lieu de leur prochain séjour.

« Où pouvons-nous bien nous trouver? se demandait le cavalier. Vers quoi devons-nous nous diriger? »

L'occasion qui s'était si opportunément offerte de se débarrasser du dameret et de prendre la fuite avait été trop soudaine pour lui laisser le temps nécessaire à l'élaboration d'un plan clairement établi.

« Nous voici parvenus au moment de prendre une décision, se dit-il encore. Je veux bien être pendu si j'ai la moindre idée de l'endroit où nous réfugier à présent! »

Craignant que son amie ne fût déçue et inquiétée par une telle imprévoyance, il n'osait pas se retourner sur sa selle pour lui faire part de son incertitude et lui demander conseil.

Sur ces entrefaites, ils parvinrent à une clairière dont l'herbe drue donnait envie de s'y vautrer. Une source jaillissait en son milieu, entre deux roches blanches. Le jet limpide tombait entre des pierres qui formaient une sorte de bassin naturel, assez large, dont le fond, tapissé de fins graviers et de sable, devait être doux aux pieds qui le foulaient. Le ruisseau ainsi formé coulait ensuite à travers la grasse prairie cernée de hêtres et foisonnante de fleurs sauvages.

« Si nous nous arrêtions un moment ici, ma mie? proposa Thomas. Nous voici loin de la maison forte et de ceux qui la gardent. Un bain nous ferait à tous deux le plus grand bien!

– Comme vous voudrez, mon seigneur! »

Riant d'aise, ils se retrouvèrent, aux bras l'un de l'autre, auprès du cheval qui soufflait fort et respirait d'un air circonspect l'herbe épaisse des bords du ru.

« Qu'est-ce que ce sang sur votre cotte? demanda Agnès tout d'un coup à son ami. Vous seriez-vous blessé?

– Non point, ma douce. Ce sang est le prix de notre liberté, dit Thomas en détournant les yeux. N'en parlons plus, voulez-vous? L'heure est trop belle! Oublions ces jours noirs de captivité et n'y repensons plus, plus jamais! Lavons-nous de cet affreux passé. Dépouillons-le ensemble... »

Sortie tout droit des entrailles de la terre, l'eau de la source n'était guère chaude en dépit du soleil ardent qui brillait au-dessus de la clairière, et faisait étinceler les vaguelettes produites par l'entrée des jeunes gens dans le bassin. De larges remous lumineux les cernèrent dès qu'ils y eurent pénétré, marbrant leur peau nue de mouvants reflets dorés.

Malgré le froid qui les saisit, ils se plongèrent tous deux avec une joie avide dans l'onde purifiante et joueuse qui les accueillait comme des amis. Privés de soins depuis bientôt une semaine, leurs corps retrouvaient avec une satisfaction animale les plaisirs de la propreté, le contact vivifiant de l'élément liquide. L'eau les nettoyait en même temps des souillures de la captivité et des sueurs de l'angoisse. Leurs âmes aussi, aurait-on dit, comme par la grâce d'un nouveau baptême, se régénéraient sous ce ruissellement transparent...

Après avoir retiré, à l'abri d'un buisson d'églantines couvert de pétales, sa chemise, ses chausses, sa cotte et ses souliers, Agnès avait relevé ses cheveux à l'aide de son voile simplement noué comme un bandeau. Elle ne voulait pas qu'ils fussent mouillés. En frissonnant, elle s'enfonça jusqu'aux épaules dans la fraîcheur ondoyante qui la revêtait d'une chape bienfaisante...

Tout d'abord préoccupé de se défaire de la crasse et du sang qu'il sentait collés à sa peau, Thomas s'était contenté, pour commencer, de se frictionner de toutes parts avec vigueur.

Enfin propre, il prit le temps de contempler les ablutions de son amie qui procédait à sa toilette à quelques toises à peine de lui. Les bras levés, elle tentait de retenir des mèches indisciplinées qui glissaient sur sa nuque. Son corps nacré, nuancé de blondeurs, était si délié, si harmonieux que Thomas put rester un moment à la contempler sans arrière-pensée, comme il aurait fait d'une blanche statue au porche d'une cathédrale.

Une action de grâces chantait en lui.

« Dieu Sauveur, soyez béni! La voici retrouvée, ma perle claire! J'ai pu l'arracher, intacte, aux griffes de nos tortionnaires! C'est moi, moi seul, qui lui apprendrai l'amour! Je serai, à jamais, son initiateur et elle ne sera qu'à moi! Soyez béni, Seigneur! »

Il n'avait pas eu besoin d'interroger l'adolescente pour savoir que Joceran avait dit vrai et que personne ne l'avait déflorée. De tout son être, où veillait l'attention aiguisée de ceux qui aiment, il sentait qu'Agnès était restée aussi pure, aussi neuve qu'au moment de leur séparation. S'il en avait été autrement, son instinct d'homme épris l'aurait tout de suite deviné... et elle n'aurait pas ri de ce rire insouciant...

Ce constat d'innocence le troubla davantage qu'il n'eût souhaité. Au lieu de glisser sur les formes graciles comme sur celles d'une statue, son regard ne pouvait plus se détacher de la gorge menue qui, dans le geste que son amie faisait pour se recoiffer, pointait hors de l'eau. Ebloui, il découvrit, sous le sein gauche au contour délicat, un grain de beauté si foncé qu'il en avait des reflets bleu sombre, comme une prunelle des haies. Exactement la nuance et la taille du fruit sauvage couleur de nuit.

En dépit du respect infini qu'il lui vouait, un désir brutal, impérieux, lui fouailla les reins...

Précipitamment, il sortit du bassin dont la fraîcheur ne suffisait plus à calmer ses ardeurs, courut se rouler dans l'herbe pour éteindre ce feu. Mais l'odeur sensuelle, l'odeur végétale et puissante de l'argile féconde, des plantes gorgées de sève et d'eau qui croissaient au bord du ru, le reçut comme un complice, le submergea. Il lui semblait écraser sous lui un corps voluptueux au sang vert et parfumé, qui n'était que consentement et abandon. Que n'avait-il, à l'imitation de François d'Assise, choisi un buisson épineux plutôt que cette molle couche tendre, pour s'y jeter comme le saint dont on disait qu'il lui était arrivé de se précipiter tout nu dans l'épaisseur d'un roncier afin de lutter contre l'aiguillon de la chair!

Un moment auparavant, il avait imaginé qu'après le bain ils rinceraient, Agnès et lui, leurs habits salis dans le lavoir naturel de la source, puis les étendraient sur le pré afin de les y faire sécher pour les enfiler ensuite, propres. Etendus l'un près de l'autre sur la mousse, à l'ombre des arbres qui cernaient la clairière, ils auraient attendu, sans hâte, que le soleil eût rempli son office.

Il n'y fallait plus songer...

A son tour, Agnès sortait de l'eau, retournait derrière les églantiers, se séchait avec des poignées d'herbe, repassait ses vêtements en silence, les yeux baissés sur une joie secrète qui bondissait dans son cœur comme un chevreau de l'année. Elle rattacha son voile, glissa une des roses sauvages dans la torsade blonde qu'elle avait nouée sur sa nuque et retourna vers le coursier qui les attendait en broutant. Toujours nerveux, il releva la tête et la fixa de ses larges yeux bombés, un peu fous... S'en approchant, elle voulut caresser le chanfrein dont la douceur veloutée l'attirait, mais, à son contact, l'animal recula, les oreilles couchées, la robe parcourue de tressaillements.

« Serait-ce un mauvais présage? se demanda l'adolescente. Sainte Agnès, protégez-moi! »

Elle frissonna, comme si un nuage était passé sur le soleil.

« Repartons, dit Thomas, qui s'était rhabillé.

— Ami, où allons-nous? »

Elle lui faisait face, plongeait dans le sien qui la fuyait un regard direct, interrogateur.

« Par mon âme! Je n'en sais rien.

— Il faudrait peut-être trouver quelqu'un pour nous renseigner, pour nous indiquer la route à suivre?

— Quelle route, ma douce? soupira Thomas ramené aux réalités immédiates. Je n'ai aucune idée de l'endroit où nous pourrions trouver refuge. »

Agnès fronça le nez d'un air amusé et tendrement protecteur.

« Pendant que j'étais enfermée, dit-elle, j'ai eu le temps de réfléchir et je me suis souvenue d'une petite maison de vigneron que j'avais vue l'unique fois où je suis allée chez maître Leclerc avec ma mère. Elle était inoccupée et dépendait du domaine des Chartreux, à deux ou trois lieues de Gentilly.

— Existe-t-elle encore?

— Pourquoi l'aurait-on détruite? Vous savez que depuis le départ des moines, leurs terres sont en beaucoup d'endroits laissées à l'abandon. Si personne ne s'en occupe, personne non plus n'oserait les utiliser. Les vignes et les champs retournent peu à peu à l'état sauvage, mais les bâtiments demeurent intouchés. Celui dont je vous parle tout autant que les autres, sans doute. Ce n'est certes pas un palais, mais, quand je l'ai remarqué, il tenait debout, avait conservé son toit de tuiles et m'avait paru habitable.

— Pourriez-vous en retrouver l'emplacement?

– Il me semble. Vous savez que j'ai une bonne mémoire, et puis, il n'y a pas si longtemps!

– Où se trouve cette maisonnette?

– Dans un endroit difficilement accessible! Derrière l'étang du Sanglier Blanc, vers l'ouest, en lisière des bois du couvent, et en bordure d'un vignoble en friche. Loin de tout!

– Nous y serions tranquilles, bien sûr, mais, en admettant que vos souvenirs ne vous abusent pas, comment pourrions-nous vivre, ma mie, et nous nourrir dans une telle solitude?

– En pêchant, en chassant, en cueillant des fruits aux arbres abandonnés... Ne sommes-nous pas à la belle saison? Avec l'aide de Dieu, mon amour, nous subsisterons... et je suis certaine que nous finirons même par trouver dans le voisinage un ermite qui se laissera convaincre de nous accorder sa bénédiction! »

Agnès offrait à son ami un visage si lumineux, un regard si confiant qu'il eut honte de ses tergiversations.

« Vous avez raison, mon aimée, n'attendons plus! Partons!

– Savez-vous par où il nous faut passer pour gagner Gentilly?

– Pas le moins du monde! Mais sortons d'abord de cette forêt. Le meilleur moyen de ne pas nous perdre est de continuer tout droit. Nous finirons bien par trouver un bûcheron qui nous renseignera. »

Après avoir bu à la source pour tromper la faim qui commençait à se faire sentir, ils repartirent.

Parmi les bruissements, les bondissements, les fuites, les envols de la sylve gorgée de gibier, ils chevauchèrent encore assez longtemps.

Vallonné, sillonné de ruisselets, le sous-bois offrait des combes tapissées d'herbe plus foncée, plus fine que celle des clairières, des lits de mousse, des mares vertes et immobiles où les grenouilles se précipitaient au passage du cheval, des terriers de blaireaux ou de renards, des berceaux de feuillage d'où jaillissaient des chevreuils troublés dans leur repos...

Sous le couvert, il ne faisait point trop chaud, en dépit des rais de soleil qui se glissaient par les trous de verdure pour tisser entre les fûts, comme des tapisseries de lumière, leurs toiles de poussières dorées.

Le pas du coursier, écrasant les feuilles sèches, les brindilles tombées au sol, rompait seul l'harmonieux silence qui enveloppait les cavaliers. De branche en branche, des écureuils gambadaient en une sorte de danse aérienne qui leur faisait escorte.

Soudain, après une montée, et de façon tout à fait inattendue, le cheval parvint au sommet d'une crête, à l'orée de la forêt. Un paysage immense s'offrait au regard...

Une plaine opulente où la forêt cédait la place à une campagne fertile s'étendait à l'infini sous les yeux des jeunes gens éblouis. A droite et à gauche, aux confins de l'horizon qu'ils fermaient, des coteaux couverts de bois se profilaient.

« La vallée de la Seine! » dit Thomas.

Paresseux, comme alangui sous le soleil d'été, le fleuve sinuait à travers la verdure. La lumière sans ombre des heures chaudes faisait scintiller ses méandres comme si son eau avait contenu des paillettes d'argent fondu. De nombreux villages éparpillés le long de son cours se signalaient par leurs toits de tuiles, le clocher de leur église, et leurs abords où vergers, vignes, pâturages, carrés de blé ou d'orge, cultures maraîchères se nourrissaient du sol gras arrosé par ses eaux.

« Dieu! Que c'est beau! dit Agnès. Quel présent royal Dieu nous a fait en nous donnant une pareille terre! »

Au loin, dans une brume de chaleur, se découpant comme une ville de rêve, on pouvait imaginer Paris, ses murailles blanches, ses tours, ses églises, Notre-Dame, les toits de ses palais...

« Regardez, ma mie, la colline que vous voyez là-bas, c'est Montmartre avec ses moulins à vent, et celle-ci, qui est beaucoup plus proche, c'est le mont Valérien où sainte Geneviève faisait paître ses moutons.

– Mais, alors, le bourg que nous découvrons, ici, à main droite, quel est-il? »

Elevés sur le sommet de la crête où leur monture les avait conduits, un manoir fortifié et une église se dressaient côte à côte. Un village assez important étageait alentour d'autres clochers, des maisons, des cultures...

« Ces grands bâtiments, là-bas, ressemblent à une Maison-Dieu ou à un hôpital...

– Ce doit être le bourg de Saint-Germain. J'y suis venu une fois, il y a un certain temps, avec mon père, qui avait été convié à une chasse par un de ses amis, orfèvre à Poissy... Notre sire le roi y a fait bâtir une Sainte-Chapelle qui ressemble, en plus petit, à celle de son palais de la Cité.

– Mais, alors, nous ne sommes pas loin de Gentilly?

– Point trop, en effet. Nous allons descendre vers la Seine, suivre son cours jusqu'à Bogival[1], de là gagner Vanvres[2], et nous serons tout près du but. »

Tout en parlant, il flattait de la main le cheval qui s'agitait et fouettait nerveusement ses flancs de sa queue pour disperser les mouches dont il était assailli.

« Notre prison se trouve donc au cœur de cette

1. et 2. Orthographe du temps.

forêt de Laye où nos rois ont tous été si souvent courre le cerf, reprit-il. Ce doit être un ancien rendez-vous de chasse transformé en repaire par les truands, entre les mains desquels nous avons eu le malheur de tomber. Il peut être utile de savoir le situer... »

Ils repartirent, empruntèrent un sentier de chèvres pour descendre jusqu'aux rives du fleuve qu'ils longèrent ensuite à travers une campagne semée de champs, de vignes, de gras pâturages, de hameaux et de fermes. Dans l'une d'entre elles, une paysanne leur donna du lait et du pain pour apaiser une faim qui devenait exigeante. Le coursier lui-même eut droit à une ration d'avoine.

Pour éviter la lourde chaleur qui excitait les taons et faisait vibrer l'air brûlant en un flamboiement immobile, les cavaliers prenaient de préférence les chemins creux. Quand il ne s'en trouvait pas, il fallait suivre la route qui déroulait sans fin, devant les yeux blessés par la réverbération de la trop forte lumière, ses méandres poussiéreux et vides. Personne, en effet, ne circulait, l'insupportable touffeur confinant tout le monde chez soi ou à l'ombre des arbres.

Ils passèrent à Bogival, en bordure de Seine, ce qui leur apporta un peu de fraîcheur, mais durent ensuite couper longuement à travers les terres pour rejoindre Vanvres.

La sueur coulait de plus belle sur le visage de Thomas, collait sa cotte à ses épaules moites et Agnès ne pouvait plus poser sa joue contre le large dos où des cernes humides ne cessaient de s'élargir. Elle-même se sentait accablée sous le voile qu'elle avait ramené sur son front, et sa tête bourdonnait.

Le cheval tentait vainement de se défaire des insectes qui le piquaient sans relâche et sa nervosité s'en accroissait.

244

A Montrouge, ils trouvèrent la route d'Orléans qu'ils comptaient suivre jusqu'à Gentilly, lorsque, soudain, peu après le carrefour, des lépreux qui s'étaient assis au bord du fossé pour se reposer à l'ombre d'un maigre poirier, mus par le souci de manifester leur présence, se dressèrent tous ensemble en actionnant leurs crécelles avec frénésie.

Affolé par ce tintamarre, le cheval, qui n'avait cessé, tout au long du trajet, de témoigner l'irritation où le mettaient la chaleur et un changement de monte incompréhensible, se cabra.

Agnès, surprise, fut jetée au sol. Tiré de la torpeur où il s'enlisait, Thomas voulut reprendre en main le coursier, et tira sur les rênes de toutes ses forces.

Le cheval de Joceran recula furieusement.

A demi assommée par sa chute, Agnès n'était pas encore parvenue à se relever. A travers la poussière soulevée, elle vit avec épouvante les fers arrière luire au-dessus d'elle... Puis, dans un jaillissement de graviers et une odeur suffocante d'écurie, les sabots fous retombèrent sur son corps, la frappèrent, la foulèrent, la piétinèrent, la brisèrent...

XI

RELEVANT d'une main la toile pourpre de sa cotte
pour la préserver de la poussière du chemin, Charlotte Froment marchait du pas rapide de ceux qui
sont habitués à ce que le sort d'autrui dépende de
leur célérité.

Elle revenait de l'église et se sentait réconciliée
avec elle-même. Il lui avait fallu aller se confesser
au père Piochon pour lui exposer les raisons qu'elle
avait de n'être point satisfaite de son propre comportement.

Ce début d'été ruinait le lent travail d'affermisse-
ment et d'acceptation auquel elle se contraignait
depuis des mois. La chaleur, la liberté des mœurs
campagnardes, le foisonnement d'amours nouvelles,
l'éprouvaient plus qu'il n'aurait fallu. Il lui était déjà
assez pénible de supporter le poids de l'âge, la
démence de son pauvre mari, et son éloignement de
l'Hôtel-Dieu! En lui conseillant de céder la place à
de jeunes confrères, la prieure de l'hôpital avait fait
naître beaucoup d'amertume dans le cœur de la
physicienne. Ces abandons, ces reniements successifs, l'assombrissaient suffisamment sans que des
nostalgies sentimentales et des réminiscences un
peu folles vinssent encore les aggraver!

Elle était venue à Gentilly pour répondre à la
requête de Marie, dans l'intention de se reposer

tout en surveillant Aude et Vivien. Il lui avait semblé que l'affection qu'elle éprouvait pour ses petits-neveux et le calme champêtre, lui seraient d'un grand secours.

Rien de pareil ne s'était produit.

Certes, elle aimait ces enfants, mais ils n'étaient pas les siens. Leur présence constante réveillait la vieille blessure mal cicatrisée qu'elle portait au plus secret d'elle-même, comme beaucoup de femmes stériles. Si certaines d'entre elles, durant leur jeunesse, se félicitaient de ne pas être aptes à enfanter, au fil des ans, cette opinion se transformait souvent en désarroi. Ne posséder personne à qui offrir la tendresse inemployée qui pesait si lourd sur le cœur, personne qui pût vous en faire don en retour, devenait obsédant. Les soucis et les charges de la maternité n'eussent-ils pas été mille fois préférables à ce grand silence qui, lentement, vous enveloppait de sa chape, à cette solitude qui vous suivait partout?

Du temps qu'elle menait sa vie libre de femme sans entrave, il lui était arrivé de penser qu'elle avait de la chance de n'être point encombrée d'une progéniture envahissante. En s'écoulant, les années l'avaient amenée à réviser ce jugement. Mais à présent, il était trop tard pour revenir en arrière. Seule elle était, seule elle demeurerait, sans descendance, parmi le flot des jeunes générations que d'autres avaient mises au monde...

Ce matin-là, un détail insignifiant, venu s'ajouter à ses mécomptes habituels, avait suffi à faire déborder la coupe d'amertume.

Après le déjeuner matinal, pris en commun dans la salle du rez-de-chaussée, elle avait constaté qu'une dent creuse, dont elle ne souffrait plus depuis qu'elle l'avait traitée avec des onguents de sa composition, dégageait cependant une odeur nauséabonde. Charlotte s'était déjà aperçue que des débris de nourriture s'y logeaient à chaque repas. Malgré les fréquents rinçages de bouche qu'elle s'imposait de faire avec une macération de thym dans de l'eau ardente, malgré le cure-dent en plume d'oie dont elle usait en sortant de table, les relents qui chargeaient son haleine, la désolaient. Cette dent creuse et ses exhalaisons étaient devenues les symboles des dégradations diverses auxquelles son corps était soumis.

Comme elle n'avait jamais été vraiment jolie, mais tirait sa séduction d'un aspect sain, robuste, bien planté, elle avait toujours pris grand soin de sa personne. Ses dents solides et régulières lui importaient énormément. Matin et soir, elle les frictionnait avec de l'argile finement pulvérisée ou du pain carbonisé réduit en poudre. Contrairement à bien des gens de son âge, elle avait eu, jusqu'ici, la chance de ne pas en perdre et de ne pas avoir eu à s'en faire arracher. Et voilà que, malgré tout, elle aurait à s'accommoder de cette humiliation imprévue!

C'en était trop! Non seulement, elle devrait renoncer aux joies des sens, à la douceur d'une fin de vie à deux, à une profession qui lui permettait de déverser sur ses malades le trop-plein de sa sensibilité, mais, en outre, il lui faudrait assister à la trahison de son propre corps!

Un mouvement de révolte l'avait secouée jusqu'au tréfonds.

C'était alors qu'elle avait ressenti le besoin urgent d'une aide, d'un appui, mais également d'une fermeté, d'une exigence, qu'elle ne se sentait plus capable de s'imposer. Après la sieste, quand la chaleur s'était un peu apaisée, elle était donc partie trouver le curé de Gentilly.

Cet homme énergique, au rude bon sens, à la foi solidement trempée, l'avait traitée comme elle le souhaitait : sans ménagement.

Bien sûr, on ne trouvait pas auprès de lui, comme autrefois en compagnie du chanoine Clutin, la finesse pénétrante, l'intuition d'un prêtre tout proche de la sainteté.

Si le père Piochon ne s'embarrassait pas de subtilités, il vous remettait sans complaisance, en vous bousculant même au besoin, et en vous assenant de durables vérités, sur la voie étroite mais ascendante du salut.

« A quoi vous est-il demandé de renoncer? avait-il fait remarquer après l'avoir entendue. A des expériences qui ne vous ont point fait goûter bien longtemps aux bonheurs escomptés, si j'en crois ce que vous me confiez, à des désillusions sans cesse répétées, à des compromis constants avec vous-même et les autres. La félicité stable, assurée, dont vous rêviez, était-elle possible? Sur quoi pleurez-vous? Que regrettez-vous? Vos chagrins?

– Non, mon père, mais l'espoir de connaître encore, même de manière imparfaite, l'étourdissement joyeux de nouvelles rencontres, aux promesses toujours vaines mais toujours renouvelées... J'en ressens la privation avec une âpreté dont je ne suis pas fière, mais qui me hante.

– Votre âge ne vous aide-t-il donc pas à vous défaire de cette sentimentalité un peu sotte, permettez-moi de vous le dire, qu'on peut pardonner à une jouvencelle, non à une femme d'expérience? De plus, c'est bon pour les païens de mettre leur seul désir dans des voluptés charnelles. Pour nous autres, chrétiens, l'Espérance est ailleurs!

– Je le sais, mon père. Pourtant, à cause, sans doute, de mon mariage manqué, qui a fait de moi une mal mariée, à cause aussi du peu de satisfactions retirées des tentatives suivantes, et en dépit des ans et des mécomptes, subsiste en moi le regret de n'avoir point épuisé jusqu'au bout la coupe offerte, de ne point avoir eu mon compte de plaisirs...

— Ne comprenez-vous donc pas que la tâche, au contraire, vous est simplifiée, dans la mesure, justement, où vous admettez n'être jamais parvenue à la réussite amoureuse escomptée? N'est-il pas temps de vous détourner de la quête inutile que vous avez si longtemps poursuivie sans résultat, pour ne plus vous soucier que de celle, combien plus exaltante, de l'Amour Vivant? »

... Deux petits bergers que Charlotte croisa se mirent à rire sur son passage. Elle les entendit et se gourmanda. Comme cela lui arrivait à présent de plus en plus souvent, elle avait dû parler tout haut en cheminant. N'était-ce pas encore un signe supplémentaire de vieillissement que cette habitude de soliloquer à tout propos?

Allons, le père Piochon était dans le vrai. L'âge des émois causés par l'été ou la proximité d'autres amours, était bien révolu! Il était grand temps de l'admettre sans rechigner et de se préparer à la vieillesse, qui reste la dernière épreuve du parcours à franchir avant de parvenir, si on ne faiblit pas en route, au seuil de la félicité inconnue mais éblouissante promise par le Seigneur...

Auprès de ce prêtre de village, elle avait recouvré en même temps confiance et courage.

C'était donc avec le sentiment d'être réconciliée avec ce qu'il y avait de meilleur dans son âme, consolidée dans la volonté de tourner ses efforts vers de nouveaux accomplissements qu'elle regagnait la maison de Mathieu Leclerc. Dorénavant, elle veillerait à ne plus s'empêtrer dans de vieilles nostalgies, à ne plus gémir sur ce qui était à jamais terminé, de façon à être parfaitement libre pour préparer ce qui était son proche avenir : le seul voyage pour lequel il est nécessaire de se tenir prêt sans en savoir le jour ni l'heure!

Ses réflexions l'avaient amenée jusqu'au pré où les fermiers de la Borde-aux-Moines s'affairaient à rentrer le foin.

Léonard, Catheau, leur fils aîné, une servante et un valet de la ferme, emplissaient le grand char à bœufs, piquaient avec des fourches de bois les meules d'herbe séchée au soleil, les soulevaient à bout de bras pour les tendre ensuite à Colin qui, debout sur le tas oscillant, les empilait promptement autour de lui.

« Heureusement que je viens de prendre médecine contre les tentations! songea Charlotte, tout en saluant les faneurs. Sans ce remède, le démon m'aurait soumise une nouvelle fois! »

La tiédeur de cette fin de journée où la chaleur torride cédait enfin la place à une température plus douce, cette paix de la vesprée parfumée de miel et de l'arôme des fleurs fauchées, ce traître mélange de suavité et d'incitation sensuelle, la troublaient encore et l'auraient sans doute asservie à ses charmes si elle n'avait pas reçu comme viatique les paroles de la Vie Eternelle.

Elle parvint en haut du champ, là où les tentes de Thomas et de ses amis s'étaient élevées avant qu'on ne les démontât, quand elle s'avisa que la petite Aude, cotte relevée jusqu'aux genoux, ratissait avec application aux côtés des fermiers.

« L'étrange fille! se dit Charlotte. Elle est à la fois capable de passer des heures, toute seule, au creux de ses cachettes, dans le bois ou ailleurs, et de se mêler avec un plaisir égal aux travaux ou aux amusements bruyants des paysans. Qu'est-ce qui peut bien l'attirer parmi eux? Si elle n'était pas si jeune, je ne serais pas éloignée de croire que les fils de Léonard l'intéressent plus qu'il ne faudrait, mais elle n'a pas encore neuf ans... »

Charlotte traversa le verger. Les cerisiers, veufs de leurs cerises, ombrageaient mélancoliquement l'herbe piétinée et jaunie que parsemaient de petites branches cassées au moment de la cueillette et abandonnées sur place.

Elle arrivait au terre-plein, devant la maison, quand un bruit de roues lourdement chargées attira son attention.

Au bout du chemin de terre qui conduisait à la route de Paris, un chariot rempli de foin avançait lentement. Un charretier inconnu marchait au côté des bœufs qui le tiraient.

Un homme au visage déformé par la souffrance le suivait. Sans ses cheveux de cuivre, Charlotte ne l'aurait pas reconnu. Sur le dessus du chargement gisait une femme ensanglantée qui paraissait gravement blessée.

« Seigneur! C'est Agnès! »

Elle s'élança vers le convoi.

« Mon beau neveu! Que se passe-t-il? »

D'où venaient-ils, tous deux, en cet état? N'étaient-ils donc plus aux Saints-Innocents?

« Agnès est rompue, dit Thomas. Elle a été foulée aux pieds par un cheval fou! »

Lui-même semblait égaré. Ses yeux étaient vides, sa mâchoire tremblait. Sur sa cotte, sur ses mains, il y avait du sang...

« Je les ai trouvés là loin, près de Vanvres, sur la route d'Orléans, dit le conducteur du chariot qui aiguillonnait ses bœufs. Je rentrais de mon pré et ce garçon m'a demandé de charger la demoiselle pour la conduire ici. Vu son état, je ne pouvais pas refuser... »

L'habitude des situations difficiles prit, chez la physicienne, le dessus sur la curiosité. Sans plus rien demander, elle fit avancer l'attelage jusqu'à la porte de la maison, appela Almodie, la petite aide-cuisinière, et lui ordonna de débarrasser la grande table de la cuisine.

« Il faudrait la porter dans le lit de la chambre du

haut, dit Thomas d'une étrange voix assourdie, cassée, qu'on ne reconnaissait pas.

– Non point, mon neveu. Nous allons l'étendre sur la plus longue table du logis pour que je puisse la palper à mon aise et me rendre compte clairement de ce qu'il y a de lésé dans son organisme. Les lits sont trop mous pour ce genre de travail. Laissez-moi faire. »

Le paysan et Thomas descendirent avec précaution l'adolescente de sa couche de foin. Elle geignait doucement à chaque mouvement de ses porteurs, à chaque faible heurt. Sa tête aux yeux clos bringue-balait de droite et de gauche.

Charlotte précéda la blessée dans la grande pièce qui sentait la galette chaude et la viande rôtie. La bouche ouverte de stupéfaction, Gerberge essuyait machinalement ses mains grasses à son devantier. Almodie pleurait.

« Etendez-la sans secousse... la tête sur un torchon... »

Elle posa une main compatissante sur l'épaule de Thomas.

« Maintenant, mon neveu, sortez d'ici. Reconduisez ce brave homme dehors après lui avoir offert à boire et l'avoir dédommagé. Ne rentrez que lorsque je vous enverrai chercher. J'en ai pour un moment. »

Sans le cri de révolte qu'elle attendait, les épaules courbées, toujours aussi étranger à ce qui l'entourait, Thomas quitta la cuisine en emmenant avec lui le charretier.

Son esprit flottait loin de son enveloppe charnelle. Il agissait, parlait, mais le sentiment de désastre qui l'avait transpercé quand il avait découvert le corps disloqué d'Agnès dans la poussière de la route, ce saisissement, cette sensation d'horreur irréparable, accaparaient seuls son attention.

La journée qu'il était en train de vivre resterait à

jamais la plus accablante de sa vie. Le matin, il avait tué un homme afin de s'évader, de fuir avec Agnès, de reconquérir avec la liberté le droit à la vie, à l'amour, et dans l'après-midi, il avait assisté, impuissant, au saccage de celle qui était devenue pour lui l'incarnation même de l'espérance, son unique bonheur...

Le paysan parti, le malheureux se laissa tomber sur une chaise de la salle, s'y écroula.

« Le cheval de Joceran a vengé son maître, dit-il tout haut. Il s'en est allé ensuite, tout seul, sans que je puisse le rattraper, prévenir le mort qu'il lui avait donné sa revanche... »

Pendant un long moment, il retourna cette idée dans sa tête. Il se sentait vidé de tout sentiment. Insensible. Son chagrin vivait sa vie propre, en dehors de lui. Il n'en était pas encore habité.

« Il est écrit : « Tu ne tueras pas », reprit-il au bout d'un moment de la même voix sans timbre. En assommant ce dameret maudit, j'ai enfreint la loi de Dieu, j'ai attiré sur nous sa malédiction... »

Sans savoir comment, il se retrouva par terre, couché sur l'herbe fraîche qui jonchait les dalles, pleurant et gémissant parmi les plantes écrasées et leur senteur sauvage. Cette exhalaison fit revivre soudain en lui, avec la précision déchirante d'une image prometteuse du bonheur perdu, le moment où il s'était roulé, au creux de la clairière, après leur bain dans le bassin. Il revit exactement le geste qu'Agnès avait eu pour préserver sa chevelure du contact de l'eau, le grain de beauté bleu comme une prunelle qu'elle avait sous le sein, et, alors seulement, la douleur qui planait jusque-là s'abattit, lui laboura la poitrine de ses serres, le déchira de son bec...

Bien plus tard, la voix de Charlotte Froment le tira de l'absence hébétée où il avait sombré.

« Mon neveu, disait-elle, j'ai envoyé le palefrenier

à Paris, avec la charrette, quérir un chirurgien que je connais et qui est très habile à réduire les fractures. Je préfère qu'il voie Agnès et juge par lui-même de ce qu'il convient de tenter.

– Elle va mourir, n'est-ce pas? demanda Thomas, toujours étendu sur le sol.

– Mais non, voyons! Elle est jeune et saine. Avec l'aide de Dieu, nous parviendrons à la sortir d'affaire.

– Je ne crois pas qu'Il nous viendra en aide cette fois-ci, ma tante. Il faut que vous sachiez que j'ai commis ce matin un péché mortel en assommant de mes mains un des vauriens qui nous tenaient prisonniers... Ce n'est pas tant sa mort qui charge ma conscience, voyez-vous, car c'était un grand malfaiteur, que l'espèce de joie mauvaise que j'ai ressentie pendant que je le tuais. C'était là plaisir satanique. Dieu ne me le pardonnera pas!

– Que dites-vous là, Thomas? Comment pouvez-vous savoir ce que Dieu fera ou ne fera pas? Sa miséricorde est infiniment plus vaste que votre méchanceté, plus immense que la somme de toutes nos forfaitures!

– J'ai occis cette bête puante avec trop de plaisir, répéta Thomas. J'ai enfreint le cinquième commandement et je m'en suis réjoui!

– Voyons, mon neveu, cessez de vous tourmenter comme vous le faites... et quelles que soient vos responsabilités dans ce malheur, faites confiance et gardez l'espérance. C'est la vertu qui nous sauve! »

Hirsute, couvert de poussière, de sang, de larmes mal essuyées, Thomas se releva lentement, se redressa.

« Avant de retourner auprès d'Agnès, qui n'est pas en état de vous reconnaître, vous allez prendre un bain, mon petit-neveu, dit Charlotte. C'est une nécessité. Allez dans la buanderie. Je vais y faire porter de l'eau chaude. Il s'y trouve un grand cuvier qui devrait vous convenir. Par la même occasion je vous conseille de changer de vêtements. Vous en avez laissé ici quelques-uns au moment de votre départ pour Paris. »

Elle ne posait pas de questions. A quoi bon ? Pourquoi s'informer des circonstances qui avaient conduit le couple sur une route proche de Gentilly et précipité Agnès sous les sabots d'un cheval furieux ? Ce n'étaient pas ces conjonctures qui importaient, mais bien de sauver l'adolescente.

Sans vouloir l'avouer à Thomas, la physicienne était inquiète. L'état d'Agnès lui paraissait fort grave. Sous les blessures externes qu'elle avait lavées, enduites de vin et d'huile, pansées ensuite à sa façon, le jeune corps lui avait paru brisé en maints endroits. Des fractures existaient à une épaule, au bras, et à la hanche gauche. Il y avait certainement plusieurs côtes cassées, mais à l'intérieur de ce corps si affreusement malmené que se passait-il ? Les viscères, les tissus, n'étaient-ils pas, eux aussi, mis à mal ?

La fièvre secouait l'adolescente qui était brûlante et délirait depuis un moment. Qu'en déduire ? Sinon que les dégâts devaient être importants.

Le destin de Thomas se jouait hors de son atteinte. Aussi, Charlotte avait-elle jugé utile de faire prévenir son père et sa mère. En même temps qu'elle envoyait le palefrenier quérir le chirurgien, elle lui avait demandé de passer chez Bertrand pour lui faire part de la nouvelle. Pas plus que Laudine, on ne pouvait le tenir à l'écart des traverses advenues à leur fils.

Toutes les difficultés soulevées par le projet de mariage entre Agnès et Thomas n'étaient-elles pas, maintenant, sans objet ? C'était à un autre genre d'infortune qu'ils auraient dorénavant à faire face...

Revenue dans la cuisine, la physicienne se pencha

sur la petite créature meurtrie qui balbutiait, gémissait, pleurait à paupières fermées. Sur une de ses joues, un sabot de l'animal affolé avait tracé une marque sanglante en forme de fer à cheval...

« Allez-vous la laisser longtemps sur cette table ? demanda Gerberge qui essuyait le front moite avec un linge. C'est-y pas une pitié de la voir, elle qui était si avenante, gisant là comme une statue renversée ?

– Je préfère qu'elle demeure ainsi tant que le chirurgien ne l'a pas visitée, dit Charlotte. En revanche, il faut lui donner à boire une décoction de simples pour tenter de faire baisser la fièvre. »

Depuis qu'elle était à Gentilly, elle avait récolté une grande quantité de fleurs, de feuilles, de tiges, d'écorces, de plantes sauvages. Une fois séchées au soleil, elle les conservait dans des sacs de toile qui s'empilaient un peu partout sur les coffres de sa chambre. Etant la seule à en connaître les propriétés, elle alla elle-même puiser dans les sachets les différentes espèces dont elle avait besoin. De retour dans la cuisine, elle les jeta aussitôt dans l'eau bouillante que Gerberge tenait prête.

« De la reine-des-prés, de l'écorce de saule, jointes à des fleurs de sureau, dit-elle tout en précipitant les simples dans un pot de grès. Voilà un remède qui devrait apaiser cette fièvre. »

Il ne fut pas aisé de faire absorber le liquide adouci au miel à la blessée qui s'agitait toujours et repoussait le gobelet fumant avec des mouvements spasmodiques...

Plus tard, Thomas pénétra dans la pièce et s'approcha d'Agnès qui venait à peine de se calmer.

Lavé, rasé, revêtu d'une cotte propre, il n'en paraissait que plus misérable, plus démuni devant le malheur. Débarrassé de sa couche de poussière, le visage nu, défait, creusé, ressemblait au masque d'un homme foudroyé.

Debout près de la couche d'infortune, les bras ballants, il contemplait sa cousine avec une telle expression d'impuissance, de défaite, que Charlotte fut prise de l'envie de le bercer, comme un enfant souffrant, entre ses bras.

Elle en avait pourtant côtoyé, à l'Hôtel-Dieu, de pauvres êtres acculés à la désolation! Elle ne se rappelait que fort peu de cas où elle avait déchiffré une telle absence de vitalité, d'intérêt, d'espoir, sur une face humaine...

Peu après, la porte s'ouvrit sur le praticien que Jannequin était allé chercher à Paris. C'était un homme encore jeune, maigre, très brun de peau, pourvu d'énormes sourcils à l'ombre desquels s'abritaient de petits yeux perçants. Il portait la souquenille noire des chirurgiens-renoueurs, et avait à la main un coffre de cuir clouté de cuivre.

« Mon neveu, dit alors Charlotte, il vous faut sortir encore. Votre présence n'est pas souhaitable auprès de la patiente en ce moment. Messire Garin-le-Mire a besoin de tranquillité pour exercer son art. Laissez-nous, s'il vous plaît, et faites-nous confiance! »

Thomas se pencha sur le visage contusionné et bouffi de fièvre, posa ses lèvres sur le front où de fins cheveux s'étaient collés et s'en alla.

Quand il se retrouva dans la grande salle, ses larmes étaient si pressées qu'il ne put d'abord distinguer qui étaient les personnes se trouvant là. Ce ne fut qu'en entendant la voix de sa mère, qu'il les reconnut.

Devant une des fenêtres, Bertrand s'entretenait avec maître Leclerc. Ils se tournèrent tous deux vers l'arrivant, et l'orfèvre marcha vers son fils, le visage anxieux.

Au milieu de la pièce où la lumière du soir entrait à flots, Laudine, Marie et Blanche s'entretenaient à voix basse.

« Mon enfant! Mon enfant! Ne pleurez plus! s'écria Laudine en s'élançant vers Thomas. Vous n'êtes pas abandonné! Ne sommes-nous pas près de vous, nous qui vous aimons tendrement, pour vous aider à franchir ce mauvais pas? »

Petite, avec des cheveux aussi flamboyants que ceux de son aîné, cette femme à laquelle Thomas ressemblait par bien des traits, semblait cependant trop minuscule pour avoir donné le jour à un tel athlète. Elle levait vers lui un regard soucieux, teinté de la timidité que certains parents ressentent devant leur enfant qu'ils ne comprennent plus.

« Ce n'est point un mauvais pas, ma mère, répondit Thomas en secouant le front avec lenteur, non, Dieu sait, ce n'est rien de tel! C'est ma vie qui s'en va! »

Bertrand s'approchait. On le sentait partagé entre une fort grande inquiétude et la gêne d'avoir à l'exprimer au rebelle qui l'avait défié ouvertement. D'ordinaire jaloux de son autorité, il montrait en cet instant combien il était demeuré sensible sous le masque de fermeté qu'il lui paraissait nécessaire en temps normal d'arborer, et toute son attitude traduisait la victoire de la sollicitude sur la rancune.

« Que s'est-il donc passé, mon fils? demanda-t-il. Depuis que vous avez quitté les Saints-Innocents, nous étions dans une angoisse mortelle.

– Je vous conterai peut-être plus tard comment nous avons été abusés, trompés et enlevés, dit Thomas. Mais pas maintenant... A présent, j'en suis incapable... Tout se brouille dans ma tête... Je ne sais plus qu'une chose... »

Des sanglots lui déchiraient la gorge.

« Elle est là, derrière cette porte, en train de mourir! gémit-il. Rien d'autre ne compte!... Rien que ce combat qu'il lui faut livrer, toute seule, envers la mort! »

Il se laissa tomber à genoux contre un banc sur

lequel il posa sa tête, l'enfouit entre ses bras. Autour de lui, ne sachant que faire pour lui porter secours, les membres présents de sa famille l'entouraient.

Marie était venue parce qu'elle se trouvait auprès de Laudine quand le palefrenier était arrivé de Gentilly. Tout en s'interrogeant sur ce qu'il y avait à faire pour venir en aide à ses neveux, elle ne pouvait s'empêcher de guetter le retour de ses enfants.

Restée à Paris depuis deux semaines parce que Côme l'en avait priée, elle s'était languie d'eux. Aussi, fut-ce avec un pincement au cœur qu'elle vit soudain Aude pénétrer dans la pièce. Sans un regard pour sa mère, le chien noir de Mathieu Leclerc sur les talons, l'enfant se dirigea vers Blanche.

« Almodie vient de m'empêcher d'entrer dans la cuisine, dit-elle. J'ai tout de même eu le temps d'apercevoir, par la fenêtre, Agnès qui était étendue sur la table, avec du sang sur sa cotte. Un homme fort laid la palpait et tante Charlotte avait sa figure des mauvais jours. Qu'est-il arrivé?

— On ne sait pas exactement, répondit Blanche tout bas. Il semble qu'un cheval l'ait piétinée...

— Elle va mourir?

— Par Notre-Dame! Ma fille, taisez-vous! s'écria Marie qui s'était approchée.

— Pourquoi? interrogea Aude de sa voix claire. Ne vaut-il pas mieux mourir jeune et pure que vieille et souillée? »

Marie serra les lèvres. Elle se sentit s'empourprer tandis que des larmes lui venaient aux yeux. S'emparant de la main de sa fille, elle la tira de force hors de la pièce.

Le soleil baissait à l'horizon et le soir s'annonçait par des souffles légers qui frémissaient dans les branches. On respirait mieux. Le jardin embaumait.

« Ma petite fille, qu'avez-vous? »

Marie se penchait vers le mince visage fermé qui se détournait.

« Je n'ai rien. »

Elle défiait sa mère de toute sa frêle personne soudain raidie. Marie remarqua que la cotte bleue de sa fille était salie, que des brindilles de foin restaient accrochées aux tresses brunes, bien moins nettes que d'habitude.

« Nous ne nous sommes pas vues depuis plus de deux semaines et voici donc comment vous me recevez! dit-elle avec reproche. Mais enfin, Aude, que vous ai-je fait? »

Elle sentit que l'enfant était tentée de crier la vérité, de se délivrer du secret dont la présence entre elles était si oppressante, si destructrice.

La gorge nouée, elle attendit. Mais elle avait sans doute mésestimé la force du caractère qu'elle avait en face d'elle.

« Que m'auriez-vous fait, ma mère? dit la petite fille en la dévisageant. Je ne vois pas. Il n'était, d'ailleurs, pas question de vous mais d'Agnès qui allait peut-être mourir... »

Blanche sortait à son tour sur le terre-plein.

« Je pensais pouvoir être utile à mon frère, dit-elle avec regret en venant vers la mère et la fille. Hélas! Il n'en est rien. Sa douleur n'est pas de celles qu'une amitié fraternelle peut adoucir. »

Elle caressa d'un geste affectueux les tresses brunes d'Aude.

« Après les tribulations qu'Agnès et lui ont déjà connues en si peu de temps, cet accident montre avec quelle promptitude la passion peut ravager deux existences, continua-t-elle.

– Je ne croyais pas qu'on pouvait aimer à ce point-là, confessa Marie d'un air rêveur. Que mon mâtin de neveu en soit arrivé à ce degré de ferveur amoureuse me confond! »

Blanche soupira.

« Il a fallu que ce coup du sort tombe sur lui! Ce n'est pas de chance. Très peu de gens connaissent de semblables expériences. Une des sottises de ce temps est de laisser croire à tout un chacun que n'importe qui est capable d'éprouver les extases de Tristan et Yseult! Si la littérature et les cours d'Amour ne le répétaient pas à tous les échos, beaucoup continueraient à vivre en paix avec leur sentiment, à l'étroite mesure de leur cœur et de leurs possibilités. Ils n'auraient jamais été s'imaginer de leur propre initiative qu'ils sont faits pour partager les émois des héros de romans!

— Vous avez sans doute raison, ma nièce, reconnut Marie. Ces transports ne conviennent guère au plus grand nombre, qui est de nature paisible.

— L'amour humain me semble souvent déraisonnable et aventuré, même s'il est véritable, reprit Blanche. Faire reposer ses joies et ses peines sur les frêles épaules d'une créature en proie à toutes les tentations, mettre ses délices à la merci de la force ou de la faiblesse d'un autre, aussi peu sûr que soi-même, c'est pour moi de la folie!

— L'amour demeure pourtant le seul sentiment qui nous arrache à notre égoïsme, qui nous porte vers notre prochain, le seul, en définitive qui soit désintéressé... J'envie presque Thomas qui joue son avenir tout entier sur le rétablissement ou la fin d'Agnès. Lui, au moins, aura su ce qu'était l'échange des cœurs!

— Ne peut-on donc pas aimer sans passer par tous ces tumultes? Il existe une autre forme d'amour, Marie, plus pure, plus haute, plus absolue que celle qui nous occupe...

— Voudriez-vous parler de la foi?

— Oui. De la foi en Dieu! A Lui seul, on peut se donner en toute confiance, sans risque et sans restriction!

« – A vous entendre, ne dirait-on pas que vous-même...?

– On n'aurait pas tort. »

Elle souriait comme une fiancée.

« Je vous demande de garder encore le secret sur ma décision, mais elle est irrévocable : je suis résolue à entrer dans les ordres. »

Elle prit entre ses mains la tête mal coiffée d'Aude.

« C'est grâce à votre fille, ma tante, que j'ai été mise sur la voie, dit-elle gravement. Le matin de la Saint-Jean, quand nous la cherchions tous, quelqu'un m'a fait savoir où elle se trouvait.

– Comment?...

– Je ne saurais le dire... J'ai été éclairée, voilà tout. Une certitude s'est imposée à moi. C'était comme si on m'avait poussée aux épaules afin de m'amener aux pieds de la Vierge où dormait cette enfant... »

Aude saisit une des mains posées contre sa joue, l'embrassa dévotement.

« Comme je suis contente! dit-elle, les yeux brillants. C'est grâce à moi que Dieu vous a fait signe! N'est-ce pas merveilleux? Je suis votre petit ange gardien!

– Si vous saviez, murmura Blanche, si vous saviez... »

Elle hésitait à parler, à révéler le secret qui débordait de son âme...

« La nuit suivante, reprit-elle sans pouvoir retenir le besoin qu'elle ressentait de s'exprimer enfin, la nuit qui a suivi votre retour à la maison, j'ai vu, en rêve, le sourire d'un ange. Il se tenait à côté d'une charrette où se trouvait déjà beaucoup de monde et où il m'était accordé de monter. Aucune langue ne peut décrire son expression, aucun mot ne peut traduire la félicité sereine, la douceur, le rayonnement, l'amour lumineux, l'accueil radieux et tendre, qui émanaient de ce sourire... Tout ce que je viens de dire est inexistant en comparaison de ce qu'il m'a été donné d'apercevoir! Si brièvement que ce fut, j'en conserve depuis le reflet enchanté et jamais je ne pourrai l'oublier, dussé-je vivre cent ans!

– Je comprends mieux votre comportement depuis lors, Blanche... Vous avez été favorisée là d'une grâce extraordinaire.

– Je passerai ma vie à en remercier le Seigneur! A L'en remercier, tout en faisant bénéficier le plus de personnes possible des bienfaits qui m'ont été octroyés. Voyez-vous, Marie, je n'ignore pas qu'il va m'être beaucoup demandé puisque j'ai déjà beaucoup reçu.

– Dans quel ordre pensez-vous entrer?

– Je ne sais pas encore. C'est trop récent. Une révélation pareille apporte avec elle un bouleversement complet dans une existence. Il me faut réfléchir, méditer, prier... A quelle place serai-je le mieux à même de venir en aide à tous ceux qui sont éprouvés? Je voudrais servir les plus déshérités, les plus souffrants... J'attends un signe qui, une fois encore, ne saurait manquer de venir... »

Elle se tut.

Dans le jardin, à travers la campagne, les oiseaux s'appelaient à l'approche du soir. On entendait les bruits du village qui se préparait pour la nuit : bêlement des troupeaux qui rentraient à l'étable, meuglement des bêtes qu'on allait traire, pas des chevaux qu'on menait boire...

« Quel début d'été! remarqua Marie. On a l'impression que le mal et le bien sont soudain à l'œuvre dans notre famille. On dirait d'un combat entre Dieu et l'Adversaire...

– Cette lutte-là dure depuis la chute d'Adam, dit Blanche. Elle ne cessera qu'à la fin des temps. On l'oublie parfois, mais il est des moments où chacun de nous s'y trouve personnellement confronté. »

Il y eut du bruit dans la salle, Laudine en sortit.

« Le mire a réduit les fractures d'Agnès, dit-elle. On est en train de la transporter dans la chambre du premier.

– Que pense-t-il de son état?

– Il dit qu'il faut attendre. »

Les trois femmes et l'enfant entrèrent dans la maison, montèrent à l'étage. Toute la famille y était rassemblée.

Thomas et Garin-le-Mire venaient de déposer Agnès sur le grand lit de la chambre des filles où Blanche, Ursine et Agnès elle-même avaient couché durant la fête de la Saint-Jean.

Marie considérait avec pitité la forme frêle enveloppée de bandelettes de toile, le visage gonflé par la fièvre, les lèvres desséchées.

Elle s'approcha de Charlotte Froment. Au milieu de l'agitation générale, celle-ci était la seule à avoir conservé son sang-froid.

« Vous devez bien avoir une opinion, le-Mire et vous, sur ce qui attend Agnès, dit-elle. Va-t-on pouvoir la sauver?

– On ne sait pas encore. Elle avait plusieurs fractures, mais Garin est habile. Il détient le secret d'un onguent qu'il a composé à partir de racines fraîches de Grande Consoude, râpées et mêlées à d'autres éléments dont il garde jalousement la formule et qui a déjà fait merveille. Il fallait voir avec quel art, quelle dextérité, il manipulait les os démis ou rompus, comme il massait les nerfs froissés, comme il ajustait ensuite ses bandages sur tous les endroits meurtris afin de réunir ce qui avait été brutalement désassemblé. Je l'avais déjà vu à l'œuvre, et c'est pourquoi j'ai tenu à ce qu'il vienne. A ma connaissance, personne n'aurait pu mieux faire.

Il reste qu'on ignore tout ce qui se passe à l'intérieur de ce pauvre corps.

— N'y a-t-il pas de remède prévu pour des cas comme celui-là?

— Je vais lui faire prendre des décoctions de prêle et de feuilles de ronce qui arrêtent les saignements... mais il y a des lésions dont les effets sont imprévisibles, lents et inguérissables. »

Debout au chevet du lit, Thomas ne semblait rien entendre, rien voir d'autre que la forme disloquée de son amour.

« Mon fils, lui dit Bertrand, ne désespérez pas. Agnès est en de bonnes mains. Elle sera aussi bien soignée que possible.

— Elle est entre la vie et la mort, mon père! Je ne me le dissimule pas... Vous ne pouvez savoir combien je me sens coupable! Non de l'avoir aimée et enlevée, en dépit de ce que vous pouvez croire, mais pour une autre raison... »

Il se tourna vers son père.

« Ce matin, j'ai tué un homme, ce qui n'est pas le plus grave, car je nous défendais tous deux, elle et moi, et que c'était un fieffé gueux, mais j'ai éprouvé un plaisir mauvais à le mettre à mal et je me suis acharné sur lui comme un loup sur sa proie! »

Bertrand devint fort pâle.

« Par Dieu! Que me dites-vous là?

— La vérité, mon père. »

Autour d'eux, on continuait à s'entretenir à mi-voix, sans prêter attention à ce qu'ils se disaient.

« Si ce que vous venez de me confier est vrai, Thomas, il vous faut, sans plus attendre, songer à faire pénitence. Une dure pénitence, pour expier un dur crime! Vous voici, mon fils, en danger de mort spirituelle! »

Les bras croisés sur la poitrine, le jeune homme demeura un moment sans parler. Visiblement, il était en proie à un débat de conscience qui l'absorbait tout entier.

La douceur du soir pénétrait dans la chambre en souffles d'air plus frais. Le ciel pâlissait, se nuançait de couleurs tendres. Des martinets traversaient comme des flèches piaillantes l'espace au-dessus des plates-bandes du jardin.

Provenant de la vallée, on entendait le lent grincement des essieux surchargés. Les chars de foin rentraient, accrochant aux branches des festons d'herbe sèche qui y demeureraient pendus longtemps. Les faneurs, épuisés, s'étaient étendus sur le chargement parfumé qui leur servait de matelas. On entendait certains d'entre eux qui sifflaient d'aise.

Des bords de la Bièvre, montaient les rires, les éclats de voix des villageois venus se baigner dans la rivière avant le souper.

« Ecoutez, vous tous, dit soudain Thomas, en élevant le ton. Je suis requis par Dieu de m'accuser devant vous d'une faute grave, mortelle, que j'ai commise ce jourd'hui. »

Il se frappa la poitrine.

« Je bats ma coulpe pour un péché qui met en péril mon salut éternel, et dont ma mie Agnès a déjà payé le prix. Il me faut en obtenir rémission. Je viens donc de prendre une décision qui me permettra d'effectuer à l'avance une partie de la pénitence que je mérite, tout en me conduisant vers celui dont je compte solliciter mon pardon. En même temps, je tenterai une démarche dont vous aviez déjà eu l'idée, ma sœur... »

Blanche, qui se tenait en prière au pied du lit, releva le front.

« Vous partiriez?...

– Pour Rome! Vous l'avez deviné! C'est tout ce qui me reste à faire. Plutôt que de demeurer ici, inutile, à me ronger auprès de cette couche où se joue mon destin avec celui d'Agnès, j'irai trouver notre Saint-Père le Pape. Je lui confesserai mon forfait. Après m'être soumis à la mortification qu'il m'imposera, quelle qu'elle puisse être, je le supplierai, une fois absous, de nous accorder la dispense dont nous avons besoin pour nos épousailles. »

Il considéra de nouveau la blessée, rouge de fièvre sous ses pansements, qui respirait avec difficulté.

« Ou bien elle se rétablira durant mon absence, et, à mon retour, nous pourrons enfin nous marier, ou bien... »

Tombant à genoux auprès du lit, il enfouit sa figure dans les draps qui en retombaient, sans oser s'approcher davantage de la gisante. De brusques tressaillements secouaient ses épaules courbées.

Marie se pencha vers Charlotte.

« Rome est loin, la route sera longue. Pensez-vous que ce pauvre Thomas ait quelque chance de retrouver Agnès en vie?

— Nul ne peut savoir. Pas plus moi qu'un autre. Dieu seul. N'est-Il pas l'unique maître de la vie et de la mort? »

XII

MARIE chassa une fois de plus la mouche qui revenait sans cesse se poser sur le front de son père. Comme si la paralysie n'était pas une torture suffisante, mille petits tourments supplémentaires venaient s'y ajouter.

Privé de la parole, du mouvement, avec son regard pour unique intermédiaire, Etienne Brunel gisait, depuis trois semaines, sur son lit, la bouche déformée.

L'arrivée de Thomas, un soir de juillet, la longue conversation qu'ils avaient eue tous deux, puis le départ de son petit-fils pour Rome, en révélant au vieillard l'étendue d'une infortune qu'on était parvenu jusque-là à lui dissimuler, l'avaient achevé.

Il s'était aussitôt retiré dans la chambre de Mathilde pour un de ces entretiens qui étaient son refuge. Tard dans la soirée, inquiète de ne pas entendre son maître sortir de la pièce, Tiberge-la-Béguine était montée s'informer. Elle avait trouvé le vieil orfèvre, le visage tordu, étendu de tout son long sur le sol, au pied du lit où sa femme avait poussé son dernier soupir.

Appelés immédiatement, les médecins n'avaient obtenu aucun résultat. Toutes leurs saignées, toute leur science avaient échoué devant un mal dont on savait qu'il était presque toujours inguérissable.

Charlotte Froment, accourue de Gentilly où elle soignait Agnès, n'avait pu que constater l'affreux état où se trouvait son frère. Pas plus que les autres physiciens, elle ne connaissait de remède à un mal sans merci, et s'en était retournée le cœur navré à la maison des champs.

On avait envoyé à Tours un messager, afin de prévenir de ce malheur Clarence dans son couvent et Florie, à laquelle il fallait annoncer aussi l'accident survenu à sa fille! La pauvre femme avait répondu qu'elle se rendrait à Paris dès qu'elle serait remise de fortes fièvres qui l'avaient terrassée. Chez les Brunel, où elle n'était pas venue depuis deux ans, on l'attendait d'un jour à l'autre. Quel sinistre voyage allait-elle faire pour se rendre auprès d'un père mourant et d'une fille rompue!

Marie se leva une nouvelle fois afin d'éloigner les mouches qui s'obstinaient. On avait beau faire brûler dans une cassolette des clous de girofle mêlés à de la poudre d'iris et à de la cannelle de Chine, pour lutter contre l'odeur de la maladie, et poser sur le sol des écuelles contenant du lait et du fiel dans l'intention de se délivrer des insectes, on ne parvenait pas à s'en débarrasser.

Tous les jours, à l'heure du dîner, Marie quittait son atelier d'enluminure pour venir passer un moment auprès du paralytique. Afin de gagner le plus de temps possible, elle prenait un peu de nourriture à son chevet et s'installait ensuite sur un siège, tout contre son lit.

Elle tenait à parler au malade muré dans son abominable silence, à lui raconter les menus événements du jour, à lui lire des passages de la Bible, et elle s'essayait même à lui réciter des poèmes de Rutebeuf ou de Bernard de Ventadour, car elle savait que jadis, Mathilde, qui les aimait, les lui avait fait connaître.

Que tenter d'autre? Comment parvenir à commu-

270

niquer avec lui? Parfois éteints et indifférents, ses yeux en certains moments s'éclairaient soudain. La conscience y affleurait de nouveau. L'espoir fou que son père allait peut-être se remettre de son attaque saisissait alors Marie qui cherchait, par le regard, à créer un début d'échange entre eux. Elle voulait se persuader qu'elle retrouverait le sourire désabusé, toujours un peu voilé depuis la mort de Mathilde, mais cependant attentif, rempli d'affection à l'égard de celle qui était demeurée pour lui la petite dernière, la plus jeune de ses enfants.

Ces instants d'illusion étaient de plus en plus rares et il fallait en revenir à la cruelle réalité.

Les chaleurs d'août, succédant à celles de juillet, rendaient plus pénible l'état du vieillard qui transpirait et s'écorchait entre ses draps mouillés de sueur. De terribles escarres étaient apparues sur son dos, ses coudes, ses talons. On avait beau les enduire d'huile de millepertuis et appliquer dessus des feuilles de bardane bouillies, elles s'étendaient inexorablement, accentuant encore les souffrances du pauvre corps supplicié.

Tiberge prodiguait à son maître des soins constants qui prouvaient mieux que des mots l'attachement et la fidélité de cette femme majestueuse et peu portée aux démonstrations, à l'égard de celui chez lequel elle servait depuis plus de quarante ans.

Avec l'aide de deux servantes et de Marie, quand cette dernière était présente, elle tournait, retournait, lavait, essuyait, oignait, poudrait, pansait, changeait son malade de linge plusieurs fois par jour et le nourrissait.

Marie se réservait la tâche de coiffer son père. Avec douceur et avant de renouer autour de la tête appesantie les bandes de toile qui la protégeaient, elle démêlait les mèches grises où, en dépit des soixante-dix-huit ans d'Etienne, des cheveux noirs se mêlaient encore aux blancs. Une sorte de gratitude tendre qui la bouleversait parce qu'elle témoignait d'un reste de lucidité, se faisait jour, alors, au fond des prunelles décolorées. La bouche inutile produisait avec un immense effort des sons incompréhensibles qui lui déchiraient le cœur.

Elle avait toujours ressenti pour son père une affection profonde, nuancée de crainte envers l'homme important et déjà mûr qu'elle avait connu. Agé de plus de cinquante ans quand elle était née, maître Brunel n'était pas de ceux qui jouent avec leurs enfants, mais il représentait la puissance tutélaire, la protection, la force sur laquelle on sait pouvoir compter.

Tout en le veillant, la jeune femme se souvenait du temps de son enfance et de son adolescence durant lequel son père recevait de tous des témoignages de respect qui apportaient aux siens fierté, honneur et sécurité.

Elle le revoyait, avec Mathilde, lors d'un certain bal de Carnaval qui avait été pour elle le premier, elle le revoyait à table, du temps où ils étaient encore tous réunis, elle le revoyait dans sa boutique, maniant devant les yeux éblouis de l'enfant qu'elle était, des coupes d'or, de lourds fermails, des hanaps de cristal et d'argent ciselé.

Des larmes lui piquaient les paupières. Son père allait mourir. Dans quelques heures, dans quelques jours, dans quelques semaines...

Aurait-il jamais su ce qu'il avait représenté pour elle? Depuis fort longtemps, depuis le temps de son enfance, elle ne se souvenait pas le lui avoir redit. A ce moment-là était intervenue l'affreuse aventure de Florie, qu'il avait si mal acceptée et qui avait tellement assombri son humeur. Elle-même était encore petite, mais elle se souvenait des remous familiaux provoqués par un tel scandale et des transformations subies à cette occasion par le caractère de son père.

Dès les prémices de l'adolescence, une pudeur, plus forte que toute tendresse, l'avait retenue de s'exprimer. Le couple de ses parents donnait une si grande impression de solidité, leur affection était si manifeste, que leur dernière fille, parvenue à l'âge où plus rien n'est simple, avait jugé qu'ils n'avaient pas besoin qu'elle se manifestât. Apparemment, l'amour qu'il vouait à sa femme suffisait à Etienne pour emplir sa vie.

La mort de Mathilde avait fondu sur eux tous comme un cataclysme et maître Brunel s'était alors détourné d'un monde amputé de l'être qui lui était le plus cher. Depuis, Marie n'avait plus jamais retrouvé celui qu'elle avait connu auparavant. Des ruines de son paradis, Etienne n'avait pas su émerger. Son deuil assombrissait tous les rapports qu'on avait avec lui, et sa famille elle-même n'évoquait plus à ses yeux que l'harmonie perdue.

Comment avait-il pu survivre onze années à son épouse? Chacun se le demandait. Il avait fallu que son corps soit bien robuste pour résister si longtemps à l'affliction de son âme...

Marie se leva pour essuyer avec un linge très fin la sueur qui mouillait le front du malade, et resta debout à agiter l'étoffe au-dessus du visage inerte.

« Je me suis mariée pour échapper à la sensation étouffante d'être ensevelie avec lui sous la dalle funéraire qui recouvrait notre mère, songea-t-elle. Je me suis enfuie de cette maison comme d'un caveau! N'aurais-je pas mieux fait de me rapprocher alors de l'homme désespéré que j'avais devant moi, de lui témoigner mon affection, de redoubler de soins à son égard, plutôt que de m'en aller au bras de Robert, qui m'a si peu et si mal aimée? »

Elle soupira. Décidément, songer aux autres, et même en des circonstances comme celles-ci, vous

273

ramenait toujours sur vos propres chemins! On demeurait incapable d'échapper bien longtemps à ses préoccupations personnelles!

« Pour ma décharge, il faut avouer que je suis accablée de soucis, se dit-elle. Entre l'éloignement qu'Aude me témoigne, l'accident de cette pauvre Agnès et le désespoir de Thomas, la difficulté que j'éprouve à discerner la nature véritable de mon attachement envers Côme, ses sollicitations de plus en plus pressantes pour que j'accepte de l'épouser, mon travail et son cortège de tracas, je ne sais plus où j'en suis! Et voici à présent que, sans que je puisse l'aider en rien, mon père s'éteint, là, sous mes yeux! Son mutisme me sépare davantage de lui que son mal. Plus jamais nous ne pourrons communiquer, plus jamais! »

Où en était-il vis-à-vis du Seigneur? Elle ne le savait même pas!

La foi d'Etienne avait toujours paru à ses enfants plus revendicative que confiante. On aurait dit qu'entre Dieu et lui il y avait un vieux compte à régler, que l'homme vieillissant, puis le vieillard, ne parvenait pas à apurer.

Tout de suite après son attaque, on avait fait venir le curé de Saint-Germain-de-l'Auxerrois qui, faute de pouvoir l'entendre en confession et lui donner la communion, l'avait béni. Il connaissait de longue date ce paroissien rétif dont il ne devait pas ignorer les débats de conscience.

« J'ai toujours eu, plus ou moins clairement, le sentiment que mon père demeurait en état de conflit perpétuel avec la Providence, se disait encore Marie. Pourquoi? Qu'avait-il donc à Lui reprocher, lui dont l'existence, après tout, n'avait pas été difficile? Heureux époux, père respecté, maître orfèvre entouré d'honneurs et de considération, il n'avait eu, en définitive, si l'on comparait son destin à celui de tant d'autres, qu'assez peu de traverses. Que pouvait-il souhaiter de plus? Que reprochait-il au Seigneur? Je l'ai entendu affirmer que la création n'était pas aussi bien faite qu'elle aurait pu l'être? Comment parler ainsi. Que savons-nous des mystères et de l'œuvre de Dieu? »

La jeune femme se signa.

« Sire Dieu, je Vous en supplie, secourez-le tout de même, en dépit de ses récriminations et d'une amertume que je ne m'explique pas. Dénouez son âme nouée! Ne le laissez pas s'en aller vers Vous sans s'être réconcilié avec Vous! Donnez-lui, en ces moments d'épreuve, où j'espère qu'il est en état de penser, de faire retour sur lui-même et d'être péné-tré de contrition. Il a été bon époux, bon père, honnête marchand et fidèle à sa parole. Si, entre Vous et lui subsiste une vieille querelle, je Vous en prie, ne lui en gardez pas rigueur. Permettez-lui de se mettre en règle à Votre égard, avant le grand voyage! Comme chacun de nous, Dieu Seigneur, il ne savait pas bien ce qu'il faisait, ni disait, mais son cœur n'a jamais été mauvais. »

Depuis un certain temps, Etienne tenait ses pau-pières fermées et Marie considérait le gisant sans craindre d'être surprise. Que se passait-il mainte-nant derrière le masque douloureux? La nuque roide se courbait-elle enfin sous la pression de la main qui nous sauve en nous amenant à résipis-cence? Maître Brunel reconnaissait-il ses torts? Se dépouillait-il de son orgueil? Son âme s'était-elle prosternée?

Lassée de se poser tant de questions auxquelles elle ne savait quelle réponse apporter, Marie se détourna du lit où reposait son père, fit quelques pas. Elle se retrouvait chaque fois avec trouble dans la chambre de sa mère où on avait décidé de laisser l'orfèvre après l'y avoir découvert. Sans pouvoir prendre son avis, on avait songé qu'il devait souhaiter mourir, lui aussi, dans le lit conjugal où Mathilde avait vécu ses dernières heures.

Depuis la mort de sa femme, personne d'autre qu'Etienne n'avait eu le droit de pénétrer dans ce sanctuaire consacré au souvenir de la disparue. Marie, pas plus que le reste de la famille, n'était revenue dans la pièce dont son père tenait toujours la porte soigneusement fermée à clef.

Et voici que, de nouveau, elle reconnaissait la tapisserie des courtines, à présent fanée, les coffres dans lesquels devait encore rester, soigneusement plié, le linge de Mathilde, de même que ses vêtements, accrochés dans le cabinet voisin où trônait toujours sa baignoire de bois poli.

Marie revoyait sa mère s'habillant entre ces murs, y arrangeant des fleurs, y brodant, s'y entretenant avec ses sœurs, avec elle-même... elle la revoyait aussi à sa fenêtre, la veille des noces de Jeanne, surveillant en maîtresse de maison attentive ce qui se passait dans la cour tandis que Marie la coiffait... Elle la revoyait enfin, quelques jours plus tard, étendue sur cette même couche, si blanche, si belle, reposée de la vie, non pas rajeunie, mais soudain hors du temps, mise à l'abri de ses méfaits, épargnée, morte...

A présent, c'était au tour d'Etienne d'être allongé entre les colonnes de chêne sombre qui supportaient le ciel de lit et les riches courtines. C'était lui dont on attendait la fin, avec ce mélange d'anxiété et de fatalisme qui se partagent le cœur des vivants en présence de ceux dont le sort ne fait plus de doute pour personne.

La porte s'ouvrit. Tiberge-la-Béguine entra du pas pesant qui balançait ses jupes comme une houle.

« Je viens vous relever, demoiselle Marie, dit-elle à la jeune femme qu'elle n'avait jamais pu s'habituer à considérer tout à fait comme une adulte. Il va être temps que vous retourniez chez vous.

– Je sais, Tiberge, mais, n'étant jamais sûre de retrouver mon père en vie à ma prochaine visite, je le quitte toujours à regret. Aujourd'hui surtout, car je ne pourrai pas passer l'embrasser ce soir. »

Elle avait en effet accepté d'aller souper chez Côme, rue Troussevache, pour être enfin présentée à la sœur du mercier, cette Hersende dont la réputation de dureté et de causticité était parvenue jusqu'à elle. Des clients de l'atelier, ignorant les liens qui l'attachaient subrepticement aux Perrin, ne s'étaient pas privés, en sa présence, de critiquer l'épouse du petit notaire dont on disait qu'elle l'avait assoté et réduit à moins que rien.

Se sachant dépourvue d'esprit de repartie, Marie redoutait une confrontation qui se produirait, en outre, en un si mauvais moment.

Elle quitta la rue des Bourdonnais et, pour rejoindre celle du Coquillier, longea le mur d'enceinte des Halles construites par le défunt roi Philippe Auguste. Accolés à la muraille, boutiques, échoppes, étaux, loges, appentis, se succédaient sans interruption. La cohue y régnait, comme à l'accoutumée. Marchands, acheteurs, charrettes, bêtes de somme, ânes et mulets bâtés, grouillaient autour de ce Marché le Roi[1] où se vendaient vêtements, fruits, légumes, toile, drap, vin, cervoise, poteries, fromages, volailles, gibier, blé, viandes diverses, poissons, et toutes choses achetables et monnayables dont pouvait avoir besoin le bon peuple de Paris.

Dans un fracas de cris, d'appels, d'interjections, de hennissements, de discussions, de braiments, de jurons, parmi les odeurs, les senteurs, les relents, les bouquets, les remugles, les fumets, les exhalaisons de la marée, de la boucherie, des épices, de la crémerie, du crottin, des jardins, des eaux salies, de la vinaille, et des fortes transpirations, il fallait se

1. Nom primitif donné aux Halles.

faufiler en essayant de ne se faire ni bousculer, ni peloter, ni écraser les orteils. Ce n'était pas facile.

Marie réussit cependant à s'extraire de l'agitation qui tourbillonnait principalement devant les portes de l'enceinte à l'intérieur de laquelle s'engouffrait le gros du public, et à prendre pied sur le sol plus calme entourant le chevet de Saint-Eustache.

Comme elle y parvenait, elle se trouva en face d'un homme dont le regard insolent croisa un instant le sien. Etait-ce parce qu'il était jeune, beau, bien bâti, élégant, ou parce que ses prunelles pers lui parurent luisantes et cruelles comme celles d'un félin? Une sorte de secousse la traversa, lui serra le ventre, lui fit sauter le cœur. Pourquoi? Etait-ce peur ou trouble? Qui était cet homme? Et que lui importait ce qu'il pouvait être? Elle ne le connaissait pas, était certaine de ne l'avoir jamais rencontré...

Le temps qu'elle se reprenne, il avait disparu.

Une impression difficile à définir, pétrie de contrastes, attirante et repoussante à la fois, s'attardait...

Marie leva les épaules. Quelle stupidité! Elle avait d'autres sujets d'embarras qu'une rencontre fortuite et sans lendemain avec un inconnu!

Elle hâta le pas pour regagner son atelier où elle se précipita avec un sentiment inexplicable de soulagement. Il lui semblait avoir échappé à un danger.

Dans la vaste pièce où le soleil pénétrait en coulées blondes par les fenêtres ouvertes, tout le monde était déjà au travail.

« Il va me falloir changer de chemin afin de ne plus avoir à passer par les Halles, dit-elle en refermant la porte. Il y a toujours là-bas une presse épouvantable!

– Comment va maître Brunel, ce jourd'hui?

demanda Kateline dont la chevelure rousse accrochait la lumière.

– Hélas! ma pauvre amie, fort mal! Ses escarres s'agrandissent toujours davantage et son esprit s'embrume de plus en plus. Je ne suis pas certaine qu'il m'ait reconnue pendant que j'étais près de lui. »

Il y eut un silence consterné. Les apprentis eux-mêmes, intimidés par la proximité du malheur, ne trouvaient plus rien à dire.

Marie s'approcha d'eux. Ils étaient en train de broyer les couleurs végétales obtenues, au cours des saisons, par la récolte et la conservation de certaines fleurs. Des bleuets pour le bleu, des feuilles d'iris sauvages pour le vert, de la gaude[1] pour le jaune.

« J'espère que vos teintes seront aussi réussies que la sanguine que vous avez si bien faite au printemps dernier », dit Marie pour les dérider.

On avait coutume, vers le mois de mars, de couper le lierre nécessaire, d'en recueillir alors le jus dans un récipient de grès où on le laissait trois jours avant de le faire cuire dans de l'urine. C'était là fabrication courante, mais les apprentis s'en étaient occupés pour la première fois cette année. Aussi, ne manquèrent-ils pas d'apprécier ce rappel flatteur.

Marie gagna sa table. En dépit de tous ses soucis, elle ne délaissait pas un travail qui demeurait pour elle, au milieu de tant de remous, le seul point stable, l'unique satisfaction qui ne fût pas menacée ou douteuse.

Plus l'œuvre était absorbante, difficile, plus elle pouvait s'y perdre, s'y oublier. C'était seulement en s'y donnant tout entière qu'elle parvenait à se

1. Réséda sauvage dont on extrayait une teinture jaune.

détacher, pour un temps, de ses multiples alarmes.

Dieu merci, l'ouvrage ne manquait pas! L'été étant la meilleure saison pour procéder aux séchages successifs que nécessitaient les diverses phases de la dorure, il convenait de profiter de ces journées ensoleillées et chaudes.

Marie avait justement à préparer, pour un manuscrit dont le texte, les dessins, les nombreuses couches de couleur, étaient déjà achevés, les fonds où elle aurait ensuite à appliquer l'or, à la feuille ou au pinceau.

Il s'agissait de cette fameuse *Chanson du Chevalier au cygne* dont elle avait elle-même illustré bien des pages. Elle en était parvenue au moment où il fallait composer la première assiette, en langage de métier, soit le premier fond. Deux autres suivraient avant qu'elle ne soit en mesure de passer à l'application de l'or pur. La réussite et l'éclat de la composition finale dépendaient du soin avec lequel on accomplissait cette série de préparations.

Comme elle s'installait, Marie surprit le regard que glissait vers elle, comme pour la surveiller, Jean-bon-Valet, toujours jaloux des travaux qu'elle se réservait. Sans avoir l'air de le remarquer, elle prit dans un des pots rangés sur sa table de la fleur de plâtre des plus fines qu'elle déposa devant elle sur une pierre dure, polie et de grande dimension. Elle y ajouta un peu de safran en poudre et de bol d'Arménie, les mélangea minutieusement, intimement, avant d'humecter le tout, par petites quantités, avec de l'eau, et se mit en devoir de remuer la préparation obtenue avec les plus attentives précautions. Le mélange devant durcir, mais non pas sécher complètement, elle alla déposer la pierre dans une flaque de soleil devant une des fenêtres, et se dirigea ensuite vers les aides qui s'activaient à entretenir, en vue des suites de l'opération, un feu doux de charbon de bois, sous une grille, dans la cheminée de la salle. A cause de la chaleur estivale, ce travail était pénible pour les jumelles qui en tiraient prétexte pour relever leurs cottes jusqu'aux genoux et pour délacer leurs chemises sur de jeunes seins découverts.

« Allons, mes filles, dit Marie, profitez de ce que je suis forcée d'attendre le séchage de ma préparation pour aller respirer l'air du jardin. Je vous rappellerai dans un moment. »

Debout devant le foyer, elle regardait les courtes flammes bleues trembler sur les braises et songeait que la vie de son père était devenue aussi précaire que ces minces langues de feu.

Combien de temps durerait-elle encore ?

Cette interrogation ramena sa pensée vers Agnès au sujet de laquelle elle avait questionné, dans les mêmes termes, Charlotte Froment. En dépit des soins prodigués par la physicienne à la blessée que Thomas lui avait confiée avant de prendre la route de Rome, l'état de l'adolescente ne s'améliorait guère. Si, sous ses pansements, ses fractures semblaient se ressouder lentement, elle n'en continuait pas moins à avoir de la fièvre, à respirer avec peine, et à manquer d'appétit. Les décoctions et les élixirs de tante Charlotte demeuraient, pour une fois, sans effet. Que signifiaient cette fébrilité, cette immense fatigue ? En dépit de la gravité de ses lésions, sa jeunesse aurait dû reprendre bien plus vite le dessus. Il y avait près d'un mois à présent que son accident s'était produit et on ne constatait aucune amélioration importante. Chaque fois que Marie s'était rendue à Gentilly pour visiter sa nièce, elle l'avait trouvée aussi pâle, aussi faible que la fois précédente, et, chose qui l'inquiétait plus encore, aussi triste. On aurait dit que la jeune fille ne croyait pas sa guérison possible. L'absence de Thomas, bien sûr, lui était fort pénible et elle en souffrait visiblement. Etait-ce une explication suffisante à son air dolent, à sa mélancolie? Sans vraiment la connaître, l'enlumineresse croyait ne pas se tromper en pensant qu'Agnès, sous sa fragilité apparente, cachait une force d'âme, une vaillance indéniables. Si elle abandonnait si visiblement la partie, n'était-ce pas qu'un ressort, en elle, avait été brisé, qu'elle le savait, et ne se faisait pas d'illusion sur les chances qu'elle conservait de se remettre un jour? Ou bien le mal d'amour était-il seul en cause? Les risques de voir Thomas revenir sans la dispense souhaitée étaient grands. Elle ne l'ignorait pas et il était possible que cette angoisse retardât son rétablissement et la maintînt dans sa faiblesse...

« Dame, fit soudain remarquer Denyse-la-Poitevine, qui aimait se donner de l'importance, dame, votre préparation doit être à point. »

Elle l'était en effet, juste comme il le fallait, solidifiée, mais pas complètement sèche.

Marie rapporta la pierre sur sa table et détrempa délicatement la composition, à l'intérieur d'une petite marmite avec de la colle de parchemin. Dès qu'elle eut terminé, elle retourna vers le feu et déposa la marmite sur la grille de fer. Il fallait que la pâte fût employée chaude ou au moins tiède. Quand elle la jugea à la bonne température, elle revint vers le volume ouvert, prit un pinceau, et étendit une couche du mélange, mince et régulière, aux endroits où elle aurait à appliquer ensuite l'or.

Une fois encore, il lui fallut attendre le séchage de cet enduit. Elle en profita pour aller se pencher un moment sur l'épaule de Kateline. Si elle ne pouvait tenir sa seconde ouvrière au courant de sa vie privée, rien ne l'empêchait, en revanche, de parler de maître Brunel à une femme dont elle appréciait l'amitié.

Kateline était en train de peindre une nouvelle page du Bestiaire auquel elle travaillait depuis des semaines.

« On disait jadis que chaque lettre ornée qu'on terminait avait le pouvoir d'effacer un de nos péchés! remarqua-t-elle en voyant Marie s'approcher. A ce compte-là, mon âme doit être blanche comme une hermine! Je peux me vanter d'en avoir peint des dizaines et des dizaines depuis le temps que je fais ce métier!

– Vous oubliez, ma mie, que vous commettez, comme chacun de nous, sans cesse de nouveaux péchés, remarqua la jeune veuve. La comptabilité à établir entre vos offenses et vos lettres ornées me paraît bien délicate. »

Kateline opina avec bonne humeur. Elle était parvenue à ses fins : Marie souriait. Les deux femmes s'entretinrent un moment à mi-voix avant que l'enlumineresse se décidât à se rendre auprès de Denyse-la-Poitevine qui ne considérait pas sans aigreur des rapports amicaux dont elle était tenue à l'écart.

Pendant ce temps, sur le parchemin, l'assiette avait séché. Marie prit alors une agate taillée en forme de dents de sanglier et qu'une virole de cuivre retenait à un manche d'ébène. Elle s'en servit pour racler, égaliser, polir la préparation, puis posa, de la même manière que la première fois, une seconde couche d'enduit.

En même temps que l'adresse, l'enluminure apprenait à ses servants la patience. Il fallait de nouveau attendre un second séchage.

La jeune femme en profita pour préparer la feuille d'or dont elle allait se servir dans un moment.

Couchées dans un coffret de santal, ces pellicules de métal précieux, plus minces que la plus fine des soies, étaient séparées les unes des autres par des feuillets de vélin. Chaque fois que Marie ouvrait le coffret, elle admirait l'éclat somptueux, chaleureux, de l'or que le moindre souffle faisait frissonner et qu'il fallait manier avec des pinces d'une extrême délicatesse.

Ce jour-là, en redécouvrant la splendeur imputrescible qui brillait entre ses doigts, elle évoqua son père, qui, tout au long de sa vie d'orfèvre avait si bien su façonner, ouvrager, orner l'admirable métal dont les reflets continueraient toujours, pour elle, d'environner sa mémoire... Des larmes lui brouillèrent la vue, estompant le contenu du coffret dans une buée blonde, étincelante...

La seconde assiette était sèche. Alors, seulement, elle mêla à la colle un peu de blanc d'œuf préparé par une des apprenties puis, vivement, sur cette troisième couche, avant qu'elle ne fût prise à son tour, et en retenant sa respiration pour ne pas la faire envoler, elle appliqua une des feuilles d'or avec un pinceau très doux, à bout rond. Pour être menée à bien, cette application nécessitait une grande dextérité et beaucoup de rapidité. En l'accomplissant, Marie éprouvait chaque fois une satisfaction aiguë, où se confondaient orgueil de maître et contentement d'artiste.

De nouveau, elle ressentit ce plaisir de l'ouvrage bien fait, cette fierté du praticien exercé qui a soumis la matière à son usage.

« Seigneur mon Dieu! Combien vos créatures sont étranges, qui peuvent être douloureuses jusqu'à l'âme sans cesse de se complaire à des œuvres qui les flattent! »

Pendant que le dernier séchage s'effectuait, Marie alla vérifier le travail des apprentis qui achevaient de broyer les couleurs, et celui des jumelles qui nettoyaient le devant du feu en pouffant aux bonnes histoires qu'elles se racontaient tout bas. Par politique, elle entretint longuement Denyse-la-Poitevine des futurs travaux qu'on leur avait commandés.

Seul à sa table, Jean-bon-Valet étendait, avec un pinceau trempé dans un godet de grès, un peu d'or en poudre sur des croix destinées à illlustrer une page du psautier auquel il mettait la dernière main. Silencieux, furtif, l'enlumineur était-il gêné par sa propre laideur? Sa peau, trouée par la petite vérole, ressemblait à une terre fraîchement remuée. Sa tête, trop grosse pour sa taille, lui donnait l'air d'un enfant attardé, et sa bouche aux grosses lèvres semblait éternellement bouder devant les injustices de l'existence. Il s'habillait cependant avec soin et ses cottes, ses surcots, ses couvre-chefs, toujours de bonne qualité, arboraient de tendres couleurs assez déconcertantes sur son corps mal taillé.

Qui était-il en dehors de ses heures de travail? Comment vivait-il? Seul, selon les apparences, sans famille, sans épouse. Originaire de Picardie, il parlait fort peu de son pays natal et, à l'atelier, on ignorait tout de lui, ce qui était exceptionnel. Partageant le passé, le présent et l'avenir, les membres d'une même entreprise avaient coutume de tout savoir les uns des autres, et le mystère entourant l'ouvrier enlumineur le desservait beaucoup auprès de ceux qui travaillaient avec lui.

Marie s'efforçait, dans la mesure du possible, de le traiter comme tout un chacun, mais il ne paraissait pas souhaiter établir de relations avec qui que ce fût et conservait la plus extrême réserve envers elle comme envers ses compagnons.

La jeune veuve retourna vers sa table, plaça au verso du feuillet, aux endroits où allait s'exercer la pression du brunissoir, un peu de cire préalablement modelée, et reprit l'agate avec laquelle elle se mit à frotter la feuille d'or, tout doucement d'abord, plus fort, puis enfin avec une telle vigueur qu'elle fut bientôt en sueur.

En sonnant l'interruption du travail, les cloches de Saint-Eustache la surprirent alors qu'elle achevait de passer au brunissoir l'or qui en retirait un poli, un éclat admirables. Une fois de plus, l'œuvre l'avait aidée à supporter le poids de ses angoisses, à endormir ses peines, à oublier les questions auxquelles elle ne savait pas donner de réponse.

Malheureusement, avec la soirée, les oiseaux noirs revinrent à tire-d'aile.

Comment son père avait-il passé cette journée de chaleur lourde, oppressante?

Elle n'aurait pas le temps d'aller s'en assurer sur place puisqu'il lui fallait se changer et se rendre rue Troussevache.

Ce repas l'ennuyait. La présence d'Hersende et de son mari n'avait rien de réjouissant et ce qu'il y avait d'officiel dans cette présentation aux deux seuls membres de la famille Perrin l'indisposait à l'avance.

Ce fut donc avec d'autant plus d'attention qu'elle se prépara. Guillemine la frictionna à l'eau de senteur, la coiffa de ses lourdes tresses ramenées en chignon sur la nuque, avant de l'habiller d'une cotte de lin blanc agrémentée de manches émeraude et d'un léger surcot de même étoffe, brodé de feuilles de plusieurs verts dégradés. Une coiffure de lingerie en mousseline empesée remplaça la guimpe des veuves qu'elle ne portait plus depuis son retour à Paris, et de fines chaussures de peau argentée moulèrent ses pieds cambrés.

« Comment puis-je me parer avec tant de soin alors que mon père se meurt, que ma fille me fuit, que mon amant m'assiège? se dit-elle. Je ne suis que plaies, et, cependant, j'attache de l'importance au tissu de mes vêtements, à la couleur des pierres fines que je glisse à mes doigts! »

Elle passait justement à son index une aigue-marine qui lui venait de sa mère. Pendant un instant qui lui coupa le souffle, elle vit, à la place du bijou, un regard pers qui la fixait.

« Je ne mettrai pas cette bague, dit-elle en la rejetant dans le coffret où elle conservait ses joyaux. Un grenat me semble mieux convenir. »

Un valet l'accompagna jusqu'à la rue Troussevache.

La maison des Perrin, haute, large, à soubassements de pierre de taille, avait pignon sur rue, et se remarquait par des consoles et des pans de bois entièrement sculptés. Compris entre la chaussée, la cour et le jardin, trois corps de logis en enfilade la composaient. Le premier, seul visible de la rue, était consacré aux entrepôts de la mercerie, aux locaux où s'affairaient compagnons et valets. Il fallait passer un porche, pour trouver devant soi l'habitation proprement dite, sise au centre de la cour. Le troisième bâtiment, qui fermait l'ensemble derrière des arbres bien taillés, comprenait les écuries, le cellier, des resserres diverses.

Côme attendait Marie sous le porche d'entrée. Dès l'abord, au raidissement de son maintien d'ordinaire si plein d'aisance, elle devina qu'il était tendu, nerveux.

« Amie, dit-il en s'emparant du coude de la jeune femme afin de la guider sur les pavés, ma belle amie, soyez indulgente, je vous prie, à l'égard de ma sœur. Elle n'est point heureuse en ménage et son caractère s'en ressent.

– Soyez sans crainte, Côme. Je sais ce qu'il en coûte d'être mal mariée! »

Le mercier se pencha, posa ses lèvres sur la nuque blonde.

« Après le souper, je vous reconduirai chez vous, dit-il tout bas, et, si vous y consentez, j'y resterai jusqu'au matin. »

Cette perspective, songea Marie, l'aiderait à tenir

durant une confrontation qui l'inquiétait. Elle lui répondit par un battement de paupières.

Sur le seuil de la belle salle où il l'avait reçue la première fois, il lui lâcha le coude et la laissa passer la première, après s'être effacé. Pas assez vite, cependant, pour qu'elle n'ait eu le temps de voir le coup d'œil anxieux qu'il lança en direction des deux occupants du lieu.

Dans la vaste pièce où la fraîcheur du soir et les rayons obliques du soleil déclinant pénétraient par les portes et les croisées donnant sur des parterres admirablement entretenus, on avait dressé pour le souper une longue table montée sur des tréteaux. Le repas terminé, on la démonterait. Pour l'heure, elle était recouverte d'une nappe immaculée sur laquelle étaient disposés avec art des écuelles d'argent, des couteaux, des cuillères, des salières, une nef de vermeil ciselé contenant des épices, des coupes de dragées et de fleurs.

Une seconde fois, Marie fut frappée par l'accumulation de meubles s'entassant entre les murs tendus de fort belles tapisseries. Coffres, bahuts, bancs à dossiers, petites tables sculptées supportant différents jeux d'échecs, de dames, de trictrac, de jacquet, tabourets, cathèdres, semblaient avoir été rassemblés là pour témoigner de l'opulence de leur propriétaire. Une longue crédence, chargée de gobelets en vermeil, de coupes et de hanaps en argent, de brocs et d'aiguières ciselés, tenait tout un mur en face de la cheminée au volumineux manteau de pierre.

Debout près d'une fenêtre, dame Hersende et son époux semblaient surveiller l'entrée de Marie dans la salle.

Côme conduisit la jeune femme vers sa sœur.

« Par ma foi! dit celle-ci en manière de salutation, et tout en adressant à la nouvelle venue un sourire éblouissant, par ma foi! je ne suis pas mécontente de vous rencontrer enfin en chair et en os. Mon frère m'entretient de vos mérites depuis si long-temps que ma curiosité était à bout!

– J'ai, également, beaucoup entendu parler de vous », répondit Marie d'un ton neutre.

Hersende était une belle femme. Grande, opulente, l'œil vif, mais avec on ne savait quoi d'un peu trop agressif dans la façon de sourire, de trop critique dans le coup d'œil. Pleine d'assurance, manifestement portée à la moquerie, au persiflage, elle avait une manière de s'esclaffer qui étirait ses lèvres gourmandes sur de grandes dents blanches faites pour mordre et dépecer.

« En tout cas, ce diable de Côme ne manque pas de goût! » s'écria le petit notaire en se frottant les mains avec jubilation.

Il partit d'un hennissement joyeux qui plissa sa figure de vieil adolescent de mille petits sillons semblables aux fronces de certaines guimpes tuyau-tées.

Très vite, on comprenait que cet homme se réfugiait derrière son rire comme d'autres derrière un bouclier, chaque fois qu'il lançait une flèche ou en recevait une.

« Taisez-vous donc! s'écria sa femme. Que va penser la belle amie de notre frère en vous enten-dant parler comme vous le faites? Que vous n'êtes qu'un abominable paillard. Et, certes, elle n'aura pas tort! »

Marie devait constater dans la suite de la conver-sation que la sœur de Côme se montrait encore plus impitoyable envers son époux qu'envers le reste du genre humain, qu'elle n'épargnait pourtant guère!

Pendant le souper, qui fut brillant comme on pouvait s'y attendre de la part de gens cultivés, les traits d'esprit et les anecdotes croustillantes se succédèrent sans interruption.

Hersende s'en donnait à cœur joie. Pourquoi cette

femme, belle, riche, pourvue d'un mari dont la profession d'officier public n'était pas dénuée de prestige, et dont la vie était facile, se plaisait-elle à déchirer à coups de bec, de griffes et d'ongles, tous ceux qui, au cours de l'entretien, passaient à sa portée? Quelle rancune inavouable, quelle déception secrète, quel grief se cachaient sous son agressivité?

Marie parlait peu, écoutait avec malaise, riait en se le reprochant, et sentait monter en elle une gêne de plus en plus nette au fur et à mesure du déroulement de la soirée.

Côme tentait d'intervenir, orientait les propos vers le passé de sa famille, ses habitudes, ses manies, ses énigmes, mais ses diversions faisaient long feu les unes après les autres. Inexorablement, on en revenait au jeu de massacre.

Le souper fut excellent. Les vins dignes des mets.

Une fois tartes et flans dégustés, on sortit dans le jardin que le crépuscule rosissait.

« Ces soirs d'été invitent à l'amour! » lança le notaire en cambrant sa petite taille.

Il leva vers Marie un visage à l'expression égrillarde, mais la jeune femme y lut, au fond des yeux plissés par son sempiternel rire, une sorte de désarroi, d'inquiétude informulée, qui le lui rendit plus proche. On devait pouvoir trouver au fond de ce cœur un reste de bonté laissé pour compte.

« Vous voudriez faire croire que vous vous comportez sans cesse en vrai coq de village! remarqua Hersende avec un dédain railleur. Je vous en prie, chère dame, n'en croyez rien! La marchandise, céans, ne vaut pas le marchand!

— Par les Quatre Evangélistes, nos saints patrons à nous autres, notaires, il ne revient pas à une femme comme vous, ma mie, qui n'appréciez guère le déduit, de juger de ces choses! rétorqua le petit homme avec un rire qui retentit, cette fois, comme l'écho d'un vieux ressentiment.

– Il est vrai que je trouve plus plaisant de parler des choses de l'amour que de les pratiquer, reconnut sa femme avec une liberté de ton qu'elle semblait affectionner. Je ne m'en cache pas. La faute en revient sans doute à celui qui fut le premier à me les enseigner! »

« Elle ressemble à une ogresse, se dit Marie. Quand elle sourit de la sorte, on a l'impression qu'elle a plus de dents qu'une personne ordinaire et qu'elle serait fort capable de les planter dans la chair vive d'une de ses victimes! »

Côme entraîna le petit groupe vers ses espaliers afin de faire admirer les pêches, les pommes, les poires, qui mûrissaient lentement contre les murs orientés au sud et à l'ouest, là où le soleil s'attardait de préférence.

« Vous serez bien bon, mon frère, de me faire porter demain un panier de ces fruits, dit Hersende en désignant de grosses pêches blanches et roses sous le poids desquelles pliaient les branches qu'on avait été obligé d'attacher. Leur chair écrasée est excellente pour le teint. »

Fardée avec art, habillée richement, couverte de bijoux, elle alliait une élégance un peu trop voyante à un aplomb qui ne faisait que mieux ressortir la discrétion et l'élégance véritable de Côme.

« Lui, au moins, ne fait jamais parade de sa fortune, songea Marie. S'il avait été aussi rempli de vanité que sa sœur, il ne m'aurait pas retenue plus d'un instant! »

On rentra dans la salle pour boire des vins herbés et croquer des dragées ou des épices de chambre.

La nuit venait quand on se sépara.

« Vous n'avez guère parlé, chère dame, remarqua Hersende, mais, malgré tout, nous aurons bien ri! A bientôt.

– Que Dieu vous garde! » répondit machinalement Marie, tout en remarquant en son for intérieur qu'il y avait peu de chance pour que son vœu fût exaucé.

Le couple tourna à droite, s'éloigna. La femme du notaire dépassait son époux d'une bonne tête.

Demeurée sous le porche, Marie fut presque aussitôt rejointe par Côme.

« Je vous reconduis, ma mie! »

Par les rues où des restes de clarté se prolongeaient sur les tuiles vernissées des toits, sur le haut des clochers, sur les girouettes dorées que le calme de l'heure laissait immobiles, les Parisiens déambulaient, musaient, s'interpellaient, dansaient aux carrefours. Couronnée de fleurs, débraillée, émoustillée, la foule profitait de la belle saison, du temps clair chanté par les trouvères, dans un bruissement de voix, de refrains, de rires énervés, d'aigre musique.

La ville présentait, le soir, un visage différent de son visage diurne. Les volets des boutiques étaient clos et l'animation des marchés, des marchands, des artisans et de leurs pratiques, des petits métiers, des campagnards venus vendre leurs produits à la criée, toute cette agitation causée par le besoin et le profit, s'était assoupie pour faire place aux jeux et aux plaisirs offerts à tous par un été généreux.

Seules, les tavernes demeuraient ouvertes et regorgeaient de monde. Des buveurs qui puaient le vin et des bandes de jeunes lurons excités hantaient leurs abords.

A cause de la chaleur, beaucoup de femmes portaient, sans chemise en dessous, des cottes légères qui moulaient étroitement leurs formes, et bien des hommes en profitaient pour tenter leur chance, le regard aux aguets et la main fureteuse.

Des mendiants qui escomptaient de fructueuses

recettes, se faufilaient parmi les passants, la sébile brandie et la plainte à la bouche.

A demi nues et racoleuses, des filles follieuses rôdaient par deux ou trois. Les édits royaux, pourtant sévères à leur égard, ne parvenaient pas toujours à les refouler dans les rues qui leur étaient réservées.

Des marchands ambulants d'oublies et de beignets offraient aux promeneurs, dans des corbeilles d'osier suspendues à leur cou par des courroies, leurs pâtisseries qui laissaient derrière eux un sillage odorant de pâte chaude et de miel.

Côme s'efforçait de distraire Marie de ses peines en lui parlant des bruits qui couraient la ville, des gens qu'il avait rencontrés dans la journée, de ses clients, mais, préférant sans doute repousser à plus tard toute conversation ayant trait à la rencontre qui venait de s'effectuer, il évita de l'interroger sur l'impression que lui avait faite sa sœur. De son côté, la jeune femme jugea plus sage de ne pas aborder ce sujet.

Parvenus rue du Coquillier, ils se dirigeaient vers la maison Leclerc, lorsqu'un homme, qui semblait attendre sous un porche, sortit de l'ombre et les croisa. Marie, qui leva instinctivement les yeux, rencontra un regard clair et froid qui la fit frissonner des pieds à la tête.

« Qu'avez-vous, mon amour? demanda le mercier.

– Je suis lasse et souhaite me reposer, dit-elle avec effort. Si vous le voulez bien, mon ami, vous me laisserez devant ma porte ce soir. L'état de santé de mon père me tourmente trop pour que je puisse songer cette nuit à autre chose qu'au sommeil. Je sens que je vais avoir, d'ailleurs, bien du mal à le trouver. »

XIII

Le lendemain matin, après la messe quotidienne, Marie s'apprêtait à sortir de Saint-Eustache, quand on lui toucha le bras. Elle se retourna.

« J'ai à vous entretenir de choses très importantes, dame. Pouvez-vous me suivre un moment dans un endroit tranquille ? »

La jeune femme n'était pas surprise. Depuis la veille, elle attendait le moment où il l'aborderait.

« Je ne vous connais point.

– Par le Saint-Voult[1] ! Nous ne manquons pourtant pas d'amis communs, chère dame !

– Je ne sais qui vous voulez dire.

– Je suis là, justement, pour vous éclairer. »

Autour d'eux, les assistants de l'office matinal se dirigeaient vers le porche, s'en allaient à leurs affaires, les bousculaient.

« Finissons-en. Je ne comprends rien à ce que vous me voulez ! Adieu ! Je m'en vais.

– Je ne pense pas que ce soit dans votre intérêt. »

Il n'avait pas besoin d'élever la voix, ni d'insister, pour qu'on sentît la menace, le danger qu'il représentait.

---

1. Les Lombards avaient un culte pour l'image byzantine du crucifix, connue sous le nom de Saint-Voult.

« Mon travail m'attend.

– Il attendra.

– Mais, enfin, messire, de quel droit...?

– Je croyais que vous étiez fort attachée à vos enfants. »

Avec un de ces mouvements impulsifs qui la caractérisaient, Marie se retourna complètement, fit face à son interlocuteur.

« Que dites-vous? »

Les paupières légèrement plissées, il la dévisageait avec hardiesse.

« Qu'il y va du sort de vos enfants. »

De toute sa vie, la jeune femme n'avait jamais rencontré un individu qui lui fît une semblable impression. Sans s'expliquer pourquoi, elle avait le sentiment d'être totalement à sa merci, comme une musaraigne entre les pattes d'un chat sauvage.

« Je ne vois pas en quoi il peut être question d'eux dans tout ceci!

– Allons, venez! Vous voyez bien qu'il nous faut tirer au clair pas mal de choses qui vous demeurent confuses. »

Il faisait demi-tour, s'écartait de la foule, se dirigeait vers le fond de l'église. Marie le suivit.

Il ne s'arrêta qu'une fois parvenu dans une petite chapelle située derrière le chœur. Elle était vide. Plusieurs mendiants semblaient en garder l'entrée.

Assombri par des vitraux où dominaient le violet et le bleu, l'intérieur en était obscur, seulement troué de points lumineux par les flammes de quelques cierges brûlant aux pieds d'une statue de sainte.

« Nous ne serons pas dérangés en cet endroit et ce que j'ai à vous dire risque d'être assez long. »

Un banc de bois était posé contre le mur.

« Asseyez-vous donc, dame, je vous en prie. »

Sous la courtoisie de surface, affleurait l'autorité

d'un chef de bande habitué à être obéi. Instinctivement, Marie s'y conforma.

L'inconnu resta debout devant elle. Une odeur d'encens et de cire chaude les enveloppait.

« Je me nomme Amaury, dit l'homme, et suis d'origine italienne, ce qui ne m'a pas empêché de fort bien connaître Robert Leclerc, votre défunt époux. »

Marie serra les lèvres.

« Depuis sa triste fin, vous devez vous poser beaucoup de questions à son sujet, n'est-il pas vrai? Il n'a jamais été porté aux bavardages inconsidérés, ce bon Robert, et ne se confiait à personne. Pas plus à vous qu'à un autre, je gage. Seule une suite de circonstances fortuites m'ont permis d'être mis au courant de certains faits... »

Il posa un pied étroitement chaussé de cuir gris, à travers les découpes duquel on apercevait ses chausses hyacinthe, sur l'extrémité du banc où était assise la jeune femme et il lui adressa un sourire complice, tout en s'appuyant d'un bras sur son genou levé.

« Je mettrais ma tête à couper, dame, que votre cher mari vous a laissée tout ignorer de ses goûts véritables. Je jurerais, par exemple, que vous ne vous êtes jamais doutée de la passion dévorante qu'il nourrissait pour les jeux de hasard, et, tout spécialement, pour les dés.

— Je n'en ai, en effet, jamais rien su, reconnut Marie du bout des lèvres. Comment aurait-il pu s'adonner au jeu sans se trahir devant moi? S'il avait pris et dépensé, fût-ce quelques sols en dehors des besoins du ménage ou de l'atelier, je n'aurais pas manqué de m'en apercevoir.

— Justement, dit Amaury, justement... »

Il se pencha un peu plus en avant. Les lueurs des cierges éclairaient un seul côté de son visage, mais faisaient briller ses prunelles félines. Un nez court et droit, aux narines dilatées, accentuait sa ressemblance avec un des guépards qu'elle avait vus à Caen, lors d'un voyage entrepris quelques années auparavant en compagnie d'autres maîtres enlumineurs, afin d'aller voir la ménagerie qu'un roi d'Angleterre avait fait installer dans cette ville.

« Il est beau et inquiétant comme seule peut l'être une créature du Malin, se dit Marie. Il en a le charme sulfureux, la vénéneuse séduction... »

« Quand on ne veut pas trahir le travers qui vous tient, ni déranger l'ordre familial derrière lequel on se réfugie, mais qu'il faut, à n'importe quel prix, assouvir son vice, que fait-on? On trouve le moyen, honnête ou non, qui permet de disposer des fonds nécessaires. »

Marie continuait à se taire.

« En l'occurrence, continua Amaury d'un air entendu, Robert n'eut pas à chercher bien loin.

– Les comptes de notre atelier ont toujours été soigneusement tenus à jour et contrôlés, d'abord par mon beau-père, puis par moi-même. Ni l'un ni l'autre n'y avons jamais, à ma connaissance, constaté la moindre anomalie.

– Par le Saint-Voult! dame, je vous ai déjà dit que rien ne devait transpirer de toute cette affaire. Rien n'en transpira. Robert s'est arrangé autrement, voilà tout.

– Je ne vois pas... »

Le Lombard se rapprocha d'elle. Des pèlerins semblaient vouloir pénétrer dans la chapelle. Les mendiants qui étaient, de toute évidence, commis à en empêcher l'accès, barrèrent le passage aux gêneurs, qui s'éloignèrent en maugréant.

Marie dévisageait avec une curiosité méfiante l'homme qui semblait au courant de tant de choses ignorées d'elle. Qui était-il? Un joueur, lui aussi? Un intermédiaire vénal entre les faiblesses humaines et ceux qui leur sont asservis? Un puissant ribaud?

« Tout s'est passé on ne peut plus discrètement, reprit Amaury, une fois le calme revenu. Votre mari était plein de duplicité, de cautèle et d'adresse. Il s'est entendu avec un garçon de Gentilly qui avait mal tourné et travaillait pour une organisation clandestine tirant le plus clair de ses ressources de la prostitution.

– Quoi! Vous prétendez...?

– Je ne prétends rien. J'affirme. Voyez-vous, dame, je ne suis pas homme à me lancer à la légère dans une aventure comme celle-ci. J'ai des preuves, des écrits. Robert participait bel et bien à tout un trafic de filles publiques. Le dévoyé dont je viens de vous parler, Radulf, l'avait introduit dans une bande dont il faisait lui-même partie. Ce qui procura à votre époux l'idée et la possibilité d'accomplir de fructueuses opérations. »

Il changea de position, se redressa, se tint debout devant Marie, les mains enfoncées dans la ceinture de cuir qui serrait à la taille sa cotte de soie hyacinthe.

« Avec une habileté que nous admirions tous, nous qui étions devenus ses amis autour des tables de jeu, avec une adresse que nous aurions pu lui envier, votre mari utilisait son aspect d'honnête artisan pour mettre en confiance les filles des rues chaudes. Il les traitait bien, se faisait admettre par elles, puis en choisissait certaines qu'il attirait ensuite dans des lieux de rendez-vous où elles se rendaient sans se méfier. C'était alors un jeu pour ses complices de les enlever et de les livrer à des convoyeurs qui se chargeaient d'aller les vendre aux Turcs... ou à d'autres... Ce genre d'affaire rapporte gros. Robert n'avait pas besoin de renouveler souvent ses coups. Qui, d'ailleurs, pouvait porter plainte? Personne ne s'est jamais avisé d'établir un rapprochement entre l'enlumineur sérieux, bien connu sur la place, et la disparition de créatures perdues que tout séparait de lui. »

Marie enfouit son visage dans ses mains.

« Dieu! Cet homme auquel j'ai appartenu, le père d'Aude et de Vivien, mon époux devant Vous, aurait été un criminel qui trafiquait des femmes? Seigneur! Est-ce possible? Que m'arrive-t-il? Dans quel enfer suis-je tombée? »

« Je ne vous crois pas! cria-t-elle en relevant la tête. Vous mentez! Ce que vous soutenez est trop affreux pour être vrai! Je ne vois d'ailleurs pas quand Robert aurait pu se livrer à ces honteux agissements. Il ne voyageait pas, sortait peu et travaillait le plus souvent à l'atelier, près de moi... »

Amaury se pencha davantage. Sa belle bouche aux lèvres parfaitement ourlées et dessinées, souriait, découvrant des dents sans défaut, dont l'émail luisait dans la pénombre.

« Rappelez-vous, dame : Robert s'absentait parfois, au cours de la journée ou plus souvent le soir, sous prétexte d'aller visiter des clients, de se rendre à des réunions corporatives, de rencontrer des confrères... Je vous ai déjà dit que je détenais les preuves de ce que j'avance. Croyez-moi, je suis en mesure de vous convaincre. Radulf, dans un moment de vaches maigres, m'a vendu plusieurs missives qui donnent assez de détails sur les activités cachées de votre mari pour déshonorer à jamais la plus honorable des familles! »

Tout se brouillait dans l'esprit de Marie. Son cœur battait jusque dans sa gorge; ses mains, ses genoux, son corps entier tremblaient.

« Que voulez-vous? demanda-t-elle tout bas. Pourquoi m'apprendre seulement aujourd'hui ces infamies? Dans quel but?

– Pour l'unique raison, dame, qu'à notre tour, nous avons besoin d'argent frais. »

Il s'interrompit, son visage se durcit.

« Pour être franc, nous avions projeté une première manœuvre qui aurait dû aboutir favorablement, si votre neveu n'avait réduit à néant nos visées en même temps qu'il massacrait mon frère. Il nous a donc fallu trouver un nouveau stratagème. Ce ne fut pas sans répugnance, sachez-le, que nous nous sommes vus obligés d'utiliser, pour en tirer avantage, les lettres de ce pauvre Robert qui fut notre compagnon, il n'y a pas si longtemps. »

Il faisait donc partie des ravisseurs de Thomas et d'Agnès! Avant de partir pour Rome, le jeune homme avait raconté aux siens la manière dont ils avaient, tous deux, été abusés et emprisonnés, et comment il s'était vu contraint de tuer un de leurs ravisseurs. Depuis lors, Bertrand avait porté plainte devant la justice, mais, protégés par le droit d'asile, les occupants du charnier des Saints-Innocents bénéficiaient tous de l'immunité et on ne pouvait les arrêter. Quant à la maison forte qu'on était parvenu à localiser et qu'on surveillait, elle demeurait inoccupée.

Marie serrait l'une contre l'autre ses mains moites. Qu'attendre encore de ces gibiers de potence?

« Après réflexion, continuait Amaury, nous avons estimé qu'il nous restait une chance qu'il ne convenait pas de gâcher. »

Il jouait avec la poignée de sa dague.

« Voici donc ce que je vous propose : contre la première des lettres accablantes écrites par Robert, je vous demande de me verser deux mille livres. Pour les autres, nous verrons plus tard.

— Deux mille livres! Mais c'est énorme!

— Que voulez-vous, nous avons des goûts dispendieux!

— Je ne dispose pas d'une telle somme.

— Il faudra vous la procurer. N'avez-vous pas un

père et un ami, fort à leur aise l'un comme l'autre?

– Jamais je ne consentirai à mêler mon père à une pareille ignominie! Puisque vous savez tout, vous savez qu'il est en train de mourir.

– Vous allez donc, bientôt, faire un bel héritage! »

D'un bond, Marie se dressa de son banc, leva la main pour gifler l'insulteur.

Plus rapide qu'elle, il lui saisit le bras, l'immobilisa, le retint en l'air.

« Aucune femme ne me frappera. Jamais, dit-il d'une voix dure qui la glaça. C'est moi qui châtie, quand il y a lieu. »

Brusquement, son expression se transforma. Il se reprit à sourire.

« Il y a rarement lieu, continua-t-il. Je détiens d'autres moyens d'action... »

D'un mouvement prompt, il attira Marie contre lui, et, tout en maintenant de force les bras de la jeune femme derrière son dos, l'embrassa sur la bouche, la repoussa.

« Je préfère cette façon de procéder, affirma-t-il. Pas vous? »

Les yeux élargis, le visage en feu, Marie recula, buta contre le banc, trébucha, tomba assise à la place où elle s'était tenue jusque-là.

« Vous voyez bien qu'il est inutile de vouloir me résister, dit Amaury d'un ton railleur. Je viens toujours à bout de mes adversaires. Maintenant, reprenons notre entretien. Ou bien vous me faites parvenir dans les plus brefs délais la somme que je vous ai fixée, ou je fais circuler à travers tout Paris la première lettre, dûment recopiée, de votre cher mari. Vos enfants seront déshonorés, vous également, votre atelier délaissé, et toute votre famille se verra, de surcroît, éclaboussée par cette boue. »

Marie baissait la tête pour que l'homme ne vît pas

la peur qui la possédait. Elle avait l'impression d'être victime d'un tremblement de terre. Tout s'écroulait autour d'elle. Sa vie n'était plus que chaos et menaces.

Durant un moment, elle resta accablée, l'esprit en déroute. Puis, tout à coup, une évidence la traversa.

« Robert a été abattu, un soir, dans une ruelle, derrière la place de la Grève, reprit-elle. On lui a planté un couteau dans le dos. Le jeu était-il la cause de ce meurtre? Etiez-vous parmi ses assassins?

– Bien entendu, le jeu, les dettes, les difficultés au milieu desquelles votre mari se débattait, sont à l'origine de sa fin, admit Amaury avec un parfait naturel. Il faut se lever tôt, chère dame, pour ne pas se brûler les ailes à ces sortes de passe-temps! Robert était très fort, je le reconnais volontiers, mais il ne s'est pas assez méfié de son entourage. Etrangement, il suffisait d'être des nôtres pour obtenir sa confiance. Seuls, les gens passant pour irréprochables éveillaient ses soupçons, car il était persuadé qu'un vice commun et des forfaits partagés créent des liens indestructibles. Apparemment, il se trompait. Par ailleurs, il m'est revenu qu'il se faisait tirer l'oreille depuis quelque temps pour régler à ses complices ce qu'il leur devait. L'un d'entre eux s'est énervé... Je puis toutefois vous assurer que je ne suis pas celui-là.

– Vous connaissez le nom du meurtrier?

– Qu'importe? Les morts ne ressuscitent plus, de nos jours. Dévoiler ce nom serait bien inutile pour vous, et dangereux pour moi. Dans notre confrérie, on ne se dénonce pas. Non par grandeur d'âme, vous vous en doutez, mais par prudence. Entre gens de sac et de corde, le mutisme est de rigueur. »

Tout en prodiguant à son interlocutrice des

leçons de truanderie, il semblait s'amuser à remuer toute cette fange.

Les épaules courbées, la tête basse, Marie se tassait sur son banc. Par-delà la mort, Robert entraînait sa famille dans une sarabande infernale dont il avait été, lui-même, de son vivant, le meneur et la proie. Deux ans après sa disparition, il détruisait la paix de son foyer et faisait retomber sur les siens les conséquences de son assujettissement au Mal. Thomas et Agnès eux-mêmes, s'étaient vus frappés par les lointains effets de son infamie. Sa femme et ses enfants allaient être souillés à leur tour.

« Le fossé qui n'a pas cessé de s'élargir entre nous venait donc de là! songeait la jeune femme. J'ignorais la réalité, mais je devais la pressentir obscurément... C'est sans doute pour cela que je n'ai pas été vraiment surprise, tout à l'heure, en apprenant la vérité sur les ignobles trafics de Robert! L'insensibilité qui me blessait tant en lui n'avait pas d'autre cause. »

« Alors, chère dame, que décidez-vous? »

Amaury s'impatientait. Marie se redressa.

« Je vous l'ai déjà dit : je n'ai pas deux mille livres.

– Demandez-les donc à Côme Perrin. Les merciers sont gens riches, et votre ami est un des plus prospères d'entre eux sur la place de Paris.

– J'aimerais mieux mourir que de le solliciter pour une chose pareille!

– Fort bien. Par le Saint-Voult! Je ne vais pas attendre plus longtemps votre bon plaisir! Demain matin, à l'aube, la première lettre de Robert sera placardée sur les murs de la ville et je puis vous assurer qu'elle ne passera pas inaperçue! Les proches des disparues ne vont pas tarder à faire parler d'eux et à vous prendre à partie, vous et les vôtres! »

Marie se leva. Elle tremblait encore tout entière,

mais c'était à présent de colère autant que de dégoût.

« Puisque vous ignorez la pitié, je vais faire en sorte de m'arranger pour réunir les fonds nécessaires, mais il me faut un peu de temps.

– A votre aise. Je vous conseille cependant de ne pas tarder. Nous sommes pressés.

– Une semaine, peut-être un peu plus...

– Je vous donne rendez-vous ici, à la même heure, dans sept jours exactement. Si vous vous dérobez, de quelque façon que ce soit, la première lettre de votre époux sera divulguée sans plus attendre.

– La première lettre! Mais les autres? Y en a-t-il beaucoup?

– Il y en a plusieurs.

– Et chacune d'elles...?

– Chacune devra être rachetée au même prix.

– C'est ma ruine que vous voulez! Je ne me laisserai pas faire. »

Elle trouvait, maintenant, dans son indignation même, la force de le combattre. Après l'accablement qui avait suivi les révélations d'Amaury, une révolte de tout son être dressait la jeune femme contre son tortionnaire. Il le comprit, changea de méthode, se reprit à sourire.

« Je vous rappelle que je ne parle pas en mon nom propre, mais en celui d'une confrérie de gens qui n'ont qu'un désir : bien vivre. Nous ne voulons de mal à personne, mais il ne fait pas bon se mettre en travers de notre chemin, c'est tout. Ce n'est pas votre ruine que nous recherchons, mais notre enrichissement. Pas plus, pas moins. A vous d'agir en conséquence. »

Il avait retrouvé sa désinvolture moqueuse.

« J'aviserai, dit Marie.

– Nous voici donc d'accord, dame. Nous avons assez longtemps interdit aux fidèles l'accès de cette chapelle. Le moment me paraît venu de nous quitter, mais, avant de nous séparer, je tiens à vous mettre en garde contre toute indiscrétion à propos de ce que nous venons de dire céans. Si vous en parlez à qui que ce soit, si le moindre bruit de tout ceci filtre à l'extérieur, vos enfants en répondront. Tenez-vous-le pour dit! »

Il se dirigea vers les mendiants, leur parla à voix basse.

« A la semaine prochaine, dame, dit-il en se retournant vers la jeune femme, et n'oubliez pas de venir. C'est un conseil d'ami que je vous donne là. »

Il la salua avec ce surprenant mélange de courtoisie et d'intimidation qui semblait sa manière d'être naturelle, et s'en alla. Les mendiants le suivirent.

En se retrouvant dans l'église, au milieu des groupes animés, des couples qui chuchotaient, des enfants qui jouaient, Marie se demanda si son imagination ne venait pas de lui jouer un tour. L'horreur qui ressortait de ce qu'elle venait d'entendre paraissait inimaginable en ce lieu si paisiblement voué à Dieu.

La jeune femme foulait les dalles jonchées d'herbe verte avec une curieuse sensation d'irréalité. Comme projetée hors d'elle-même, elle se mouvait dans une sorte de songe douloureux.

La lumière éclatante du dehors la surprit : elle l'avait oubliée.

Machinalement, elle se dirigea vers son logis. Elle demeurait sous le coup des divulgations qui venaient d'ébranler les assises de son existence, et ne réussissait pas à reprendre pied dans sa vie quotidienne.

Comme elle parvenait chez elle, elle aperçut un valet de la rue des Bourdonnais qui semblait l'attendre.

« Mon père...?

— Maître Brunel se porte toujours de même, dit le jeune garçon. Je suis seulement venu vous annoncer l'arrivée de votre sœur, dame Thomassin, qui m'a envoyé vous prévenir. »

Marie entra chez elle donner quelques instructions succinctes à ses ouvriers enlumineurs, et repartit.

Toute à ses pensées, elle suivit le valet sans savoir quelles rues elle empruntait. La venue de Florie ne suffisait pas à la tirer de son cauchemar.

Ce fut seulement en pénétrant dans la cour de la maison de son enfance, en retrouvant les bruits, les odeurs, les objets de son passé, qu'elle émergea de cet état d'absence.

Florie et Philippe l'attendaient dans la salle, autrefois si vivante, et à présent figée dans son inutilité.

« Vous êtes venus tous deux!

— Bien sûr! Vous savez, ma sœur, que j'ai le plus attentionné des époux! »

Marie croyait surtout savoir que, prisonniers du rôle de tendres conjoints qu'un passé sans merci leur avait forgé, ils ne pouvaient plus se permettre de se traiter mutuellement avec la liberté toute simple de ceux qui n'ont rien à prouver.

« Je suis heureuse que vous soyez là, dit-elle. J'ai tant de préoccupations ces temps-ci, que je n'ai plus la force de supporter seule les affres d'une agonie qui peut se prolonger encore longtemps.

— Voir notre père dans un état si dégradant, si pénible, et ne rien pouvoir pour le soulager, est intolérable, dit Florie avec des larmes dans la voix.

— N'y a-t-il plus aucun espoir d'une amélioration? » demanda Philippe.

Où était le jeune trouvère d'antan? Sa joie de vivre, sa vitalité rieuse, ses espérances...?

Marie se souvenait d'un mariage printanier où elle s'était tellement amusée...

A trente-sept ans, Philippe en paraissait dix de plus. Maigres, burinés, ses traits, durcis par le malheur, puis par la volonté d'y faire face, lui composaient un masque d'ascète. Son nez était plus saillant, ses yeux plus enfoncés, ses tempes creuses.

Mélancolique et assagie, Florie ornait de vêtements aux tendres couleurs, et de quelques bijoux de prix, une beauté fanée qui, elle aussi, paraissait rongée de l'intérieur.

Toute sa famille savait qu'elle considérait sa stérilité comme un châtiment mérité, mais ne s'en consolait pas.

« Je voudrais me rendre sans tarder auprès d'Agnès, disait-elle justement. Nous ne sommes pas de grand secours sous ce toit et notre père n'est plus en état de nous reconnaître. En revanche, la pauvre enfant doit avoir besoin de réconfort après une si malheureuse aventure!

— Vous lui manquez certainement », admit Marie, tout en songeant que Thomas occupait bien davantage les pensées de l'adolescente que ses parents adoptifs.

Tiberge-la-Béguine entra.

« Dînerez-vous céans, tous trois? s'enquit-elle. Il me faut le savoir pour faire préparer un repas.

— Merci, Tiberge, dit Marie, mais nous partons tout de suite, ensemble, pour Gentilly. »

Elle venait de se décider tout d'un coup à aller trouver Mathieu Leclerc. A défaut de son propre père, à qui elle ne pouvait plus demander assistance, et contrairement à Côme qu'elle refusait de mêler à d'humiliantes transactions, elle se tournerait vers son beau-père. Tout autant concerné qu'elle-même par les agissements de son fils, il était le seul qu'elle pût mettre au courant des exigences des anciens complices de Robert.

Dans les écuries de maître Brunel, des montures fraîches attendaient le bon vouloir des voyageurs dont les chevaux se remettaient des fatigues de la route.

Philippe prit Florie en croupe et Marie monta une mule qui lui était réservée par Etienne et qu'elle utilisait assez souvent.

Au milieu des allées et venues des Parisiens qui vaquaient à leurs occupations avec une certaine nonchalance, sous le grand soleil d'août, les cavaliers traversèrent la Cité, franchirent les ponts, et gagnèrent la porte Saint-Victor.

La route qu'ils empruntèrent suivait d'assez près le cours de la Bièvre, traversait les bourgs de Saint-Victor et de Saint-Marcel, pour se diriger ensuite, à travers vergers, vignes et champs, vers Gentilly et Arcueil.

On moissonnait partout. Vêtus de chemises de chanvre largement échancrées, aux manches roulées sur le haut des bras, les jambes nues, les pieds dans des sandales, de grands chapeaux de paille sur la tête, les paysans, armés de faucilles, tranchaient à mi-hauteur les tiges de blé, afin de laisser sur place des chaumes encore hauts pour les bêtes. Dans le but de s'encourager mutuellement, ils poussaient des cris rythmés auxquels répondaient ceux des lieurs de javelles qui se manifestaient ainsi chaque fois qu'ils craignaient de prendre du retard.

Derrière les gerbes mises en tas, des femmes et des enfants glanaient les épis et les grains oubliés.

La chaleur n'ayant pas cessé depuis le début de l'été, il n'avait guère plu durant juillet ni en ce début d'août, tout aussi sec. La poussière soulevée par les piétinements et l'agitation flottait, diffuse, au-dessus des travailleurs. La terre de la route, crevassée de sécheresse entre ses talus roussis, formait de petits nuages poudreux sous les pas des chevaux.

En dépit du voile dont Marie avait enveloppé sa coiffure de lingerie avant de partir, la sueur coulait sur son visage et d'âcres gouttelettes lui piquaient les yeux. Suivant le couple formé par Florie et Philippe, la jeune femme tentait de mettre un peu d'ordre dans ses pensées, de réfléchir posément à ce qui s'était passé dans la chapelle de Saint-Eustache. Ce n'était pas facile! En son esprit, tout se confondait. Elle avait été bernée pendant des années par un homme qui partageait sa vie et, pourtant, lui cachait l'essentiel de ses activités. Son mari avait été un joueur et un criminel!

Cette découverte se doublait d'une autre, également honteuse, mais qui, cette fois, se rapportait à elle. L'aventurier qui lui avait dévoilé ces abominations exerçait sur elle un attrait inavouable, où horreur et fascination se confondaient étroitement!

« J'avais cru qu'il m'avait remarquée pour moi-même, non par vénalité! » C'était cette constatation indécente, stupide, qui était la plus dure à admettre. Si elle ne l'avait pas si intimement perçue, elle aurait juré que c'était impossible!

La colère prenait alors la relève : « Il a eu l'audace de m'embrasser comme une de ses ribaudes! »

Puis l'obsession dominante revenait : « Comment vais-je pouvoir me procurer la somme exigée? Le sort de mes enfants en dépend! »

Plus elle y songeait, plus il lui paraissait nécessaire de se confier à son beau-père, de voir avec lui ce qu'il convenait de faire, du moins pour ce qui était de l'argent...

En retrouvant les ombrages de Gentilly, les cavaliers éprouvèrent un bien-être profond... Ils abandonnèrent leurs montures entre les mains de Jannequin et pénétrèrent dans la maison.

A l'abri de ses volets fermés sur la fraîcheur des dalles, à l'abri de ses murs épais, la demeure des champs leur parut merveilleusement accueillante.

Eudeline-la-Morèle les reçut. Maître Leclerc était dans sa chambre, et les enfants se baignaient dans la rivière. Dame Charlotte se tenait au chevet d'Agnès.

En gravissant l'escalier qui menait à la chambre de la malade, au premier, ils entendirent, venant jusqu'à eux de plus en plus distinctement, des notes de musique, basses et ardentes, qui accompagnaient un chant inhabituel, aux sonorités orientales.

Ce ne fut qu'en pénétrant dans la pièce qu'ils comprirent ce dont il s'agissait. A gauche du lit où Agnès était étendue sous un drap de toile fine, Djamal jouait du rebab. La tête penchée, le jeune homme maniait avec un air inspiré le court archet de son instrument. D'origine arabe, cette sorte de simple vièle à deux cordes produisait des sons graves qui soutenaient parfaitement la mélodie chantée par l'Egyptien.

En voyant entrer les parents de l'adolescente, le musicien s'interrompit. Agnès, qui tenait les yeux fermés, les ouvrit.

Elle avait beaucoup maigri; la peau de son visage et de ses mains accusait une ossature si fragile qu'elle en paraissait enfantine.

« Ma petite fille! s'écria Florie. Ma pauvre petite fille! »

Charlotte Froment, qui lisait près de sa patiente, se leva pour embrasser les arrivants que Djamal saluait à son tour.

« Vous voyez, ma mère, murmura Agnès. On me tient fidèlement compagnie... »

Sa faiblesse était si manifeste qu'il semblait qu'esquisser l'ombre d'un sourire dût l'épuiser.

Florie l'embrassa avec précaution.

« Une mauvaise fièvre m'a retenue loin de vous plus longtemps que je ne l'aurais voulu, expliqua-t-elle, et nous avons dû nous arrêter à Blois pour mettre Jeanne au courant de l'état de notre père. Elle est encore grosse et ne peut songer à venir avant son terme, mais depuis que j'ai appris votre accident, je n'ai pas cessé de penser à vous.

– Je sais, ma mère, je sais. Je suis heureuse que vous ayez pu venir, en dépit des fatigues du voyage. Votre présence me fait du bien. »

Elle peinait à parler et suffoquait aussitôt.

Devant la fenêtre aux volets mi-clos, la physicienne s'entretenait à voix basse avec Philippe.

« Quelle bonne idée vous avez eue, Djamal, dit Marie en s'approchant du jeune homme, de venir chanter au chevet de notre blessée. La dernière fois que je suis passée la voir, elle m'a parlé de vos visites et du plaisir qu'elles lui causent.

– Voir Agnès guérir est mon plus cher désir, reconnut le musicien de sa voix un peu rauque qui donnait un accent émouvant à ses propos. Je ne me console pas de l'accident qui lui est arrivé.

– Il faut être patient. Ses fractures sont en train de se ressouder. Dès qu'elle pourra se lever, sa santé s'améliorera.

– Dieu vous entende! »

Djamal n'avait pas renoncé à ses espérances. En retenant Agnès loin de Thomas et de leur scandaleuse passion, l'accident survenu à l'adolescente servait ses projets. Aussi venait-il fort souvent la voir. Seul ou en compagnie de Gildas et d'Ursine. Mais il se trouvait parfaitement libre de lui-même puisque l'Université était encore fermée. Retenus à la ville par leur métier de brodeurs, le frère et la sœur ne pouvaient pas se déplacer aussi facilement que lui.

Soupirant évincé, il jugeait miraculeux d'avoir

retrouvé Agnès après les affreux moments vécus lors de sa fuite avec Thomas. Dans ce retournement d'une situation qu'il avait estimée perdue, il croyait voir un signe. Grâce à ses dons de musicien, il apportait à la malade distraction et oubli de ses peines. Du moins voulait-il s'en persuader...

Thomas absent pour longtemps, le résultat de ses démarches incertain, n'y avait-il pas une chance nouvelle pour l'amoureux fidèle qui occupait la place? Agnès ne se lasserait-elle pas d'un attachement que tout condamnait?

Sans oser en parler ouvertement, le jeune Egyptien songeait que les insurmontables difficultés auxquelles se heurtaient les malheureux cousins, favorisaient sa cause. Il lui suffisait de patienter en se rendant indispensable...

Les sentiments outranciers, se disait-il, sont rarement durables. Une fois guérie, l'adolescente pourrait bien en venir un jour à comparer les avantages que lui offrait l'étudiant étranger, aux complications sans fin qu'elle aurait à subir d'un amour impossible.

Au bout d'un bref moment de conversation avec lui, Marie sut à quoi s'en tenir sur les intentions secrètes de Djamal : toujours aussi épris, il attendait son heure.

Charlotte Froment se rapprochait du lit où gisait Agnès à laquelle Florie montrait les chemises de soie et les souliers de velours brodé qu'elle lui avait apportés.

Sous la coiffure de toile blanche qui recouvrait ses cheveux afin de les protéger, le mince visage s'animait un peu. Du rose lui montait aux pommettes et ses yeux brillaient d'un éclat qui n'était pas uniquement dû à la fièvre.

« Ne vous agitez pas, ma mie, recommanda la physicienne. Il ne faut en rien compromettre le lent travail que la nature opère en vous. »

Entre les beaux draps immaculés, le corps souffrant était toujours étroitement maintenu par de légères planches de bois qu'enserraient des bandelettes. Le chirurgien venait les changer à date fixe.

« C'est si long! soupira la jeune fille.

— Il s'agit aussi d'un sérieux raccommodage! s'exclama Charlotte. Il ne faut pas oublier, mon enfant, que vous étiez en morceaux! Ce n'est pas en un jour qu'on nous a faits, ce n'est pas en un jour qu'on peut nous refaire! Le temps, voyez-vous, est parfois le meilleur allié des médecins et de la médecine! »

Marie profita du moment où l'attention de tous était tournée vers la malade, pour sortir de la pièce.

Il était urgent qu'elle ait une conversation avec son beau-père.

Contrairement à ce que croyait Eudeline-la-Morèle, il n'était pas dans sa chambre.

Marie descendit et entra dans la cuisine où Gerberge, tout en houspillant Almodie qu'elle jugeait paresseuse, s'affairait à dresser sur un plateau de jonc tressé de beaux fromages de Brie et de Chaillot.

« Notre arrivée inopinée va vous donner du travail en plus, dit la jeune femme. Nous n'avons pas eu le temps de vous faire prévenir, car notre venue a été décidée au pied levé.

— Par sainte Marie! on ne me prend pas facilement sans vert! assura la grosse femme avec complaisance. J'ai toujours quelques pâtés en réserve et, justement, j'en ai fait cuire, hier au soir, un de brème et de saumon qui ne demande qu'à être mangé. Et, dans la marmite que vous voyez là, je viens de rajouter un second quartier de porc pris au saloir. Avec les choux, les raves, et les fèves qui mijotent depuis le début de la matinée vous aurez de quoi vous remplir la panse! Sans parler de ces fromages, et des salades toutes fraîches qui viennent du jardin : j'ai de la roquette, de la mâche, et même de la pimprenelle!

– Je savais bien que vous ne nous laisseriez pas mourir de faim, Gerberge, et ne m'en suis pas inquiétée un seul instant. Je passais seulement vous demander si vous saviez où se trouve maître Leclerc. Il n'est pas dans sa chambre.

– Pour sûr! Il est au fruitier, en train de ranger les poires cueillies ce matin par Lambert. Vous savez combien il tient à surveiller lui-même ses fruits. »

Marie connaissait le soin avec lequel son beau-père s'occupait de son domaine en général et de son verger en particulier.

De l'autre côté de la cour, non loin des écuries, s'élevait une remise au premier étage de laquelle on avait fait installer un fruitier. En poussant la porte, la jeune femme reconnut aussitôt l'odeur de paille et de maturation qui stagnait toute l'année entre les murs de la longue pièce.

Tout autour, sur trois rangs, des planches s'alignaient les unes au-dessus des autres. En automne, chacune d'elles croulait sous les pommes, les coings, les marrons, les poires, les nèfles ou les noix qu'on y disposait. Une émanation aigrelette, douceâtre, un peu sure, mais tenace, s'exhalait de leur bois imprégné du suc des fruits dont les senteurs, ainsi que des âmes, survivaient, immatérielles, à la consommation de leur chair.

Comme on était au cœur de l'été, seules quelques travées se trouvaient occupées. Sur la couche de paille fraîche qui les recouvrait, Mathieu Leclerc, le dos tourné à la porte, disposait avec précaution de belles poires jaunes et vertes.

Il faisait assez sombre dans la pièce que n'éclairaient que d'étroites ouvertures, afin de laisser les fruits dans la demi-obscurité favorable à leur conservation.

« Dieu vous garde, mon père! »

L'homme vieillissant se retourna. Quand on le surprenait ainsi, à l'improviste, son regard paraissait toujours flou, comme étonné.

« Vous! Ma fille! Je ne vous attendais pas avant la fête de la Dormition de la Vierge!

– Je ne pensais pas, en effet, venir à Gentilly plus tôt, mais un grave événement s'est produit ce matin. Il m'a forcée à avancer ma visite. J'ai à vous parler, mon père. »

Mathieu Leclerc désigna quelques vieux escabeaux de bois placés près des deux petites fenêtres donnant sur la cour.

« Voulez-vous rester ici, ou préférez-vous regagner la maison?

– Du moment que nous y sommes seuls, cet endroit fera l'affaire. »

Délaissant les paniers de poires, l'ancien maître enlumineur vint prendre place auprès de sa belle-fille. Il était si maigre que ses genoux pointaient comme des échalas sous sa cotte foncée.

Marie ne savait pas comment entamer une conversation qui serait cruelle au père de Robert. Elle n'ignorait pas que la mort de son fils unique avait été pour lui une épreuve très dure et que les conditions de cette fin l'avaient horrifié. Et voilà qu'à la douleur d'un deuil irréparable, allait s'ajouter la découverte des abominables circonstances dans lesquelles le crime avait été commis!

« Vous semblez embarrassée...

– Ce que j'ai à vous apprendre est affreusement pénible, mon père, dit Marie en avalant sa salive. Attendez-vous à une profonde blessure, à beaucoup de peine. »

Un temps.

« Il s'agit de Robert. »

Mathieu Leclerc se raidit, son visage se contracta, ses yeux se troublèrent.

« En sortant de la messe, tout à l'heure, j'ai été abordée par un homme qui... »

Il fallait tout dire, ne sauter aucun détail, ou presque, répéter le navrant récit, les accusations, parler des preuves qui dénonçaient la connivence du mort avec ses meurtriers, des maudites lettres, en venir aux menaces de révélation, à la demande d'argent... Marie s'exprimait d'une voix rapide, monotone, comme étouffée par l'horreur d'avoir à évoquer tant d'infamies.

« Si, d'ici huit jours, je n'ai pas apporté à ce... truand, la somme qu'il exige, nous serons tous perdus d'honneur, termina-t-elle sombrement. Je ne pouvais pas, mon père, vous le dissimuler, car je suis sans arme devant un pareil péril, et ne sais que faire. »

Mathieu Leclerc avait incliné la tête sur sa poitrine, joint ses mains osseuses sur ses genoux, et écouté sa belle-fille sans l'interrompre une seule fois. Quand elle se fut tue, il resta encore un moment silencieux.

« Je savais que Robert me cachait bien des choses, dit-il enfin, mais je n'aurais jamais pensé qu'il fût tombé si bas... jusqu'au crime! »

Il se leva, s'appuya contre le cadre étroit de la fenêtre ouverte, regarda au-dehors d'un air absent.

« Mon fils, mon propre fils, déshonoré! Un criminel, un scélérat, pourvoyeur de femmes, joueur... Rien ne pouvait être pire! » dit-il d'une voix cassée.

Il était si profondément atteint qu'il ne songeait pas même à dissimuler les effets de son émotion. Étouffé par les sanglots qui obstruaient sa gorge, il n'était plus en état de s'exprimer. Il demeura silencieux un moment, tout en secouant la tête de droite et de gauche, dans un mouvement dérisoire de négation.

Marie remarqua que le menton de son beau-père tremblait comme celui de certains vieillards séniles.

Une pitié mêlée de gêne envahissait la jeune femme. Avoir eu à évoquer la pestilence des vices humains dans cet endroit paisible où flottait en permanence l'odeur saine des fruits de la terre, accentuait son malaise. Elle ressentait cette offense à l'ordre de la nature comme un acte indécent.

Le désespoir de ce père déchiré ajoutait un élément d'impuissance à sa propre angoisse. Que lui dire? Quel adoucissement lui apporter? Il avait aimé Robert, lui! A cause de cette grande tendresse trahie, il souffrait bien davantage que l'épouse depuis longtemps déçue et détachée!

« Je n'ai envisagé, pensait-elle, que les effets possibles des menaces qu'on m'a faites. Pour mes enfants et pour moi. L'aspect pratique l'a emporté sur les autres considérations. La nécessité de trouver l'argent exigé m'a plus retenue que le triste sort de mon mari... Pas un instant, je ne me suis sentie solidaire de ses mauvaises actions. Mon Dieu! Je dois être une femme sans cœur pour ne pas avoir éprouvé la moindre compassion envers lui... Après l'avoir épousé à l'aveuglette, j'en suis venue à le rejeter loin de moi, bien longtemps avant d'être mise au courant de ses forfaits. »

Elle se revoyait, un certain soir d'automne, à peine quelques mois après son mariage, marchant dans les feuilles jaunes, rouges et rousses qui jonchaient le chemin de Gentilly. L'odeur d'un feu de broussailles emplissait ses narines. C'était là, au sortir du petit bois, à ce moment précis, qu'elle s'était interrogée pour la première fois sur la réalité d'un attachement dont elle constatait chaque jour un peu plus l'affadissement. Le pâle reflet qui l'avait faussement éclairée s'effaçait déjà, la laissant découvrir avec effroi et consternation qu'elle se détachait inexorablement de celui auquel elle avait lié ses jours. L'avait-elle seulement aimé? Ce qui s'appelle « aimé »? L'attrait ressenti n'avait-il jamais été autre chose qu'une poussée plus aiguë de son imagination? La disparition de sa mère l'avait précipitée dans les bras du premier venu et son âme romanesque avait brodé de soie la trame grise... En vérité, elle n'avait rien fait d'autre que d'affubler d'un visage masculin ses chimères amoureuses.

Parmi les feuilles que le vent d'octobre détachait des branches, qu'il éparpillait autour d'elle avant de les amonceler à ses pieds, une froide certitude avait alors glacé son âme : elle s'était trompée, n'avait pas su choisir son compagnon, et c'en était fini de ses espérances conjugales... Elle se souvenait de son déchirement. Quoi? Le temps des amours, pour elle, était déjà enfui? Les joies dont l'approche avait secrètement enfiévré sa jeunesse auraient tenu si peu de place dans sa vie?

A y bien réfléchir, dès le soir de ses noces, elle s'était sentie déçue, obscurément. En dépit de son manque d'expérience, il lui avait paru que Robert ne participait pas pleinement aux plaisirs de l'amour, qu'ils ne comblaient pas ses vœux. Par la suite, elle avait constaté le peu de reconnaissance qu'il lui témoignait après leurs étreintes, le manque de gratitude dont il faisait preuve à son égard, et à quel point ce jeune mari demeurait, dans un domaine où tout doit être spontané, loin de ressentir la moindre complicité charnelle. A mille petits faits qui témoignaient de la sécheresse de leurs échanges, elle avait su qu'elle ne devait attendre de lui aucun élan, mais une sorte d'indifférence doublée d'une gaieté de commande, qui masquait fort mal le soulagement ressenti à la fin d'une corvée...

Elle savait, à présent, que les désirs de l'homme qui avait partagé sa couche étaient tout autres, que le jeu et les filles l'intéressaient uniquement et qu'il n'avait fait que se prêter à un simulacre. Elle en frissonnait de répulsion... Mais si ses suppositions étaient justes, pourquoi, alors, l'avait-il épousée? Mis à part leur goût commun pour l'enluminure, qu'avaient-ils partagé? Ils avaient vécu dans une sorte d'inattention mutuelle, de détachement admis, qui leur avait tenu lieu de sentiment. Courtois, mais lointain, Robert avait, finalement, incarné pour elle le personnage même du désamour.

A force d'y penser, elle en venait à se dire que c'était lui qui avait tous les torts et qu'elle n'était pas une femme au cœur sec. De se découvrir ainsi des excuses, lui permettait par la même occasion de s'absoudre de la sensation de délivrance éprouvée à la disparition d'un homme qu'elle avait si aisément remplacé...

Mathieu Leclerc se retourna vers elle :

« Ma fille, dit-il d'un ton affermi, vous avez bien fait de venir me parler. Je porte la responsabilité d'avoir engendré, puis élevé, ce fils que j'ai tant aimé, sans avoir su, hélas, en faire un honnête chrétien. Il est juste que le poids de ses fautes retombe sur moi et que j'aie à faire face aux suites des méfaits qu'il a commis... »

Une nouvelle fois, sa voix sombra. Il attendit un moment, le visage détourné, que la vague d'émotion fût retombée.

« Mon père, dit Marie, compatissante, en se rapprochant de lui et en posant ses doigts sur le poignet aux rides profondes, mon père, vous ne pouvez savoir combien il m'a été pénible de vous révéler ces affreuses choses... »

Le vieillard recouvrit de sa main aux veines saillantes les mains de sa belle-fille.

« Le moyen de faire autrement? Vous êtes,

Marie, comme tous ceux qui se sont fiés à Robert, une victime du mauvais génie qui l'habitait... Ah! voyez-vous, mon enfant, les temps sont en train de changer. Mécontent de nous voir vivre pieusement sous un roi juste et pacifique, le Prince de ce monde cherche à nous reprendre en main, à nous courber de nouveau sous son joug. J'ai bien peur que ce siècle ne se termine mal... Il y a encore quelques années, une déchéance comme celle de mon fils eût été inconcevable. Dans ma jeunesse, on servait Dieu comme nos pères l'avaient fait; à présent, on se met au service de l'Adversaire et on s'en félicite. Le Mal est sur nous! »

Il s'interrompit, comme si l'inspiration prophétique qui venait de le faire parler le quittait. Il ferma les yeux, resta un moment silencieux.

« Reposez-vous sur moi, ma fille, reprit-il enfin d'un ton différent. Sachez que je ne vous laisserai pas un jour de plus vous débattre seule contre cette horde de loups!

— Je suis venue vers vous parce que vous étiez mon unique refuge, avoua Marie. Je savais pouvoir compter sur votre aide, mais encore plus que moi, vos petits-enfants ont besoin que vous veilliez sur eux, sur leur tranquillité. Vous et moi pouvons, en dépit de notre souffrance, accepter l'affreux héritage de leur père et tâcher d'y porter remède. pas eux. Ils sont trop neufs. Notre premier devoir est de les tenir loin de cette affaire, hors de portée de cette boue.

— Je comptais bien le faire. Vous savez comme ils me sont chers... Ne vous tourmentez plus, ma fille, je vais vous décharger de ce terrible fardeau. Pour commencer, il faut payer la somme qu'on nous réclame. Ce règlement me revient de droit. J'en ai pour quelques jours à réunir les fonds nécessaires, mais je dispose d'économies qui me permettront d'envisager sans trouble cette échéance. Dès que je disposerai de l'argent, je vous le remettrai afin que vous alliez le porter à ces truands sans retard.

— Ils en réclameront d'autre.

— Il faudra aviser. Vous savez aussi bien que moi que nous ne sommes guère riches, car les métiers d'art ne sont point commerce, mais je vendrai jusqu'à cette maison s'il le faut plutôt que de vous abandonner aux sollicitations de telles gens. Je connais à Paris un usurier...

— J'espère bien que vous n'aurez pas à en arriver là, mon père! Au besoin, je compléterai la somme exigée en demandant à plusieurs de nos clients qui sont en retard pour me payer, de me régler ce qu'ils me doivent.

— Parons d'abord au plus pressé, ma fille. Ensuite, nous agirons ensemble, selon les exigences de nos tortionnaires, afin de racheter toutes les lettres de Robert, sans exception. C'est essentiel. Pas une seule ne doit traîner en des mains qui seraient tentées d'en faire encore mauvais usage, et gardons-nous d'en parler à qui que ce soit. Il faudra nous astreindre tous deux à un silence absolu. Personne, sous aucun prétexte, ne doit jamais être mis au courant de tout ceci. Notre intérêt, celui des enfants, veulent que nos transactions ne s'ébruitent pas, qu'elles demeurent ensevelies dans nos mémoires... ce sera bien assez! »

Il soupira comme pour chasser des miasmes loin de lui, se redressa, jeta un regard vers la cour où passait Jannequin, porteur de deux seaux d'eau, maintenus en équilibre à chaque bout d'une perche qui lui barrait les épaules.

« A présent, dit-il, venez, Marie. Sortons d'ici. Je terminerai plus tard mes rangements.

— J'ai omis de vous dire, mon père, que ma sœur Florie et son époux étaient venus avec moi à Gentilly pour voir Agnès reprit la jeune femme. Je vais repartir comme eux, ce tantôt, pour Paris, afin de mettre à jour mon travail. Si vous le voulez bien, je reviendrai demain, en fin de journée, sans attendre la fête de la Dormition comme il était prévu. Pour si peu de temps, l'atelier fonctionnera parfaitement sous la férule de Denyse-la-Poitevine. Elle s'y entend. Je préfère passer cette semaine auprès de mes enfants.

— Vous savez bien que vous êtes ici chez vous, ma fille », dit Mathieu Leclerc.

Comme il ouvrait la porte du fruitier, Vivien, bondissant, apparut en haut de l'escalier de bois. Les cheveux mouillés, la cotte relevée dans sa ceinture pour courir plus vite, rieur, essoufflé, il traînait encore après lui des senteurs de rivière. Il se jeta contre la poitrine de Marie avec son habituelle impétuosité.

« Ma mère! Ma mère! Vous voici donc! »

Suspendu à son cou, il l'embrassait furieusement, frottait comme un jeune chat son nez contre la joue parfumée.

Insoucieuse de malmener sa délicate coiffure de lingerie, la jeune femme serrait de toutes ses forces l'enfant entre ses bras, couvrait de baisers le visage rond et saupoudré de taches de son ainsi qu'un abricot.

« Mon petit faon, mon bel ange, mon faucon blanc... »

Jamais, elle ne laisserait compromettre l'enfance de son fils ou de sa fille. Elle les défendrait, coûte que coûte, contre les manœuvres de ceux qui les menaçaient! Pour y parvenir, elle se ferait louve, s'il le fallait, afin de combattre les loups!

« Aude n'est point avec vous, mon cher cœur? demanda-t-elle. Je croyais que vous vous baigniez tous deux dans la Bièvre?

— Après le bain, elle n'a pas voulu venir avec moi. Elle a préféré repartir toute seule. Je ne sais pas où elle est. »

XIV

AUDE tressait une couronne d'épis pour la statue de la Vierge Marie. Elle irait ensuite l'offrir au curé de Gentilly, qui la bénirait avant d'en parer, dans la chapelle qui lui était dédiée, l'effigie de Notre-Dame. En même temps que la tresse de blé, toute la moisson qui s'achevait serait ainsi bénie.

Natter la paille était un travail minutieux. Assise à l'ombre d'un des pommiers plantés en bordure du champ, la petite fille entrelaçait avec des mouvements agiles les tiges dorées sommées des plus beaux épis qu'elle avait pu trouver. Comme sa mère, elle avait des doigts longs, fins, adroits.

Autour d'elle, les moissonneurs accordaient un moment à la quatrième pause de la journée. La cinquième coïnciderait avec le repas du soir. Commencé à l'aube, le labeur, coupé de répits durant lesquels on se reposait en mangeant et en buvant, tirait à sa fin.

Les fermiers de la Borde-aux-Moines, auxquels s'étaient joints des voisins de plusieurs autres fermes, en étaient arrivés au dernier jour de la moisson proprement dite. Ensuite, il y aurait le battage et l'engrangement.

Comme le temps était resté sec, tout s'était normalement déroulé et on en aurait fini à la date prévue en ce soir du quatorze août, qui précédait la fête de la Dormition. Le repas de clôture tombant la veille d'un jour férié n'en serait que plus copieux et plus gai. Pour la dernière fois, il réunirait tous ceux qui avaient partagé la peine et la fatigue, mais aussi les rires et les plaisanteries, au cours d'une soirée débridée où on ferait bombance, gaillardement!

Mais avant de se trouver attablé devant les chapons rôtis et les tourtes aux prunes, devant les pichets de vin clairet et de poiré, il convenait de terminer l'ouvrage commencé. Le moment de l'offrande de l'ultime gerbe, nommée gerbe de la maîtresse, qui serait présentée par le fermier meneur du travail à son épouse, n'avait pas encore sonné et il restait quelques toises à couper.

Les deux grands chars qui rentreraient la fin de la moisson, étaient déjà à moitié pleins et les bœufs de l'attelage s'occupaient à mâcher avec application l'herbe fraîche qu'on avait été ramasser pour eux au bord de la rivière. A l'imitation de leur maître, ils savouraient l'heure de none.

Installés sur le revers du fossé, à l'ombre des pommiers, les moissonneurs mangeaient du pain bis coupé en tranches épaisses, enduites de saindoux ou de fromage blanc relevé d'ail finement haché. Tout en se restaurant, ils buvaient à même les gourdes de peau du vin coupé d'eau qu'ils se versaient au fond de la gorge par brusques giclées bien envoyées. Pour étoffer leur collation, Léonard, Perret et Tybert-le-Borgne, qui, en dépit du peu d'amitié vouée par lui à ses voisins, était venu les aider avec sa fille Bertrade et d'autres paysans des alentours, détachaient avec leurs couteaux de longues lanières d'un jambon fumé pendu à une branche.

Assises en rond au pied du même arbre, la vieille Mabile, Catheau, la fermière de la Borde-aux-Moines, et plusieurs autres commères, étalaient leurs devantiers sur leurs sorquenies[1] de toile vive, afin de ne pas les tacher pendant qu'elles videraient leurs écuelles de lait caillé ou de bouillie d'orge. Dans les grands paniers posés à côté d'elles, des crêpes et des gaufres restaient enveloppées dans un linge propre, et leur odeur miellée attirait les guêpes.

« Vous n'avez pas faim, demoiselle? » demanda Catheau à Aude qui continuait à confectionner sa couronne avec application.

Sous le large chapeau de paille qui recouvrait la coiffe protégeant ses cheveux tirés, la forte figure de la fermière, luisante de sueur, était aussi colorée que le jambon que se partageaient les hommes.

« Je préfère terminer ma couronne, répondit la petite fille. Mais ne dévorez pas tout et laissez-moi du caillé et des crêpes! »

L'enfant se sentait bien. Elle aimait se trouver parmi les paysans. Surtout à cause de deux d'entre eux : la vieille Mabile qui continuait à lui enseigner les vertus des simples, et Colin.

Sous ses cils, épais et recourbés comme de légères plumes noires, Aude coula un regard aigu vers sa droite. Etendu dans l'herbe roussie, ses bras et ses jambes nus largement écartés, son couvre-chef rabattu sur le front, Colin dormait. A cause de la chaleur, il avait ouvert jusqu'à la taille la chemise flottante qu'il portait sur des braies de toile défraîchie, dont le bas avait été coupé au-dessus des genoux. Ainsi vêtu, son corps était à l'aise, et Aude s'emplissait les yeux du torse lisse, couleur de pain bien cuit, que le travail des champs avait modelé et que la sueur semblait avoir huilé. En dépit du bruit des conversations, des gros rires, des mouches, le fils cadet de Léonard dormait comme un bienheureux. Sa poitrine se soulevait régulièrement et Aude songeait qu'elle aurait aimé y poser sa joue.

1. Blouses de grosse toile.

« Je suis amoureuse, se répétait-elle avec excitation et ravissement. Amoureuse comme une grande fille de ce garçon qui est à mille lieues de s'en douter! »

Savourer cette constatation lui suffisait. Elle ne tenait pas à ce que l'intéressé en fût avisé. Avec délices, elle voyait réunis, au sein de cette dernière journée de moisson, les deux principes qui avaient rendu supportable un été si mal commencé : son culte pour Notre-Dame et son attirance pour Colin.

Se complétant l'un l'autre, ces sentiments emplissaient en partie le vide laissé en elle depuis la nuit de la Saint-Jean par l'affaiblissement de la passion qu'elle portait jusque-là à sa mère. Sur le coup, la découverte de la liaison de Marie et de Côme l'avait affreusement fait souffrir. Depuis toujours, sa tendresse filiale avait entouré la jeune femme d'un halo d'admiration qui se confondait presque avec une auréole. L'auréole était tombée dans la poussière de juin et le cœur transi de la petite dépossédée en avait tremblé de froid. Réfugiée aux pieds de la Vierge consolatrice, elle avait beaucoup pleuré avant de s'endormir en grelottant de chagrin.

La vénération et l'amour qu'elle vouait à sa mère lui faisaient subitement défaut, à elle qui avait un si impérieux besoin de vénérer et d'aimer. Par chance, au moment où elle avait été privée du support où s'appuyait toute sa jeune existence, une double occasion de croire et de s'attacher s'était offerte à elle. La Vierge qui l'avait protégée et gardée durant cette horrible nuit avait pris le relais de celle qui, troublante coïncidence, portait le même prénom, tandis qu'un sentiment nouveau s'était éveillé dans son cœur à la vue de Colin, dont elle n'avait jamais, les années précédentes, remarqué le charme rustique. L'équilibre indispensable à sa nature, mystique et sentimentale à la fois, s'étant trouvé, tant bien que mal, reconstitué, Aude avait connu des semaines dont l'angoisse était momentanément écartée au profit de toutes sortes de découvertes.

« Voilà! J'ai fini, dit-elle en posant la couronne achevée à côté d'elle. Je vais manger un petit peu et j'irai, ensuite, la porter à l'église. »

Elle but avec plaisir le lait caillé mélangé de miel, et dévora plusieurs crêpes froides en se léchant les doigts.

Les paysans se levaient, s'étiraient, remontaient leurs braies, retournaient au champ en crachant dans leurs paumes avant de reprendre faucilles et râteaux.

Colin, qui sortait du sommeil aussi aisément qu'il y entrait, s'était relevé d'un mouvement souple.

« Voulez-vous un morceau de crêpe? lui demanda Aude en lui tendant la moitié de la sienne dans laquelle elle avait déjà un peu mordu.

— Voilà une offre qui ne se refuse pas! s'écria le garçon en s'emparant de la portion de pâte dorée qu'il engloutit en quelques bouchées. C'est très bon. Merci, demoiselle. »

Il sourit à l'enfant, recoiffa avec ses doigts écartés ses cheveux drus, avant de remettre son chapeau de paille, puis s'éloigna.

« Il a mangé la crêpe que j'avais entamée! se dit Aude avec ivresse. C'est comme une sorte de communion d'amour! Mais je suis la seule à le savoir... »

Elle ramassa la couronne d'épis et s'en fut, le cœur en liesse.

Elle suivit le chemin de terre qui longeait les pommiers, et franchit une haie afin de traverser un autre champ, déjà moissonné. Parvenue au bout de l'étroit sentier, elle s'apprêtait à rejoindre la route de Gentilly quand elle s'entendit appeler. Se retournant, elle aperçut Blanche qui lui faisait de grands signes. Sa cousine était venue avec Djamal, Gildas et

Ursine, pour tenir compagnie à Agnès et passer à Gentilly les deux jours de fête.

« Votre mère vous demande, ma mie, dit la jeune fille dont la poitrine ronde se soulevait précipitamment sous la simple cotte de toile écrue qu'elle portait. Elle se plaint de ne pas vous voir autant qu'elle le souhaiterait. »

Depuis trois jours que Marie était à la maison des champs, l'enfant n'avait rien changé à ses habitudes et continuait à passer tout son temps avec les fermiers.

« Nous nous retrouverons pour le souper, répondit la petite fille avec impatience. Je dois aller à l'église offrir cette couronne que j'ai tressée tout spécialement pour la statue de Notre-Dame. Elle la portera dès ce soir et la gardera demain, pendant la procession.

– Puis-je vous accompagner ?

– Volontiers! Vous le savez bien, Blanche : je suis toujours contente d'être avec vous. »

Des liens d'amitié s'étaient noués entre les deux cousines depuis que Blanche, le lendemain de la Saint-Jean, avait retrouvé Aude dans la chapelle de la Vierge. En dépit de leur différence d'âge, une même façon de croire, intuitive et absolue, les rapprochait. Si l'aînée des deux, toute à son projet de prendre le voile, s'était absentée assez souvent depuis juin, elle n'en était pas moins revenue tenir compagnie à Agnès chaque fois qu'elle l'avait pu. Aude en avait profité pour avoir de longues conversations avec la future moniale qui comptait entrer au couvent dès le début de septembre. Ses parents étaient heureux de la voir se consacrer à Dieu et la laissaient libre de choisir l'ordre qui l'accueillerait.

Emerveillée par une vocation dans l'éveil de laquelle son rôle avait été incontestable, l'enfant harcelait sa cousine de questions sur la prière, la grâce, la manière dont on percevait l'appel divin, le choix difficile qu'il lui restait à faire entre les différents monastères qui s'offraient à elle.

Une fois encore, elles se mirent à parler de ces choses en se rendant à Gentilly où le curé leur réserva, à sa façon, un accueil brusque mais chaleureux. Il déposa la couronne sur l'autel de la Vierge en attendant de l'avoir bénie au cours de la messe du soir, remercia l'enfant, et retourna à ses préparatifs.

Les deux cousines s'en revenaient et traversaient de nouveau le champ moissonné qui précédait celui où s'affairaient les fermiers, quand un hurlement semblable à celui d'une bête forcée, les immobilisa l'une près de l'autre.

« Vierge Sainte! s'écria Aude en se signant trois fois de suite, qu'est-ce que c'est que ça? »

Blanche désigna deux vieux poiriers qui épandaient leurs branches chargées de fruits à l'extrémité des chaumes.

« Le cri vient de là! »

Relevant à pleines mains le bas de sa cotte, elle s'élança en direction des arbres. Aude la suivit si vite qu'elles arrivèrent en même temps au bout de la haie.

Assise sur le sol, le dos appuyé contre un des troncs écailleux, Bertrade, la fille aînée de Tybert-le-Borgne, venait d'accoucher.

Entre ses cuisses, gigotant sur un morceau de toile grège posé à même l'herbe sèche, un petit enfant, poissé de sang, poussait ses premiers vagissements.

« C'est un garçon! constata la jeune mère avec un sourire satisfait. Tant mieux. J'ai déjà quatre filles pour un seul petit gars. »

Avec la dextérité d'une habituée, elle se penchait, coupait avec ses dents le cordon ombilical, le nouait rapidement sur le ventre gluant du nouveau-né.

« Il faut l'essuyer à présent, dit-elle en s'adressant à Blanche le plus naturellement du monde. Heureusement que je m'étais ceint les reins de cette bande de toile avant de partir ce matin au travail. Je savais que mon terme était proche. Aussi, quand j'ai ressenti les premières douleurs de l'enfantement, j'ai quitté les autres pour regagner Pince-Alouette, mais ce petit drôle a été plus vif que moi et le voici né dans un champ! »

Elle riait.

« Il n'y a pas d'eau par ici pour le laver, remarqua Blanche, tout en essuyant l'enfançon dans la toile grège dont s'était munie Bertrade.

– Allez! J'ai l'habitude, dit la paysanne qui était en train de procéder à sa propre délivrance. Ce n'est pas la première fois que j'accouche au grand air, et ce ne sera certainement pas la dernière! »

La joie de vivre et le défi moqueur de son rire retentirent de nouveau.

Blanche frictionnait la poitrine et les jambes du nouveau-né qui paraissait solide et bien bâti.

« Il est beau, votre petit, dit-elle ensuite à la jeune mère. J'aimerais être sa marraine.

– On ne vous disputera pas l'emploi! lança Bertrade avec drôlerie. Les gens du pays commencent à trouver que j'enfante un peu trop souvent et ils ne se bousculeront pas pour tenir ce petiot-là sur les fonts baptismaux! »

Tout en parlant, elle s'essuyait tant bien que mal avec sa chemise tachée de sang, se relevait, restait un moment appuyée au poirier.

« Comment voulez-vous qu'on l'appelle? demanda-t-elle ensuite à Blanche qui berçait entre ses bras le nouveau-né pour qu'il cessât de crier.

– Je ne sais, dit la jeune fille dont le visage penché reflétait une joie attentive, je ne sais. Comme son père. »

Bertrade se reprit à rire.

« Dieu seul connaît le nom de ce père-là, demoiselle! Moi, en tout cas, je m'y embrouille! »

Et comme Blanche levait vers elle un regard interrogateur :

« Quand on est tombé le derrière dans une fourmilière, est-ce qu'on sait seulement quelle fourmi vous a piqué? dit-elle avec la tranquille impudeur dont elle ne se départait jamais.

— Ma foi, admit Blanche, tout cela n'a pas d'importance. De quelque façon qu'il ait été conçu, cet enfant est aussi innocent qu'on peut l'être. C'est ce qui compte. Si on l'appelait Louis, comme notre sire le roi, qui est si juste et si bon? Ce lui serait un excellent patronage.

— Va pour Louis, demoiselle! Je n'ai personne de ce nom-là dans ma couvée! Je vais demander au curé qu'on le baptise après la fête de la Dormition, et je le vouerai à Notre-Dame pour qu'elle le protège, ce pauvre petit bâtard!

— Je vais vous accompagner jusqu'à la ferme de votre père, dit Blanche. Il y a tout de même un bout de chemin à faire et vous devez vous sentir lasse.

— Point trop, je suis solide! répliqua Bertrade avec fierté. Mais je serais bien contente que vous veniez avec moi, demoiselle, pour m'aider à baigner mon petit, à lui nettoyer les yeux, et à le langer. La grand-mère qui garde son frère et ses sœurs est déjà trop occupée en temps normal pour trouver le temps de me donner un coup de main, même dans une occasion comme celle-là!

— Est-ce que je peux venir avec vous? interrogea Aude, qui n'avait rien dit jusque-là, entraînée par cet événement inouï dans un univers totalement inconnu.

— Non, non, ma mie, dit Blanche. Retournez vite à la maison. Il commence à se faire tard et votre mère doit s'inquiéter. Ne m'attendez surtout pas pour souper. Je resterai sans doute un bon moment à

Pince-Alouette pour m'occuper de Bertrade et de Louis. A tout à l'heure! »

Aude s'approcha de sa cousine, contempla avec un mélange vaguement nauséeux, de timidité, de curiosité et d'attirance, la petite créature rougeaude, aux cheveux noirs et collés sur le crâne, à la peau encore enduite d'un liquide cireux. Du bout d'un de ses doigts, elle toucha le front doux et fragile, recula avec une grimace souriante, et se sauva en courant.

Elle était hors d'elle-même.

« Ai-je poussé les mêmes cris, quand je suis sortie du ventre de ma mère? se demandait-elle avec stupéfaction. Ma mère a-t-elle hurlé comme Bertrade en m'arrachant à elle? »

En proie à une révélation confondante, elle mesurait soudain ce qu'était la réalité d'une naissance, que le fruit d'un corps est comme celui d'un arbre, et qu'elle était pétrie de la chair de Marie.

Cette constatation, si neuve pour elle, la remuait jusqu'au cœur. Pouvait-elle rompre un tel lien parce qu'elle blâmait la conduite de celle qui lui avait donné la vie? Le sang identique qui coulait dans leurs veines à toutes deux était beaucoup plus important que les différends qui s'étaient élevés entre elles...

Une excitation nerveuse, doublée du sentiment de toucher soudain à la plus secrète intimité de la création, au nœud même d'un mystère immense qui la dépassait infiniment, la précipita, à genoux, au pied d'une Montjoie dressée au carrefour du chemin de Gentilly et de celui de l'étang du Sanglier Blanc.

« Notre-Dame, implora-t-elle avec un tel tremblement intérieur que les mots de la prière chevrotaient entre ses dents, Vierge Sainte, pardonnez-moi d'avoir pensé du mal de ma mère! Je n'ai pas le droit de la juger. Elle m'a portée dans ses flancs et mise au monde dans le sang, la souffrance et la joie. Je ne le savais pas. Grâce à ce que je viens de voir, je sais et je comprends. Je m'accuse d'avoir été méchante et ingrate envers elle. Je vous en supplie, ma mère du ciel, absolvez-moi et faites que nous nous retrouvions, ma mère de cette terre et moi, comme nous étions autrefois! »

Elle se signa, se releva, s'élança vers la demeure de son grand-père.

Son émotion était telle qu'elle croisa sans s'arrêter le char qui rentrait les dernières gerbes à la ferme. Décoré d'arbustes, de branches vertes, de fleurs sauvages, il était mené par Léonard qui avait conduit le travail tout au long de la semaine. Autour de lui, les moissonneurs au complet, hommes, femmes, enfants, chantaient et plaisantaient ensemble. Certains avaient piqué des épis à leurs chapeaux, d'autres en tenaient à la main, Catheau, enfin, portait dans ses bras le bouquet de la moisson.

« Ce soir, ce sera fête! cria la fermière à la petite fille qui continuait sa course. Viendrez-vous avec nous, demoiselle?

– Je ne sais pas, lança Aude. Je ne sais pas du tout! »

Si elle jeta, cependant, au passage, un regard à Colin, ce fut davantage par habitude que par envie. Son esprit était ailleurs. Elle franchit sans s'attarder la porte qui donnait sur le petit bois et ses caches ombreuses, traversa le verger au fond duquel il lui sembla voir, sous un arbre, Lambert en conversation animée avec un inconnu, et parvint, haletante, sur le terre-plein, au moment où maître Leclerc sortait de la maison en compagnie de tante Charlotte. Le grand chien noir qui l'escortait courut vers Aude, dans l'intention de jouer avec elle, mais elle le repoussa. Ce n'était pas le moment!

« Vous êtes en nage, ma fille! remarqua la physicienne. A-t-on idée de courir comme vous le faites, par un temps pareil! D'où venez-vous donc?

– Savez-vous où est ma mère? demanda l'enfant, sans même songer à répondre. Je voudrais la voir.

– Elle vient de repartir pour Paris, dit Mathieu Leclerc. Elle avait une affaire urgente à y régler.

– Avec qui?

– Je l'ignore. Elle ne m'en a rien dit.

– Ah! bon. Tant pis », murmura l'enfant tout en pensant que le mercier devait être pour quelque chose dans ce départ imprévu, ce qui l'amena à reporter sur lui le poids amer de sa déception.

« Il est encore venu s'interposer entre elle et moi! se dit Aude avec une sorte de flamboiement de haine qui lui mit le feu aux joues. Je le déteste! Sans lui, nous nous serions déjà retrouvées toutes les deux et nous ririons dans les bras l'une de l'autre! »

Elle fit demi-tour et courut vers ses cachettes du petit bois.

Son flair ne l'avait pas trompée. Au moment où elle se réfugiait dans son sanctuaire de feuillage, Marie franchissait la porte Saint-Victor et pénétrait dans Paris.

Elle avait reçu un peu plus tôt une missive qu'un valet lui avait apportée de la part de Côme. Son ami s'y plaignait de sa disparition au lendemain du souper de la rue Troussevache. Pourquoi ne pas lui avoir, depuis, donné le moindre signe de vie? Que signifiait un silence aussi incompréhensible, alors même qu'elle venait d'être présentée à sa sœur et à son beau-frère? Voulait-elle lui laisser entendre par là sa déception et son manque de sympathie envers les deux seuls membres proches qu'il lui restât de sa famille? Il avait appris qu'elle était partie précipitamment pour Gentilly et n'en était revenue qu'une seule nuit, pour y retourner le lendemain.

Pourquoi ne pas avoir cherché à le joindre cette nuit-là? Que lui cachait-elle? L'aimait-elle seulement encore?

Pressée de tant de questions, Marie aurait néanmoins préféré attendre quelques jours avant de répondre à Côme, s'il n'avait terminé sa lettre en lui disant que, si elle ne venait pas, le soir même, le délivrer de ses tristes pressentiments, il se rendrait dès le lendemain matin à Gentilly pour avoir avec elle une explication qui lui semblait nécessaire.

« Dieu Seigneur! Pourquoi faut-il que l'amour de Côme le pousse à se montrer si possessif et si vigilant, au moment précis où je me débats entre les mailles d'un filet dont je souhaite qu'il ne soupçonne rien? Aidez-moi, je Vous en prie, à ne pas me trahir auprès de lui, à ne rien laisser deviner de mes tourments, à ne pas lui parler des crimes de Robert et du déshonneur qui nous menace, mes enfants et moi! Aidez-moi aussi à ne pas me laisser aller à lui demander secours, à ne pas lui permettre d'intervenir dans le règlement d'une affaire qui ne le regarde pas! Seigneur, donnez-moi la force de lutter seule! »

Durant la nuit qu'elle avait passée chez elle, rue du Coquillier, après avoir quitté son beau-père, elle avait bien songé à envoyer prévenir le mercier, mais la crainte de se mettre à sa merci l'en avait dissuadée. En y réfléchissant, il lui apparaissait que son amour-propre était plus puissant que son penchant pour cet homme... Mais, n'y avait-il véritablement que cette appréhension qui l'éloignât de son amant? La confusion de ses pensées était si grande, qu'elle ne comprenait plus ce qui lui arrivait.

Elle se sentait tellement troublée, qu'après avoir franchi le Grand Pont, elle s'arrêta devant l'église Saint-Jacques-de-la-Boucherie, dont un côté était flanqué de petites logettes réservées à des écrivains publics, attacha sa mule, non loin de la dernière échoppe, à un des anneaux fixés à cet effet dans un endroit du mur, et pénétra dans l'église.

Agenouillée sur les degrés de l'autel, indifférente à l'agitation qui la cernait, écrasée de doutes et d'interrogations, incapable de voir clairement la route qu'il lui fallait suivre, elle se contenta de mettre son âme à nu devant Celui dont elle sollicitait ardemment la protection, tout en Lui demandant de décider pour elle et de faire en sorte que ses actes ne fussent point contraires aux intérêts de son salut.

Que voulait-elle? Que ne voulait-elle pas? Un grouillement de tentations et de faiblesses se tordait au fond d'elle-même. Pour la première fois de sa vie, ses propres réflexions lui inspiraient défiance et réprobation.

Elle sortit de l'église sans y avoir trouvé la paix, mais, cependant, bien déterminée à ne rien laisser paraître à son ami d'un débat dont il était si affreusement absent. Si, en effet, elle n'avait répondu jusque-là que par des hésitations et des atermoiements à l'amour qu'il lui vouait, elle n'en appréciait pas moins la sincérité des sentiments de Côme. Elle ne désirait à aucun prix ternir l'image qu'il se faisait d'elle en lui laissant entrevoir au bord de quel gouffre elle se débattait.

Au milieu de l'effervescence habituelle aux veilles de fête, dans la fièvre des préparatifs qu'on achevait pour le lendemain, jour dédié à Notre-Dame, elle continua sa route vers la rue Troussevache, l'esprit ailleurs.

Dans une rumeur fracassante de marteaux et d'interpellations, les Parisiens accrochaient sur les façades de leurs maisons des courtines et des tapisseries que les femmes et les jeunes filles décoraient de guirlandes de roses, de tournesols, de bleuets, et de feuillages. Des menuisiers achevaient de dresser des arcs de triomphe, peints et enrubannés, tandis que des groupes d'enfants et de jeunes gens répétaient sur place les chants et les cantiques prévus à certains endroits, le long du passage de la procession.

Comme de coutume la veille d'un jour férié, les entrepôts de la rue Troussevache étaient fermés depuis none.

Marie franchit le portail, laissa sa mule aux mains d'un palefrenier, traversa la cour pavée que la chaleur du jour avait chauffée comme un four, et souleva d'une main hésitante le heurtoir dont le bruit alerta aussitôt un valet.

« Je vais annoncer votre venue, dame », dit-il avec précipitation en la faisant entrer dans la grand-salle.

Le zèle du serviteur trahissait la fébrilité du maître et Marie ne s'y trompa pas.

Côme apparut presque immédiatement. Il avait l'air anxieux. Lumineux d'ordinaire, son regard s'était assombri et une crispation inhabituelle tirait les coins de ses lèvres charnues.

« Vous voilà enfin ! »

Il s'arrêta à quelques pas de sa maîtresse, désorienté, inquiet, ne sachant quelle contenance adopter.

« Je n'étais pas perdue ! dit Marie avec un sourire forcé.

— Si vous saviez toutes les idées qui m'ont traversé l'esprit !

— Vous avez eu tort. J'étais seulement surchargée de besogne à l'atelier, et retenue au logis par l'arrivée de ma sœur Florie et de son époux.

— Etait-ce une raison pour me laisser ainsi sans nouvelles ?

— Je comptais vous écrire...

— Mais vous ne l'avez pas fait ! »

Marie haussa les épaules.

« Qu'importe ? Me voici. »

Elle fit la moue.

« C'est ainsi que vous me recevez? »

Jetant un regard autour d'eux, sur l'ordonnance un peu trop parfaite de la salle :

« Si nous allions dans votre jardin? proposa-t-elle.

– Venez. »

Il retrouvait enfin assez de confiance en lui pour s'approcher d'elle, pour la prendre par le bras, comme il aimait à le faire, en s'emparant avec fermeté du coude qu'il serra entre ses doigts.

Fallait-il que cet homme, habitué aux conquêtes féminines, familier des élégantes et de leurs sautes d'humeur, fût épris pour se comporter avec Marie comme un jouvenceau timide et enflammé! En le constatant, la jeune femme se sentit touchée mais un peu agacée. Elle aurait préféré avoir un amant plus volontaire, moins respectueux de ses fantaisies...

« Suis-je donc, moi aussi, une de ces femelles qui souhaitent être menées à la trique et asservies à un mâle, plutôt que de se voir tendrement courtisées? Serais-je de celles que la brutalité séduit davantage que la délicatesse? Ce n'est pas possible! Ou alors j'aurais bien changé! Les attentions de Côme à mon égard n'ont-elles pas été, depuis que je le connais, un de ses plus sûrs attraits? Que m'arrive-t-il? Dieu Seigneur! Je suis envoûtée! »

Le jardin les accueillait parmi ses sages parterres d'héliotropes, de verveines, de sauges, et ses bosquets bien taillés.

« Entrons dans cette tonnelle. »

Sous un berceau de chèvrefeuille, un banc de bois attendait. Marie y prit place. Côme resta debout auprès d'elle, appuyé des épaules aux cerceaux de bois. Il portait un surcot de soie bleue sur une cotte de serge verte et cette alliance de verdure et de ciel lui allait bien.

« Il a beaucoup de charme et il m'aime, se dit Marie avec une sorte de violence désespérée. Qu'aller chercher d'autre? Ne suis-je pas folle d'oser comparer cet homme de bien à un malfaiteur? »

« Qu'avez-vous, ma mie? demandait justement le mercier. Je vous connais assez pour m'apercevoir que vous êtes sous le coup d'une émotion tout à fait singulière.

— Mon père se meurt.

— Il est au plus mal depuis des jours, et je ne vous ai encore jamais vu cette expression-là.

— L'arrivée de ma sœur a réveillé en moi toute une série de souvenirs que je croyais avoir oubliés.

— S'agit-il de votre mère?

— De ma mère et de mon maudit mariage! »

Attention! Elle devait se méfier de ce qu'elle pouvait dire au sujet de Robert.

« Il y a deux ans que vous voilà veuve, Marie, et vous avez eu tout le temps de laisser s'abîmer les tristes souvenirs de votre malencontreuse union!

— Sans doute. Mais je n'y pense jamais sans malaise.

— Il y a autre chose, ma mie! »

Suave et sucré, le parfum du chèvrefeuille les environnait. Il ne fallait surtout pas se laisser gagner par la douceur du moment, par la peur qui tremblait au fond de son être, par le besoin de s'épancher qui la tenait, en dépit de toutes les résolutions prises auparavant.

« Mais non, Côme, je vous assure! Il n'y a rien. »

Sous la frange légère des cheveux où brillaient des fils d'argent, des rides creusèrent le haut front carré du mercier.

« Je suis persuadé que la rencontre de l'autre soir avec ma sœur est pour beaucoup dans votre gêne à mon égard », dit-il sourdement.

La jeune femme haussa les épaules.

« Votre sœur, votre sœur...

– Dès que je vous ai vue en face d'elle, j'ai senti le peu de sympathie qu'elle vous inspirait. Il émanait de vous une froideur qui m'était perceptible physiquement. »

Puisqu'il y tenait et qu'il lui offrait de la sorte un prétexte si commode, elle ne tenta plus de l'en dissuader...

« Elle semble à tel point dénuée de bienveillance...

– Je sais, ma mie, je sais, mais il faut essayer de la comprendre. A quatorze ans, elle s'est follement éprise d'un baron poitevin qui était de nos clients. Il l'a méprisée parce que nous n'étions que des marchands. Elle en a beaucoup souffert et s'est trop vite mariée avec ce pauvre Henri. Grâce à lui, elle croyait se soustraire au négoce et pénétrer dans le monde des officiers publics, plus proche que le nôtre de celui de la noblesse. Il l'a déçue par sa médiocrité, et s'est, en outre, assez rapidement mis à courir les filles.

– Elle n'est pas la seule à s'être méprise sur les qualités d'un époux...

– Par Dieu! Amie, vous avez raison, mais, voyez-vous, il ne lui a pas été donné, par la suite, d'être favorisée d'autres joies. Par trois fois en quatre ans, elle a mis au monde des enfants mort-nés et la sage-femme lui a laissé entendre après une dernière fausse couche, qu'elle ne parviendrait jamais à en porter à terme de vivants. C'en fut trop et elle ne s'en est pas remise. A partir de ce moment-là son caractère s'est transformé, son cœur s'est endurci.

– Bien d'autres gens ont connu de grands malheurs et n'en sont pas devenus mauvais pour autant », objecta Marie avec un entêtement dont elle était la seule à mesurer la mauvaise foi.

Côme soupira.

« Je vois que vous lui en voulez beaucoup, dit-il sans cacher entièrement son irritation. Tout ce que je vous demande, Marie, c'est un peu d'indulgence envers Hersende. Ce n'est guère et nos rapports familiaux en seront facilités.

– Aurai-je jamais avec votre sœur des rapports de famille? demanda Marie d'un air buté.

– Que voulez-vous dire?

– Ce que je dis, sans plus. Nous ne sommes pas encore mariés, que je sache! »

Côme tressaillit comme si son amie l'avait giflé. La saisissant par les épaules, il la força à se lever, à se tenir debout devant lui.

« Que vous arrive-t-il, Marie? Quel démon vous pousse à parler comme vous le faites?

– Nul démon, mais une grande lassitude. »

Elle avait vaguement espéré qu'il l'empoignerait, qu'il lui imposerait silence, qu'il la plierait à sa volonté. Le voyant malheureux et incertain après son mouvement de protestation, elle se sentit de nouveau maîtresse de la situation et, selon l'illogique logique du cœur, lui en voulut.

« Cet entretien ne nous mènera nulle part, dit-elle avec une amertume sur laquelle il se méprit. Je vais rentrer chez moi. Nous ne pouvons que nous faire du mal, présentement. Nous avons besoin de prendre du recul et de trouver le temps de la réflexion. »

Sur le visage de Côme que le temps n'avait que légèrement griffé jusque-là, une détresse soudaine mit un masque douloureux qui le vieillit d'un seul coup.

« Par mon âme! vous n'allez pas repartir comme cela...

– Il le faut, mon ami. Croyez-moi, c'est mieux ainsi. Au lieu de nous déchirer à propos de votre sœur, nous allons examiner la situation chacun de notre côté, afin de voir plus clairement où nous en sommes. »

Côme voulut l'attirer contre lui. D'un mouvement impatient, elle se dégagea d'une étreinte que son amant n'osa pas resserrer.

« Amie, j'ai tant envie de vous, dit-il tout bas. Ne me quittez pas, maintenant. Restez avec moi ce soir. »

L'aveu d'un désir qu'elle ne partageait pas acheva de la renforcer dans sa décision.

« Je ne le puis, dit-elle en tirant une jouissance perverse de sa cruauté. Je dois m'en aller sans plus tarder. Restons un temps sans nous voir. Je vous ferai signe quand je serai parvenue à une conclusion...

– Ah! Taisez-vous! Vous m'avez blessé! » dit-il en se détournant brusquement.

Sans ajouter un mot, il s'éloigna d'un pas précipité.

Marie fut tentée de le rappeler, mais l'esprit malin qui la possédait veillait, et elle sortit du jardin, puis de la maison, sans avoir rien tenté pour réparer le coup qu'elle venait de porter si gratuitement au seul homme qui l'aimait.

En cette veille de fête, elle n'avait rien à faire à l'atelier, aussi décida-t-elle de passer voir son père, puis de retourner à Gentilly. Elle y arriverait un peu en retard pour souper, mais qu'importait? C'était la seule façon d'échapper à ses pensées, à ses obsessions...

Rue des Bourdonnais, elle apprit de la bouche de Tiberge-la-Béguine que maître Brunel dormait après une journée de souffrances et qu'il était préférable de ne pas le réveiller.

Il ne lui restait plus qu'à quitter Paris. En sens inverse, elle refit donc le trajet parcouru un peu plus tôt.

La chaleur sèche des dernières semaines faisait

place depuis le matin à une moiteur annonciatrice d'orage. Des nuages noirs s'amoncelaient au couchant, mais il ne pleuvait pas encore. Seuls, des grondements menaçants de fauve cherchant qui dévorer roulaient au-dessus de la vallée de la Bièvre. Déserté par les promeneurs habituels que l'approche du repas et la crainte de la pluie avaient fait fuir, le paysage familier devenait autre. Bousculant les nuées sombres qui couraient dans le ciel, un vent lourd entraînait dans sa furie les passereaux assez imprudents pour ne pas s'être mis à l'abri, les fétus de paille laissés dans les champs, et la poussière du chemin.

Marie parvint enfin à la maison des champs sous un ciel d'apocalypse, où des lueurs sulfureuses et des trouées sanglantes traversaient de leur lumière infernale les nuages que bousculait et lacérait la tourmente.

Comme la jeune femme descendait de sa mule, une petite forme agile se précipita vers elle. Avant que Marie ait eu le temps de s'interroger sur un changement d'attitude si imprévu, Aude s'était jetée dans ses bras, se cramponnait à son cou, l'embrassait avec transport.

« Ma perle! Ma toute petite! »

Allons! Elle avait bien fait de quitter Côme et de revenir. Par un retournement quasi miraculeux, sa fille semblait avoir oublié ses rancunes. Elle la retrouvait enfin, aussi passionnée qu'auparavant, aussi confiante, aussi proche...

« Ma mère, dit Aude quand elles s'acheminèrent, au milieu des rafales, la main dans la main, vers la grand-salle, ma mère, j'ai vu ce tantôt quelque chose d'extraordinaire : Bertrade a mis au monde un enfant, dans le champ derrière la Montjoie, et j'ai presque assisté à la naissance! »

Autour d'elles, des tourbillons de vent faisaient voler le voile de mousseline de Marie, les tresses brunes de la petite fille, les feuilles arrachées aux arbres, du sable, de la paille hachée, mais elles ne s'en souciaient ni l'une ni l'autre : elles s'étaient rejointes!

Le souper, puis la veillée autour du lit d'Agnès où tout le monde se rassembla pour écouter, scandés par les feulements de la tempête et la toux de l'adolescente, la musique de Djamal et les chants d'Ursine, passèrent comme un rêve. Aude ne quittait pas sa mère, lui parlait tout bas, écartait avec décision son frère qui grommelait que les filles étaient toutes des pies-grièches, mais n'insistait pourtant pas afin de ménager sa dignité. Buvant au même gobelet que Marie, lui offrant les poires confites, les noisettes fraîchement cueillies, la pâte de coing, dans lesquelles elle avait préalablement mordu en témoignage de don et de partage, Aude était heureuse. Elle ronronnait d'aise, tout comme la genette blottie sur ses genoux.

Elle ne fut même pas tirée de son extase par le retour tardif et discret de Blanche. La jeune fille prit son repas dans la cuisine et monta ensuite se coucher après avoir assuré sa cousine que tout allait bien à Pince-Alouette pour Bertrade et son nouveau-né.

La nuit venue, quand Marie, Aude et Vivien, leurs prières dites, s'allongèrent tous trois dans le vaste lit de leurs étés, la petite fille se blottit entre les bras maternels et s'endormit aussitôt. La joie d'une réconciliation si totale lui procurait un apaisement dont elle avait ignoré qu'il lui fût nécessaire. L'odeur retrouvée de sa mère, de ce corps auquel elle savait à présent appartenir, la comblait de félicité.

Toute la nuit, l'orage roula sans éclater. Ses grondements et ses coups de tonnerre ne réveillèrent pas les enfants enfouis sous les draps et tranquillisés jusque dans leur repos par la présence à leurs côtés de Marie. Celle-ci, pour sa part, eut bien du mal à trouver le sommeil...

Le lendemain matin, après avoir participé à la procession qui défila entre les maisons du village décorées et fleuries, après avoir assisté à la messe solennelle de la Dormition et communié en même temps que tous les assistants, comme on ne le faisait que trois ou quatre fois par an, la famille Leclerc et ses invités reprirent le chemin du logis.

C'est alors que Jannequin les rejoignit en courant. Il était au comble de l'excitation : on venait de repêcher, au bief du Moulin-des-Prés, le corps d'un inconnu qui avait un large trou derrière la tête !

XV

Comme un forcené, Vivien pénétra à l'intérieur de la taverne de « La Pie qui boit », et, après avoir fait du regard le tour des buveurs, se précipita vers l'endroit où Ambroise, en compagnie de deux compères, célébrait à sa manière la fête de la Dormition.

Installés devant une table chargée d'écuelles contenant gaufres, amandes pelées, épices, plusieurs fromages, noix et platées d'aulx, les trois compères vidaient gaiement leurs hanaps de grenache. Un brouhaha jovial les environnait.

« Vous voici enfin! Je vous ai cherché partout : à la bourrellerie et chez vos voisins! s'écria l'enfant sans même prendre le temps de saluer les compagnons de l'artisan. Maintenant, laissez tout cela, laissez vite, et venez sur l'heure avec moi!

— Où donc, grand Dieu? demanda Ambroise, sans se départir de son calme.

— Au Moulin-des-Prés! On vient d'y repêcher un cadavre!

— Dieu ait son âme, dit civilement le bourrelier, mais permettez-moi de vous faire remarquer, mon garçon, que j'ai mieux à faire que d'aller perdre mon temps à baguenauder.

— Vous vous trompez, lança Vivien en tapant du

346

pied, vous vous trompez complètement! On a, au contraire, le plus pressant besoin de vous là-bas!

– Et pourquoi donc, s'il vous plaît? » demanda le vieil homme en jetant un regard d'excuse vers ses deux commensaux.

Sans se soucier des mines soudain attentives des amis d'Ambroise, Vivien soupira d'un air excédé et croisa les bras sur sa poitrine.

« Parce que personne ne sait qui est ce mort et que moi je suis sûr que vous le connaissez!

– Moi?

– Eh oui! Rappelez-vous : le soir de la Saint-Jean, pendant le souper, quand je suis allé avec Lambert dans le jardin pour y quérir une feuille de chou, je vous ai dit avoir vu, dans la resserre aux outils, un homme avec lequel Lambert s'était entretenu. Vous m'avez répondu que vous pensiez bien savoir de qui il s'agissait, mais que vous préfériez vous taire.

– Ce n'était qu'une supposition, grommela le bourrelier, d'autant plus mal à l'aise que les occupants des tables voisines commençaient à prêter l'oreille aux paroles de Vivien.

– Je suis certain que non! répliqua vivement l'enfant. Vous avez même ajouté que l'homme n'était pas fréquentable et qu'il valait mieux l'oublier.

– Vous avez trop de mémoire, petit, constata Ambroise, et puisque je vous avais conseillé de l'oublier, vous auriez aussi bien fait d'en tenir compte.

– Mais je n'y pensais plus! C'est simplement, tout à l'heure, en le voyant sur le pré, que je l'ai reconnu. »

Autour d'eux, tout le monde s'était tu pour suivre leur conversation.

« Ecoute, Ambroise, dit un des deux compères qui était coutelier de son état. Ecoute, ce garçon n'a pas rêvé, que diable! S'il assure avoir vu un noyé au

Moulin, c'est qu'il y en a un, et s'il affirme que tu lui as dit le connaître, tu peux toujours y aller.

— Je n'ai pas envie de sortir, avec l'orage qui menace, grommela le bourrelier. D'ailleurs, ce n'est pas à moi, c'est à Lambert qu'il faut demander le nom du mort!

— Lambert n'est pas chez lui. Comme, bien entendu, il ne travaille pas aujourd'hui chez mon grand-père, je suis allé le réclamer à sa mère. Elle m'a dit qu'il était parti se promener. »

Voyant qu'il se passait quelque chose d'inhabituel dans un coin de la salle, le tavernier s'approcha de la table où on discutait. C'était un petit homme, gras à lard, qui cachait sous une coiffe de toile une calvitie dont il n'aimait pas qu'on lui parlât. Il tenait deux chopines à la main et sentait la vinasse d'une lieue.

« Vous n'êtes pas curieux, compère! remarqua-t-il avec un gros rire. A votre place, et si mon commerce ne me retenait pas ici, j'y serais déjà!

— Il a raison, renchérit le second buveur en se levant. Il faut y aller, l'ami! Inutile de lanterner, je t'accompagne. »

C'était le savetier du village, il passait pour sage et on l'écoutait volontiers. Quand il eut parlé, plusieurs autres consommateurs de cervoise et de vin gris se levèrent à leur tour.

« Alors? Venez-vous, oui ou non? s'écria Vivien, à bout de patience.

— On y va, on y va, bougonna le bourrelier. Ce n'est pas si pressé...

— Mais si, mais si : mon grand-père vous attend, en compagnie du meunier et, probablement, de messire le curé qu'on devait aller quérir à l'église, rétorqua Vivien d'un air important.

— Tant de monde pour un vaurien!

— Vous voyez que vous le connaissez! »

Vaincu par la logique de l'enfant et par les

remontrances des autres buveurs, Ambroise capitula.

« Bon, bon, je viens! lança-t-il à contrecœur. Mais ça me servira de leçon : on parle toujours trop!

– On va te soutenir dans cette dure épreuve, compère, assura le savetier qui s'amusait manifestement. C'est pas si souvent qu'il se passe quelque chose d'intéressant dans ce pays! »

Incapable de refréner plus longtemps son excitation, Vivien se précipita vers la sortie. Suivi d'un petit groupe de curieux, le bourrelier lui emboîta le pas.

Au milieu des rafales qui faisaient tourbillonner la poussière, ils descendirent la rue, parvinrent au pré communal, franchirent la rivière dont l'eau, agitée de brèves colères, clapotait entre les joncs et les roseaux froissés par le vent, longèrent le cours de la Bièvre, et arrivèrent enfin en vue de Moulin.

Sous les nuées qui s'amoncelaient, autour d'une forme étendue dans l'herbe épaisse du pâturage, plusieurs personnes faisaient cercle.

« Nous voilà! » cria Vivien.

Mathieu Leclerc se retourna.

« Dieu vous garde, Ambroise. Nous comptons sur vous pour éclaircir un mystère... »

Le bourrelier salua l'abbé Piochon, qui avait tout juste eu le temps de retirer ses vêtements de cérémonie pour revêtir sa chape, le maître enlumineur et le meunier, puis il se pencha vers le cadavre qu'on avait recouvert à la hâte d'un sac vide ayant contenu de la farine. Le visage gonflé et livide qu'Ambroise découvrit en était comme poudré à blanc. Le vieil homme fit la grimace.

« C'est bien ce que je pensais, constata-t-il sans enthousiasme. Ce gibier de potence, dont l'âme doit déjà rôtir en enfer, se nommait Radulf. Il était le cousin de Lambert et, par conséquent, le neveu de

Richilde-la-Fleurière et de Martin-Peau-d'Oie, son époux.

— J'ignorais tout de son existence, remarqua l'abbé Piochon.

— Naturellement! Vous n'étiez pas encore à Gentilly, sire curé, quand la sœur de Richilde en est partie avec sa crapule de fils. Elle avait déjà été la honte de la famille, vous pouvez m'en croire, mais son rejeton en a été l'abomination de la désolation!

— Y a-t-il longtemps qu'ils ont quitté le pays? s'enquit Mathieu Leclerc.

— Quinze ans peut-être... C'était peu de temps avant que vous ne rachetiez à l'impécunieux sire Ferric de Gentilly votre maison des champs, messire.

— Que sont-ils devenus, tous deux?

— Bernarde, qui était une ribaude, s'en est allée par la suite en Palestine, à la traîne des croisés, comme beaucoup de son espèce.

— Et son fils?

— Il s'est mis à fréquenter à Paris la pire chiennaille de la truanderie, et, de mauvaise graine qu'il était déjà, est devenu un franc vaurien.

— Etes-vous bien sûr de le reconnaître? demanda le meunier.

— Hélas! oui. Il devait revenir de temps en temps soutirer un peu d'argent à son oncle et à sa tante... Lors d'un de ses passages au village, il n'y a pas si longtemps, il est entré dans ma bourrellerie, à la brune, afin d'acheter une bride neuve.

— Vous ne pouvez pas vous tromper? Vous en êtes tout à fait certain? répéta l'abbé Piochon.

— A présent qu'Ambroise le dit, je le reconnais aussi, affirma le savetier en se mêlant à l'entretien, après un moment d'hésitation. Je ne l'ai pas revu depuis son enfance, mais il n'y a pas de doute, c'est bien lui!

– Nous allons le faire transporter dans la sacristie, dit le prêtre. Quoi qu'il ait pu devenir, il a été baptisé et on ne peut pas le traiter comme un chien. Ensuite, j'aurai à prévenir monseigneur l'archevêque de Paris. Il a droit de haute justice sur notre terre, ainsi que vous le savez. »

Les explications du bourrelier avaient eu pour effet de rembrunir considérablement Mathieu Leclerc. Il approuva de la tête ce que venait de dire le curé, mais ne fit aucune remarque. Comme tous ceux que la curiosité avait réunis autour de la lamentable dépouille, il savait que le roi avait cédé, quatre siècles plus tôt, la souveraineté de Gentilly à l'évêque de Paris, Ingelwin, afin que le revenu des terres servît à entretenir le luminaire de la cathédrale. Il était donc tout naturel, dans une affaire de sang comme celle-ci, d'en référer à lui.

« Je me demande qui a jeté à l'eau ce... Radulf, après l'avoir si proprement assommé, soupira le meunier. Il me semble qu'on aurait pu s'en débarrasser ailleurs que dans mon bief! Quelle histoire si son corps avait bloqué la roue de mon moulin!

– Ma foi, dit Jannequin, qui, avec quelques autres paysans était demeuré sur place depuis la découverte du cadavre par un pêcheur matinal, ma foi, c'est une façon fort courante de faire disparaître les victimes encombrantes. La rivière digère tout et c'est là une double façon de noyer le poisson! »

Sa plaisanterie tomba à plat.

« Bien des points de tout ceci devront être tirés au clair, dit encore le curé. Nous allons nous y employer. En attendant, deux d'entre vous veulent-ils porter ce pauvre hère jusqu'à la sacristie? »

Vivien s'empara de la main de son grand-père dont l'air soucieux et le dos plus voûté qu'à l'ordinaire le déconcertaient.

« Rentrons, nous n'avons plus rien à faire ici, affirma Mathieu Leclerc. Venez, mon enfant. »

Ils s'éloignèrent tous deux, après avoir salué les assistants de cette scène insolite, et se dirigèrent vers la maison des champs. Vivien se taisait, fier d'avoir participé à un événement aussi extraordinaire, alors que sa sœur et le reste de la compagnie étaient rentrés directement au logis. Confronté à la mort pour la première fois de sa vie, il n'en avait pas été effrayé et s'était même montré apte à reconnaître dans ce corps privé de vie, l'étrange visiteur du soir de la Saint-Jean. Le mutisme de son aïeul, dont il se serait attendu à recevoir des félicitations, l'étonnait bien un peu, mais il s'en consolait en imaginant le récit qu'il allait faire de ces événements aux garçons du village.

« Il faut que je parle à Lambert, dit soudain maître Leclerc comme ils traversaient le jardin. Où peut-il bien se cacher?

— Pourquoi se cacherait-il, mon père? interrogea l'enfant.

— Je ne sais. D'après vos dires, il savait que son cousin était de retour ici. Vous pensez bien que depuis la Saint-Jean, ils n'ont pas été sans se voir tous deux.

— Vous croyez que Radulf est resté dans les parages durant tout ce temps?

— Où aurait-il été? Pour qu'un criminel comme lui soit revenu dans son pays natal, où il risquait à chaque pas d'être découvert, il fallait qu'il eût de sérieuses raisons de s'éloigner de Paris!

— Comme je voudrais connaître le secret de tout cela! » s'écria Vivien, de plus en plus excité.

Mathieu Leclerc fixa son petit-fils avec gravité, sembla vouloir parler, se tut et posa une main sur la tête ébouriffée qui était levée vers lui.

« Il peut être mauvais de chercher à savoir le fond des choses, dit-il enfin. Et encore plus mauvais de les trouver. Allons, mon enfant, il vous faut déjeuner. Pour moi, j'ai à faire. »

D'un mouvement spontané, Vivien s'empara de la main osseuse qui s'appesantissait sur ses cheveux, la baisa, se sauva en courant.

Maître Leclerc n'avait pas faim. Comme il se doutait que le repas du matin n'était pas fini et que certains convives devaient encore se trouver dans la salle, il fit un détour pour ne pas avoir à traverser cette pièce, et gagna le fruitier où il lui arrivait, quand son logis était plein de monde, de se réfugier pour méditer.

L'odeur surette des fruits l'accueillit familièrement. Il prit un des escabeaux qui traînaient là et s'y assit.

Ainsi donc, le complice de Robert venait d'être abattu à son tour! On n'en finissait jamais avec le Mal!

Depuis que Marie lui avait rapporté les paroles du Lombard de Saint-Eustache, il ne cessait de penser au déplorable destin de son fils. Quand le nom de Radulf avait résonné à ses oreilles, il en avait été atteint comme d'un soufflet. Si Robert avait sombré dans l'abjection, n'était-ce pas, en partie, à cause de ce misérable qui lui avait permis, en jouant les intermédiaires, de pénétrer à sa suite dans la honteuse confrérie de la truanderie? Pourquoi avait-on supprimé ce serpent? Qui avait eu intérêt à le faire? Il fallait le savoir.

De nouveaux grondements de tonnerre roulèrent leur fracas au-dessus de la vallée.

« Avant l'orage, il faut que j'aie une conversation avec Lambert, se dit le vieil homme. Une seule personne peut savoir où il se trouve. Sa mère. »

Il se leva et sortit du fruitier.

Le ciel noircissait à vue d'œil. Un éclairage blafard changeait l'aspect des choses et le vallon de la Bièvre, d'ordinaire si riant, prenait sous cette lumière de plomb, une apparence sinistre.

Maître Leclerc tournait l'angle de sa maison pour

gagner l'allée des tilleuls, quand il aperçut sous l'un d'eux Blanche en grande discussion avec Gildas. Le jeune homme semblait s'exprimer avec feu, mais la mine détachée et sereine de son interlocutrice laissait deviner que leurs points de vue respectifs étaient loin de concorder.

« Ne restez pas sous ce tilleul! conseilla Mathieu en passant. Il peut être dangereux de se tenir au pied d'un arbre quand la foudre vient à tomber!

– Nous rentrons! » assura Blanche.

En dépit de son âge, de ses appréhensions, de la tempête qui collait son surcot à ses jambes, le maître relieur franchit assez vite la distance qui le séparait de la première maison du village.

Sur la porte de la fleurière, accrochée au clou qui servait à cet usage, Mathieu remarqua une couronne composée de soucis tressés, jaunes et orangés.

Richilde vint elle-même lui ouvrir.

« Sur mon âme, je pensais bien vous voir ce jourd'hui, maître Leclerc!

– Lambert est-il chez vous? »

La lourde femme inclina la tête.

« Puis-je le voir?

– Comme vous voudrez, messire. »

Derrière la pièce où les fleurs coupées attendaient d'être employées, se trouvait la salle. Auprès de la cheminée, devant une marmite bouillonnante d'où sortaient des odeurs de vin chaud aux épices, le jardinier était assis.

« Vous voici, messire, dit-il simplement en se levant.

– Assieds-toi, Lambert. Je désire te parler.

– Prenez ce siège, maître Leclerc, dit la fleurière qui était entrée sur les pas du vieillard. Voulez-vous un gobelet de vin à la cannelle?

– Merci, Richilde. Je souhaiterais m'entretenir avec votre fils, seul à seul.

– Je comprends, soupira la pauvre femme, je comprends. »

Quand elle fut sortie, Mathieu se tourna vers le jardinier.

« Sais-tu qui a tué ton cousin? demanda-t-il sobrement.

– Par Dieu! Qui voulez-vous que ce soit? »

Un haussement d'épaules souligna l'évidence.

« Comment en es-tu venu là? N'était-il pas ici depuis des semaines?

– Si fait, mais hier, une fois de plus, il a voulu me soutirer de l'argent. Il faut vous dire, messire, qu'il avait quitté Paris en juin, à la suite d'une sale affaire. Depuis lors, il était obligé de se cacher dans une masure située dans la forêt des Chartreux, derrière l'étang du Sanglier Blanc. Il y vivait de chasse et de pêche, mais le besoin des filles le travaillait et le faisait sortir du bois...

– C'était un chien! lança Mathieu avec une telle rancune que Lambert en fut stupéfait. Un chien!

– Pour sûr, ce n'était pas grand-chose de bien, reconnut le jardinier. Il en a fait voir à mes parents, le Judas! Mais, enfin, nous avions été élevés ensemble...

– Tu lui avais déjà fourni de fortes sommes?

– Plus que je ne l'aurais souhaité, en tout cas! Vous savez ce que c'est!

– Et hier?

– Hier, il avait sa tête des mauvais jours, des jours où le diable le tourmentait. Il m'a réclamé dix livres, et, comme je les lui refusais, il s'est emporté et m'a dit que, puisque c'était comme ça, il se vengerait en enlevant la petite Aude.

– Dieu!

– Il était comme possédé. Je n'ai pas voulu le croire, alors, il m'a lancé à la figure des choses abominables sur votre fils, ce qu'il avait fait, ses opérations louches... »

N'osant continuer, Lambert se tut. La tête basse, il évitait de regarder son maître.

« Je sais ce qu'il a dû te dire, reprit le vieillard d'une voix amère. Je ne l'ai appris que depuis peu et ne m'en remets pas, mon pauvre Lambert, mais continue, va, je n'ai plus d'illusions à perdre!

– Je ne devrais peut-être pas vous raconter ces choses-là, mais ce malfaisant s'est également vanté d'avoir tué votre fils à la suite d'une dispute qui les avait opposés tous deux...

– J'y avais pensé! »

Après la mort de Robert, la justice n'avait pas découvert l'auteur du meurtre et l'affaire avait été close sans qu'on fût parvenu à trouver le coupable.

Les deux hommes demeurèrent un moment silencieux. Des bulles vineuses crevaient en soulevant le couvercle de la marmite, et l'odeur du vin à la cannelle emplissait la pièce.

« Pouvais-je faire autrement que de l'abattre comme un animal dangereux? gronda Lambert au bout d'un moment. Vous venez de le dire vous-même, messire, Radulf était un chien! »

Mathieu Leclerc avait fermé les yeux. Non pour dissimuler les larmes qui coulaient en suivant le tracé de ses rides, mais pour tenter de se ressaisir. Son fils!... Par le Sang du Christ il ne fallait pas y penser maintenant!... On devait, pour le moment, parer au plus urgent.

« Ecoute, Lambert, dit-il en se redressant, écoute-moi bien. Quelqu'un a-t-il pu te voir tuer Radulf?

– Je ne crois pas. Tout s'est passé dans votre verger. J'épointais des tuteurs pour les pommiers qui ont tant de fruits cette année que les branches risquent de casser. Quand ce porc a répété qu'il enlèverait la petite, j'ai saisi un des pieux, bien taillé du bout, et je me suis tourné vers lui. Il a compris ma révolte, ma fureur, et a essayé de m'échapper...

Je l'ai, alors, frappé d'un grand coup derrière la tête...

— Et ensuite, pendant que tu transportais le corps?

— C'était en pleine nuit. Comme à présent, l'orage menaçait. Je l'avais caché sous les basses branches des noisetiers et personne ne se trouvait dans les parages quand je l'ai tiré de là pour aller le jeter dans la rivière.

— Aux yeux de tous, tu seras donc innocent. Tu m'entends, Lambert, parfaitement innocent! Qui pourra t'accuser? Seulement, il ne faut pas paraître craindre de te faire voir. Comme nous sommes un jour chômé, on comprendra que tu ne te sois pas trouvé chez toi au moment de la découverte du corps de ton cousin. Cette absence est normale, mais, en revanche, on ne tarderait pas à être surpris de ne pas te rencontrer au village. Tu dois y aller, parler aux gens qui s'amusent dans les tavernes ou ailleurs, leur dire que la lamentable fin de Radulf vous touche profondément tous les trois. Il avait beau avoir mal tourné, les liens de famille qui vous unissaient étaient trop proches pour être oubliés. On ne comprendrait pas que sa mort vous laissât indifférents, ta mère, ton père, et toi. Il convient donc de te montrer affecté et de laisser entendre que le défunt a dû être victime de ses mauvaises fréquentations. Il ne sera pas difficile de glisser que vous vous attendiez tous à ce triste dénouement. Ambroise t'a déjà préparé le terrain en proclamant bien haut tout à l'heure, que le noyé était un fieffé vaurien et qu'il n'avait eu que ce qu'il méritait!

— Il a bien fait de le dire! lança Lambert. C'est la vérité même!

— Ne nie pas avoir su qu'il se cachait quelque part aux environs de Gentilly, termina maître Leclerc. Soutiens qu'il n'avait pas osé venir chez vous et que vous n'aviez plus aucun commerce avec lui... Tu es estimé dans le pays : on te croira. »

Le jardinier hocha la tête en signe d'assentiment.

« Tu comprends, reprit l'ancien enlumineur au bout d'un moment, personne ne doit jamais soupçonner la vérité. Pour toi, en premier, qui es un brave garçon et dont la réputation ne sortirait pas indemne d'une poursuite judiciaire. Pour mes petits-enfants, ensuite, qui sont innocents des méfaits de leur père et dont je n'accepte pas que l'avenir soit compromis. Pour nos deux familles, enfin...

— De toute manière, il aurait été abattu, un jour ou l'autre, par ses complices. Il était perdu et tremblait de peur, dit Lambert en haussant ses épaules de bûcheron.

— C'est le sort de ceux qui fréquentent la chiennaille! Mon fils, lui aussi, en a payé le prix! »

De nouveau, la voix de Mathieu Leclerc sombra. Les deux hommes regardaient le feu, dernière source lumineuse, dans la pièce assombrie par l'obscurité qui ne cessait de s'épaissir au-dehors. Les lueurs du foyer dansaient à leurs pieds, sur le sol de terre battue.

« Je vais m'en aller, dit enfin Mathieu Leclerc. Je pensais que l'orage éclaterait plus vite, mais j'ai peut-être encore le temps de regagner la maison. Pour toi, rends-toi à Gentilly et exprime-toi hardiment. Ne crains rien. Je prends sur moi les mensonges qu'il te faudra proférer. Tu défendras une cause juste.

— Par mon saint patron! Je ne crois pas avoir mal agi en empêchant Radulf de commettre un nouveau crime, dit le jardinier. Mais il est écrit : « Tu ne tueras pas. » Et me voici avec mort d'homme sur la conscience... Je dois aller sans tarder me confesser dans une paroisse éloignée d'ici, où personne ne me connaîtra.

– Tu feras bien, mais à l'avance, je crois pouvoir t'assurer que le Seigneur te pardonnera! »

Le vent était devenu ouragan et le vieil homme eut plusieurs fois de la difficulté à retrouver son souffle durant son trajet de retour. Il s'enrhumait facilement et, d'ordinaire, redoutait de sortir par mauvais temps. Cette fois, il n'y prêta nulle attention...

Son fils avait été un pourvoyeur de mauvais lieux, un trafiquant de femmes, un joueur perdu d'honneur! Les conséquences de ses méfaits éclaboussaient à présent chacun des membres de sa famille, et Aude elle-même, cette enfant, n'avait échappé que de justesse au sort atroce qu'un ancien complice de son père lui réservait!

« Se peut-il que Robert, que sa mère et moi croyions promis à un avenir honnête, soit tombé assez bas pour terminer ses jours ainsi que le dernier des vauriens, sous le couteau d'une crapule dont il partageait le honteux commerce? Sire Dieu, une telle abomination est-elle concevable? En serai-je donc réduit à considérer comme juste la damnation du fils unique que j'ai tant aimé? »

Quand il poussa la porte de sa demeure, une certitude s'imposa à lui : si quelqu'un, sur terre, avait encore une chance de racheter les péchés de Robert, ce ne pouvait être que celui-là qui lui avait donné le jour. En s'imposant une pénitence qui occuperait tout le reste de son existence, en suppliant le Seigneur d'en reporter le mérite sur l'âme de son fils occis en état de péché mortel, peut-être parviendrait-il à la sauver?

« Je fais le vœu de distribuer tout mon bien en trois parts. Une pour les pauvres, une pour Vivien, une pour Aude, et de ne rien conserver par-devers moi. Je prendrai le bâton de pèlerin et irai, de sanctuaire en sanctuaire, implorer, Dieu Tout-Puissant, l'intercession des plus grands saints de Votre Chrétienté, afin qu'ils obtiennent de Vous pardon et miséricorde! »

Eudeline-la-Morèle, qui avait dû guetter le retour de son maître, surgit au moment où Mathieu Leclerc s'apprêtait à gagner sa chambre.

« Vous voici enfin, messire! Vous n'avez rien pris ce matin et devez avoir grand-faim, dit-elle de son air tranchant. Aussi, je vous ai tenu au chaud une galette au beurre et du lait lardé. Voulez-vous venir les manger à la cuisine ou préférez-vous que je vous les apporte?

— Ni l'un, ni l'autre. Je n'ai pas envie de déjeuner.

— Il faut vous nourrir!

— Laissez, laissez, Eudeline, et ne vous faites pas de souci. Je n'en dînerai que mieux... Savez-vous où se trouve ma belle-fille?

— Elle doit être avec le reste de la compagnie, auprès de la pauvre petite Agnès.

— Allez lui dire discrètement que je désire l'entretenir et qu'elle me trouvera dans ma chambre. »

Un moment plus tard, quand Marie pénétra dans la pièce où il faisait presque aussi sombre qu'en pleine nuit, les premières gouttes d'eau d'un orage qui devait être le plus violent de l'été, commençaient à s'écraser sur les tuiles du toit, tandis que la tempête hurlait comme une furie au-dessus de la vallée.

« Voici tout de même la pluie qui se décide à tomber! soupira la jeune femme. On étouffait hier et il était temps que cette attente prît fin! »

Les grondements, qui n'avaient cessé que de façon intermittente depuis la soirée précédente, redoublaient. Assez proches, plusieurs coups de tonnerre éclatèrent presque en même temps. Comme si, à ce signal, un barrage venait de céder juste au-dessus de la maison, des trombes d'eau furieuses se précipitèrent du ciel avec une violence inouïe, et un ruissellement si bruyant s'abattit sur le toit que le bruit de ses cataractes couvrit pour un moment celui de la foudre. Les éclairs mauves, blêmes, ambrés, qui se succédèrent ensuite illuminaient le jardin dont les exhalaisons de terre mouillée envahirent la chambre. Les odeurs, les parfums de la terre altérée et offerte, entrèrent par la fenêtre ouverte en même temps que les éclaboussures de pluie qui rejaillissaient sur le sol.

« Heureusement que la moisson est rentrée, remarqua machinalement Mathieu Leclerc.

– Vous vouliez me parler, mon père?

– Je voulais vous dire, ma fille, que j'ai l'intention de me rendre demain à Paris, chez mon notaire, pour régler certaines affaires. J'en profiterai pour me faire donner par lui la somme dont nous avons parlé et pour vous la remettre. Il ne vous restera plus, alors, qu'à la porter au Lombard qui la réclame. L'échéance est fixée au jour suivant.

– L'échéance... oui... »

Succédant à un éclair, un craquement sec, tout proche, retentit comme si les éléments furieux voulaient détruire la demeure.

« La foudre n'a pas dû tomber bien loin », dit Marie.

Elle avait sursauté, en dépit du plaisir sensuel qu'elle éprouvait toujours à respirer l'air sulfureux de l'orage et à se sentir enveloppée de cette force exaltante et terrifiante à la fois.

« Elle aura encore foudroyé un de nos tilleuls, remarqua maître Leclerc sans avoir l'air d'y attacher la moindre importance. Plusieurs en ont déjà été victimes, d'autres ont résisté...

– A propos de victime, dit Marie, qui donc était ce noyé trouvé dans le bief du moulin?

– Quelqu'un dont on vous a parlé il y a peu, ma fille : Radulf, le cousin de Lambert.

– Celui qui...?

– Lui-même.

– Que venait-il faire par ici?

– Se cacher pour tenter d'échapper à quelque sinistre règlement de comptes. »

L'orage s'acharnait, grondait, fulgurait, se déversait avec une folle impétuosité sur la vallée de la Bièvre.

« Savez-vous quelque chose d'autre, mon père?

– Moins on en sait sur ces sortes de gens et mieux on s'en trouve, Marie. Ne vous souciez plus de ce vaurien. Il a emporté avec lui ses ignobles secrets.

– Connaît-on son meurtrier?

– Non. Celui qui l'a aidé à retourner vers l'enfer dont il n'aurait jamais dû sortir a rendu un grand service à tout le monde. J'espère qu'on ne le prendra pas. Oubliez tout cela, ma fille. C'est une histoire terminée. »

La jeune femme sentit que son beau-père ne tenait pas à être interrogé davantage sur cet événement. Il devait avoir ses raisons. Elle le quitta donc sans lui poser d'autres questions.

Elle avait beau goûter profondément le bonheur d'avoir retrouvé la confiance d'Aude, il lui restait assez de sujets de préoccupation pour ne pas souhaiter en acquérir de nouveaux.

Au fil des heures, des remords étaient nés dans son cœur au sujet de Côme. Le cri sur lequel il l'avait quittée : « Ah! vous m'avez blessé! » la poursuivait à présent. Comment avait-elle pu maltraiter avec tant de cruauté un homme auquel elle n'avait rien à reprocher et qui ne méritait en aucune façon un affront pareil?

L'humiliante agonie de son père, le coup porté à son amant, et l'échéance du septième jour qui lui poignait le ventre chaque fois qu'elle l'évoquait, tels étaient maintenant les points vers lesquels, alternativement, sa pensée affolée tournait et retournait sans cesse.

Elle en était tellement obsédée qu'aucun autre événement ne parvenait à retenir bien longtemps son attention. Le mystère entourant la fin de Radulf, pas plus que l'état pitoyable d'Agnès, ne réussissaient à l'arracher longtemps à elle-même.

Pourtant, le sort de l'adolescente, dont la santé déclinait de jour en jour, la bouleversait. En dépit des soins qu'on lui prodiguait, de la présence constante à son chevet de ses parents adoptifs et de ses amis, la malade, loin de se rétablir, dépérissait sous leurs yeux.

Ses fractures devaient être refermées, et tante Charlotte assurait qu'on ne tarderait pas à lui retirer ses bandelettes, mais elle toussait de plus en plus, jusqu'à des crises supliciantes de suffocation qui se multipliaient dangereusement. La fièvre ne la quittait pas, elle souffrait de douleurs dans la poitrine et crachait du sang.

Son visage amaigri avait perdu tout éclat, devenait grisâtre, sauf quand des taches rouges avivaient d'un fard malsain ses pommettes.

Assise dans la chambre où on brûlait du romarin dans des cassolettes, Marie, tout en dessinant ou brodant, écoutait Djamal lire des contes à la malade ou lui jouer des airs de son pays. L'angoisse pathétique qui agrandissait les yeux creusés d'Agnès serrait le cœur de l'enlumineresse jusqu'aux larmes. Elle les dissimulait de son mieux pour ne pas aggraver la détresse de celle dont le pitoyable destin semblait proche de son terme...

Après l'orage qui foudroya un des tilleuls, comme l'avait prévu Mathieu Leclerc, et fit déborder la Bièvre, la pluie s'installa et ne s'interrompit plus de tout le jour, ni de la nuit suivante.

« A la mi-août, l'hiver se noue! prédit Eudeline-la-Morèle le matin suivant, alors que Marie se préparait à regagner Paris. C'en est fini du beau temps! »

La jeune femme faillit lui répondre que cet été aventureux avait assez duré, mais elle préféra se taire.

Son départ provoqua chez Aude une crise de désespoir.

« Je veux partir avec vous, ma mère! Je ne veux plus vous quitter!

– Nous nous séparons pour peu de temps, ma petite perle! Votre école et celle de Vivien rouvriront dans quelques jours. Je vais revenir sans tarder vous chercher tous deux pour vous ramener à la maison.

– Je sais bien... mais je vais être si malheureuse sans vous! Emmenez-moi!

– Je croyais que vous teniez à assister au baptême de Louis? »

Partagée entre deux désirs opposés, la fillette hésita.

« Soyez raisonnable, ma chérie, dit Marie. Nous nous retrouverons bientôt. »

Ce fut l'âme tourmentée qu'elle s'éloigna de Gentilly en compagnie de son beau-père. La nature excessive et passionnée de sa fille lui laissait entrevoir un avenir qui ne serait pas de tout repos.

Rue des Bourdonnais, où elle se rendit en premier, son père n'eut pas un regard pour elle. Les yeux fixes, muré dans sa déchéance, il était devenu inaccessible.

« Il est absent, se dit Marie penchée vers le corps figé. C'est comme s'il était déjà mort et que, seule, sa pauvre forme lui survive ainsi qu'une enveloppe vide! Je n'ai plus de père! »

A l'atelier, le travail en retard qui s'était accumulé

durant son séjour à Gentilly, l'aida à endurer les heures d'attente qu'il lui fallut traverser.

Maître Leclerc passa vers le milieu du jour lui apporter la somme qu'elle aurait à remettre le lendemain à Amaury. Il s'en retourna chez lui sans vouloir s'attarder davantage.

Côme ne se manifesta pas.

Marie ne dormit presque pas cette nuit-là, et ce fut une femme pâlie et nerveuse qui se rendit, le matin suivant, à la messe matinale de Saint-Eustache.

Il ne pleuvait plus, mais la chaleur, si lourde depuis des semaines, s'en était allée avec l'orage qui l'avait balayée, et un vent aigre poussait dans le ciel des nuages couleur de fumée qui ajoutaient à la mélancolie des lendemains de fête. Des guirlandes effeuillées frissonnaient sur les façades, et les arcs enrubannés dressaient tristement leurs rubans défraîchis au-dessus des pavés boueux.

Sur sa cotte, Marie avait passé un léger mantel de samit gris pour la protéger du vent et dissimuler le sac de cuir dans lequel elle transportait les pièces d'argent du rachat.

Si, durant la cérémonie, elle se montra attentive, ce fut davantage à ce qui se passait dans l'assemblée qu'à la célébration de l'office. Son esprit était ailleurs et un tremblement incoercible l'agitait.

Amaury était-il déjà dans l'église? En dépit des regards qu'elle glissait de droite et de gauche, elle ne le vit pas. Jamais messe ne lui parut aussi longue ni aussi courte à la fois.

Au moment de sortir de Saint-Eustache, elle se sentit prise de faiblesse et pensa perdre connaissance, mais il n'en fut rien. Elle aborda le parvis sans avoir découvert où pouvait se dissimuler son bourreau.

Hésitante, elle ne savait quel parti prendre, quand

un marchand d'oublies qui offrait ses gâteaux aux fidèles, l'interpella.

« N'attendez-vous point quelqu'un, belle dame? demanda-t-il avec on ne savait quelle lueur goguenarde au fond de ses petits yeux rusés.

– Peut-être...

– Ne se nommerait-il point Amaury? »

Le cœur de la jeune femme tressauta.

« Viendra-t-il? murmura-t-elle.

– Je suis chargé de vous conduire à lui, dit l'homme en baissant le nez vers la corbeille qu'il portait attachée par une légère courroie autour du cou. Achetez-moi des oublies et n'ayez pas l'air de vous attarder en ma compagnie. Gagnez la rue, vous m'y verrez bientôt et n'aurez qu'à me suivre. »

Les jambes tremblantes, la tête perdue, Marie fit ce qu'on lui demandait.

Assez vite, l'homme passa devant elle, prit la rue des Etuves, tourna à droite, enfila une ruelle aux maisons basses. Plusieurs façades y offraient à la vue des fenêtres ouvertes sur des chambres où des lavandières de têtes, en tenue légère, se livraient à leur métier, tout en chantant. Chacun savait que, le plus souvent, elles ne se contentaient pas de laver et de parfumer les cheveux de leurs clients, mais qu'elles étaient peu farouches et ne refusaient pas de les accompagner au premier étage s'ils les y invitaient.

Ce fut dans une de ces bâtisses qu'entra le marchand d'oublies. Comme Marie hésitait à l'y suivre, il revint sur ses pas pour inciter la jeune femme à ne pas demeurer sur le seuil.

Ils longèrent un couloir, passèrent sous une voûte, traversèrent une cour fleurie, et pénétrèrent dans le bâtiment du fond, pas plus haut que celui qui donnait sur la rue, mais beaucoup plus tranquille.

Au premier, l'homme frappa à une porte qui

s'ouvrit presque aussitôt. Un gardien au visage de bois, aux épaules de lutteur, vêtu d'une broigne de peau couverte d'annelets de fer, introduisit la jeune femme dans une pièce fastueusement meublée, décorée de tapis persans, et séparée d'une autre chambre qui lui faisait suite, par une courtine de velours bleu.

Des oiseaux inconnus, au plumage éclatant, chantaient dans une cage près de la fenêtre, et un très beau lévrier gris, allongé sur un coussin, se léchait méticuleusement les pattes.

Le marchand d'oublies avait disparu. Le gardien se retira sans un mot.

La portière de velours s'écarta et Amaury apparut. Sur une chemise de cendal[1] violette brodée d'or, il portait un vêtement oriental, ample et couvert de broderies de soies multicolores, d'une finesse et d'une diaprure admirables. Tête nue, ses cheveux bouclés retenus sur le front par un cordon d'orfroi, les pieds dans des babouches de velours noir recouvert de perles, il avait visiblement jugé bon de recevoir sa visiteuse en tenue d'intérieur.

« Par le Saint-Voult! chère dame, vos yeux ont ce matin la couleur même de la mer! déclara-t-il à sa façon déconcertante, tout en saluant Marie.

– Que signifie tout ceci? demanda la jeune femme en tâchant de prendre l'offensive pour dissimuler son trouble. Pourquoi me recevoir dans un tel endroit? Je croyais que nous devions nous rencontrer à Saint-Eustache.

– Sans doute, sans doute, mais je ferai mes dévotions plus tard. N'est-on pas mieux céans, pour converser, et n'y est-on pas plus tranquilles?

– Mais je n'ai rien à vous dire! Je suis venue pour vous remettre la somme que vous avez exigée, et

_____
1. Etoffe de soie.

pour recevoir, en échange, la lettre que vous vous êtes engagé à me restituer!

– Allons, chère dame, laissons de côté, pour le moment, ces questions triviales. Quittez votre mantel et venez goûter quelques épices de chambre fort appropriées à réjouir le palais le plus délicat. »

Il s'approchait d'elle, l'aidait à retirer son vêtement, lui offrait la main.

« Passons dans la pièce voisine. J'ai fait préparer à votre intention une légère collation pour remplacer le déjeuner, que, par ma faute, vous n'avez pu prendre. »

Le lévrier gris se levait avec des mouvements aussi élégants et souples que ceux de son maître, s'approchait de lui, le considérait affectueusement de ses yeux d'or. Amaury caressa la tête du bel animal, puis souleva la portière bleue, et s'effaça pour laisser entrer Marie. Prise au piège, la jeune femme ne savait plus que faire ni que penser.

La seconde pièce était une chambre tendue de soieries chatoyantes, et occupée par un large lit aux courtines relevées, sur lequel, immaculée, une couverture d'hermine était jetée.

Des draps et des oreillers de satin cramoisi en dépassaient. Posé sur le sol, près de la tête du lit, un brûle-parfum de jade laissait échapper une fumée dont l'arôme évoquait toutes les séductions de l'Orient.

Au milieu de la pièce, sur une table incrustée de nacre et d'ivoire, des mets et des boissons étaient servis sur des plats et dans des hanaps d'argent.

« Je ne comprends pas, dit Marie interdite, non, vraiment, je ne comprends pas à quoi rime cette réception!

– Par le Saint-Voult, il n'y a rien à comprendre, chère dame, rien du tout! J'ai seulement souhaité enjoliver des rapports qui avaient, à mon gré, débuté trop froidement. J'aime tant les jolies femmes, voyez-vous, que je ne puis souffrir d'en rester avec elles sur le seul terrain de la vénalité. Je voulais vous voir et me faire voir à vous sous un aspect plus aimable. Voilà tout! »

Il s'approchait de la table, versait un vin doré dans une coupe de vermeil, l'offrait.

« Goûtez-y, je vous prie. Il vient de Grèce et me semble digne des dieux de ce bienheureux pays! »

Il s'empara d'un plateau d'argent chargé d'épices rares : coriandre, gingembre, noix muscade, garigal, anis, genièvre, amandes enrobées, angélique confite, tandis que, de l'autre main, il prenait un plat débordant d'abricots glacés, de nougats, de darioles, de craquelins, et de beignets arrosés de miel liquide. Il les lui présenta tous deux.

« Servez-vous, dame, dit-il, avec un sourire gourmand. Ces petites choses ne devraient pas vous déplaire. »

Machinalement, Marie avait accepté la coupe. Elle repoussa les friandises.

« Que signifie un tel accueil? répéta-t-elle misérablement, tout en se disant que son désarroi ne devait être que trop évident.

– Cessez donc de vous poser des questions oiseuses, répondit Amaury, désinvolte. Mangez, buvez, profitez de ce qui vous est offert et oubliez vos scrupules! »

Marie reposa la coupe sur la table.

« Je ne suis pas venue ici pour me divertir mais uniquement pour vous apporter l'argent que vous m'avez requis de vous livrer, dit-elle en s'efforçant à la dignité. Le voici. »

Elle tendit au jeune truand la lourde bourse qu'elle portait sous le bras.

Il la prit d'un air insouciant, la jeta sur la table.

« Vous ne vérifiez pas son contenu?

– A quoi bon? N'êtes-vous pas aussi honnête que sage? »

Il se rapprocha d'elle, la considéra comme un maquignon aurait pu faire d'une pouliche sur un foirail.

« Encore plus honnête que sage, reprit-il en soulevant d'un doigt le menton de sa prisonnière. Du moins, je l'espère. »

Marie tressaillit.

« Vous voyez bien », dit-il simplement.

Et, d'un mouvement identique à celui qu'il avait déjà eu avec elle dans l'église, il l'attira contre lui, l'embrassa violemment.

Sa bouche avait un goût de santal et elle brûlait comme les plus fortes épices. Une sorte de lame de fond submergea Marie, lui arracha un gémissement.

Sans plus rien dire, Amaury l'enlaçait. Ses mains parcouraient le corps qui se défendait avec maladresse, le palpait avec hardiesse.

« Non! jeta Marie. Non!

– Pourquoi non? Le plaisir en sus, n'est-ce pas là une bonne formule?

– Je ne veux pas...

– Mais si, vous voulez! »

Il la serrait contre lui de si près qu'elle ne pouvait plus rien ignorer de ses intentions. Une sorte de tornade intime la ravageait. Elle sut alors qu'il lui fallait, sur-le-champ, faire un choix essentiel : la vie claire ou l'asservissement aux forces obscures, l'amour tendre ou la bestialité, Côme ou Amaury...

Avec la certitude de jouer son destin, elle regroupa ses dernières défenses, et, comme on s'arrache à la boue qui menace de vous enliser, elle le mordit aux lèvres, à pleines dents, sans pitié.

En criant de douleur, il se rejeta en arrière, et, d'un revers de main, en homme habitué à frapper, la gifla.

Vacillante, elle recula, faillit tomber, se raccrocha à la table, derrière laquelle elle finit par se réfugier.

« Vous me faites horreur! » cria-t-elle sans parvenir à maîtriser sa voix.

A l'aide d'une serviette de fin linon qu'il avait prise sur la nappe, Amaury étancha le sang qui coulait de sa bouche blessée. Il ne cessait pas pour autant de l'observer.

A demi redressé, le lévrier grondait.

« Préférer la sécurité au plaisir me semble une irréparable sottise, remarqua le Lombard au bout d'un moment. Vous ne savez pas ce que vous perdez, ma belle! »

Il haussa les épaules avec mépris.

« Votre mercier n'est peut-être pas exactement maladroit au déduit, mais il est bien trop honorable pour vous révéler des voluptés que je sais, et dont vous n'avez pas idée!

– Je vous interdis de parler de Côme! Le plaisir pour le plaisir ne m'intéresse pas! s'écria avec emportement Marie, dont tout l'être savait, au contraire, à présent et avec terreur, qu'il n'était dorénavant question de rien d'autre. Je ne suis venue que pour échanger contre l'argent que voici, la lettre que vous m'avez promise. Donnez-la-moi, dites-moi ce que vous exigez pour me rendre les autres, et laissez-moi partir!

– Tout doux, chère dame, tout doux! Il y a, j'en suis persuadé, des accommodements possibles entre nous. Ne restons pas sur un malentendu. »

Il avait repris son ton badin et la maîtrise de la situation.

« Pour commencer, cessez donc de vous réfugier derrière cette table comme derrière un rempart, conseilla-t-il d'un air railleur. Vous n'êtes pas une place forte assiégée, que je sache! Je puis vous assurer que je n'ai jamais eu à forcer quelque fille que ce soit, et ce n'est certes pas aujourd'hui que je débuterai! »

Il rejeta la serviette légèrement tachée de sang, prit une coupe, y versa du vin blond, le but voluptueusement.

« Asseyons-nous et causons, dit-il ensuite.

– Je n'ai plus rien à vous dire.

– Croyez-vous? »

Un mauvais sourire.

« Moi, en tout cas, j'ai une proposition à vous faire. »

Il saisit une dariole, la mangea malgré sa lèvre blessée.

« Je vais vous surprendre, mais, voyez-vous, je ne suis pas un homme d'argent. »

Marie s'appuya des épaules contre le mur, mais demeura sur ses gardes, là où elle se trouvait. La gifle l'avait réveillée d'un cauchemar, arrachée au vertige de la fascination.

Elle n'était pas femme à admettre d'être battue... L'emprise des sens n'avait pas eu le temps de l'établir suffisamment sous son joug pour l'amener à accepter de tels sévices. Peut-être, aussi, n'était-elle pas assez subjuguée pour s'abandonner de cette façon... Peut-être avait-elle trop de respect d'elle-même pour descendre jusque-là... De toute façon, en se révélant sous son véritable jour, Amaury venait de compromettre le profit du jeu fort habile qu'il avait su mener si avant...

« Votre résistance me plaît, ma belle, disait-il pour tâcher de rattraper sa fausse manœuvre. J'ai toujours préféré les proies qui se défendent à celles qui se laissent capturer sans lutte, et je sais apprécier le courage là où il se trouve. Avant que vous ne mordiez de si belle manière, j'avais simplement envie de vous. A présent, vous m'intéressez. »

De loin, il lui tendit un drageoir débordant.

« Vous pouvez vous servir sans crainte, je n'abuserai pas de la situation. »

Sans répondre, elle secoua négativement la tête.

« Par le Saint-Voult! Vous avez tort, mes dragées sont excellentes! »

Il en prit une poignée qu'il introduisit délicatement entre ses lèvres avant de les croquer. Marie détourna les yeux.

Ces dents blanches et puissantes broyant les amandes, cet appétit de tout ce qui passait à sa portée, réveillaient en elle les tentations qu'un instant plus tôt elle pensait avoir résolument éloignées...

« Si vous le voulez bien, vous reviendrez dans deux jours. Je dis bien : deux jours, afin que je vous remette une autre missive de ce bon Robert, reprit le Lombard. Si je vous donne si peu de temps, c'est que vous n'aurez pas, cette fois, à vous soucier de trouver des fonds. En échange de la lettre, je ne vous réclamerai pas un sol! »

Il se leva, demeura à distance, tout en fixant la jeune femme intensément, en plissant les paupières, comme elle l'avait vu faire à certains oiseleurs qui veulent apprivoiser un oiseau.

« La prochaine fois, belle dame, vous n'aurez rien à apporter, non, sur ma foi, rien d'autre que vous-même! »

Du front aux orteils, Marie se sentit s'empourprer. Son sang enflamma sa peau claire, y brûla.

« Je vois que vous m'avez entendu, constata Amaury avec son cynisme habituel. C'est très bien ainsi. Contrairement à ce que vous feignez de croire, nous sommes faits pour nous entendre, vous et moi! Je demeure persuadé qu'il existe entre nous des concordances délectables et je puis vous assurer que vous ne vous ennuierez pas dans mon lit!

– Taisez-vous! Taisez-vous! Mais taisez-vous donc! »

Elle avait crié, et sa voix dérailla sur les dernières syllabes.

« Gardez vos crises de nerfs pour notre prochaine rencontre, chère dame! Je vous apprendrai à les utiliser au mieux de nos fantaisies... »

Il souleva la portière, passa dans l'autre pièce.

Après un temps de réflexion, Marie l'y suivit.

Il ouvrait un cabinet mauresque en ébène et nacre, prenait dans un tiroir un feuillet de parchemin soigneusement plié. Le format semblable à celui de ses carnets de croquis, était familier à Marie, qui reconnut aussi le cachet des Leclerc.

« Voici la première lettre, belle dame. La suivante vous attendra sous l'oreiller », dit-il en la lui présentant.

D'un mouvement ferme et prompt, en chasseur habitué à saisir sa proie, il s'empara de la main tendue, attira Marie contre lui, l'emprisonna une seconde fois entre ses bras.

« Si je le voulais, je vous réduirais sur l'heure à merci, constata-t-il simplement. Mais je préfère ne vous tenir que de vous-même, et je me plais à penser que cette aventure, qui a si vulgairement débuté, va se continuer dans les délices des découvertes réciproques. »

Il se pencha, posa sa bouche sur la chair délicate, là où s'arrêtait l'étoffe de la cotte, à la naissance du cou, y appuya sa lèvre meurtrie. Ce fut comme si un fer rouge brûlait Marie.

« Vous voyez bien », répéta-t-il avec son impudent sourire.

Il recula, frappa ses mains l'une contre l'autre. Le garde du corps, qui devait attendre sur le palier, entra.

« Reconduis cette dame jusque dans la rue », ordonna-t-il.

Puis, avec une apparence de respect qui n'en était

que plus injurieuse, il tendit à la jeune femme son mantel de samit gris.

« Trouvez-vous, sans faute, dans deux jours, à Saint-Eustache, conclut-il, et n'oubliez pas que vos enfants répondent toujours de votre... bonne volonté. »

Il la salua.

« Un de mes émissaires vous attendra sur le parvis, chère dame, afin de vous conduire ensuite jusqu'à moi, dans un autre de mes domiciles. »

Une fois encore, il avait l'air de beaucoup s'amuser.

« Que voulez-vous, on ne me retrouve jamais deux fois de suite au même endroit, expliqua-t-il de fort bonne grâce. Par le jeu des circonstances, je me vois contraint à m'entourer de certaines précautions! »

XVI

QUAND Marie y pénétra, la Galerie marchande du Palais Royal regorgeait de monde.

La jeune femme savait quel attrait la salle aux merciers exerçait sur les élégants et les élégantes de la capitale. Elle avait prévu ce monde, ce bruit, cette agitation.

En se hâtant le plus possible, en bousculant certains, en jouant des coudes parmi la cohue colorée des chalands qui déambulaient à travers l'immense galerie de pierre voûtée large comme une rivière et haute comme une cathédrale, elle parvint enfin devant la boutique des Perrin.

L'entrée en était encombrée par les allées et venues incessantes des clients, des curieux, des hésitants, et de ceux que l'envie d'acheter tenait aux tripes.

La plus ancienne employée de la mercerie, Adélaïde Bonnecoste, qui régnait sur l'ensemble des vendeurs et venderesses, reconnut de loin l'arrivante. Laissant là le vénérable juge auquel elle faisait essayer des lentilles de béryl enchâssées dans des cercles de bois, de corne, de cuivre, ou de fer, qu'on nommait besicles clouantes parce qu'un clou réunissait les deux lentilles de cristal transparent sur le front, entre les deux yeux, la vieille employée se porta au-devant de la nouvelle venue.

« Par ma foi! dame, s'exclama-t-elle avec le mélange d'amabilité et de suffisance qui était dans ses habitudes, par ma foi, messire Perrin va être navré d'avoir dû s'absenter ce matin! Il est parti s'occuper d'un important achat de pièces de toile, de drap et de lin, qui requérait sa présence à la Grange aux Merciers, sur la route de Vincennes. Je ne sais point trop quand il en reviendra, mais je crains qu'il soit retenu assez longtemps car il avait à y rencontrer des marchands anglais, italiens et flamands. »

Une déception aiguë traversa Marie. Elle devait voir Côme, lui parler, tout de suite!

« Tant pis, dit-elle à Adélaïde Bonnecoste qui la guettait derrière un sourire de commande, tant pis! Je vais l'attendre. Il me faut l'entretenir.

– Voulez-vous prendre place sur ce banc, là, derrière l'étal des couvre-chefs! Vous y serez mieux qu'à celui des armes ou à celui des épices, qui sont toujours pris d'assaut!

– Comme vous voudrez », dit Marie, indifférente.

Guidée par la femme maigre et décidée qui lui frayait un chemin parmi la presse des acheteurs, elle se retrouva bientôt installée sur un banc garni de coussins, entre des étagères supportant des coiffures de plumes de paon, de feutre, de velours ou d'orfroi, et une longue table sur laquelle étaient posés des chaperons, des guimpes, des couvre-chefs de mousseline ou de voile, plissés, empesés, brodés de perles ou de fils d'or.

« Ici, vous serez bien pour attendre, dit Adélaïde Bonnecoste. Je vous prie de me pardonner, dame, mais je ne puis m'attarder en votre compagnie comme je le souhaiterais, car il me faut retourner auprès de maître Beauneveu, qui est venu céans dans l'intention d'acheter des besicles. C'est une nouvelle invention qui aide à corriger la mauvaise vue, mais il n'arrive pas à se décider entre les différentes formes que je lui présente. »

Avec le sourire de quelqu'un qui en sait long, elle s'éloigna.

Marie s'appuya contre le montant d'une étagère de bois ciré qui se trouvait derrière elle et ferma les yeux. En elle, tout était chaos, peur, découverte...

L'odeur si particulière de la mercerie où se fondaient des senteurs, des effluves, des relents, des fumets, dus aux parfums, savons, épices, tissus, cordages de chanvre, fourrures et autres marchandises venues parfois de si loin, ces émanations où fusionnaient les séductions les plus diverses, environnaient la jeune femme d'une présence devenue familière...

Pourquoi Côme était-il absent? Elle avait un tel besoin de lui, de sa présence, de sa force tranquille, de son attention...

Pendant le court trajet qu'elle venait de faire entre la maison basse de la ruelle aux lavandières de têtes et la Galerie marchande, une évidence s'était imposée à elle. Une évidence considérable : elle aimait Côme!

Toutes les hésitations, tergiversations et cas de conscience qui la retenaient jusqu'à présent au bord du don d'elle-même, venaient, d'un coup, de céder, emportées par l'haleine de brasier que la scène vécue auprès d'Amaury avait fait passer sur elle. Mis à nu par l'effondrement de ses défenses les plus intimes, l'attachement qu'elle portait à son amant s'était enfin révélé comme son unique recours.

Folle! Folle qu'elle avait été de jouer avec des sentiments de cette qualité! A la faveur du choc qu'elle venait de subir, elle découvrait que si son veuvage la mettait bien à l'abri des pressions de son entourage, s'il lui conférait une liberté fort appréciable, il ne suffisait pas à la protéger de ses propres faiblesses. C'était contre elle-même, ou, tout au moins, contre les monstres tapis au plus épais de son être, qu'il lui fallait un défenseur. Sa foi en Dieu était un bouclier spirituel, son amour pour Côme lui apparaissait maintenant comme son armure humaine... Jamais, jusqu'à ce jour, elle n'avait eu l'occasion de mesurer à quel point elle était démunie devant l'assaut des forces obscures. Entre les bras d'Amaury, elle n'était plus qu'une femelle. De cet abaissement, elle ne voulait à aucun prix! Devenir la catin d'un truand! Voilà donc où l'auraient conduite ses sens si elle n'avait pas reçu, avec une gifle, la plus cuisante leçon de son existence!

« Dieu Seigneur! J'ignorais que dormait tant de boue en moi! Si cet homme ne m'avait pas touchée, je n'aurais jamais pressenti de quoi j'étais capable et j'aurais continué, sans l'ombre d'un remords, à mépriser les filles follieuses! De tout mon cœur, je Vous en demande pardon... Quand je songe à l'aveuglement dont j'ai si longtemps fait preuve, je suis saisie d'effroi. J'avais mal interprété les paroles de l'abbé Piochon quand il affirmait, dans un de ses sermons de l'été, que le péché de chair est sans réelle gravité. Pour ce prêtre sain et droit, il ne pouvait s'agir que de l'amour tout simple d'un homme et d'une femme unis par de puissants liens de tendresse. Je sais maintenant qu'il existe un autre penchant, qui nous ravale au rang des bêtes, n'a de l'amour que le nom, et n'est que péril et souillure! Inspiré par le Bouc, il nous livre à lui! C'est une lèpre qui ronge, jusqu'à destruction totale, notre honneur et notre foi avant de s'attaquer enfin à l'âme, pour l'anéantir! »

« Je suis ennuyée de vous déranger, dame, mais je ne puis atteindre cette étagère... »

Marie ouvrit les yeux. Une jeune apprentie aux tresses blond cendré et aux joues rebondies se tenait devant elle, rouge de confusion, la tête penchée sur une épaule.

« Faites, faites, Jacquine, c'est moi qui vous dérange... »

Plusieurs clientes se bousculaient de l'autre côté de la table longue et étroite qui lui faisait face, et essayaient des guimpes, des chapelets d'orfèvrerie, des résilles, tandis que des hommes, un peu plus loin, s'intéressaient aux chaperons, toques à revers taillés, chapeaux de feutre ou bonnets de toutes tailles qu'un vendeur leur offrait.

« Je vais marcher un peu, reprit Marie, et vous laisser la place. »

Elle se leva et se retrouva aussitôt mêlée à l'agitation qui tourbillonnait à travers la boutique.

« On a raison de dire que les merciers sont marchands de tout, constata-t-elle une fois de plus. C'est un métier universel! »

A chacune de ses visites dans la mercerie, elle était éberluée par la variété, le nombre, l'entassement, de tant de merveilles. Comment ne pas se laisser gagner par la fièvre des achats possibles?

Pour tromper son attente, elle se laissa porter de proche en proche par la foule.

Les marchandises les plus diverses remplissaient les rayonnages, et les lourds bahuts mis contre les murs, s'empilaient sur les tables, s'amoncelaient sur le carrelage dans des corbeilles ou sur des plateaux. Il y avait de quoi faire tourner la tête la plus solide! Rubans, boucles de ceinture ou de souliers, gants ordinaires ou fourrés, mitaines, lacets, épingles d'archal et d'argent, dés à coudre en vermeil, rasoirs du plus fin acier, ciseaux à broder, cure-oreilles et cure-dents, fers à lisser ou à crêper les cheveux, chaînettes ciselées, écrins à bijoux, bourses de cuir, courroies de soie, chausse-pieds de corne, peignes d'écaille, miroirs, fards pour les belles, roses et blancs, savons de Paris, agrafes, aumônières (n'était-ce pas en désirant en acquérir une que Marie avait rencontré Côme pour la première fois?), brides d'attaches ornées de boutons d'or ou de soie, pelissons fourrés de loutre ou de vair, doublures d'écureuil ou de lièvre, tablettes de cire munies d'un stylet, pour écrire, instruments de musique divers, allant de la flûte à la harpe, bijoux de toutes sortes, jouets pour les enfants, balles et poupées habillées, moules à gâteaux, cuillers de bois de tremble, couteaux à lame ronde ou effilée, paniers de jonc, pilons de buis ou de marbre...

L'arôme des épices s'intensifia. Sur de larges plateaux de vannerie, dans des sachets de toile fine, on pouvait acheter du safran, du gingembre, du cumin, du poivre, des clous de girofle, des graines de paradis, de la cannelle, des pistaches, du thym, de l'aneth, du romarin, de la sarriette, de la sauge, en poudre ou en feuilles fraîches...

« Poussez-vous, commère! Je suis pressée! »

Une jeune fille coiffée d'une couronne de fleurs des champs, drapée dans un surcot de soie ponceau, bousculait Marie qui la suivit des yeux jusqu'à l'étal de lingerie qui semblait la fasciner. Avec un plaisir si vif et si flagrant que ç'en était inconvenant, la demoiselle maniait chemises, mouchoirs, bas de chausses, camisoles, dentelles, surcots bordés de fourrure, ceintures brodées, et autres atours féminins. Elle plongeait ses mains dans la soie, le linon, le satin, le molequin, le crêpe ou la mousseline, avec une sorte de volupté avide qu'on ne pouvait contempler sans gêne.

« En voilà une que le Malin tient par la coquetterie, songea Marie avec tristesse. Décidément, tous les procédés lui sont bons! »

En se détournant, elle se trouva devant des pièces de toile, de serge, de camelot, d'étamine, de futaine, de drap, de chanvre, de lin et de fil, qui s'empilaient à même des planches posées sur des tréteaux.

Que faisait Côme? Pourquoi tardait-il tant à revenir? Qu'était-il allé acheter d'autres étoffes alors qu'il en possédait déjà en si grande quantité?

Marie se sentait à bout de nerfs. Son amant lui apparaissait à présent comme le seul homme qui comptât, l'unique refuge imaginable. De son attirance malsaine envers Amaury, de ce vertige qui aurait pu la perdre, ne demeuraient que peur et répulsion. Le Lombard était l'incarnation faussement séduisante du Mal, du stupre, de la jouissance la plus basse. Il lui faisait horreur pour lui avoir révélé la plus mauvaise part d'elle-même...

« Que Dieu vous garde, dame! »

La jeune femme se retourna. Le chirurgien qui était venu soigner les fractures d'Agnès la saluait.

« Je ne pensais pas vous rencontrer en un pareil endroit, maître Garin.

– Je ne m'y trouve certes pas pour m'y frotter aux vanités de cet antre, reconnut avec bonne humeur l'homme noir, et je puis vous affirmer que l'or en paillettes, les bijoux d'argent, les pierres fines, les perles, le corail, les calcédoines, les améthystes, l'ambre jaune et autres agates, ne m'amusent que par les reflets qu'ils allument dans les yeux de mes pareils! »

Un sourire de loup étirait sa grande bouche jusqu'à ses oreilles pointues.

« Rassurez-vous, chère dame! Je ne suis ici que pour acquérir des lancettes à saigner, des remèdes contre la teigne, la goutte ou les maux de ventre, sans parler du galanga qui donne, comme chacun sait, force et éclat à la voix des clercs!

– Avez-vous visité ces temps-ci notre pauvre malade de Gentilly? demanda Marie.

– Je vais aller la voir sans tarder. Il est temps de lui retirer ses bandelettes. Ce serait une bonne nouvelle, dit le mire en changeant d'expression, si son état n'était pas si préoccupant. »

Il fit une grimace et se gratta la nuque.

« Elle va mal, continua-t-il avec mécontentement, fort mal, et j'ai bien peur de ne plus pouvoir grand-chose pour elle.

– Mais enfin, qu'a-t-elle donc ? »

On les bousculait de tous côtés et c'était une étrange situation que d'évoquer le malheur au milieu de cette animation et de cette abondance.

– Comment savoir ? Je crains qu'une côte cassée lui ait déchiré le poumon, dit le chirurgien avec une nouvelle grimace. Elle crache du sang.

– Et vous n'y pouvez rien ?

– J'ai essayé tous les remèdes, mais sans succès, hélas ! »

Marie serra les lèvres, et quitta le mire sur un triste salut.

Lorsque Thomas reviendrait, avec ou sans la dispense qu'il était allé chercher si loin, retrouverait-il seulement sa fiancée ?

« Quel gâchis ! se dit Marie, quel gâchis en ce bas monde ! Le Christ Jésus avait raison de dire quand Il s'est rendu chez Zachée, le publicain, qu'Il était venu sauver ce qui était perdu ! La matière humaine perdue par le péché ! »

Elle se trouvait devant l'étal des besicles où officiait Adélaïde Bonnecoste dont le vieux client s'en était allé depuis longtemps. Elle s'occupait à présent d'une femme opulente qui hésitait à acquérir des lentilles de cristal cerclées de corne.

« Messire Perrin ne devrait plus tarder à présent, dit la venderesse en tendant le cou en direction de Marie afin de se faire entendre en dépit du brouhaha. La matinée tire vers sa fin.

– Je vais encore l'attendre un peu », dit Marie.

Elle se dirigea vers l'étal des parfums. Des exhalaisons de jasmin, d'iris, de fleur d'orange, de marjolaine, de myrrhe, de rose, d'encens, de vétiver, de violette, l'assaillirent, mais le musc l'emportait sur toutes les autres senteurs.

« Je n'aime pas l'odeur du musc, songea Marie. Il est trop insistant. »

Elle songea qu'elle préférait l'ambre gris lié dans son souvenir à la présence de Côme, et son cœur tressaillit.

« Voici que je suis enfin devenue amoureuse d'un homme dont je suis la maîtresse depuis deux mois! constata Marie en s'emparant d'un miroir de Venise qui ressemblait à celui que le mercier lui avait offert, et en s'y mirant. Voyons un peu la tête d'une femme éprise. »

Sous la coiffure de lingerie, les cheveux blonds encadraient un visage aux pommettes hautes où le sang affluait. Le nez trop court, la bouche trop grande, étaient sans surprise, mais, au fond de ses prunelles, elle découvrit une sorte de fièvre, une excitation faite d'angoisse et d'espérance, qui lui parut nouvelle.

« On s'admire? »

Un homme trapu, coloré, s'adressait à elle, clignait de l'œil, baissait le ton.

« Accepteriez-vous que je vous détaille hors d'ici, d'un peu plus près? » proposa-t-il d'une voix paillarde.

Marie haussa les épaules, reposa le miroir, s'éloigna.

L'absence de Côme lui semblait éternelle.

« Pourvu qu'il ne m'en veuille plus, songeait-elle. Pourvu qu'il m'ait pardonné... »

Connaissant la force des sentiments que son amant lui portait, elle ne se tourmentait pas trop de la brouille qu'elle avait provoquée avec une telle inconséquence. Dès qu'elle serait devant lui, il comprendrait combien elle avait changé. De son aventure avec le Lombard, elle lui raconterait ce qui était racontable et lui demanderait d'intervenir de façon à l'en débarrasser à jamais. Ensuite...

« Voulez-vous retourner vous asseoir, dame? » demanda la voix claire de Jacquine.

Marie la remercia. Elle préférait continuer sa promenade. En passant, elle jeta un coup d'œil sur les jeux offerts aux chalands : dés, en bois, corne, os ou ivoire, échecs en ébène, en ambre, en nacre, trictrac, quilles, boules, mérelles, marionnettes, cerceaux...

Elle épouserait Côme. Toutes ses préventions tombaient. Près de lui, elle était maintenant certaine de rencontrer le bonheur et la paix. Il faudrait amener Aude et Vivien à y consentir de bonne grâce. Elle s'y emploierait. Quant à l'enluminure, sans y renoncer, elle s'arrangerait pour s'y consacrer aux heures où son époux serait occupé par son propre métier...

Elle passa sans s'y intéresser devant les éventaires d'armes, de clous, de ciseaux et tous objets de fer, d'acier, de cuivre, d'airain, de laiton, devant les boîtes d'épingles et d'aiguilles de toutes tailles, devant les serrures, les cadenas, ainsi que devant les fournitures pour la pêche et la chasse, mais s'arrêta un moment devant les tapisseries, courtines, courtepointes, couvertures, en se disant qu'elle en aurait de plus belles quand elle serait la femme de Côme.

Elle termina son tour de boutique en contemplant avec respect les livres de prières, les heures, les psaumes, et les catéchismes posés avec soin sur une petite table recouverte de velours vert, au-dessus de laquelle étaient accrochés quelques images et panneaux de bois décorés ou peints. Bien que particulièrement apte à en juger le travail, elle ne parvint pas à fixer son esprit sur eux. Toutes ses facultés étaient tournées vers un avenir qu'elle construisait et reconstruisait sans cesse.

Le son tout proche des cloches de la Sainte-Chapelle annonçant l'interruption du labeur matinal, l'amena devant Adélaïde Bonnecoste.

« Vous allez fermer boutique, lui dit-elle. Je vais donc partir. Pensez-vous que messire Perrin sera de retour lors de la réouverture?

– En début d'après-midi, il se rend assez souvent au Jeu de Paume de la rue Garnier-Saint-Ladre afin de prendre quelque exercice, répondit la femme de confiance du mercier. Je ne sais s'il a l'intention de s'y trouver ce jourd'hui. »

Marie remercia et quitta la mercerie en même temps que les derniers clients qui s'arrachaient à grand-peine aux délices de la flânerie et du marchandage.

Au sortir de la Galerie aux Merciers, elle retrouva le ciel sans joie et le vent trop frais pour la saison.

En franchissant le grand pont, elle passa devant l'orfèvrerie des Brunel où son frère Bertrand avait remplacé leur père. A cette heure du jour, la boutique était close ainsi que toutes ses voisines qui se serraient les unes contre les autres tout au long de la chaussée centrale. Sous le pont, les roues des moulins à eau tournaient sans fin dans un bruit de palettes et de mécanique.

Après le Grand Châtelet, elle coupa au plus court, traversa la rue des Bourdonnais sans s'y arrêter, et, par la rue de l'Arbre-Sec, gagna la place de la Croix-du-Trahoir sur laquelle une potence était dressée à demeure, prit la rue Saint-Honoré, bordée de belles demeures, puis celle d'Orléans qui la conduisit rue du Coquillier.

Elle parvint chez elle juste à temps pour réciter le bénédicité et se mettre à table en compagnie de ses apprentis, des aides, et de Denyse-la-Poitevine qui l'informa de l'absence de Jean-bon-Valet. L'ouvrier enlumineur était parti la veille au soir comme à l'ordinaire, mais n'était pas réapparu de la matinée.

A l'accoutumée, quand il lui arrivait d'être malade, il envoyait un petit commissionnaire prévenir l'atelier, afin qu'on ne l'attendît pas en vain. Rien de semblable ne s'était produit cette fois-ci.

« Quelque affaire personnelle l'aura retenu, supposa Marie. Il reviendra sans doute après le dîner. »

La jeune femme mangeait rapidement, sans écouter les bavardages des apprentis qui taquinaient les jumelles, selon une déjà vieille et solide tradition. Elle aurait aimé pouvoir réfléchir en paix à ce qui lui était advenu durant les heures précédentes, mais Denyse, sur laquelle la charge de l'atelier reposait depuis quelques jours, ne l'entendait pas de cette oreille. Elle tenait à mettre l'enlumineresse au courant des menus événements qui s'étaient produits depuis le début de la semaine, et déplorait le mauvais temps qui retardait le séchage des couleurs.

« J'en suis à la sixième couche de bleu sur le mantel de la Marie-Madeleine que je suis en train de terminer, disait-elle avec sa façon de toujours vouloir donner des leçons à ceux qui l'écoutaient. Je ne puis la poser car la précédente ne se décide pas à sécher à cause de l'humidité!

– Mieux vaut attendre encore un peu, plutôt que de vous hâter, conseilla Marie. La qualité de nos ouvrages vient du soin que nous apportons au moindre détail.

– Par ma foi! Je le sais bien! dit Denyse d'un air entendu. Il m'est déjà arrivé, en plein hiver, de patienter jusqu'à sept ou huit jours pour que mon travail fût sec et en état de recevoir une nouvelle application de couleur. C'est dire! »

Le bruit des conversations, le roucoulement des tourterelles dans leur cage dorée, les explications de Denyse, accompagnaient les pensées de Marie, mais ne parvenaient pas à l'en distraire. Il lui fallait, le plus vite possible, avoir un entretien avec Côme.

Si les exigences financières des Lombards n'avaient pas suffi à lui faire appeler son amant au secours, les propositions trop précises d'Amaury la précipitaient vers lui. Elle s'était refusée à aller quémander quelques livres à l'homme qui l'aimait. Son beau-père et elle-même pouvaient, non sans difficulté, mais honnêtement, se procurer la somme requise. Plaie d'argent... Mais à présent il s'agissait de bien autre chose! Au cours de la scène du matin, elle avait découvert combien la sécurité dans laquelle elle vivait était fragile, et à quelle profondeur la source noire de ses mauvais désirs prenait naissance.

Il ne fallait à aucun prix laisser qui que ce fût en remuer la vase. Le marché que venait de lui offrir Amaury la menaçait directement dans ce qu'elle avait de plus précieux : son intégrité et le respect qu'elle se devait à elle-même. C'était là un danger bien plus redoutable que n'importe quelle demande de rançon!

Face à cet homme, elle était placée devant le risque majeur, le risque à éviter à tout prix, celui qui mettait en péril son honneur, sa famille, sa foi en cette vie et son salut dans l'autre!

« Denyse, dit-elle soudain, en coupant la parole à l'ouvrière sans se soucier de l'interrompre, Denyse, je suis de nouveau obligée de m'absenter ce tantôt. La maladie de mon père est de jour en jour plus préoccupante et je dois me rendre près de lui. Encore une fois, vous aurez à me remplacer.

– Vous pouvez compter sur moi, chère dame! Je serai fidèle au poste. »

Marie ne se reconnaissait plus. Au souci scrupuleux avec lequel elle avait coutume de tenir son rôle de chef d'atelier, s'était substituée une obsession unique : voir Côme. S'entretenir avec lui.

Depuis qu'elle le connaissait, depuis qu'il lui

faisait la cour, depuis les nuits de Gentilly ou de Paris, jamais la pensée de son amant ne l'avait aussi totalement absorbée.

« Il n'était sans doute pas dans mon destin de tomber amoureuse de lui du premier coup, mais, au contraire, de le devenir au fil des jours et comme insensiblement, sans même m'en rendre compte. De ne découvrir la réalité de cet attachement qu'à la suite d'une secousse assez violente pour me faire tomber les écailles des yeux! »

S'il lui avait fallu s'habituer à l'amour, voici qu'à présent elle en était la proie.

« Amaury aura au moins servi à quelque chose! se dit-elle, une fois remontée dans sa chambre où elle se rafraîchit le visage à l'eau de rose et se parfuma abondamment. Sans sa mise en demeure, combien de temps serais-je encore restée ignorante de ce qui était mon véritable destin? »

Dehors, elle constata que, si le ciel ne se décidait toujours pas à s'éclaircir, le vent était tombé.

Comme elle avait résolu d'aller trouver Côme dans la salle du Jeu de Paume qu'il fréquentait, elle gagna la rue Garnier-Saint-Ladre. Située dans un quartier neuf, non loin des remparts que le feu roi Philippe Auguste avait fait élever autour de sa capitale, cette rue était jalonnée de chantiers de construction.

Le vaste bâtiment de bois et de torchis où on avait installé le Jeu était tout récent.

A l'intérieur de la salle, il y avait beaucoup de monde.

Marie se rendit dans une des galeries de bois qui cernaient l'espace rectangulaire où se démenaient les joueurs. Côme n'était pas parmi eux.

Les cris de : « Tenez! » lancés par le serveur, les coups sourds des esteufs[1] de cuir bourrés de laine,

---

1. Nom donné aux balles durant le Moyen Age.

chaque fois qu'ils touchaient le sol de terre battue, ou étaient attrapés au vol par les adversaires aux mains nues, les encouragements et les huées, résonnaient entre les hautes parois de pierre qui les amplifiaient de leurs échos.

Des jeunes gens de la ville, marchands ou artisans, des seigneurs de la cour, des habitants des environs, se rencontraient à la paume afin de s'y mesurer de chaque côté d'une corde tendue au travers du terrain.

Enfin, non loin de la porte d'entrée, Marie aperçut Côme. Il conversait en attendant son tour de jouer, avec un homme sensiblement plus vieux que lui, petit et à demi chauve.

Bousculant les spectateurs et spectatrices qui encombraient les galeries, la jeune femme s'élança vers celui qu'elle cherchait.

L'émotion qui la suffoquait en approchant de son amant était telle, qu'elle dut s'arrêter un moment, non loin de lui, pour tenter de calmer les sursauts de son cœur et le tremblement qui l'agitait.

Ce fut alors que le mercier se retourna et la découvrit. Immobile, une main sur la poitrine, fort pâle, Marie fixait sur lui un regard qu'il ne lui connaissait pas.

Il hésita sur la conduite à suivre. D'abord surprise, son expression se transforma en un instant, devint sévère quand la jeune femme s'approcha de lui.

« Mon ami, dit-elle en parvenant à sa hauteur, mon ami, j'ai à vous parler. »

Elle salua vaguement l'interlocuteur de Côme qui ne s'attarda pas en leur compagnie et s'éloigna après lui avoir rendu son salut.

« Je croyais que vous aviez résolu de vous tenir un certain temps à distance, afin de pouvoir évaluer en paix l'exacte mesure des sentiments que vous me portez, dit le mercier avec ressentiment.

– Tout est changé, Côme!

– Permettez-moi de m'étonner d'un revirement aussi subit, que rien ne laissait présager, et admettez que c'est moi, à présent, qui éprouve le besoin de réfléchir...

– Ami, dit-elle en faisant litière de son amour-propre, ami, je vous en prie, ne m'abandonnez pas! Il m'arrive quelque chose d'affreux! Vous êtes mon seul recours! »

La partie engagée se terminait.

« Voici qu'arrive mon tour de jouer, dit le mercier, sans se laisser fléchir. Vous m'exposerez plus tard vos soucis. »

Marie baissa la tête.

« Côme! C'est que je vous aime! » dit-elle tout bas.

Il tressaillit comme sous l'effet d'un coup de fouet. Une sorte de violence, contenue à grand-peine, durcit ses traits, appliqua un masque incrédule sur le visage qu'elle avait connu si confiant.

« Savez-vous bien ce que vous dites? demanda-t-il, les dents serrées, tout en la saisissant par le bras.

– Je ne le sais que de ce matin, avoua-t-elle dans un souffle, prête à toutes les mortifications. Auparavant, rien n'était clair en moi. »

Leur partie achevée, les joueurs sortaient du terrain, gagnaient la salle voisine où des couches les attendaient sur lesquelles ils allaient s'étendre afin d'y être essuyés dans de larges draps de molleton, puis massés, avant de se rendre aux étuves proches où ils pourraient se baigner.

« Venez, dit Côme, qui serrait si fortement le bras de Marie qu'il lui faisait mal. Venez. Nous ne pouvons pas parler ici. »

En prétextant une affaire urgente, il s'excusa, au passage, auprès de l'adversaire contre lequel il devait disputer la partie suivante, et entraîna sa compagne vers le fond de la salle.

« Allons dans le jardin du gardien, dit-il encore. C'est un endroit paisible où nous serons tranquilles pour nous expliquer. »

Il ouvrit une petite porte et désigna à la jeune femme les carrés de salades, de fèves, de raves, de bettes, de pois, de choux et de poireaux, qui s'alignaient jusqu'à un ruisseau bordant l'espace clos. Des saules et quelques aulnes poussaient le long du cours d'eau, et deux bancs de bois avaient été mis là, sous les branches, comme pour inviter aux confidences. Le mauvais temps, qui n'incitait guère à la flânerie, avait vidé l'enclos.

Côme lâcha le bras de Marie en parvenant sous les arbres. Comme un éclair bleu acier, un martin-pêcheur fila entre les roseaux, vers l'autre rive du ru sur laquelle une plantation de jeunes peupliers frémissait au moindre souffle.

Il semblait à Marie tout contempler d'un œil neuf. Elle se mouvait dans une lumière intérieure qui rayonnait d'elle et transformait le monde.

« Ami, dit-elle en levant vers son amant un regard ébloui, ami, je vous ai mal aimé jusqu'à présent, mais voici que le jour se lève et que l'amour m'a enfin éclairée! »

Elle n'avait jamais remarqué combien la nature était amicale, l'herbe brillante, doux le murmure de l'eau...

« Asseyons-nous, dit-elle en prenant place sur un des bancs. Venez près de moi et ayez la patience de m'écouter. J'ai tant à vous dire!

– Je ne vous suis plus, déclara Côme, toujours réticent. Vous m'avez quitté voici deux semaines, sur des paroles aussi injustes que cruelles, en me laissant entendre que vous ne comptiez pas poursuivre plus avant notre liaison, et voici que vous me revenez, transformée, proclamant ce que vous vous

étiez toujours refusée à avouer, tendre, offerte...
Que signifie tout cela? Comment voulez-vous que je
vous croie?

— Simplement parce que je dis, maintenant, et
maintenant seulement, la vérité.

— Vous m'aimez donc? Mais, alors, la situation est
totalement retournée!

— Elle l'est bel et bien, Côme! C'est moi qui suis
devenue la demanderesse... »

Elle était assez près de lui pour lui prendre la
main, y poser ses lèvres.

Côme retira ses doigts, croisa les bras sur sa
poitrine. Parti de chez lui pour jouer à la paume, il
était vêtu d'une simple cotte de toile blanche passée
sur un doublet de futaine et ne portait pas de
surcot. Un galon pourpre retenait ses cheveux
autour de son front.

« Je ne comprends toujours pas, Marie, répéta-t-il
en abandonnant le ton récriminateur qu'il avait
conservé depuis le début. Non, sincèrement, je ne
comprends pas...

— Ecoutez-moi, mon amour, et vous n'allez pas
tarder à comprendre. »

Pour faire admettre à son ami l'évolution de ses
sentiments, il fallait, hélas! situer son déroulement
dans le temps et exposer les faits qui l'y avaient
conduite...

Parler d'Amaury à Côme n'était pas simple! Au
cours du récit qu'elle fut obligée de faire à l'un, de
ses rencontres avec l'autre, elle s'aperçut qu'il lui
était très difficile de minimiser la personnalité du
Lombard et la dangereuse fascination qu'il avait
exercée sur elle. Parce qu'il avait failli l'entraîner en
enfer, elle ne pouvait s'empêcher de le dépeindre
au milieu de lueurs sulfureuses où son inquiétante
figure ne prenait que davantage de relief.

« Vous auriez dû venir me trouver aussitôt!

s'écria Côme quand elle parvint à la scène de la chapelle. Pourquoi ne pas l'avoir fait?

— Par sotte fierté, et, aussi, parce que je ne savais pas encore ce que je sais maintenant », reconnut-elle.

Evoquer Robert et ses crimes lui fut relativement moins ardu. Si elle pouvait, à juste titre, se poser en victime des deux hommes, il lui était plus aisé de jeter l'anathème sur la mémoire d'un époux mort depuis deux ans, mais désaimé depuis bien plus longtemps, et dont tout la séparait, que de relater sans en trahir la troublante emprise, ses relations avec un truand.

Sensible à tout ce qui se rapportait à sa maîtresse, Côme ne s'y trompa pas.

« Ce porc est le frère du diable! s'exclama-t-il quand elle se fut tue. Sur mon âme, il faut l'anéantir! »

En dépit des précautions que Marie avait prises pour atténuer l'effet des propositions outrageantes qu'Amaury lui avait faites, il n'en restait pas moins qu'elle se trouvait l'enjeu d'un marchandage honteux dont elle n'avait pu dissimuler les termes.

« Pour vous avoir proposé cet abominable marché, reprit Côme, ce misérable doit s'imaginer vous avoir séduite... Dites-moi la vérité, Marie, n'avez-vous pas été tentée? »

Décidée à être totalement sincère, la jeune femme fit front.

« La plus mauvaise part de moi-même a, peut-être, et sans que jamais je lui cède, été atteinte par l'infernale habileté de ce suppôt de Satan, reconnut-elle en offrant à son amant un visage frémissant du désir de se confesser. Grâce à Dieu, le sentiment de mon honneur, aussi bien que l'amour et le respect que vous m'inspirez, m'ont aidée à ne pas faillir! »

Un tourment nouveau fonçait les prunelles de Côme.

« Vous a-t-il touchée ? demanda-t-il sombrement.

– Je ne l'aurais pas laissé faire ! » s'écria avec fougue Marie qui découvrait tout en parlant qu'il est des vérités trop inutilement pénibles pour être dites et que l'harmonie d'un couple nécessite certaines altérations.

Côme se leva, fit quelques pas sous les branches, demeura un moment, le dos tourné, face au ruisseau, à considérer sans le voir le vol de grosses libellules bleues et vertes qu'on n'aperçoit que vers la fin de l'été.

Marie se leva, s'immobilisa derrière son amant, posa ses mains sur les larges épaules.

« Je vous jure, Côme, sur mon salut éternel, que cet homme me fait horreur et que l'unique résultat de ses honteuses manœuvres a été de me révéler la force de l'amour que je nourrissais pour vous, sans encore le savoir, comme un enfant en germe, enfoui dans mon sein ! »

Tout d'une pièce, il se retourna, la saisit à bras-le-corps, chercha à déchiffrer le clair visage renversé.

« Depuis des jours, vous m'avez fait souffrir au-delà de ce que vous avez pu imaginer, dit-il avec emportement. Vous m'avez piétiné le cœur, et vous venez ensuite, sans vergogne, me dire que vous vous étiez méprise sur vos véritables mobiles et que vous m'aimez ! Qui dois-je croire ? La femme qui me rejetait ou celle qui me revient ?

– Ne le savez-vous pas ?

– Je le saurai quand vous m'aurez prouvé votre loyauté.

– Quelle preuve en voulez-vous ?

– La seule qui vaille : que vous acceptiez de devenir ma femme, solennellement, au pied de l'autel de Dieu, en m'y engageant à jamais votre foi!

– Je ne souhaite rien d'autre, mon cher seigneur!

– Vous m'épouserez?

– Quand vous voudrez, où vous voudrez, comme vous voudrez... »

Les lèvres de Côme avaient toujours le goût ambré que Marie leur connaissait, mais leurs baisers se firent plus impérieux, plus voraces, qu'auparavant...

« Je vous aime déraisonnablement...

– Nous serons heureux, Côme! Si heureux!

– Malgré vos enfants, votre métier, votre belle liberté perdue?

– J'aurai la liberté de me donner à vous, chaque jour, de nouveau! Quant à mes enfants, je vous aiderai à les apprivoiser.

– Dieu vous entende! »

Il eut son premier sourire de la journée :

« Et Hersende? Comptez-vous aussi mettre ma sœur dans votre camp?

– Pourquoi pas? Ce n'est pas elle que j'épouserai, et, de toute façon, je vous jure de me comporter convenablement à son égard.

– Espérons que les événements vous donneront raison... »

Il redevint grave.

« Afin d'en finir complètement avec ce passé, et avant de rien entreprendre, il est nécessaire d'empêcher les Lombards de mettre leurs menaces à exécution. Reposez-vous entièrement sur moi, ma mie. Je tiens à vous décharger de cet intolérable fardeau et je vais m'y employer par tous les moyens, vous pouvez en être certaine! Il est urgent de faire arrêter, juger, exécuter, ces truands. Je ne serai satisfait qu'après les avoir vus, de mes yeux, accrochés au gibet de Montfaucon!

– Que comptez-vous faire?

– Le quartier de Saint-Eustache est terre royale, elle est donc du ressort de messire Etienne Boileau, le prévôt, dont mon père était un des plus fidèles amis. Je le connais bien. Vous le savez, c'est un homme probe, actif et droit. On peut se fier à lui. Depuis qu'il a rétabli la justice et l'équité dans sa juridiction, son crédit auprès de notre sire le roi est des plus grands et les bonnes gens demandent à être jugés par lui.

– Vous allez le trouver?

– De ce pas, ma mie! Et, si vous le voulez bien, nous irons ensemble! »

Ils traversèrent de nouveau le potager toujours vide.

« Jamais jardin de roses ne m'aura paru plus charmant que ces carrés de raves et de laitues, remarqua Côme. En y pénétrant j'avais un poids de cent livres sur la poitrine, vous m'en avez délivré, et voici que je renais! »

Messire Etienne Boileau, prévôt de Paris, siégeait au Grand Châtelet. Ce fut vers ce bâtiment rébarbatif que Marie et Côme se dirigèrent sous un ciel nuageux qui évoquait déjà l'automne.

Fort bruyante, la rue Saint-Martin qu'ils empruntèrent était une des plus larges artères de Paris. Elle conduisait vers le nord. Son agitation était telle qu'on devait renoncer, quand on s'y trouvait, à entretenir une conversation. De chaque côté de la chaussée pavée, au milieu de laquelle coulait un caniveau central, presque partout recouvert de planches, des maisons hautes et étroites se serraient. Demeures de marchands et d'artisans, elles donnaient sur la rue par des fenêtres ouvertes permettant aux passants de voir de près, aux divers stades de leur fabrication, les marchandises qu'on leur proposait. Des chaudronniers, des marteleurs d'étain, des corroyeurs, des étuviers, des armuriers, des cloutiers, des marchands de fil, et aussi quelques ménestrels, vielleurs et jongleurs, sans parler des tavernes et des divers métiers ambulants dont les charrettes légères entravaient la circulation, y entretenaient une effervescence ininterrompue.

La foule des chalands, les chariots, les litières, les cavaliers, fort nombreux, les ânes et les mulets chargés de bâts, les portefaix, le sac au dos, les moines de tous ordres, les marchandes de lait, installées dans les embrasures des portes, et les traîne-savates à la recherche de quelque chapardage, qui se coudoyaient là, depuis les quais de la Seine jusqu'à la porte Saint-Martin, formaient une cohue colorée, bavarde, moqueuse, et agitée.

Côme s'était de nouveau emparé du bras de Marie et la guidait fermement à travers la presse. Un moment, il l'aida à se garer des remous causés par le passage d'un grand coche à quatre roues, attelé de deux chevaux en flèche, qui transportait d'un point à l'autre de Paris des voyageurs assis sur des banquettes. Au milieu de la chaussée encombrée, son sillage entraînait divers mouvements de foule.

Après avoir contourné un troupeau de moutons et laissé la place à des bœufs qu'on dirigeait vers la grande boucherie, le couple parvint enfin devant le Grand Châtelet.

« Les bâtiments de droite sont ceux où siègent les juridictions de la prévôté, expliqua Côme. Je m'y suis déjà rendu quelquefois, soit avec mon père, soit seul, afin d'y rencontrer messire Boileau. Ceux de gauche abritent prisons et cachots. »

La façade du Châtelet était encadrée de deux tours rondes. Celle de droite, dont le toit pointu s'élevait un peu plus haut que celui de sa voisine, comportait un balcon en saillie où, le soir venu, se tenait un veilleur de nuit. Sous l'étroit corps de logis central, formé de deux étages surmontés d'un cadran et d'un clocheton, juste en son milieu, on avait ménagé un passage voûté dans lequel s'ouvraient les portes des deux tours.

Côme se dirigea vers l'épais vantail de bois clouté de fer donnant accès à la prévôté. Un sergent en gardait l'entrée. Le mercier se nomma et demanda si messire Etienne Boileau se trouvait pour l'heure en la place et s'il accepterait de le recevoir pour une question urgente.

Un garde fut expédié et revint promptement en disant que le prévôt travaillait, en compagnie de plusieurs copistes, à un ouvrage des plus importants, mais qu'il acceptait néanmoins, vu ses relations d'amitié avec la famille Perrin, de recevoir Côme.

Il fallait gravir un escalier à vis assez sombre, seulement éclairé de place en place par d'étroites ouvertures et quelques torches fichées dans le mur, pour accéder aux différentes salles des tribunaux, puis en emprunter un second pour parvenir aux pièces réservées aux services du prévôt.

Entouré de plusieurs copistes, Etienne Boileau se tenait dans l'une d'elles. Grand, vêtu d'un surcot de velours cramoisi, portant avec aisance la soixantaine, cet homme puissant inspirait dès l'abord sympathie et respect.

Il accueillit Côme avec cordialité et salua Marie fort courtoisement.

« Vous me voyez occupé à rédiger un recueil sur l'ensemble des statuts, coutumes et redevances des divers corps de métiers exercés dans cette ville, dit-il en désignant de gros cahiers de parchemin ouverts devant lui sur la table. C'est un énorme travail, mais il était urgent de l'entreprendre, et, de toute manière, notre sire le roi y tient beaucoup. »

Sur deux colonnes, copiées d'une belle écriture cursive, des listes s'alignaient en ordre parfait.

« Laissons cela et passons dans mon cabinet personnel », dit Etienne Boileau.

Il se dirigea vers une porte donnant sur une petite pièce, meublée avec recherche, où il fit entrer ses visiteurs.

Quelques sièges, deux beaux coffres de bois sculpté, fermés par de grosses serrures de fer, et une table de travail recouverte d'une tapisserie sur laquelle étaient posés un lourd chandelier à trois branches, une corne à encre, des feuillets de parchemin, des plumes d'oie, une règle, un canif, et plusieurs mines de plomb, composaient un cabinet parfaitement adapté aux besoins du prévôt.

Une fois assis, Côme présenta plus précisément Marie, dont le père était bien connu, lui aussi, d'Etienne Boileau, puis laissa la parole à la jeune femme qui recommença pour ce nouvel auditeur, mais en le simplifiant, le récit déjà fait un peu plus tôt à son amant.

« Les questions ayant trait à la justice et à la police relèvent plus spécialement de mon lieutenant civil, dit le prévôt, une fois que la narratrice se fut tue. Néanmoins, mon cher Côme, feu votre père était mon ami et il ne sera pas dit que je me désintéresserai d'une cause qui touche son fils de si près! »

Il appela un garde et lui signifia d'aller quérir le lieutenant.

« Vous savez que, sous le nom de Lombards, on désigne des Italiens de toutes origines, précisa-t-il alors. Florentins, Génois, Lucquois, Milanais, Placentins, Astesans, Siennois, et beaucoup d'autres, établis en France, parfois depuis plusieurs générations, pour y faire commerce. Tous ne sont pas changeurs, prêteurs ou monnayeurs, quoi qu'on en pense. Il se trouve parmi eux de riches drapiers, tout spécialement ceux qui sont originaires de Lucques, où l'on fabrique de très belles étoffes de luxe.

Il y a aussi des fournisseurs d'armes ou de joyaux. C'est une véritable communauté. Hélas! il ne s'y trouve pas que d'honnêtes marchands, et je sais plus d'un larron venu de l'autre côté des Alpes! Vous avez eu, dame, la malchance de tomber sur certains d'entre eux. »

Le lieutenant civil se présenta presque aussitôt après et fut, à son tour, mis au courant de ce qu'on attendait de lui.

« Nous savons que, sous le couvert du commerce, certains honteux trafics se pratiquent dans nos murs, dit-il alors. Jusqu'à présent, il nous a été impossible de prendre ces chiens sur le fait. Votre affaire pourrait bien nous offrir l'occasion qui nous manquait.

– Les renseignements fournis par mon neveu, Thomas Brunel, qui se trouve présentement en Italie, complètent ceux que je vous ai donnés », reprit Marie qui se mit en devoir de résumer le récit de Thomas.

Etienne Boileau et son lieutenant écoutaient avec la plus vive attention les informations qui leur étaient apportées.

« Où dites-vous qu'on a trouvé le corps de votre mari? demanda le lieutenant.

– Dans une ruelle, derrière la place de la Grève.

– Ecoutez donc : vers la fin de la nuit dernière, alors que l'aube n'était pas bien loin, des archers du guet, qui effectuaient une ronde dans le quartier de la Grève, ont entendu des appels. Dans une petite rue voisine, ils ont découvert un homme qui se traînait par terre. Il avait un couteau fiché dans le flanc. Ils ont voulu le transporter à l'Hôtel-Dieu, mais le blessé a dit qu'il se savait perdu et qu'on ne pouvait plus rien pour lui, sinon l'entendre. Il aurait eu des choses d'importance à révéler et souhaitait parler au sergent.

– Où est ce sergent? demanda le prévôt.

– En bas, messire, dans la salle des gardes. Je viens de le faire appeler.

– Allez le chercher. »

Les deux hommes revinrent sans tarder.

« Rapportez-nous, sergent, les propos du blessé que vous avez trouvé cette nuit, durant votre dernière ronde », ordonna Etienne Boileau.

L'interpellé, qui était jeune, paraissait intimidé.

« Par tous les saints! messire, il n'était pas beau à voir! finit-il par dire. Avant de lui porter le coup de couteau qui l'a tué, on l'a durement frappé et il avait la figure en sang.

– Il vous a parlé. Que vous a-t-il dit?

– Qu'il se repentait de ses péchés et, qu'à défaut de prêtre, il désirait se confesser à moi.

– Tu peux néanmoins nous répéter ses dernières paroles, Brequin, assura le lieutenant. Tu n'es pas tenu au secret comme l'aurait été un religieux, et il s'agit pour nous de faire justice.

– Je sais bien, chef, je sais bien... L'homme pleurait, geignait, tremblait de peur à l'idée de paraître devant Dieu après l'avoir si gravement offensé... Aussi, s'est-il déchargé la conscience en s'accusant d'avoir un goût immodéré pour les jeux de hasard. D'après lui, ce vice était le grand responsable de sa lamentable déchéance.

– Il n'est pas le seul à en avoir subi les conséquences! remarqua Etienne Boileau. Notre bon roi avait sagement fait publier des ordonnances à travers tout le royaume, pour interdire qu'on y joue aux dés, aux tables, et aux échecs. Sans résultat. Les fabricants de dés continuent comme si de rien n'était à travailler le bois, l'os, la corne ou l'ivoire... La folie du jeu est un mal que rien ne peut guérir. Riches et pauvres en sont atteints.

– Notre homme faisait partie de ceux qui en sont morts, reprit le sergent. D'après ses aveux, le besoin d'argent l'aurait conduit à travailler pour certains membres de la Grande Truanderie. Il leur servait de rabatteur dans un trafic coupable de filles publiques. Par ce moyen malhonnête, il se procurait les sommes qu'il allait ensuite perdre dans des tripots clandestins.

— Vous a-t-il dit pour le compte de qui il œuvrait?

— Il a parlé de Lombards, d'un certain Foulques, qui en paraissait le chef, de ses neveux... mais il est resté dans le vague et n'a fourni aucune précision, aucune adresse.

— Le nom suffit! s'écria Côme. Il ne fait pas de doute que nous nous trouvions bien devant la même bande de crapules!

— A la fin, continua le sergent, le moribond s'est mis à divaguer. Il s'adressait aux mânes de son maître qui, lui aussi, aurait été occis par les mêmes truands. Il paraissait lui être sincèrement attaché et l'appelait au secours... Bref, je puis bien vous assurer, foi de Brequin, que j'ai été fort soulagé quand ce bougre a rendu le dernier soupir!

— Avait-il eu le temps de se nommer? interrogea Marie.

— Oui, dame. C'est la première chose que je lui ai demandée. Il m'a dit s'appeler Jean-bon-Valet et être enlumineur de son état. »

Marie ne dit mot.

« A-t-il également donné les raisons pour lesquelles on l'avait exécuté? s'enquit le lieutenant civil.

— Il m'a semblé qu'il venait seulement de découvrir le lien rattachant le meurtre de son maître aux activités des Lombards et qu'une explication orageuse s'en était suivie. Il aurait menacé de les dénoncer... Ce qu'ils ont voulu empêcher... à leur façon!

— Grâce à ce que vous venez de nous apprendre, sergent, et vous aussi, dame, conclut Etienne Boileau, nous allons être en mesure d'intervenir enfin dans ce lamentable commerce de filles, et de faire un beau coup de filet! Soyez tranquille, mon cher Côme, nous allons arrêter ces gibiers de potence! »

Le visage carré, à la mâchoire énergique, se fit sévère.

« Comme ces truands changent constamment de domicile ou se réfugient aux Saints-Innocents, qui sont terre d'asile, et où nous ne pouvons intervenir, nous allons devoir leur tendre un piège... »

Il s'adressa alors à Marie.

« Pour ce faire, nous allons avoir besoin de votre concours, dame. Vous nous servirez d'appât... »

XVII

BERTRADE referma sa chemise de lin sur sa poitrine pommée.

« Tenez, demoiselle, dit-elle en tendant son fils à Blanche. Voici votre filleul. C'est un fieffé gourmand ! Il est plein comme une outre, à c't' heure ! »

Aude se pencha pour mieux voir le nourrisson que sa cousine prenait avec précaution avant de le soulever, en le tenant un peu incliné, pour l'aider à faire son rot. Emmailloté dans des langes attachés par des bandelettes croisées sur son ventre et sur ses jambes, afin de les maintenir droites, son crâne fragile recouvert d'une coiffe de toile blanche nouée sous le menton, le petit Louis paraissait satisfait.

« Il est joli, dit-elle.

– Je l'ai assez bien réussi, celui-là, c'est vrai ! admit la jeune mère. Espérons qu'il pourra plus tard nous aider à tenir la ferme ! »

Tout en s'enveloppant d'un devantier d'étoffe rugueuse avant de repartir sarcler les mauvaises herbes au jardin, elle jeta un coup d'œil chargé de rancune vers le seuil de la pièce où son autre fils, âgé de quatre ans, était assis. Bossu et cagneux, l'enfant jouait avec des copeaux de bois et de menues branches qu'il assemblait, sans se lasser, des heures durant.

« Je me demande bien comment j'ai pu mettre au monde un avorton pareil, grommela-t-elle entre ses dents.

– Il est loin d'être sot, remarqua Blanche.

– Il ne manquerait plus que ça! Mais voyez-vous, demoiselle, plus que de cervelle, c'est de bras que nous avons besoin ici! Mon père ne sera pas toujours vaillant comme il est. Un jour viendra où il aura besoin d'un gaillard pour le remplacer.

– Vos filles sont plaisantes. Elles se marieront, et leurs époux aideront Tybert quand il sera vieux.

– A moins qu'ils n'aient leur propre terre! dit Bertrade avec un mouvement d'épaule fataliste. Nous verrons bien. En tout cas, j'espère qu'elles seront plus avisées que leur mère et sauront se dénicher un mari quand elles en auront l'âge! »

Son rire clair effraya les poules qui picoraient sous la table. Elle les chassa avec de grands gestes gais avant de sortir à son tour. Elle avait retrouvé sa bonne humeur, et on entendit sa voix résonner joyeusement dans la cour où sa grand-mère, installée auprès du puits à l'ombre d'un vieux sureau, surveillait, tout en triant des pois, les deux plus jeunes des petites filles. Les aînées gardaient chèvres et moutons quelque part dans les champs.

« Heureusement que vous êtes là, ma cousine, pour vous occuper de votre filleul, remarqua Aude. Je ne sais pas comment Bertrade ferait sans vous!

– Elle l'emmènerait partout avec elle, dans sa berce, et le déposerait dans l'herbe, à ses pieds, répondit Blanche tout en câlinant entre ses bras le nourrisson qui s'endormait. Elle en a l'habitude.

– Il a tout de même de la chance de vous avoir pour marraine!

– Je m'y suis tout de suite attachée, reconnut Blanche. Il est si mignon! »

Aude considéra la jeune fille avec curiosité.

« Pourquoi vous faire religieuse, si vous aimez tant les enfants? demanda-t-elle.

– Je préfère encore le Seigneur à ses créatures, répondit paisiblement Blanche. Et puis l'un n'empêche pas l'autre. La naissance de Louis m'a permis de découvrir ma véritable vocation. Je vais entrer dans un ordre où il me sera permis de m'occuper des plus pauvres, des plus déshérités d'entre nous. Je pense aux filles de Sainte-Claire. Chez les Clarisses, je pourrai joindre le service du Seigneur à celui de ceux qui ont tant besoin qu'on les aime en Son Nom, et mon amour pour Lui à ma tendresse pour eux!

– C'est une bonne idée, approuva Aude. Votre filleul sera, en quelque sorte, votre guide sur le chemin du Ciel!

– Je n'aurais pas pu en avoir de meilleur! » dit Blanche avec un joyeux sourire, tout en couchant doucement le nourrisson dans son berceau de bois.

Elle le borda avec soin et demeura un moment près de la nacelle qu'elle balançait tout en fredonnant à bouche fermée une berceuse familière.

L'unique pièce de la ferme était sombre et malpropre. La clarté du soleil, revenu après plusieurs jours de mauvais temps, n'y pénétrait que par une étroite fenêtre donnant sur le jardin, et par la porte ouverte sur la cour. Une cheminée enfumée, sous le manteau de laquelle étaient suspendus quelques jambons et des saucisses, occupait le mur du fond. A sa crémaillère de fer pendait une marmite où cuisait une soupe aux fèves. Des landiers, un pot de terre, un gril, un croc pour retirer la viande du pot, un soufflet, des pincettes, encombraient l'âtre.

Aude s'approcha de la table de chêne bruni, encadrée de deux bancs, sur le dessus de laquelle traînait une miche de pain. Elle s'en empara pour aller la ranger dans la huche, qui, avec deux escabeaux, un pétrin, un lardoir et un casier à fromages, composait le plus clair de l'ameublement.

Dans le coin opposé à la pierre d'évier, se dressait le grand lit aux couvertures rapiécées où Bertrade dormait avec ses quatre filles et l'aïeule infirme. Son père et le petit bossu couchaient au-dessus de l'étable contiguë à la cuisine, dans un réduit chauffé par la seule chaleur des bestiaux.

« Tybert-le-Borgne est vraiment pauvre, remarqua Aude en revenant près de sa cousine. Quelle différence entre Pince-Alouette et la Borde-aux-Moines! »

Blanche inclina la tête sans cesser de fredonner. Le nouveau-né dormait à présent tranquillement. Aude, qui le contemplait, fut soudain saisie de surprise : l'enfantelet ressemblait à Colin!

Ce fut comme si une main invisible l'avait giflée. Elle devint toute rouge et des larmes lui piquèrent les yeux. Elle les essuya rageusement avant de se pencher sur le petit visage aux paupières closes. Il n'y avait pas à discuter : les traits minuscules étaient l'exacte réplique de ceux du jeune fermier!

Tant que l'enfant s'agitait, criait, tétait, pleurait, d'incessants mouvements rendaient la ressemblance moins frappante, mais, au repos, c'était aveuglant!

Une déception très aiguë serra le cœur de la petite fille. Colin, son Colin, son beau pastoureau, n'était-il pas meilleur que les autres? Elle le croyait pur et secret, réfugié comme elle-même dans l'attente d'un avenir qui les réunirait enfin... et voilà que l'enfant de Bertrade était le fils du jeune homme!

Tout ce que cette découverte comportait de désillusion et de rêves écroulés s'abattit comme une vague d'eau sale sur le cœur d'Aude. Un dégoût affreux la submergea.

L'odeur de la pièce, qui sentait, elle s'en avisait seulement, le lait suri, le chou, la fumée, le poulailler et la chandelle de suif, lui fut soudain insupportable.

Sans explication, elle se précipita au-dehors, traversa la cour comme un trait, repoussa le chien qui voulait jouer avec elle, effraya les canards, s'élança vers le chemin raviné qui conduisait à la route.

Colin avait couché avec Bertrade! Il s'était démené grotesquement sur elle comme le palefrenier sur Almodie! Il était donc aussi bestial, aussi grossier, que tous les autres garçons!

Ce qu'elle avait sottement imaginé et rêvé durant cet été de malheur devenait poussière et cendre! Elle courut jusqu'à la petite porte de la maison des champs qui donnait sur le bois et gagna, toujours courant, sa cachette enfouie sous les branches pour y pleurer à son aise. Le trépied de bois et les pots remplis des liquides saumâtres aux mystérieuses fermentations l'y attendaient. Sur un tas de feuilles, la genette dormait. Au bruit que fit Aude en se faufilant jusqu'à elle, l'animal se leva, s'étira, et, d'un bond, vint se loger sur ses genoux. L'entourant de ses bras, l'enfant enfouit sa figure dans le pelage qui sentait le fauve et se laissa aller à son chagrin.

Si elle avait été moins occupée par sa déception et son amertume, elle aurait remarqué, à l'orée du bois, son grand-père et Lambert qui causaient ensemble.

Occupé à tailler des buissons d'épines-vinettes qui s'avançaient trop, à son gré, sur le pré, le jardinier venait d'être rejoint par Mathieu Leclerc, suivi de son grand chien noir.

« Je t'apporte, Lambert, une nouvelle qui va te rendre la paix, avait dit le maître du domaine en abordant le fils de la fleurière. La bande de truands dont ton cousin Radulf faisait partie a été arrêtée. Elle a été mise sous les verrous au Grand Châtelet, sur l'ordre exprès de messire Etienne Boileau, notre prévôt, qui s'est lui-même occupé de cette affaire.

– Par tous les saints! maître Leclerc, comment le savez-vous?

– Ma belle-fille vient d'arriver de Paris. C'est elle qui m'a informé de cette capture. Un des ouvriers de notre atelier d'enluminure, qui s'était, lui aussi, affilié à ces crapules, a été mis à mort l'autre nuit, par leurs soins. Prévenue, elle a pu joindre le prévôt à temps, et a aidé à tout cela.

– Je n'ai plus rien à redouter? C'est bien sûr?

– Plus rien, Lambert. Un des chefs avait été tué par Thomas Brunel lors de son évasion, avec la pauvre Agnès, de la maison forte où on les avait enfermés. Un second a été pris durant une entrevue qu'il avait fixée à ma bru afin de lui extorquer de l'argent, et le troisième, leur oncle à tous deux, a été trahi par un usurier de ses complices. On l'a cueilli à son propre domicile.

– Dieu soit béni! Nous voici donc débarrassés de cette chiennaille! J'espère ne plus jamais en entendre parler!

– On les a soumis à la question ordinaire, afin de leur faire avouer les noms de leurs complices. Il semble qu'on soit parvenu à en obtenir des renseignements complets car messire Etienne Boileau a dit à ma belle-fille que, grâce à son concours, la capitale du royaume allait enfin être délivrée d'un ulcère qui la rongeait.

– Vous ne pouviez rien m'apprendre qui me fît plus de plaisir, constata le jardinier. Je vais maintenant dormir sans cauchemar! Je veux bien être pendu à la place de ces bêtes puantes si, depuis des semaines, j'ai jamais fermé l'œil plus d'une heure d'affilée!

– Ce soir, tu pourras te coucher en toute tranquillité, mon bon Lambert. Les responsables de ton malheur et du nôtre ne feront plus jamais de mal à leur prochain! »

L'odeur verte et amère des rameaux tranchés qui jonchaient le sol à leurs pieds, enveloppait les deux hommes.

« Tenez, dit le jardinier, regardez votre chien : il a reconnu la sente du lièvre!

– Tu en as repéré un par ici?

– Pas plus tard que ce tantôt! En taillant ces épines-vinettes, j'ai découvert un gîte encore chaud, là, juste où Carambeau a mis le nez!

– C'est un bon chasseur... Nous en avons fait des parties tous les deux! »

Le vieil homme hochait la tête.

« Allons, je te laisse à ton travail, conclut-il. J'ai, de mon côté, beaucoup à faire. »

Il siffla son chien qui obéit à regret, et s'éloigna.

Pour lui, en effet, rien n'était terminé. S'il éprouvait un profond soulagement à savoir ses petits-enfants à l'abri des dangers que représentait pour eux l'existence de l'organisation criminelle maintenant anéantie, il n'en demeurait pas moins que son fils avait participé à ces ignominies. Il n'aurait pas trop de tout le restant de sa vie pour tenter de racheter par son propre sacrifice l'âme égarée de Robert.

Depuis qu'il avait décidé de consacrer les jours qu'il avait encore devant lui à cette expiation, il n'avait cessé de préparer son départ. A l'insu des siens, il avait mis ses affaires en ordre, établi ses partages, prévu sa succession. Avant de quitter pour jamais sa calme demeure des champs, avant de se transformer en pèlerin itinérant, en vagabond de Dieu, il ne lui restait plus qu'à faire connaître à sa famille ses dernières volontés.

Dans le verger qu'il traversa, les pommes mûrissantes rougissaient sous l'ardeur du soleil de l'après-midi.

« Août s'achève, songea Mathieu. Je partirai au début du mois de septembre, après la fête de la Nativité de la Vierge Marie. »

Comme il longeait la haie séparant le verger du jardin, il aperçut une forme écroulée dans l'herbe. S'en approchant, il découvrit Djamal qui sanglotait.

« Par le cœur Dieu! Que vous arrive-t-il, mon ami? »

Le jeune Egyptien leva vers lui un visage désespéré.

« Agnès se meurt, balbutia-t-il en laissant retomber sa tête sur le sol. Elle est perdue!

— Je croyais que maître Garin-le-Mire devait passer aujourd'hui pour lui retirer ses bandelettes et constater la reprise de ses fractures?

— Par mon âme! Il est venu! Il l'a bien débarrassée des bandes de toile qui enserraient ses hanches et son bras, mais elle continue à étouffer jusqu'à ne plus pouvoir respirer et à cracher le sang à pleine bouche! »

Le vieillard savait par Charlotte Froment que l'adolescente demeurait en mauvais état de santé, mais il ne la croyait pas si gravement atteinte.

« Allons, ne restez pas ainsi, dit-il cependant. Rien ne sert de gémir. Relevez-vous, mon ami. C'est le moment de montrer que vous êtes capable de courage. A quoi sert la bravoure si on n'en fait pas montre dans des moments comme celui-ci? »

L'Egyptien prit la main qui lui était tendue, se redressa, suivit maître Leclerc qui se dirigeait à présent vers sa maison.

Reconduisant le chirurgien, Florie et Philippe en sortaient.

« J'apprends que votre fille ne se remet pas », dit Mathieu Leclerc en s'approchant d'eux.

Depuis que le couple était descendu chez lui, Mathieu n'entretenait avec lui que des rapports de simple courtoisie. Son propre chagrin, le projet qui l'occupait tout entier et l'angoisse de son âme lui faisaient fuir les conversations. Il s'en remettait à Charlotte Froment et à Eudeline-la-Morèle des soins donnés à ses hôtes comme de l'entretien de son logis.

« Hélas! dit Florie, c'est affreux! nous n'avons plus d'espoir de la sauver. »

Elle avait, elle aussi, les yeux rougis et Mathieu lui trouva les traits tirés et comme usés par le tourment.

Il se tourna vers le mire.

« A l'âge de cette enfant, on a pourtant de la ressource! dit-il avec la maladresse des natures pudiques obligées de s'exprimer dans des circonstances difficiles.

– Elle lutte depuis des semaines contre un mal interne qui la déchire un peu plus chaque jour, observa maître Garin. Je crains qu'elle ne soit parvenue au bout de ses forces. »

Incapable d'en entendre davantage, Djamal s'éloigna.

« On ne peut même plus songer à l'emmener en pèlerinage à Saint-Martin de Tours ou à Notre-Dame du Puy, reprit Florie avec découragement. L'épuisement où la voilà parvenue ne lui permet aucun déplacement.

– Ce serait la tuer que de la faire sortir de sa chambre, admit Philippe. Il ne nous reste que le secours de la prière. Même si ce n'est pas toujours comme nous l'avions prévu, notre oraison ne demeure jamais sans réponse.

– Je sais, mon ami, je sais, soupira Florie. Reconnaissez pourtant que le sort de notre fille est accablant. »

Mathieu connaissait l'histoire de cette femme. Sans trouver que dire, il regarda s'éloigner le trio.

Il était vrai que le destin d'Agnès était cruel : orpheline, adoptée pour remplacer un enfant mort, empêchée de s'unir à celui qu'elle aimait, blessée, mourante, la pauvre fille n'avait jamais été qu'une victime.

« La souffrance des innocents est un des mystères les plus difficilement tolérables du monde visible, songea le vieil homme. Notre entendement comprend mal cette nécessité d'un échange entre les forces du Bien et celles de l'Adversaire et n'admet qu'avec difficulté qu'il faille tant de souffrances pour contrebalancer tant de crimes! Là réside le principal obstacle à notre croyance en la Communion des Saints! »

Tout en réfléchissant, il s'était dirigé vers la chambre où l'adolescente vivait ses derniers moments. Parvenu devant sa porte, il s'immobilisa. Un râle coupé de toux et de suffocations s'élevait, tout proche. Il ne se sentit ni le droit ni le courage de troubler cette agonie.

Revenant sur ses pas, il se dirigeait vers la salle quand des vociférations et des protestations en provenance de la cuisine attirèrent son attention.

En pénétrant dans la pièce d'où venait tout ce bruit, il découvrit Almodie, étendue par terre près d'un panier d'osier rempli d'anguilles vivantes qui grouillaient sur l'herbe où on les avait déposées. Déjà à demi redressée, l'aide de cuisine était encadrée par Gerberge, qui brandissait au-dessus d'elle une main enduite de la farce qu'elle était en train de confectionner pour un pâté, et par Eudeline-la-Morèle, à genoux, qui lui tamponnait les tempes avec un linge humide. Egalement penchée vers elle, Marie rajustait la coiffe qui avait glissé au cours de sa chute.

« Que se passe-t-il céans? demanda le maître du

logis. Est-ce bien le moment de faire tant de caquetage alors que la mort s'apprête à nous visiter? »

La cuisinière tourna vers son maître un visage enflammé.

« La petite gueuse! cria-t-elle sans prêter attention à ce que venait de dire Mathieu. La petite gueuse! Voilà-t-il pas qu'elle est grosse! »

Le vieillard fronça les sourcils.

« Mon père, expliqua Marie, Almodie vient de s'évanouir parce que Gerberge lui a ordonné de dépouiller ces anguilles apportées par Vivien, dont vous connaissez le nouvel engouement pour la pêche. La première qu'elle a saisie lui a glissé entre les doigts, ce qui l'a effrayée...

— Elle ne serait pas tombée en pâmoison pour si peu, si elle n'avait pas été grosse! répéta la cuisinière avec indignation.

— A la suite de ce malaise, termina Marie posément, cette petite vient, en effet, de nous avouer qu'elle attendait un enfant. »

Eudeline-la-Morèle se redressa, puis, aidée par Marie, releva la future mère, et l'amena jusqu'au banc le plus proche.

« Là, assieds-toi, dit-elle, et reprends tes esprits. »

Elle aussi considérait la fautive avec sévérité, mais demeurait calme et efficace.

« Peut-on savoir qui est responsable de ton état? » demanda-t-elle de sa voix précise.

Almodie baissa la tête et demeura muette.

« Ce n'est guère difficile à deviner! s'écria Gerberge. Il n'y a pas à le chercher bien loin! Depuis des mois, elle traîne avec ce bouc de palefrenier, qui ne peut pas voir passer un tendron sans lui courir après!

— Est-ce vrai? demanda Mathieu Leclerc. Dis-moi la vérité, petite. Nous ne te voulons pas de mal et ferons en sorte que tout s'arrange bien pour toi... si nous en avons les moyens. »

L'aide de cuisine se mit à pleurer.

« Voyons, dit Marie en lui mettant une main sur l'épaule, voyons, n'aie pas peur. Rien n'est perdu!

— Mon père va me battre! gémit la coupable.

— Tu ne seras pas battue si tu te maries avant que ton état ne soit connu, reprit Marie. Jannequin est libre. Si c'est bien lui qui t'a engrossée, il n'a qu'à t'épouser, et tout sera dit!

— J' sais pas s'il voudra!

— C'est donc bien de lui qu'il s'agit », constata maître Leclerc.

Un hochement de tête, suivi d'un reniflement, lui répondit.

« Par Dieu! Il faut mettre bon ordre à tout ceci! reprit le vieillard. Je vais aller derechef trouver Jannequin et lui dire ma façon de penser! »

Almodie repoussa les mèches blondes qui lui tombaient sur les yeux.

« Y va pas être content, dit-elle.

— Il devait y penser plus tôt! lança maître Leclerc. Quand on fait un enfant à une fille honnête, on se doit de l'épouser! Sois tranquille, petite, je saurai quoi lui dire et il sera bien forcé de m'entendre! »

Marie approuva.

« Vous avez raison, mon père. Il n'osera pas se dérober devant vous. Il doit réparation à cette enfant. »

Mathieu parti vers l'écurie, Gerberge se reprit à grommeler, tout en se remettant à hacher ensemble la viande de canard, le persil, le porc gras, les oignons, les pistaches et les œufs durs pour confectionner son pâté.

Eudeline-la-Morèle recommença à disposer poires et pommes sur une corbeille de vannerie, et Marie à composer un bouquet de passeroses commencé un moment auparavant dans l'intention d'en fleurir la chambre d'Agnès. Venue pour annoncer à son beau-père la capture des Lombards, elle songeait maintenant à rester à Gentilly tant l'état de la malade lui paraissait alarmant.

Tandis qu'Almodie, tremblante mais entêtée, se mettait en devoir de vider et d'écailler carpes et brochets contenus dans un seau, afin de ne pas avoir à toucher aux anguilles, la jeune femme songeait que Côme allait l'attendre et qu'il fallait le prévenir en expédiant un messager le plus vite possible à Paris.

Depuis leur visite à Etienne Boileau, ils avaient vécu trois journées tourbillonnantes, partagées entre leurs projets d'avenir et leurs travaux respectifs. Décidés l'un comme l'autre à fixer la date de leur mariage sans tarder, ils avaient choisi la mi-septembre, au lendemain de la fête de la Sainte-Croix. A cause de la paralysie d'Etienne Brunel, les noces se feraient fort simplement, sans faste et sans bruit.

« Déjà en temps normal, le remariage d'une veuve nécessite la plus absolue discrétion, pensait Marie. Même sans la santé de mon père et la douloureuse fin d'Agnès, j'aurais redouté que nos amis et connaissances se missent en tête de venir mener sous nos fenêtres un de ces charivaris qu'on a coutume de faire en de tels cas... Dans les conditions actuelles, la décence veut que nous unissions nos vies en silence, sans nous faire remarquer le moins du monde et presque secrètement. »

Côme avait bien un peu regretté les jeux et le festin dont il souhaitait agrémenter leurs noces afin d'en signifier à tous l'importance et l'éclat, mais il s'était incliné devant les arguments de sa future épouse. En fin de compte, la seule chose qui leur importait à tous deux était d'être unis.

« Nous serons bien ensemble, se disait encore

Marie. Qu'avons-nous besoin d'une fête! Ce qui compte, c'est notre entente et notre existence commune! »

A présent qu'elle était délivrée d'Amaury et de ses maléfices, elle se sentait rajeunie, légère comme une fiancée...

Le stratagème du prévôt avait réussi au-delà de leurs espoirs à tous. Guidée par une vieille maquerelle qui l'avait abordée à la sortie de Saint-Eustache, Marie s'était rendue dans la maison d'un usurier de la rue de la Buffeterie, au premier étage de laquelle le Lombard l'attendait. Sur la demande expresse de Côme, les gens d'armes de la prévôté, qui avaient discrètement suivi la jeune femme jusque-là, s'étaient précipités, avant même qu'il ait compris ce qui se passait, sur l'homme trop sûr de lui et de sa séduction, qui la recevait en simple robe de chambre, sans arme et sans garde du corps...

Amaury s'était cependant débattu comme un furieux, et, en passant devant celle qu'il comptait porter à son tableau de chasse, l'avait injuriée de la plus outrageante façon. Ce n'était pas sans malaise qu'elle évoquait le prisonnier, à demi nu, entravé, les mains liées, qui lui avait crié son mépris et l'avait menacée dans sa descendance.

Heureusement, l'usurier qui faisait, lui aussi, partie de la bande, et qu'on avait conduit en même temps que le truand au Grand Châtelet, n'avait pas hésité, dès les premières menaces de torture, à livrer ses complices. Ses aveux avaient permis de capturer aussitôt, dans son domicile personnel, Foulques-le-Lombard, chef de l'organisation. Certains de ses acolytes, qui se trouvaient sous son toit, avaient été pris avec lui.

Satisfait, Etienne Boileau avait remercié Marie pour sa contribution au démantèlement de la sinistre confrérie de malfaiteurs, et l'avait assurée qu'il n'y avait plus lieu de la redouter.

Doublement tranquillisée, la jeune femme respirait enfin.

« Il ne me reste plus qu'à faire part à mon beau-père de notre projet de mariage... »

Mathieu Leclerc réapparaissait justement. Derrière lui, moins faraud que de coutume, le palefrenier pénétrait à son tour dans la cuisine. En le voyant, Almodie laissa choir à ses pieds une grosse carpe qui glissa sur le pavé comme à la surface d'un étang.

« Tout est arrangé, annonça maître Leclerc. Jannequin reconnaît avoir connu cette petite alors qu'elle était vierge et admet que l'enfant ne peut être que de lui. Il est donc décidé à réparer ses torts et à s'employer à devenir un bon mari! »

Almodie poussa un cri de souris et vacilla. Elle serait tombée de nouveau si Eudeline-la-Morèle, avisée, ne l'avait soutenue et assise une seconde fois sur le banc.

« Vous voyez bien, constata Marie. On a toujours intérêt à s'expliquer.

— N'empêche qu'ils ont fêté la Pentecôte avant Pâques, ces deux-là! bougonna Gerberge qui avait de toute évidence oublié une jeunesse peu farouche. Si c'était ma fille, je ne serais pas contente!

— Dieu merci, ce n'est pas votre fille, et ses parents ne sauront jamais rien, si vous voulez bien vous taire! reprit sévèrement Mathieu Leclerc. Ces enfants se marieront la semaine prochaine et je ne conseille à personne d'aller clabauder à tort et à travers sur leur compte! »

Il se retourna vers le palefrenier qui n'avait pas encore prononcé un mot.

« Jannequin, conseilla-t-il, embrassez votre promise avant d'aller demander sa main à son père.

— Et si Léonard ne voulait pas de moi pour gendre? marmonna l'interpellé.

— Je vais vous précéder à la ferme, mon ami.

419

Soyez sans crainte. Je me porte garant du consentement de Léonard. »

Le palefrenier s'approcha d'Almodie, défaillante, l'embrassa sur le front d'un air contraint et sortit précipitamment.

« Je me rends de ce pas à la Borde-aux-Moines, dit maître Leclerc. Plus tôt cette affaire sera réglée, mieux cela vaudra pour tout le monde! »

Comme il sortait, Aude entra en coup de vent.

« Ma mère! Ma mère! Je ne savais pas que vous étiez revenue! cria-t-elle en se jetant dans les bras de Marie. Je suis contente, contente! Vous ne pouvez pas savoir comme je suis contente de vous retrouver!

— Moi aussi, ma petite biche, je suis heureuse, dit Marie. D'autant que nous n'allons bientôt plus nous quitter. Dès que ce sera possible, je vous emmènerai, votre frère et vous, avec moi à Paris.

— Pourquoi attendre encore?

— Hélas! ma douce, nous sommes tenus de rester quelque temps ici. Agnès est au plus mal.

— Vous croyez qu'elle va mourir?

— Maître Garin-le-Mire, qui est venu retirer ses bandelettes ce tantôt, s'en est allé en disant qu'il ne pouvait plus rien pour elle.

— Tante Charlotte, peut-être?...

— Pas davantage, ma petite fille.

— Et Thomas qui est toujours absent!

— Dieu me pardonne, mais j'ai bien peur qu'il ne revienne trop tard. »

La mère et l'enfant quittèrent la cuisine, traversèrent la salle où Marie déposa la cruche de grès contenant le bouquet qui ne pouvait plus réjouir les yeux de la malade, sortirent sur le terre-plein, et allèrent s'asseoir sur un banc de bois, sous les branches du grand if chevelu qui les protégeait du soleil.

L'après-midi était sur son déclin. On entendait à

420

distance le bruit sec de la serpette de Lambert qui continuait à tailler les abords du bois. Des martinets passaient en piaillant. Du côté de l'écurie, un cheval hennit longuement.

A quelques pas du banc, sur la dalle chaude du seuil, le chien noir sommeillait.

Marie prit le visage de sa fille entre ses mains. La peau en était si claire et fine que c'en était miraculeux. Aucun pétale n'approchait de cette transparence vivante sous laquelle couraient de minces veines bleues. Rosie aux pommettes, laiteuse par ailleurs, la petite figure lumineuse était l'image même de la fragilité et de la grâce mystérieuse que Dieu a données aux enfants des hommes pendant leurs tendres années, si fugacement...

La jeune femme fronça les sourcils :

« Vos yeux sont rouges, ma colombe... On dirait que vous avez pleuré! »

L'enfant se mordit les lèvres.

« C'est à cause du petit Louis, dit-elle d'une voix tremblante.

– Seigneur! En quoi ce marmot peut-il vous chagriner?

– Ce n'est pas lui qui me fait de la peine, c'est autre chose... »

Jamais encore Aude n'avait parlé à qui que ce soit de son attirance pour Colin. C'était là un secret d'amour auquel elle tenait jalousement. Mais sa déception fut soudain la plus forte, et, dans les larmes revenues, elle avoua à sa mère qu'elle aimait le jeune fermier jusqu'à ce jourd'hui, mais qu'il venait définitivement de perdre en même temps prestige et attrait pour elle.

Réfugiée entre les bras de Marie, le visage enfoui dans la poitrine maternelle, Aude se confessait d'une voix hachée, coupée de sanglots.

« Je croyais qu'il attendrait que j'aie atteint l'âge

du mariage, disait-elle avec une naïve rancune. Pendant ce temps-là, il courait après Bertrade! »

Marie caressait la tête brune, lissait les mèches souples qui sortaient du béguin de fine toile de Reims pour friser sur la nuque gracile. Elle suivait de la main, sous la cotte, la ligne sinueuse de l'échine, si frêle, qu'elle pouvait en égrener avec émotion, ainsi que les grains d'un chapelet, chaque os entre ses doigts.

Elle n'éprouvait nulle envie de tourner en dérision la passion enfantine qui lui était confessée. Loin de là! Depuis toujours, elle avait appris à compter avec la nature ardente, entière de l'enfant. Dernièrement encore, n'avait-elle pas ressenti âprement le tranchant de ce caractère sans concession et sans partage? L'aveu fait à présent de la puérile et maladroite aventure apportait une preuve de plus de la violence des attachements dont la petite fille était capable, de sa capacité à garder pour elle ses sensations les plus instinctives, de la force aveugle de son cœur.

Avec une créature aussi impulsive, il fallait redouter les imprévisibles éveils du corps et des sentiments. A quelle extrémité ne se laisserait-elle pas aller quand elle parviendrait à l'âge des premières et véritables amours?

« Ma fille si chère, ma petite perle, vous vous étiez trompée d'objet, dit-elle doucement, quand la voix bégayante se fut tue. Colin est un brave garçon, mais il n'est point pour vous. Ni par l'âge, ni par l'esprit. Quand le moment en sera venu, il vous faudra trouver celui qui se montrera apte à vous comprendre autant qu'à vous aimer, celui qui partagera vos goûts, celui qui se présentera comme le compagnon solide et sûr dont vous aurez besoin. Jusque-là, laissez, si bon vous semble, votre imagination courir, mais sachez qu'elle peut être mauvaise conseillère si elle se montre trop vive et mal contrôlée, du moins dans le domaine du cœur. »

Les yeux clos, Aude écoutait. Elle se reprenait à espérer. Sa mère était dans le vrai : il convenait d'attendre... d'attendre encore au moins quatre ou cinq ans. A ce moment-là, elle choisirait le compagnon dont elle ne pouvait s'empêcher de rêver... Entre-temps, il n'y avait qu'à faire confiance à Marie, à s'en remettre à sa tendresse et à son expérience...

« Vous avez raison, convint-elle spontanément en redressant un mince visage plein de gravité sur lequel les larmes avaient séché. Je suis trop jeune encore pour aimer quelqu'un d'autre que vous! Pourquoi penser à un garçon, alors que je vous ai, près de moi, bien à moi, vous qui êtes ce qu'il y a de meilleur au monde?

— Mon petit oiseau, commença Marie, il ne faut pas non plus me parer de toutes les vertus. Je suis une femme comme beaucoup d'autres... »

Ce fut alors que le chien noir, qui somnolait toujours, se dressa d'un coup sur ses pattes de devant, et, la tête pointée vers le ciel, la gueule ouverte, se mit à hurler à la mort.

« Je n'aime pas cela, dit la jeune femme en interrompant sa phrase et en regardant avec inquiétude vers la maison. Non, vraiment, ce n'est pas bon signe! »

Tout en conservant une des mains de sa fille serrée dans la sienne, elle se leva.

« Allons voir Agnès », dit-elle simplement.

Dans la chambre où elles pénétrèrent ensemble on n'entendait plus de râles ni de suffocations.

Assise sur son lit, soutenue par une pile d'oreillers, la malade semblait connaître une étonnante rémission.

Sous la coiffure de toile qui protégeait la mousse blonde de ses cheveux, et, en les faisant disparaître, accusait le dépouillement des traits, le visage épuré avait retrouvé, avec la nudité de l'enfance, un éclat tremblant, presque joyeux.

« Je n'ai plus mal! Je respire sans difficulté!, constatait l'adolescente d'une voix émerveillée. Dieu soit béni! On dirait que je suis guérie! »

Debout à son chevet, Charlotte Froment avait suspendu le geste commencé. Elle tenait à la main un gobelet dont elle ne savait plus que faire.

Assise à la tête du lit, du côté opposé à celui où se trouvait sa tante, Florie levait vers cette dernière un regard interrogateur.

Philippe, debout derrière son épouse, se penchait vers elle, incrédule.

Djamal, la tête levée, reposait doucement à côté de lui, au pied de la couche, sur le coussin voisin du sien, le rebab dont il ne jouait plus.

« Si je vis assez longtemps pour voir revenir Thomas, je serai sauvée..., reprenait Agnès qui parlait dans une sorte d'extase. Je le sais. Je le sens. »

L'amour ne pouvait pas avoir une autre apparence que la sienne. Une ferveur lumineuse irradiait de ses yeux élargis, nimbait ses traits d'espérance, la transfigurait.

« Thomas! cria-t-elle alors d'une voix claire comme le cristal, d'une voix de source. Thomas! »

Un flot de sang jaillit de sa bouche, coula de son menton sur sa gorge, tachant le drap blanc d'une traînée pourprée, tandis qu'elle se renversait en arrière, sur ses oreillers, avec la grâce furtive d'un vêtement de soie qu'on abandonne.

« Dieu Seigneur! » gémit Marie en tombant à genoux.

Aude entoura de ses bras le cou de sa mère et s'y cacha la figure.

Charlotte Froment se pencha, ferma du pouce, avec une tendresse et un respect infinis, les paupières cernées de mauve qui restaient ouvertes sur un regard radieux, et essuya avec un linge les lèvres ensanglantées, avant de s'agenouiller à son tour.

Florie, qui conservait entre les siennes la main trop blanche de la jeune morte, la porta à ses lèvres, les y appuya, les y laissa. Elle pleurait sans bruit, sans mouvement, avec un accablement si absolu, si définitif, qu'on avait le sentiment, qu'en même temps que ses larmes, elle se vidait, elle aussi, de sa vie...

Philippe, contracté, durci, se redressait lentement derrière elle. Contrairement à ce qu'on aurait attendu de cet époux attentif, il ne cherchait pas à consoler sa femme. Pour lui comme pour elle, cette fin ravivait d'insoutenables souvenirs, réveillait une souffrance mal cicatrisée sur laquelle venait se greffer ce dernier désastre...

La face contre le sol, Djamal se lamentait.

Charlotte Froment songeait qu'en fermant les yeux d'Agnès, d'un geste si souvent accompli pour d'autres, elle venait de sceller à jamais une vie apparemment manquée. Mais que savons-nous des réalités de ce monde et de l'autre? Que connaissons-nous? Ne sommes-nous pas, sans cesse, abusés par les faux-semblants?

Ce que nous jugeons perdu, gâché, ce que nous nommons une existence dépourvue de sens, n'est jamais que l'affleurement singulier d'une vérité plus générale. Il n'y a pas de parcours totalement réussi ici-bas. L'imperfection humaine est inévitable. Seule, l'Eternité donnera réponse à la quête tâtonnante, à la quête malhabile, que nous entreprenons sur cette terre. L'explication nous attend, quelque part, à l'autre bout du tunnel, ailleurs... là où se trouvait maintenant rendue l'enfant partie vers l'Inconnaissable...

Charlotte baissa la tête et commença à réciter à voix haute les sept psaumes de la pénitence.

XVIII

Il y avait à présent une place vide dans l'atelier d'enluminure.

« Comptez-vous remplacer bientôt ce renard puant de Jean-bon-Valet ? demanda Kateline.

– Je ne sais pas encore, répondit Marie. Je prendrai une décision plus tard, quand je serai mariée... »

Par besoin d'une confidente, par amitié aussi, la jeune femme avait mis son ouvrière au fait des événements survenus les dernières semaines. Elle lui avait aussi confié ses projets matrimoniaux. Il lui fallait parler de Côme à quelqu'un.

« Je vous comprends, dit Kateline. Votre vie va changer, et bien des choses avec ! »

Après une journée de travail, semblable à beaucoup d'autres, les deux femmes se tenaient dans l'atelier devant une des fenêtres ouvertes sur le jardin.

Denyse-la-Poitevine, les apprentis et les aides étaient déjà partis. Ils ne reviendraient pas travailler le lendemain, jour de la Nativité de la Vierge, qui était fête chômée.

Le soir tombait. Septembre n'avait que quelques jours, et, cependant, la lumière plus douce faisait déjà songer à l'automne.

« Je n'ai pas encore trouvé le moyen de mettre

mes enfants au courant de cette union et de la grande transformation qu'elle apportera dans nos existences, soupira Marie. Je ne sais comment m'y prendre.

– Il faut le leur dire tout simplement, dame!

– Ce n'est pas si aisé... »

Une appréhension la retenait. Elle savait d'avance qu'ils accepteraient fort mal la nouvelle de son remariage.

« Ils seront furieux et blessés, reprit-elle. Toutes leurs habitudes vont s'en trouver bouleversées, et Dieu sait si les enfants sont attachés aux habitudes! Ce sont les seuls repères dont ils disposent dans un monde où si peu de place leur est offerte.

– Vous croyez qu'ils se montreront jaloux de votre second mari?

– Je ne sais... Ils m'aiment peut-être trop, voyez-vous. Je suis devenue à la fois leur mère et leur père. J'occupe toute la place... »

Revenus avec elle de Gentilly pour retourner à leurs écoles, réouvertes durant la dernière semaine d'août, Aude et Vivien avaient repris tout naturellement leur vie coutumière. Il n'en était pas de même pour Marie.

L'amour la tenaillait à présent. Devenu tout-puissant dans son cœur, le besoin de voir Côme, de partager chaque instant, chaque incident de ses jours, l'obsédait. Mais ils ne disposaient l'un et l'autre que de fort peu de temps pour se rejoindre.

Depuis la nuit de la Saint-Jean où elle avait craint de perdre Aude, depuis les semaines déchirantes qui avaient suivi, Marie était bien décidée à ne pas remettre en cause le délicat accord établi entre ses enfants et elle... C'était essentiel. Elle ne pouvait donc plus recevoir Côme la nuit chez elle, ainsi qu'elle avait aimé à le faire pendant l'été.

Restaient les journées. Les futurs époux ne parvenaient à leur arracher que de minces lambeaux d'intimité, volés à leurs métiers respectifs. Ils en souffraient tous deux.

« Il faut sortir à tout prix de cette situation, reprit Marie. La date fixée entre nous pour nos noces se rapproche, et je n'en ai averti ni ma famille ni mes enfants! »

Chaque nuit, étendue dans le vaste lit à côté de Vivien et d'Aude, elle tournait et retournait dans son esprit ce qu'elle avait à leur dire, la manière de le faire, les précautions à y apporter. Le matin venu, elle repoussait une nouvelle fois l'échéance, ne jugeait jamais le moment propice, tergiversait sans fin...

« Jusqu'à présent, j'ai manqué de courage, reconnut-elle. Cela ne peut plus durer! La peur de faire de la peine à ces enfants me retient, mais je dois surmonter mon appréhension. Après tout, ils se consoleront vite, et apprendront bientôt à aimer leur nouveau père... du moins je veux l'espérer!

– Toute veuve qui se remarie connaît ce genre de difficulté, dame, dit Kateline. Quels sont les rejetons d'un premier lit qui acceptent de bonne grâce le nouveau venu qui leur prend leur mère? Ils le voient toujours d'un mauvais œil s'installer à la place du disparu.

– Il est vrai, admit Marie, mais il faut reconnaître que les circonstances présentes ne leur facilitent pas les choses. La mort de la pauvre Agnès, survenue après tant d'événements inhabituels, les a beaucoup impressionnés.

– On peut dire que vous n'avez pas eu un été ordinaire! » admit Kateline.

Marie suivait des yeux dans le jardin la genette, en quête de quelque proie à dévorer, qui rampait sur une branche de coudrier.

« Mon neveu ne va sans doute pas tarder à

revenir de Rome, soupira-t-elle. Je n'ose imaginer son chagrin! »

Rentrée à Paris tout de suite après l'enterrement d'Agnès, l'enumineresse, en dépit de ses propres difficultés, restait hantée par la fin de l'adolescente. Ce passage de la mort parmi les siens, l'âge tendre de la victime, la brièveté d'un tel destin, l'avaient beaucoup frappée. Sans doute l'agonie de son père, toujours paralysé, lui aussi menacé de disparaître à chaque instant, l'avait-elle rendue plus sensible au crève-cœur de la séparation.

« Ma sœur et mon beau-frère sont repartis pour Tours dans un tel état d'accablement qu'on ne savait que faire pour adoucir leur deuil, reprit Marie, le regard perdu vers le ciel où montaient des nuages presque violets. Ils avaient d'abord eu l'intention d'emmener le corps de leur fille avec eux, mais, sur nos conseils à tous, ils ont fini par se résoudre à la laisser à Gentilly.

– Les voilà seuls à jamais, dit Kateline. Je suis, hélas! bien placée pour savoir ce qu'il en est. Je les plains.

– Quel sort pitoyable que celui de Florie! soupira la jeune femme. Quand je songe aux espoirs qui entouraient sa jeunesse, je me dis que nous sommes bien fous de compter sur l'avenir. »

Un bruit de pas précipités, des cris, en provenance de la salle, à l'étage supérieur, attirèrent son attention.

« Vivien et Aude doivent se disputer, déclara-t-elle. Je vais monter voir ce qui se passe. »

Elle trouva son fils et sa fille en train de se battre comme de jeunes chats.

« Pour l'amour de Dieu! Que vous arrive-t-il? demanda-t-elle en les séparant.

– Il a osé aller fouiller, là-haut, dans mon coffret, lança Aude avec indignation.

– Pour ce que j'y ai trouvé! rétorqua Vivien

dédaigneusement. Rien que des pots pleins d'horribles soupes et des boîtes remplies d'herbes séchées ou de graines qui puent!

– Pourquoi y aller voir en cachette, alors? cria la petite fille, le visage enflammé de fureur. Pourquoi profiter de ce que j'ai le dos tourné pour fureter partout? Si mes affaires vous dégoûtent tellement, vous n'avez qu'à ne pas vous en occuper!

– Voyons, dit Marie, calmez-vous tous les deux. Vous avez eu certes tort, mon fils, d'ouvrir le coffret d'Aude en son absence. Mais vous, ma fille, vous ne devriez pas vous mettre en de pareilles colères. Je vous croyais plus pondérée.

– Je n'aime pas qu'on touche à ce qui m'appartient, répliqua l'enfant d'un air farouche. Le bien de chacun est sacré!

– Il nous a pourtant été demandé de partager avec nos prochains, dit Marie.

– Pas n'importe quoi! Je veux bien partager mon pain, mes habits, mes jouets, mais pas les simples que j'ai rapportés de Gentilly! »

Après s'être assise sur une cathèdre, Marie attira sa fille contre elle.

« Vous y tenez donc tellement, ma colombe?

– J'y tiens beaucoup, ma mère. Le vieille Mabile m'a appris des choses qui restent cachées à énormément de gens et que je suis fière de savoir. Cet âne de Vivien n'y connaît rien et risque de tout abîmer!

– Que dites-vous? Que dites-vous? hurla, en se relevant d'un bond, le petit garçon qui venait de s'installer devant une table volante, où étaient disposés un feuillet de parchemin, des pinceaux et des couleurs broyées. Vous m'avez traité d'âne!

– Il n'y a que la vérité qui blesse, lança Aude tout en toisant son frère avec mépris.

– Il suffit! dit Marie. Cessez de vous disputer. Votre grand-père ne va pas tarder à arriver.

430

– Heureusement qu'il vient, remarqua Viven avec amertume. Lui au moins, il me comprend!

– Allons, mon fis, embrassez-moi, proposa Marie. Vous n'êtes pas si maltraité que vous semblez le croire! »

Elle serra ses enfants dans ses bras.

« Tout est oublié maintenant, assura-t-elle. Allons tous trois à la cuisine. Il faut que je m'assure qu'on a bien mis à la broche les perdrix rouges pour le souper. »

Mathieu Leclerc avait fait prévenir sa bru qu'il comptait passer la fête de la Nativité de la Vierge à Paris. Il n'avait pas fourni d'explication à ce déplacement imprévu. Marie ne s'en était pas autrement souciée. Il s'agissait sans doute d'affaires à traiter, et, de son côté, elle avait à lui parler.

Avant tout autre, son beau-père devait être informé du projet de remariage. C'était une question de convenance. Qu'en penserait-il?

Elle y songea durant le repas qu'ils prirent tous ensemble, et décida de le mettre au fait, sitôt la tarte au fromage rôti terminée, et les enfants envoyés au lit.

Comme le ciel était de nouveau menaçant, Mathieu Leclerc et Marie ne s'installèrent pas sur le banc de pierre qui s'adossait à la façade de la maison donnant sur le jardin. Ils préférèrent demeurer dans la salle qu'éclairaient déjà des chandeliers de tables, munis chacun de quatre bougies accolées. Devant eux, un plat de noix fraîches et de noisettes voisinait avec un flacon de vin pimenté. Sur un bahut proche, des clous de girofle et du gingembre brûlaient dans une coupe, pour chasser les odeurs de nourriture qui s'attardaient dans la pièce.

« Si je suis venu ainsi vous rendre visite à l'improviste, dit l'ancien maître enlumineur, c'est, ma

431

fille, que j'ai à vous faire part de dispositions d'importance.

– Moi aussi, mon père, j'aurai à vous entretenir. Mais, auparavant, je vous écoute. »

Le vieil homme avait posé ses mains sur les accoudoirs de son siège à haut dossier et, une fois de plus, sa bru fut frappée par la maigreur de ses doigts et le relief noirâtre des veines qui saillaient sous la peau.

« Je ne vous étonnerai pas en vous disant que l'affreuse mort de Robert hante chacune de mes heures, commença Mathieu Leclerc. Savoir son âme en danger de damnation éternelle ne me laisse point de repos. »

Derrière les mots, on devinait des abîmes de souffrance.

« J'ai donc décidé de racheter, autant que je le pourrai, les fautes de mon fils, continua le vieillard. J'y ai longuement pensé et il m'est apparu que la seule tentative à faire était de consacrer à cette expiation ce qui me restait de temps sur terre. Il me faut perdre ma vie si je veux tenter de sauver celle de Robert dans l'éternité. Il ne peut y avoir de salut pour lui qu'à ce prix. C'est une entreprise qui nécessite le détachement absolu du monde. Pour y parvenir, je dois commencer par me défaire de mes biens terrestres. Je suis donc déterminé à me dépouiller de tout ce que je possède. Je donnerai jusqu'à mon dernier sou et partirai sur les routes comme tant d'autres pèlerins. Seulement, je ne pourrai pas me contenter d'un unique sanctuaire. J'irai, tour à tour, implorer tous les intercesseurs possibles pour les supplier de présenter ma requête au Seigneur. Je me rendrai à Saint-Martin-de-Tours, à Saint-Jacques, à Rome... jusqu'à Jérusalem, si j'en ai la force!

– Un tel voyage, à votre âge, en de si pénibles conditions, c'est de la folie, mon père! »

Maître Leclerc posa sur sa bru un regard un peu flou, déjà lointain.

« Il n'y a pas d'autres remèdes à un mal aussi grave, ma fille. Comme je vous l'ai dit, j'ai parfaitement mûri ma décision. Il n'y a plus à y revenir. Je partirai dans deux jours.

— Si vite! Avez-vous vraiment pesé la somme de renoncements que votre résolution entraînera avec elle? Vous vous transformerez en vagabond, vous n'aurez plus de logis, plus de famille... Vous ne verrez pas grandir vos petits-enfants!

— Je sais, Marie, je sais. Ce sera le plus dur. Mais où serait le mérite s'il n'y avait pas sacrifice?

— Dieu est bon, mon père! Meilleur que vous ne le pensez. Il ne demande pas que nous nous soumettions à de pareilles pénitences!

— Pour nos propres péchés, il est sans doute infiniment miséricordieux. Mais il ne s'agit pas des miens, pour lesquels je me serais contenté de rester chez moi à méditer sur nos fins dernières; il s'agit de ceux de mon fils que je prends en charge, comme un terrible fardeau supplémentaire. Les crimes commis par Robert réclament des mortifications exemplaires. Ils sont affreux... on serait tenté de dire, impardonnables! Si j'espère, tout de même, en obtenir merci, ce ne peut être qu'au prix le plus lourd!

— Réfléchissez encore, je vous en supplie!

— Il n'est plus temps. Je suis certain d'être sur le seul chemin possible. J'y songe depuis des semaines et j'ai déjà tout préparé. Si j'ai tenu à vous en avertir ce jour'hui, ma fille, c'est que je ne voudrais pas que vous appreniez par un notaire les dispositions qu'il m'a fallu prendre et que je dois vous exposer.

— Je m'en remets à votre jugement, mon père. Le plus important demeure pour moi votre absence et non les affaires d'argent.

– Je suis sensible à votre affection, Marie. Elle me tiendra chaud sur la voie étroite où je vais m'engager... Il faut cependant vous dire ce qu'il en est. J'ai partagé mes biens en trois parts. Je lègue aux pauvres de Saint-Eustache tout ce que je possède en or et en argent. Je laisse à Aude la ferme de la Borde-aux-Moines et ma maison des champs. Enfin, je fais Vivien mon héritier de l'atelier, de ce logis-ci, et d'une autre petite bâtisse de rapport que je possédais rue Saint-Jacques et dont je conservais les revenus.

– Vous avez pensé à tout, mon père.

– Je craignais que vous ne vous sentiez dépossédée.

– Non point, soyez-en persuadé! Tant que mes enfants seront mineurs, je continuerai à gérer leurs biens. Sitôt venu le moment de les émanciper, je leur remettrai le tout en mains propres.

– Mon notaire a reçu ordre de vous apporter son concours, chaque fois qu'il sera nécessaire... Comprenez-moi bien, Marie, je ne pouvais faire autrement.

– Vous n'avez pas à vous excuser, mon père. Il est tout à fait normal que l'avoir paternel revienne à ces enfants. Votre façon d'agir est l'équité même. Aude aime Gentilly plus que tout autre lieu. Elle saura s'occuper de la demeure aussi bien que de la ferme. Par ailleurs, vous lui constituez là une dot des plus honorables et qui, avec ce que je comptais lui donner, l'aidera plus tard à s'établir au mieux. Quant à Vivien, vous savez qu'il s'intéresse déjà beaucoup à l'enluminure. Comme nous en étions convenus, il travaille avec moi à l'atelier durant les moments de liberté que lui laisse l'école. Votre décision l'incitera sûrement à s'y consacrer davantage. Si vous le jugez bon, je le déclarerai dès ce mois-ci en qualité d'apprenti.

– Il est bien entendu que vous continuerez à

diriger cet atelier comme auparavant tant que votre enfant ne sera pas en âge de le faire lui-même. Vos conseils et votre expérience lui demeureront indispensables.

– Il me sera fort agréable de travailler avec Vivien, reconnut Marie avec un tendre sourire. Nous nous entendons si bien tous les deux! Il tient de vous et de moi un goût assez sûr. Nous en ferons un bon enlumineur.

– Je suis satisfait que vous preniez les choses avec cette sérénité, ma fille, avoua Mathieu Leclerc. Je redoutais vos récriminations...

– C'est que vous me connaissez mal, mon père! »

Le sourire de la jeune femme s'effaça soudain. Elle baissa les yeux, l'air gêné. Les reflets des bougies coloraient son visage, accusaient le relief de ses pommettes, le modelé de ses lèvres qu'elle se mit à mordiller comme elle le faisait toujours aux moments difficiles.

Dans sa cage dorée, une tourterelle, rompant la paix du soir, commença tout à coup à roucoûler, puis s'interrompit net.

« De toute manière, j'aurais trouvé votre partage juste et bon, reprit Marie au bout d'un moment. Mais des circonstances nouvelles et capitales sont intervenues dernièrement qui font que, loin de me déplaire, vos arrangements me rendent service. »

Le vieillard, qui ne concevait pas ce qui pouvait encore être important en comparaison de ce qu'il venait d'apprendre à sa bru, eut quelque difficulté à se dégager de ses pensées pour prêter attention à ce qu'elle paraissait vouloir lui confier.

« Vous m'aviez parlé de certain projet dont vous souhaitiez m'entretenir? dit-il comme au sortir d'un songe.

– Oui, mon père. »

Nerveusement, la jeune femme triturait les franges de l'aumônière qu'elle avait ramenée sur ses genoux.

« Eh bien, voici, j'ai décidé de me remarier. »

Mathieu Leclerc hocha la tête.

« Depuis le début de l'été, j'avais remarqué que vous ne portiez plus la guimpe des veuves, dit-il sans paraître s'en émouvoir. Je l'ai parfaitement admis... J'ai bien peur que Robert n'ait jamais été un bien bon mari pour vous!

— Je me serais contentée de vivre pour mes enfants, s'il ne m'avait pas été donné de rencontrer un homme qui me semble réunir toutes les qualités que je pouvais espérer trouver chez un futur compagnon de route, expliqua Marie en rougissant. Je dois aussi vous avouer que je l'aime...

— Qu'y a-t-il à redire à cela? Vous m'en voyez heureux pour vous, ma fille. Est-il de nos amis?

— Il est venu avec moi à Gentilly, pour les fêtes de la Saint-Jean. Il s'agit de Côme Perrin.

— Le mercier! Vous allez faire un beau mariage, Marie. Il est fort riche.

— Ce n'est pas ce qui importe, mon père, croyez-le bien! »

L'ancien enlumineur tendit vers sa belle-fille une main conciliante.

« Je suis navré d'avoir parlé si sottement, dit-il. Moi qui craignais de vous froisser tout à l'heure, voici que je viens de le faire par maladresse. Oubliez cette remarque déplacée, je vous le demande... Votre choix est excellent, ma fille. J'ai peu vu votre ami cet été, suffisamment tout de même pour le juger loyal et bon. Vous serez heureuse avec lui. C'est certainement un homme de bien et sa famille est des plus honorables. J'ai connu feu son père, qui faisait partie des quatre jurés élus par ses pairs, les maîtres merciers, pour surveiller et administrer la communauté tout entière. C'est vous dire en quelle estime les Perrin sont tenus dans cette ville!

— Pardonnez-moi, à votre tour, un mouvement d'humeur dû à ma seule nervosité. J'étais angoissée d'avoir à vous apprendre un remariage qui aurait pu vous déplaire!

— Vous êtes encore jeune, Marie. Il est tout naturel que vous désiriez refaire votre vie. Je vous souhaite, pour cette seconde union, plus de chance qu'avec la première! »

Ramené à son obsession, le vieil homme détourna les yeux et contempla tristement, par la fenêtre ouverte, la nuit qui s'épaississait. Pas une étoile. Aucune clarté. Tout était ténèbres.

« Je ne sais s'il me restera assez de temps pour mener à bien mon entreprise, dit-il avec inquiétude. Ma vie est déjà fort avancée et j'ai tant à faire!

— Etes-vous certain, mon père, de ne pouvoir agir autrement?

— Tout à fait certain. N'en parlons plus, ma fille, et allons nous coucher. »

Il prit un chandelier d'étain.

« Comptez-vous avertir Aude et Vivien de votre départ, demanda Marie, et des dispositions que vous avez prises?

— Je leur en dirai l'essentiel demain, après le dîner.

— Je profiterai de cette occasion pour leur annoncer mon remariage.

— Vous ne leur en avez encore rien dit?

— Je n'ai pas osé! »

Le vieillard eut un sourire un peu tremblant, affectueux et compréhensif.

« Dieu vous garde, Marie! Vous êtes une bonne mère. Vos enfants ont de la chance!

— Ne faut-il pas qu'une mère soit une chance dans la vie? » demanda la jeune femme tout en soufflant sur les bougies de cire blanche.

Le lendemain matin, pendant et après la messe célébrée en grande pompe en l'honneur de la naissance mariale, la pluie tomba avec violence.

Durant le dîner, elle cessa pour laisser la place à un soleil trop chaud.

Au-dessus de Paris, le ciel demeurait noir, alourdi de nuages de plomb, mais, vers l'ouest, une éclaircie limpide, ni bleue ni verte, couleur de certains fonds sous-marins, trouait les nuées. Soulignée par un bourrelet de vapeurs grises, elles-mêmes bordées d'argent, fardées de rose, nuancées d'orangé, la coulée lumineuse éclairait tendrement les toits luisants de la capitale.

« Venez voir l'arc-en-ciel ! cria Vivien, qui était descendu le premier au jardin, sitôt le repas terminé. Je n'en ai jamais vu de si beau ! »

Immense, parfait, surplombant toute la ville, reliant la terre au ciel dans une buée d'eau suspendue, un arc aux couleurs du prisme se dressait comme une voûte miraculeuse, comme un porche de lumière ouvrant on ne savait sur quel temple céleste.

« C'est l'écharpe de la Vierge ! constata Aude d'un air entendu. N'est-ce pas naturel, puisque nous fêtons aujourd'hui sa natalité ?

– Notre-Dame nous fait tout de même un beau présent, dit Marie. Peut-on rêver rien de plus merveilleux ? »

Elle attira son fils et sa fille contre elle et resta un long moment, la tête levée, à admirer et à rendre grâces.

Son beau-père la ramena sur terre.

« Ce soleil d'orage est trop cuisant pour moi, dit-il. Rentrons à la maison. »

Ce fut là, dans l'ombre retrouvée, qu'il mit ses petits-enfants au courant de sa décision. Sans dévoiler ses motifs il leur apprit qu'il partait en pèlerinage pour recommander l'âme de Robert au Seigneur et que ce serait un long voyage.

Assis tout droit sur son siège, la parole ferme, il s'exprima simplement, évitant tout attendrissement, toute complaisance. Sur des coussins, à ses pieds, le frère et la sœur, ravis, l'écoutaient évoquer Rome et Jérusalem. Quand il en vint aux dispositions pratiques prises à leur endroit, ils s'en montrèrent surpris, un peu gênés, et ne retrouvèrent leur quiétude qu'après avoir reçu de leur aïeul l'assurance que rien ne serait changé et que leur mère continuerait à s'occuper de tout.

« Justement, enchaîna alors Marie, dont le cœur battait avec impétuosité, justement, je profite de ce moment solennel pour vous annoncer une seconde nouvelle, mes chéris. Je pense à me remarier. »

Elle se tenait debout derrière le fauteuil de Mathieu Leclerc, sur le dossier duquel elle s'appuyait.

Vivien se leva d'un jet. Rouge, les yeux brillants, il se dressait comme un coquelet en colère.

« Quoi? Quoi? Que dites-vous? bredouilla-t-il.

— Votre mère est encore fort jeune et a de lourdes charges, dit le vieillard. Il est normal qu'elle envisage de prendre un mari qui puisse l'aider. Contenez-vous, mon petit. Vous verrez que c'est la meilleure solution pour tout le monde. »

L'enfant rejeta d'un geste furieux les mèches blondes qui retombaient sur son front.

« Je ne veux pas qu'un autre homme que mon père entre céans!

— Votre père n'est plus, Vivien, reprit sévèrement maître Leclerc. Il convient à un garçon de bientôt onze ans de se montrer raisonnable et d'admettre une réalité qu'il doit pouvoir comprendre. Cette nouvelle union sera bénéfique à chacun de vous. Comme je viens de vous le faire savoir, l'atelier sera vôtre dès que vous serez capable de le diriger.

L'époux que votre mère s'est choisi n'interviendra en rien dans toute cette affaire. Il ne cherchera pas à vous éloigner ni à vous disputer la première place puisque, Dieu merci, il est de son côté pourvu d'un solide métier.

– Il n'est donc pas enlumineur? demanda Vivien avec méfiance.

– Bien sûr que non! lança Aude qui s'était contentée jusque-là de tirer à petits coups secs sur ses nattes. Il n'est pas enlumineur. Il est mercier! »

D'un mouvement souple de belette, elle se leva et s'élança hors de la salle sans qu'on eût le temps de la retenir.

« Dieu Seigneur! Où va-t-elle? » cria Marie.

Son beau-père se tourna vers elle.

« Ne craignez rien, ma fille, dit-il. Vous voyez bien qu'elle savait déjà à quoi s'en tenir. »

Guillemine entra alors pour annoncer que Jannequin venait d'arriver de Gentilly. Il avait à communiquer à son maître une nouvelle des plus importantes.

« Qu'il entre. »

Le palefrenier pénétra dans la pièce.

« Messire Thomas Brunel est de retour, lança-t-il sans ménagement. Il n'a trouvé que Gerberge à la maison. Et, dans son affolement, elle s'est laissé aller à lui dire tout à trac que demoiselle Agnès était morte depuis deux semaines. Il a demandé où elle reposait et s'est rué, ensuite, vers l'église de Gentilly.

– Où se trouve-t-il à présent?

– Là-bas. Dans l'église. Couché sur la dalle de pierre, les bras en croix, il pleure comme un enfant et refuse de répondre à not' curé qui essaie de le raisonner. C'est lui, l'abbé Piochon, qui m'a conseillé de venir vous prévenir.

– Et Bertrand qui se trouve à Troyes, en Champagne, pour la foire chaude[1]! s'écria Marie. Il ne doit rentrer qu'à la fin de la semaine...

– Laudine...?

– Elle ne fera que se lamenter avec son fils. »

Marie serrait les lèvres, réfléchissait.

« Mon père aurait pu avoir quelque influence sur Thomas, mais il n'y faut point songer... Blanche, elle aussi, serait peut-être parvenue à se faire entendre de son frère, mais elle a commencé son noviciat chez les Clarisses... Reste tante Charlotte, dont nous avons tous appris à estimer le jugement... Elle sait communiquer sa fermeté à ceux qui en ont besoin. C'est elle qu'il faut alerter! »

Pendant la maladie d'Agnès, Charlotte, qui aimait se sentir utile, avait puisé un regain d'activité dans les soins donnés à l'adolescente. Depuis la disparition de sa patiente, elle s'était retrouvée inoccupée et avait décidé de s'installer au chevet d'Etienne. Sa présence et son expérience pourraient être de quelque secours au paralytique. Elle logeait donc maintenant rue des Bourdonnais.

« Je cours là-bas, dit Marie.

– De mon côté, je vais rentrer chez moi, déclara maître Leclerc. Je verrai sur place si je peux secourir ce pauvre garçon.

– Adieu donc, mon père, puisque vous le voulez! dit Marie non sans affliction. Que Dieu vous garde sur les grands chemins où vous allez vous aventurer!

– Priez surtout pour qu'Il m'exauce, ma fille!

– Vous nous manquerez beaucoup, murmura la jeune femme en embrassant le vieillard. Beaucoup.

– Vous me manquerez encore plus, croyez-moi, Marie! Mais ai-je le choix? »

1. A Troyes il y avait une foire chaude en été, et une foire froide en hiver.

Il se maîtrisa.

« Soyez heureuse, ajouta-t-il. Vous le méritez bien! »

Son sourire crispé fut la dernière image que sa bru emporta de lui, avec l'immense tristesse de son regard.

Rue des Bourdonnais, où Etienne Brunel somnolait, sans participer en rien aux événements qui agitaient son entourage, l'enlumineresse mit Charlotte au courant du retour de Thomas et du comportement du jeune homme.

« Vous seule, ma tante, pouvez l'amener à accepter son deuil.

– J'espère parvenir à tempérer ce que sa douleur a d'excessif, dit la physicienne, mais vous connaissez sa violence. Il est capable des pires folies. »

Elle partit et Marie retourna chez elle. L'arc-en-ciel avait disparu. Un ciel redevenu orageux coiffait Paris de nuées. Le vent faisait voltiger, tourbillonner, sur les pavés, les pétales de fleurs jetés le matin sous les pas de la procession. En dépit du temps, les gens flânaient en ce jour de fête et dansaient aux carrefours.

Marie eut la tentation de courir chez Côme, qui devait se languir d'elle, mais elle se contraignit à retourner auprès de ses enfants. La façon dont ils avaient pris l'annonce de son remariage la tourmentait.

Contrairement à ce qu'elle redoutait, elle les trouva sagement assis dans la salle. Ils jouaient ensemble. Aude avait sorti d'une boîte des petits personnages et des animaux de terre cuite qu'elle animait pour son frère en les faisant agir et parler comme dans les contes.

Ne sachant trop que dire, la jeune femme alla chercher son carnet de croquis et s'installa près de son fils et de sa fille. Elle entreprit alors de les

dessiner tous deux en train de manier les figuri-
nes.

« J'ai réfléchi à ce que vous nous avez appris tout
à l'heure, dit Vivien au bout d'un certain temps. J'ai
eu tort de me fâcher et vous prie de me pardonner. »

Il se leva à sa manière agile et vint se camper
devant sa mère, la tête penchée sur l'épaule, un
sourire gêné sur les lèvres, maladroit et rempli de
bonnes intentions, si semblable à elle-même, qu'elle
en eut chaud au cœur et l'attira dans ses bras.

« Je vous aime tant tous deux, dit-elle sur un ton
de confidence. Je vous aime si fort. Je ne puis être
en paix si vous ne l'êtes pas!

– Je veux que vous soyez heureuse, continua
Vivien. Grand-père avait raison. Vous l'avez bien
mérité et nous n'avons pas le droit de vous faire de
la peine. »

Tout en embrassant l'enfant, Marie jeta un coup
d'œil vers sa fille. Penchée sur une figurine qu'elle
retournait en tous sens entre ses doigts prestes,
avec une attention trop appliquée pour être naturelle, Aude restait figée sur son escabeau. Son profil
très pur, aux paupières baissées, n'était que refus.

« Je parviendrai à l'apprivoiser, elle aussi, songea
Marie. C'est déjà beaucoup que Vivien accepte
l'idée de me voir remariée. En général, les fils sont
les plus difficiles à convaincre de la nécessité d'une
seconde union! »

Charlotte Froment entra dans la pièce comme le
crépuscule tombait sur la ville.

« Eh bien, ma tante, êtes-vous parvenue à vous
faire entendre de Thomas? interrogea la jeune
femme.

– Ce n'est pas si simple, ma mie. »

La physicienne s'assit. Les épaules voûtées, les
traits tirés, elle avait soudain l'apparence d'une très
vieille femme.

« Je suis arrivée à l'arracher à la pierre tombale d'Agnès, dit-elle, mais je ne sais si j'ai bien fait. Le pauvre garçon paraissait hors de lui, véritablement absent de son corps.

– Ne s'est-il pas emporté, lui qui est si aisément furieux ?

– Nullement. Il a fait montre d'un calme, d'un abattement bien plus impressionnants que les éclats que j'avais prévus. Il a répété plusieurs fois : « Je le savais... Je le savais... Elle m'est apparue en « songe, au cours d'une de mes étapes, pour me « prévenir qu'il lui fallait s'en aller, me quitter. Elle « soupirait, comme Tristan, qu'elle n'avait pas pu « retenir sa vie plus longtemps... »

– Nous aurions dû, bien davantage, respecter cet amour, murmura Marie.

– Sans doute, ma nièce, sans doute... Ils ont su être de purs amants... Thomas m'en a donné la preuve : sans démonstration, sans déchaînement, sans outrance, il n'était que douleur. Son chagrin, voyez-vous, m'a atteinte au cœur. Il me rappelait le tilleul foudroyé de votre beau-père, qui restait apparemment en vie alors que, sous l'écorce, la moelle était calcinée... Un peu plus tard, il m'a appris qu'il ne voulait pas demeurer un jour de plus dans un pays qui avait tué son amie. Il a décidé de repartir sur-le-champ.

– Dieu Seigneur ! Repartir ! Pour aller où ?

– Il a parlé de l'Italie.

– Que va-t-il faire, là-bas ?

– Il semble que, pendant son séjour à Rome, où il n'a pas reçu du pape l'accueil qu'il escomptait, il ait rencontré Arnauld, votre frère aîné, venu, de son côté, en mission dans la Ville éternelle.

– Arnauld ! Comme il y a longtemps qu'il est parti ! Comme j'aimerais le revoir !

– Ce ne sera pas pour demain, ma nièce. D'après les quelques mots que je suis parvenue à arracher à

Thomas, votre frère serait devenu un personnage d'importance à la cour du roi de Naples et de Sicile. Il y exerce à la perfection, paraît-il, son rôle d'ambassadeur et s'est lié d'amitié avec le prince auprès duquel il est accrédité. Aussi a-t-il proposé à son neveu, déconfit de n'avoir point obtenu la dispense escomptée, de venir à son tour chercher fortune dans la péninsule. A ce moment-là, il était question qu'Agnès et Thomas s'y rendissent ensemble. Seul, dorénavant, ce dernier songe à s'engager dans l'armée du duc d'Anjou, devenu roi de régions qui ne sont pas toutes soumises.

– Et Bertrand qui espérait tellement voir son fils lui succéder à la tête de l'orfèvrerie familiale!

– Il devra y renoncer. Dieu merci, il ne manque pas d'enfants! Thomas paraît avoir pris en horreur tout ce qui lui rappelle un passé trop funèbre. Il est absolument déterminé à quitter le royaume de France.

– Il se battra comme un preux!

– Hélas! ma mie, je serais plutôt tentée de croire qu'il ne fera la guerre que pour rencontrer, au cours d'une bataille, l'occasion honorable d'une fin rapide!

– Vous voulez dire qu'il est décidé à mourir?

– De l'air éteint et désespéré qui m'a fait tant de peine, il m'a ouvertement avoué qu'il ne voyait pas d'autre moyen d'aller rejoindre Agnès. »

Les deux femmes se turent.

Le vent soufflait sous les portes et faisait voler les cendres du foyer. Dans le jardin, les ombres des arbres envahis de nuit, s'agitaient dans la bourrasque.

« Quelle tristesse, soupira Marie. Ces deux-là sont devenus victimes de leur propre amour! »

Au moment où Guillemine entrait, une chandelle à la main, pour éclairer la salle en allumant les bougies accolées, la voix implacablement logique d'Aude s'éleva :

« S'il aime Agnès au point de désirer mourir pour elle, pourquoi Thomas ne s'est-il pas tué sur sa tombe?

– Comment pouvez-vous parler ainsi, ma fille? Vous savez bien que se donner volontairement la mort est un des plus graves péchés qu'un chrétien puisse commettre! C'est la preuve qu'on n'espère plus en Dieu, qu'on ne Lui fait plus confiance!

– Je sais, dit l'enfant, mais, alors, comment montrer qu'on est capable d'aimer jusqu'au bout?

– Personne ne peut souhaiter recevoir un tel témoignage d'attachement, trancha la physicienne avec son bon sens coutumier. D'ailleurs, on meurt rarement d'amour, ma petite fille. Croyez-en mon expérience.

– Parlons d'autre chose, dit Marie.

– Si vous annonciez à tante Charlotte que vous allez bientôt vous remarier, ma mère? proposa Aude tout en continuant à manier les figures de terre cuite disposées devant elle sur la table.

– Quoi? Que dit cette petite?

– La vérité. Nous avons jugé bon, Côme Perrin et moi, de ne plus attendre davantage pour unir nos vies. »

Il y avait une trace de défi dans le ton de l'enlumineresse, mais ce n'était pas à sa tante qu'elle en avait.

« Vous avez grandement raison, ma nièce! Une femme ne peut rester bien longtemps seule sans dommage et il est bon de tenter la chance une seconde fois!

– Vous nous approuvez donc?

– Vous ne pouviez rien m'apprendre qui me fît plus de plaisir. D'autant mieux que vous avez fort bien choisi, ma nièce! Votre ami est un homme sûr, solide, sur lequel vous pourrez vous appuyer. »

Charlotte Froment se pencha, baissa la voix.

« A vrai dire, avoua-t-elle en souriant, votre secret

n'en était plus un pour moi depuis le mois de juin dernier, mais j'ignorais le moment où vous vous rédoudriez à nous le révéler.

– Nous pensons nous marier très vite maintenant, reprit Marie. Immédiatement après la fête de l'Exaltation de la Sainte-Croix. »

Elle saisissait l'occasion qui lui était offerte de mettre ses enfants au fait de ses intentions, sans, toutefois, avoir à s'adresser directement à eux.

« A cause des circonstances actuelles, nous éviterons toute ostentation, continua-t-elle. Ce sera la cérémonie la plus simple du monde : une messe matinale et un repas où ne seront conviés que quelques membres de nos deux familles.

– Fort bien, ma nièce, mais vous n'allez tout de même pas vous passer de fiançailles! protesta Charlotte.

– Elles auront lieu, ma tante, rassurez-vous! Seulement comme je suis veuve, il convient que tout reste le plus discret possible. Pour présenter la sœur et le beau-frère de Côme, qui sont ses seuls proches, à ma parenté, nous avons l'intention de réunir tout le monde ici, au cours d'un souper intime, en présence du curé de Saint-Eustache.

– Vous n'avez pas de temps à perdre!

– Fixons donc cette première réunion à samedi prochain.

– Bonne idée, ma nièce! Je m'en réjouis par avance. Ce sera enfin une soirée consacrée à l'espérance! Elle nous distraira un peu de tous les malheurs qui nous accablent! »

Pendant que sa tante parlait, Marie croisa le regard d'Aude qui avait enfin relevé la tête. Dans les prunelles fixées sur elle, la jeune femme discerna une expression grave, attentive, alarmée, empreinte de pitié et non pas de colère ou de mépris. Elle comprit aussitôt que ce n'était plus à elle que sa fille en voulait à présent, mais à Côme. L'enfant jugeait sans doute sa mère victime du mercier. Comme son frère et elle-même.

Durant les quelques jours qui s'écoulèrent entre la fête de la Nativité de la Vierge et le repas des fiançailles, et en dépit d'une activité incessante, l'enlumineresse demeura sur le qui-vive.

Aude avait beau lui témoigner une recrudescence de tendresse et d'attention, elle ne s'en tourmentait pas moins. Que se passait-il derrière le front sans rides, mais non sans mystère, de l'enfant dont elle connaissait les capacités d'invention?

Prise dans le tourbillon des préparatifs indispensables à des fiançailles suivies de fort près par les épousailles, la jeune femme ne disposait pas du temps nécessaire à une surveillance constante des faits et gestes de la petite fille. Tout en continuant à s'occuper de l'atelier, il fallait prévenir le prêtre qui devait bénir l'engagement des futurs époux, puis présider au don mutuel qu'ils se feraient du sacrement de mariage, inviter les convives, établir le menu, commander chez un marchand de vivres des plats plus compliqués que ne pouvait en confectionner la cuisinière des Leclerc, et passer commande à Côme. C'était lui, en effet, qui fournirait les épices, les bougies de couleur, les vêtements neufs pour la maisonnée, les poudres odorantes qui parfumeraient la salle en brûlant, les vins de Grenache, de Grèce ou de Chypre, et jusqu'aux tapis de Perse qui décoreraient somptueusement les murs!

Il fit porter par deux serviteurs qui resteraient rue du Coquillier pour assurer le service, des corbeilles de fruits, de fleurs, des couronnes de clématites et de scabieuses, des plateaux de fruits exotiques cuits dans du sucre blanc de Caïffa, des coupes remplies de dragées, d'anis et de coriandre. Sa libéralité n'était pas ostentation, mais témoignage de joie et d'amour.

Marie le comprit bien ainsi. En dépit de tout ce

qu'elle avait à faire et de son inquiétude maternelle, un émoi bondissant lui mettait le cœur en liesse et le feu aux joues. Elle s'immobilisait au milieu d'un geste, là où elle se trouvait, avant de repartir vers ses occupations, la main sur la poitrine, pour mieux savourer le goût si neuf du bonheur promis.

Le samedi arriva.

Il y eut un moment d'effervescence et d'énervement avant l'heure fixée pour le souper et Marie s'impatienta parce que le laçage de sa cotte en satin de Gênes ivoire était trop serré, et que la résille en chenille de soie verte qui retenait sa chevelure nattée, avait des mailles moins étroites qu'elle ne l'avait prévu. Grâce à Guillemine, qui entourait sa maîtresse de soins attentifs, les lacets furent relâchés en un tour de main, et les longues tresses blondes finirent par se loger sans dommage dans leur soyeuse enveloppe.

Vêtue d'un surcot de velours émeraude brodé d'ancolies aux nuances diaprées, ceinturée de la chaîne de fins anneaux d'or offerte par son amant le matin de la Saint-Jean, chaussée de cuir doré, parée d'un long collier de perles qui lui venait de la cassette de Mathilde, le front ceint d'un cercle d'orfèvrerie sorti de l'atelier des Brunel, ce fut une future épousée éclatante qui pénétra en fin de matinée dans la salle pour y accueillir Côme.

Le mercier, qui avait tenu à arriver un bon moment avant les convives, s'efforçait de conserver son habituelle aisance. Il n'y parvenait guère. Pâle, visiblement ému, il tordait entre ses doigts les gants de peau souple qui complétaient son ajustement. Lui aussi avait revêtu des vêtements de fête. Un ample manteau d'épaisse soie bleue s'ouvrait sur un surcot de velours violet rayé de blanc. Il portait un couvre-chef de fines plumes de paon blanc, et ses souliers bas en cuir violet doublés de fourrure d'écureuil laissaient voir ses chausses bleues.

449

Sitôt entré, il alla vers Marie, prit entre ses mains le visage blond et parfumé, le contempla un instant en silence, avec ferveur, avant d'appuyer ses lèvres sur la bouche tremblante. Il l'embrassa longuement, gravement, respectueusement, comme on appose sur un traité d'alliance, son sceau personnel au cœur de la cire chaude.

« Voici enfin venu le jour tant espéré, ma mie, dit-il d'une voix un peu rauque après ce baiser presque religieux. Ce jour où vous allez m'engager votre foi!

– Oublions tout ce qui fut avant, murmura la jeune femme. Le passé n'est plus. Une nouvelle vie commence! »

Côme prit dans l'aumônière qu'il portait à la ceinture un écrin de peau cramoisie dont il sortit un large anneau d'or orné d'une belle émeraude et le passa à l'annulaire de sa fiancée.

« En attendant celui de nos noces, portez ce témoignage de notre engagement mutuel, ma mie, dit-il. J'ai fait graver à l'intérieur la sentence que notre sire le roi avait choisie quand il a épousé la reine Marguerite : « En cet annel, tout mon « amour. » Je crois qu'on ne saurait mieux dire. »

Vivien entra en courant, salua le futur mari de sa mère.

« Soyez le bienvenu, messire Perrin, dit-il spontanément, et que Dieu vous garde! »

Marie caressa avec gratitude la jeune tête couronnée de clématites.

« Votre sœur n'est pas avec vous, mon petit faon?

– Elle n'en finit plus de se préparer », répondit l'enfant.

Il avait bien d'autres préoccupations! Politesse faite, il se précipita vers les buffets où s'amoncelaient des victuailles.

Le curé de Saint-Eustache fut introduit presque

aussitôt. Côme et Marie se portèrent au-devant de lui. Grand, bien découplé, ce prêtre doux et timide avait l'apparence d'un lutteur.

Ce furent ensuite Bertrand et Laudine qui arrivèrent, accompagnés de leur second fils, Renaud, devenu depuis le départ de Thomas pour le royaume des Deux-Siciles, l'héritier des Brunel et le futur successeur de l'orfèvre.

En dépit de leurs efforts pour faire bonne contenance, le frère et la belle-sœur de Marie avaient bien du mal à se mettre au diapason de la fête. Le sort de leur aîné les assombrissait et nul ne pouvait songer à leur en vouloir.

Parée de bijoux somptueux, vêtue de taffetas pourpre, et suivie de son petit mari qui riait aux éclats, Hersende fit une entrée qui ne pouvait passer inaperçue.

« Votre maison n'est pas mal du tout, chère dame, dit-elle à son hôtesse en la rejoignant. Il faudra que vous me fassiez visiter votre atelier. Je projette de vous faire enluminer certain psautier... »

Charlotte pénétra à son tour dans la salle.

« J'aurais tant aimé voir mon père parmi nous ce jourd'hui, murmura à son oreille Marie en l'embrassant. Heureusement que je vous ai, ma tante! »

Kateline-la-Babillarde apparut en dernier. Dans cette réunion familiale, elle seule représentait les autres ouvriers enlumineurs, mais aussi l'amitié.

« Messire Perrin est tout à fait séduisant, glissat-elle à la maîtresse de maison. Vous êtes bien appareillés tous les deux! »

Les valets venus de la rue Troussevache présentèrent alors aux convives des coupes remplies de claret parfumé aux aromates et des plateaux chargés d'amandes aux épices douces, de pistaches confites, de pommes de pin pignon au miel, et de petits pâtés chauds, fourrés à la viande de porc hachée avec des oignons et du cumin.

« Votre logis est plaisant, mais ce quartier est en pleine transformation, disait Hersende à sa future belle-sœur. Ce ne sont partout que chantiers et pans de murs qui s'élèvent. Comment pouvez-vous vivre dans tout ce remue-ménage?

— Ma foi! Je n'ai guère le temps de m'en soucier, répondit la jeune femme, décidée à être patiente. L'air y est bon, et la proximité du grand jardin de l'hôtel où vécut la reine Blanche me plaît beaucoup. »

Le curé de Saint-Eustache s'entretenait avec Côme et Bertrand.

« Des rumeurs circulent, disait-il d'un air préoccupé. Notre sire le roi songerait à un second départ pour la Terre sainte. J'espère que c'est un faux bruit!

— Outre-mer, les choses vont mal pour nous, reconnut Bertrand, Baïbars l'Arbalétrier a reconquis le pouvoir de Saladin. Il a saccagé Nazareth, rasé l'église de la Vierge. Il a failli prendre Saint-Jean-d'Acre!

— Césarée est tombée l'an dernier, renchérit Côme, et Arsur. Aux dernières nouvelles ce diable de soudan[1] aurait repris Safed!

— Le pire est que le tombeau du Christ est toujours aux mains des Infidèles, continua le curé en soupirant. Le reprendrons-nous jamais? En tout état de cause, le moment est mal choisi. La santé de notre roi n'est guère bonne et il est plus utile dans ce royaume que nulle part ailleurs!

— Je ne pense pas que notre sire s'arrête à de pareilles objections, remarqua le mercier. Il en est fort loin! Je le soupçonnerais même d'aspirer au martyre!

1. Sultan.

452

– Il y a du vrai dans ce que vous dites, admit Bertrand. Mais il me semble que son devoir de roi doit l'emporter sur la tentation de la sainteté!

– Un roi pieux est une grande bénédiction pour le royaume, reprit le curé, mais je le préfère en sa capitale plutôt que dans le désert d'Egypte! »

Le petit notaire débitait de fades galanteries à Marie et à Kateline pendant que son épouse, qui était friande de scandales, s'enquérait auprès de Renaud de ce qu'il savait des amours de Thomas et d'Agnès.

Charlotte Froment s'était assise à côté de Laudine.

« Votre Blanche est maintenant à l'abri de tous ces remous, remarqua-t-elle avec un bon sourire. C'est une âme ferme et claire qui a fait sans doute l'unique choix qui en vaille la peine.

– Nous avions toujours pensé qu'elle se marierait, dit Laudine, mais, cependant, nous avons accueilli avec satisfaction l'annonce de sa décision. Je suis allée la voir hier dans son couvent. Elle respire le bonheur de ceux qui ont été touchés par la grâce.

– Il ne m'avait jamais encore été donné d'assister de si près au cheminement de l'appel sacré dans une créature de Dieu, reprit Charlotte. Au cours de ces derniers mois, j'ai suivi en elle l'éclosion et l'épanouissement de sa vocation. C'était comparable à la montée irrésistible de la marée... »

Avant de passer à table, on procéda au lavement de mains, dans de belles bassines de cuivre présentées par les valets de Côme. Puis on prit place. Les femmes en premier, les hommes ensuite.

Des hanaps, des écuelles d'argent à deux oreilles, des cuillères, des couteaux à manche d'ivoire, de larges tranches de pain pour recevoir les viandes, des salières ouvragées, et une nef d'orfèvrerie offerte par Bertrand, s'alignaient sur la longue nappe blanche.

On apportait une lardée de cerf au poivre noir, des truites en croûte, et un cochon de lait farci, dont les fumets se répandaient agréablement dans la pièce, quand, au moment de réciter le bénédicité, on s'aperçut qu'Aude ne se trouvait toujours pas parmi les convives. Etant la plus jeune, c'était à elle de dire la prière.

« Comment se fait-il que votre fille ne soit point encore prête, chère dame? demanda Hersende.

– Je l'ignore. Elle a dû s'attarder dans sa chambre. Je vais l'envoyer quérir. »

Guillemine, qui veillait, près d'un buffet, au découpage des viandes, fut alertée et dépêcha une servante chercher l'enfant.

Un cri strident en provenance de l'étage supérieur creva le brouhaha des conversations, et la chambrière réapparut presque aussitôt, courant, le visage à l'envers.

« La petite demoiselle gît par terre, à côté du lit, dit-elle d'un air épouvanté, au milieu du silence qui avait accueilli son retour. Elle se tord comme une possédée et sa figure est pleine de bave! »

Marie sentit un remous glacé descendre de son cœur à son ventre. Elle jeta un regard éperdu à Côme, et se leva, chancelante, décolorée, ses jambes pouvant à peine la porter.

« Ma tante, dit-elle d'une voix étouffée, venez avec moi! »

Charlotte était déjà debout.

« Commencez le repas sans nous, dit-elle aux convives alarmés. Nous allons voir ce qu'a cette enfant, et nous vous rattraperons ensuite. »

Dans la chambre, le long du lit où sa mère et son frère s'étendaient chaque soir auprès d'elle, Aude se convulsait sur le sol. De violentes contractions agitaient son corps, déformaient ses traits. Les yeux fermés, les lèvres écumantes, elle râlait.

Marie s'agenouilla à côté de sa fille. Elle grelottait. Une terreur immense lui creusait les entrailles. Il lui semblait descendre vertigineusement vers le fond d'un abîme...

Charlotte souleva une des paupières de l'enfant, découvrant une prunelle révulsée. Elle chercha ensuite à introduire ses doigts entre les mâchoires contractées, mais n'y parvint pas.

« Il faut la faire vomir au plus vite, dit-elle d'un ton bref. C'est une question de vie ou de mort.

— Que puis-je faire? demanda, derrière Marie, la voix détimbrée de Côme.

— D'abord, m'aider à transporter cette pauvre petite sur le lit. Ensuite, appeler Guillemine pour lui dire de monter de la cuisine une cuillère et une cuvette. »

Ils eurent du mal à contenir Aude pendant le court trajet à effectuer. Elle se débattait avec violence et se raidissait en de brusques crampes qui la tendaient comme un arc.

Une fois étendue sur la couche, elle continua de s'agiter convulsivement.

« Ma nièce, ordonna la physicienne à Marie qui restait prostrée, venez maintenir votre fille. Elle risque de retomber à terre si on ne l'en empêche pas. »

En s'approchant, la jeune femme heurta du pied un gobelet vide qu'elle ramassa en frissonnant et tendit à sa tante.

Charlotte en examina le fond où demeuraient quelques traces d'un épais liquide poisseux et rougeâtre, le renifla.

Côme et Guillemine revenaient.

Non sans peine, en réunissant leurs forces, ils parvinrent tous quatre à retourner le mince corps raidi, secoué d'incessantes trépidations, et à le pencher au-dessus du récipient que venait d'apporter la servante.

Avec le manche de la cuillère, glissé entre les

dents serrées, la physicienne effectua une pesée, entrouvrit de force les mâchoires, et enfonça deux doigts au plus profond de la gorge de l'enfant.

Des haut-le-cœur se succédèrent, qui arrachaient à la petite fille des plaintes et des gémissements.

Ce ne fut qu'après bien des efforts qu'elle put rejeter un mélange de nourriture et de purée rouge, gluante, où nageaient des parcelles noirâtres. Une ignoble odeur de vomi se répandit.

« Nous n'arriverons pas à la débarrasser suffisamment de cette manière, dit Charlotte. Il faut maintenant lui faire boire une préparation spéciale. »

Comme au temps où elle sauvait régulièrement des vies, dans son service de l'Hôtel-Dieu, elle retrouvait sa rapidité de jugement, donnait des ordres.

« Nous devons nous procurer sans tarder de l'écorce de chêne, continua-t-elle.

– Où voulez-vous, dame, commença Guillemine...

– Il y a des chênes dans le jardin de l'hôtel voisin, dit Marie.

– Bon. Courez demander à Renaud Brunel, qui est certainement le plus agile d'entre nous, de se munir d'un couteau, d'escalader le mur mitoyen et d'aller prélever quelques lamelles d'écorce sur le premier chêne venu. »

La servante se précipita hors de la pièce.

« La sauverez-vous, ma tante? murmura Marie.

– Si Dieu le veut... »

L'état de la petite fille ne semblait guère s'améliorer et ses vomissements ne paraissaient pas lui avoir apporté grand soulagement.

« Les baies de l'if provoquent de très fortes douleurs, dit la physicienne. Elles contiennent un poison dangereux qu'il faut coûte que coûte empêcher d'atteindre le cœur... »

Penchée au-dessus de sa fille secouée d'affreux

tressaillements, Marie demeurait comme assommée, sans larmes, sans réaction... Elle ne pouvait même plus prier. Elle n'était qu'épouvante.

« Où a-t-elle pu se procurer ces maudites baies? interrogea Côme, qui tenait encore l'enfant aux épaules.

– A Gentilly. Il y a un grand if au bout du terre-plein. Ses fruits étaient justement parvenus à maturité à la fin du mois d'août. »

Marie revit l'arbre touffu sous les branches duquel elle s'était assise avec Aude le jour où celle-ci lui avait avoué sa déception au sujet de Colin et ses innocentes amours... De petites boules vermeilles, au cœur noir bleuté, décoraient le feuillage sombre, l'égayaient.

« Dieu! Ce sont donc ces baies-là que ma fille a cueillies, écrasées, préparées, pour composer cette horrible bouillie rouge qu'elle a avalée seule, ici, pendant que je me divertissais en bas, sans même avoir remarqué son absence! »

Ce fut comme si sa poitrine éclatait.

Elle s'écroula, pâmée, dans les plis de sa robe de fête que souillaient des éclaboussures.

« Allongez-la sur le lit, auprès de la petite, conseilla Charlotte à Côme, et occupez-vous d'elle. Je n'en ai pas le temps. »

Elle massait avec précaution l'estomac de l'enfant et s'efforçait de lui faire restituer le plus de poison possible.

Penché au-dessus de Marie, Côme lui humectait le visage d'eau fraîche et baisait dévotement les paupières closes de son amie.

En bas, dans la salle, le désarroi avait remplacé la joyeuse effervescence du début. A la suite du curé, les convives des fiançailles interrompues récitaient des oraisons. Les plats entamés refroidissaient sur la table.

Bertrand était sorti avec son fils pour l'aider à

franchir le mur mitoyen. Assez vite, Renaud revint. Il avait mis une poignée de lambeaux d'écorce dans un sac qu'on lui avait donné.

« Montons », dit Bertrand.

Marie n'avait toujours pas repris connaissance.

« Sans perdre un instant, vous allez me faire une décoction de ceci, ordonna la physicienne à Guillemine. Vous mettrez ces fragments dans un petit pot d'eau froide et les y ferez bouillir. Pendant ce temps, demandez à la cuisinière de délayer deux blancs d'œufs et de les battre avec soin. Quand la décoction vous paraîtra assez forte, vous la passerez dans un linge, y ajouterez les blancs d'œufs battus, et me monterez aussitôt la préparation... Plus tard, nous aurons besoin de lait... »

Aude continuait à se tordre entre les bras de Charlotte qui tentait de la maintenir couchée. Elle délirait. D'abord incompréhensibles, des mots, des phrases, lui échappaient.

« Non! Non! Mabile! Non... pas lui... pas lui... personne... L'if est noir, noir, noir... »

Elle gémissait, pleurait, se convulsait de nouveau.

« Je le déteste! Il doit mourir... Sainte Vierge, faites-le mourir! Non! Non! Pas moi, lui! Lui! J'ai mal! Oh! j'ai si mal!... »

Elle haletait.

« Ma mère! cria-t-elle en se redressant un peu. Ma mère! Au secours! Non! jamais! jamais! J'empoisonnerai ce maudit palefrenier! »

Elle se renversait, les membres raidis, hurlait, se débattait.

« Jamais! Jamais! Ma mère et lui... Non! Jamais! »

Marie revenait à elle, écoutait, tout de suite replongée dans l'horreur.

« Amie, amie, dit Côme en lui baisant les paumes,

je vous en supplie, remettez-vous... Je vous aime! »

La jeune femme tourna vers lui des yeux éteints, secoua lentement la tête.

« Pour nous tout est perdu, dit-elle dans un souffle. Plus rien n'est possible... Il faudra attendre, attendre... »

Incliné vers elle, lui tenant toujours les mains, la considérant avec une expression de consternation éperdue, Côme hésitait à comprendre.

Elle sentit en elle un déchirement de tout l'être.

« Mon amour, murmura-t-elle, mon cher amour, quoi qu'il puisse advenir à présent... »

Et, se jetant contre la poitrine de son amant, elle éclata en sanglots.

Guillemine entra, un pot d'étain à la main.

« Maintenant, nous allons avoir à lui faire absorber cette préparation, annonça Charlotte. Ce ne sera pas facile.

– Ma mère! Ma mère! criait l'enfant dans son délire. Ma mère, je ne veux pas que le colporteur vous emporte! Non! Non! Je n'ai que vous... N'allez pas dans l'écurie! N'y allez pas! Sinon je le tuerai... Je vous délivrerai de lui! Ma mère! Si je ne peux pas vous sauver, je me tuerai! Je me tuerai! Je ne suis pas comme Thomas... Je saurai mourir pour l'amour de vous! »

Elle se soulevait, retombait, brisée, sur les oreillers.

Marie se détacha de Côme, se redressa, fit le tour du lit, déposa sur son coffre, au passage, le long collier de perles et l'anneau d'or où était enchâssée l'émeraude, écarta sa tante avec fermeté, se pencha, et prit Aude dans ses bras.

Sa joue contre la joue de sa fille qu'elle mouillait de ses larmes, elle lui caressa les cheveux, longuement, tendrement...

« Ma perle, ma colombe, ma biche blanche, dit-elle d'une voix cassée et cependant très douce, apaisante, lente, monotone, comme une berceuse. Ma toute petite, il faut boire. Je suis avec vous. Je ne vous quitterai pas. Je ne vous quitterai plus. Je vous le promets... Mais il faut boire, il faut boire, il faut boire... »

II

ÉPILOGUE

Mars-avril 1271

La rade de Carthage... Les ruines de l'antique cité...
le sable brûlant... et, tout à coup, au loin, en prove-
nance du camp français, les gémissements, les pleurs,
les lamentations d'une troupe désemparée...

« Le roi est mort! Nous arrivons trop tard! Ah!
pourquoi, pourquoi, monseigneur d'Anjou-Sicile,
avoir si longtemps fait attendre sur ce rivage maudit,
où le mal l'a frappé, notre bon souverain, votre
frère...? »

Les croisés sont écrasés de chagrin, écrasés de
maux, écrasés de chaleur! Le soleil, ce feu du ciel,
nous brûle la peau, les yeux, nous met en sueur au
moindre effort, tombe sur nous comme une malédic-
tion...

Qui me délivrera de ce haubert de mailles, enve-
loppe d'acier qui m'enserre de ses fins anneaux sou-
dés, chauffés au four du ciel d'Afrique? La cotte
d'armes, passée dessus pour atténuer les effets de la
chaleur sur le métal, ne sert à rien... Fervêtus nous
sommes, enfermés dans nos vêtements de combat, et
fervêtus nous resterons, en dépit de nos souffrances,
condamnés à subir la transformation de nos haubers
en tuniques ardentes...

« Le roi, notre sire, n'est plus! Son fils, le prince
Philippe est devenu notre souverain.

— Il l'ignore encore... lui aussi est malade, comme la

moité de l'armée... On a préféré lui cacher le plus longtemps possible une fin qui lui donne le pouvoir en de si sombres circonstances! »

Notre duc-roi, Charles d'Anjou-Sicile, s'élance comme un fou... nous le suivons...

« Ah! Monseigneur, mon frère! »

Ce cri du cadet devant le corps souriant et apaisé de son aîné! Il tombe à genoux devant le cadavre qui gît, étendu ainsi qu'il l'a voulu, sur un lit de cendres pour dernière couche. Il lui baise les pieds, et pleure comme un enfant!

Lui! Le souverain magnifique du beau royaume des Deux-Siciles, lui, le brave, despotique, fier et ambitieux conquérant, il s'écroule et sanglote devant cette dépouille sereine que l'âme vient de quitter...

« Ah! Monseigneur, mon frère! »

Le cri éclate, résonne, se propage, retentit à n'en plus finir...

« Taisez-vous! Par la merci Dieu! Taisez-vous! Il faut dissimuler la disparition du roi de France aux musulmans de Tunis. Ils s'en réjouiraient et fondraient sur nous... »

Les remparts de Tunis! Le siège! La pestilence et la chaleur! La chaleur!...

Thomas se réveilla en sursaut.

Sous les couvertures de laine épaisse, doublées de lièvre, au creux de la couette de plumes, enclos à l'abri des courtines soigneusement tirées, Thomas avait chaud, trop chaud, aussi chaud qu'à Carthage!

Il n'avait plus l'habitude de dormir dans des lits moelleux comme celui-ci... Il avait si longtemps couché à la dure, au hasard des étapes! Il ne supportait plus le bien-être trop doux, trop mou!

Il s'assit, passa, selon son habitude, ses doigts écartés dans ses cheveux roux, rejeta les couvertures, et se leva en prenant bien garde de ne pas réveiller ses deux frères, Renaud et Charles, qui dormaient près de lui.

La chambre sans feu n'était guère chaude! Dehors, il gelait. En ce mois de mars glacial, l'hiver ne se décidait pas à laisser la place au printemps. La nature, elle aussi, semblait en deuil, et la rigueur de ce carême convenait mieux à la gravité des événements que ne l'aurait fait le sourire de la belle saison... Le verglas, le gel, la glace, rendaient superbes et inhumaines les régions que Thomas et les deux autres émissaires, désignés en même temps que lui afin de préparer le cérémonial de la réception prévue pour le cortège funèbre, avaient dû traverser pour regagner Paris...

Comme il était étrange de se retrouver rue des Bourdonnais, après bientôt cinq années d'errances et d'aventures, dans la vieille demeure familiale inchangée!

Depuis qu'Etienne Brunel, ce grand-père avec lequel il s'entendait si bien, naguère, s'était éteint, au bout de plusieurs mois de paralysie, Bertrand, Laudine et les sept enfants vivants qui leur restaient, étaient venus s'installer entre ces murs qui conservaient la trace encore sensible du passé de leurs parents.

En l'absence définitive d'Arnauld, l'aîné, fixé avec les siens à Palerme, le second fils de l'orfèvre succédait maintenant à son père dans sa maison comme dans son entreprise...

Sans bruit, Thomas sortit d'un coffre une couverture de laine doublée de peaux d'écureuils, l'étendit près du lit d'où s'élevaient les respirations paisibles des adolescents gorgés de récits guerriers, s'y enroula parmi l'odeur agreste du foin jonchant le sol, et, comme s'il couchait encore sous la tente, ferma les yeux.

Il ne trouva pas le sommeil pour autant. Trop de choses occupaient ses pensées.

« J'appréhendais ce retour, mais j'avais tort. J'ai sûrement bien fait d'accepter la proposition de monseigneur Charles », songeait-il.

Le duc-roi, dans l'armée duquel il guerroyait depuis près de cinq ans pour soumettre le royaume rétif des Deux-Siciles, savait pouvoir compter sur ce garçon intrépide et ardent.

« Venir à Paris comme messager de ce prince, avec les deux compagnons choisis au même titre que moi pour cette mission de confiance, est bien préférable à piétiner interminablement dans la neige et la boue glacée! »

La traversée des Alpes et le passage du col du Mont-Cenis lui avaient laissé un souvenir de cauchemar.

Des moines et des villageois savoyards leur avaient pourtant servi de guides. Nés dans la montagne, ils en avaient l'habitude et connaissaient tous ses dangers. C'étaient eux qui avaient délimité dans la neige le parcours à respecter, tendu les cordages le long des précipices, et guidé dans un paysage de vertige et de blancheur obsédante, le convoi qui s'étirait sans fin. Ils frayaient les passages des mulets de bât, ou des chevaux inquiets, et tiraient les voyageurs sur des sortes de traîneaux rustiques, faits de branches de sapins assemblées par des cordes. Pour se protéger du froid tranchant et de l'étincellement, sous le soleil, des pentes gelées ou neigeuses, on était obligé de porter des capuchons découpés de trous ronds pour la vue et la respiration, ce qui accentuait l'aspect fantomatique du triste cortège.

Le spectacle était impressionnant.

Au milieu des pics, dont l'immensité mystérieuse frappait de crainte et de respect les âmes les mieux trempées, au bord de gouffres sans fond, à travers des couloirs taillés à vif dans la neige ou la glace, la troupe des rescapés de Tunis cheminait misérablement. Les soldats, dont beaucoup étaient mal en point, traînaient avec eux des femmes, des enfants, des malades, des vivres, des bagages, tout un encombrement de choses, et de gens qui s'efforçaient de reprendre courage en chantant des cantiques... Et puis, il y avait les cercueils!

« Il est vrai que la série inouïe de malheurs qui, tout au long de notre parcours, s'est abattue sur nous, rendait ce retour abominable! »

Durant la soirée, il avait tenté de décrire aux siens l'effarante succession de désastres dont ils avaient été les victimes. Mais comment le faire comprendre? Il y avait une telle différence entre l'existence ordonnée des Brunel et le déchaînement des forces démoniaques qui s'étaient acharnées sur les croisés endeuillés, qu'il était presque impossible d'exposer aux uns les souffrances des autres.

Tel l'enfant prodigue, Thomas était arrivé chez ses parents à l'improviste, en fin de journée. Pour le recevoir dignement et pour faire partager sa joie, son père avait aussitôt convié tous les membres de la famille habitant encore Paris à venir souper chez lui...

Dans un bruit de foin remué, Thomas se retournait d'un côté sur l'autre.

Au cours de cette veillée improvisée, comme il lui avait paru curieux, déconcertant, de revoir autour de lui les visages de ceux qui avaient entouré ses premières années! Dans la salle, qui était restée celle d'Etienne Brunel, brûlait, comme autrefois, un haut feu de bois, et rien ne paraissait différent... Bien des choses l'étaient, cependant!

« J'ai trouvé mon père plus attentif, moins intransigeant que dans mon souvenir. Aussi assuré, pourtant, prêt à faire face. Ma mère semble satisfaite. Chaque fois qu'elle attend un enfant, elle retrouve cet air de matrone comblée que je connais bien. Tante Charlotte, elle, ne change guère. A peine voûtée... Il est vrai qu'elle m'a toujours paru chargée d'ans et de savoir! »

La physicienne, qui vivait chez ses neveux, demeurait à présent la dernière représentante de sa génération.

En plus de Charlotte Froment, de Bertrand, de Laudine, d'Arnauld et de Charles, qui n'avaient pas cessé de considérer leur aîné avec émerveillement, de ses jeunes sœurs, Aélis et Mantie, dont il ne se souvenait qu'assez peu et qui étaient devenues mignonnes, il y avait aussi les Leclerc.

Marie, moins gaie, moins allante qu'autrefois, Vivien, maintenant un adolescent de quinze ans, toujours vif et rieur, et, enfin, Aude.

« Je ne l'aurais pas reconnue! Quel âge peut-elle avoir? Treize, quatorze ans? Quelle étrange fille! Belle, mais scellée. On dirait déjà une femme, et, pourtant, on la sent méfiante comme la gazelle du désert! »

L'adolescente avait écouté sagement son cousin évoquer la douleur des croisés après la mort du roi, leur abattement. Elle regardait le feu où elle semblait déchiffrer un message perceptible à elle seule. Soudain, elle avait levé les yeux. Ce fut comme si Thomas avait revu le ciel d'Italie... Entre les longues tresses brunes, le visage étroit, au nez fin, à la bouche charnue, au front trop haut, lui parut tout entier dévoré par les prunelles claires. A l'ombre des épais cils foncés, le regard limpide ne faisait pas penser, cependant, à l'innocence, mais plutôt aux profondeurs inconnues de certains lacs de montagne...

Thomas se défit de la couverture, se leva, se mit à marcher de long en large à travers la chambre, en évitant de faire du bruit.

Il avait tant parlé, durant la veillée dans la chaleur du foyer retrouvé, qu'il avait soif à présent.

Il ouvrit la porte avec précaution, descendit l'escalier, se rendit dans la salle où le feu, recouvert de cendres pour la nuit, n'était plus que rougeoiement discret, et gagna la cuisine où il trouva un broc d'eau (cette eau dont il avait tant rêvé dans les sables arides), en but de longues gorgées, puis revint dans la salle.

Le silence, autour de lui, était absolu. On devait être au cœur de la nuit.

Thomas s'approcha de l'âtre, appuya son front à la pierre chaude du manteau de la cheminée. Eclairés par la lueur modeste des braises, ses traits se révélaient plus accusés que jadis, ses cheveux roux, plus ardents. S'il était déjà robuste au moment de son départ, la rude existence menée depuis lors avait encore accru sa prestance, développé sa carrure. L'adolescent s'était transformé en un soldat à la musculature souple et solide.

« Les épreuves que vous avez traversées vous ont accompli, mon fils, avait constaté Laudine, avec un mélange de fierté et de mélancolie. Vous voici devenu un homme fait. Le soleil a foncé votre peau, et les combats élargi vos épaules. Où est mon petit taurillon roux d'antan?

– Si la vie ne m'a pas épargné, avait-il répondu, c'était, sans doute, que j'avais besoin d'être ainsi accommodé! Il en est des humains comme des cuirs, plus on les bat, plus ils deviennent résistants! »

C'était à ce moment précis qu'Aude, qui n'avait encore rien dit, était intervenue.

« Quelles sont les souffrances qui vous ont paru les plus dures à supporter? avait-elle demandé. Celles qui blessent le cœur ou celles qui blessent le corps? »

Sa voix n'était plus légère comme au temps de son enfance, mais assourdie et, cependant, chantante sur les finales.

« Le sais-je? avait répondu Thomas, soudain intéressé. Le sais-je seulement? Il serait tentant et plus
élégant d'assurer que les douleurs morales surpas-
sent les douleurs physiques... Je pencherais, néanmoins, pour celles qui navrent la chair. Les plaies
de l'âme n'empêchent pas d'agir, souvent même,
elles y incitent. Au lieu que celles du corps nous
réduisent à l'état de loques, de pauvres choses
meurtries, entièrement livrées à la merci des
autres!

– Dieu soit loué! Vous n'avez pas changé autant
qu'on pourrait le supposer, avait constaté l'adolescente à la manière directe et lucide qui avait
toujours été la sienne. Vous êtes demeuré tout aussi
orgueilleux! »

Pourquoi cette pique?

Thomas se pencha vers le feu qui couvait sous la
cendre, l'activa à l'aide d'un tisonnier. De courtes
flammes s'élevèrent...

Que lui voulait donc cette cousine si dissemblable
des filles qu'il avait fréquentées depuis des
années?

Son retour sur les lieux de ses premières amours
lui permettait de constater que l'ancienne affliction,
si cruelle, s'était transformée en un souvenir plein
de nostalgie, mais aussi de douceur... Agnès! Il avait
fui son pays comme un dément après la mort de
celle qu'il aimait. Il avait espéré trouver dans des
combats hasardeux le coup de lance ou d'épée qui
mettrait fin à sa douleur et les réunirait enfin tous
deux... Le Seigneur savait qu'il n'avait pas ménagé
sa peine et rien fait pour éviter le danger! Mais ses
blessures n'avaient jamais été assez graves pour
mettre sa vie en péril, et il ne lui avait pas été
donné de franchir les portes de bronze...

A la longue, la jeunesse l'avait emporté. S'il était
certain que le nom d'Agnès conserverait toujours
pour lui les résonances de la plus déchirante ten-

470

dresse, il devait cependant admettre que ce qu'il y avait d'intolérable dans sa souffrance s'était dilué et que le visage aimé s'estompait dans la brume du temps...

L'existence guerrière l'avait jeté dans des aventures sans lendemain. Toujours à combattre, il ne s'attardait nulle part, ce qui lui convenait parfaitement, car il ne souhaitait pas s'attacher.

Il acceptait de ne plus jamais connaître le bouleversement éprouvé au moment où il découvrait l'amour et savait qu'aucune fille, qu'aucune femme, fût-elle la séduction même, ne pourrait effacer de son cœur l'ombre fragile de la disparue... Mais il avait vingt-deux ans, des sens exigeants, et des yeux pour voir...

Il alla chercher un coussin pour y poser la tête, le mit par terre devant la cheminée, et s'allongea sur le sol.

C'était à cet emplacement même, qu'un peu plus tôt, il avait raconté aux siens, assis en cercle autour de lui, la navrante histoire des croisés orphelins de leur roi.

« Qui n'a pas vu le désarroi, l'accablement, le désespoir, qui se répandirent dans le camp de Carthage après la mort de notre sire, ne peut mesurer l'immense prestige et la vénération dont il jouissait parmi son armée, avait-il dit. Tous ces rudes soldats ressemblaient à des enfants dont le père vient de trépasser.

– Il n'y a pas que ses troupes pour l'avoir regretté, avait, à son tour, assuré Bertrand. Jamais monarque ne fut davantage pleuré dans son royaume, ni avec plus de sincérité! Depuis les hauts barons jusqu'aux plus humbles laboureurs, nous nous sommes sentis frappés, chacun, personnellement, par cette perte. C'est un deuil commun à tous les gens de France. Notre sire Louis le neuvième a su être le meilleur, le plus juste, le plus équitable de nos rois. Tout le monde le sait, tout le monde le dit. Beaucoup pensent qu'il est irremplaçable. »

« Il l'est bel et bien, par le sang du Christ! songea Thomas, étendu dans l'obscurité tiède. Son fils ne lui arrive pas à la cheville! »

« J'ignore quel règne nous réserve l'avenir, avait-il répondu à Bertrand, pour ne pas trop alarmer les siens, mais le roi Philippe, troisième du nom, ne semble pas posséder toutes les vertus de son père.

– Succéder à un souverain comme celui-là ne serait aisé pour personne, avait fait remarquer Charlotte Froment. Les circonstances qui ont présidé aux passages d'un règne à l'autre n'étaient pas, non plus, particulièrement favorables.

– Il est vrai, ma tante, et, pourtant, Dieu me pardonne! les malheurs ne faisaient encore que commencer! Par la suite, l'adversité s'est acharnée sur la famille royale avec une constance stupéfiante! De mémoire d'homme, on n'a jamais rien vu de pareil! »

Comment décrire à ceux qui ne connaissaient que les ennuis de la vie quotidienne, qui vivaient à l'abri des tribulations, ce qu'avait été, réellement, cette hallucinante remontée vers la France?

Thomas ferma les yeux. Le proche passé le poursuivait jusqu'ici!

... A la place de son neveu Philippe, éperdu de chagrin, et incapable de s'arrêter à une décision, Charles d'Anjou, roi des Deux-Siciles, avait pris le commandement de l'armée.

En dépit de la confiance et de l'élan que ce nouveau chef avait redonnés aux croisés, le siège de Tunis s'était achevé dans les escarmouches et les flux de ventre... Après trois victoires sans lendemain, le duc souverain, approuvé par Alphonse de Poitiers, son autre frère, s'était résigné à signer la paix avec le sultan tunisien. On s'était ensuite préparé au réembarquement.

A la fin du mois d'août, l'armée avait repris la mer, en emportant pieusement le corps du roi Louis et celui du prince royal, Jean-Tristan, né à Damiette, mort à Tunis, avant son père, et dont la vie n'avait été qu'un court passage entre deux expéditions. Selon la coutume, on avait préalablement séparé les entrailles et les cœurs, mis à part dans une urne, des ossements. Après qu'on eut fait bouillir les cadavres pour n'en garder que les os, on avait soigneusement recueilli dans des sacs de cuir les restes imputrescibles du souverain défunt et de son fils, pour les enfermer dans des cercueils et les ramener dans le royaume de leurs pères.

Dès la première traversée, celle qui devait conduire les croisés à Palerme, capitale de la Sicile, une tempête d'équinoxe, digne de l'Apocalypse, avait dispersé la flotte et submergé les vaisseaux, alors qu'ils touchaient au port! Curieusement, la nef qui transportait les dépouilles royales, arrachée par les flots furieux aux amarres qui la retenaient, et désemparée, avait repris la route de Tunis, comme si un aimant l'attirait vers la côte où le roi s'était endormi dans la paix du Seigneur... Les marins avaient eu le plus grand mal à s'en rendre maîtres...

Ensuite, semée de deuils, la remontée doulou- reuse s'était poursuivie.

En Sicile, à Trapani, Thibaud, roi de Navarre, et son épouse, la propre fille de Louis IX, Isabelle de France, tant aimée de son père, étaient morts pres- que en même temps.

En Calabre, la reine Isabelle d'Aragon, épouse adulée du nouveau souverain, Philippe III, avait fait, alors qu'elle était enceinte et presque parvenue à son terme, une chute de cheval en traversant un guet tumultueux. On l'avait relevée expirante et on avait juste eu le temps de la transporter à Cosenza où elle avait rendu l'âme. L'enfant avait péri avec elle.

Un peu plus tard, Alphonse de Poitiers, dernier frère de Charles d'Anjou-Sicile, compagnon de toutes les heures, bonnes ou mauvaises, du défunt roi, s'était éteint, lui aussi, aussitôt suivi par sa femme, Jeanne de Toulouse...

Derrière les paupières de Thomas, l'effarant cortège défilait. Dans la chaleur, puis dans la boue, dans la glace et la neige des Alpes enfin, en plein hiver, le convoi cheminait, lentement, péniblement, interminablement...

Une telle suite d'épreuves passait l'imagination!

La lignée capétienne, renommée jusque-là pour sa chance, connaissait, depuis que Louis le neuvième s'en était allé, une suite ininterrompue de malheurs!

Dans le sillage du pauvre roi Philippe, s'étiraient, comme en une procession de mauvais rêve, les huit cercueils où reposaient son père, sa femme, son frère, sa sœur, son beau-frère, son oncle, sa tante, et l'enfant mort-né de la reine Isabelle!

Sans parler de tous les défunts laissés dans le sable de Carthage, au sein des flots, sous les pierres hâtivement rassemblées du chemin...

« Ce que j'ai vu là est effrayant, se dit Thomas. Avec notre sire Louis, on dirait que bonheur et harmonie s'en sont allés loin de nous. Les vertus de notre roi étaient aussi celles de son règne. Lui parti, il ne nous reste plus en héritage que peur et angoisse! Les vieux croisés répétaient à tout venant qu'un esprit nouveau soufflait sur la jeunesse, que la douceur de vivre avait amolli les âmes, que le sel de la terre s'affadissait... et qu'on récoltait ce qu'on avait semé! Les anciens n'ont-ils pas toujours dit des choses semblables, ou bien sommes-nous, véri-

tablement, à la fin d'un temps que nous regrette-
rons? »

Etendu près du feu, Thomas s'endormit.

Son sommeil continua sa veille.

Il se voyait, dans la neige, franchissant un col
alpin, longeant des précipices au fond desquels
scintillaient d'étranges lacs bleus bordés de roseaux
noirs. Le froid l'engourdissait. Il se penchait pour
mieux apercevoir les lacs, glissait, tombait, tombait... se retrouvait au bord de l'eau dont il découvrait alors avec incrédulité et ravissement, qu'elle
était chaude, très chaude, brûlante...

La sensation d'une présence proche le tira de son
rêve.

En ouvrant les paupières, il distingua dans la
pénombre une forme blanche qui l'observait. Il se
frotta les yeux, se releva sur un coude, et reconnut
enfin Aude, sa jeune cousine, qui ressemblait à une
apparition.

Vêtue d'une simple chemise de toile lacée sur les
hanches, les cheveux dénoués, pieds nus, elle se
tenait immobile, assise sur les talons, les mains à
plat sur les cuisses. Dans la position qu'elle occupait, sa chevelure épaisse tombait jusqu'à terre et la
couvrait en entier d'un manteau vivant que la
sourde lueur des tisons moirait de reflets fauves. Un
parfum d'héliotrope s'en exhalait chaque fois
qu'elle remuait la tête.

« Par la merci Dieu! Aude, que faites-vous ici, au
milieu de la nuit? demanda Thomas d'une voix
ensommeillée.

– Je vous regardais dormir.

– C'est pour assister à ce merveilleux spectacle
que vous vous êtes levée quand tout le monde
repose? »

Comme le récit du voyageur s'était prolongé fort
avant dans la soirée, bien après le couvre-feu.
Marie, Vivien et Aude avaient accepté de rester

coucher rue des Bourdonnais plutôt que de regagner à une heure pareille leur propre domicile.

« J'attendais le moment de votre réveil.

– Pourquoi donc?

– Parce que j'ai quelque chose d'important à vous
apprendre.

– Vous ne pouviez pas patienter quelques heures? »

Elle secoua lentement le front. Le parfum d'héliotrope s'intensifia.

« Thomas, continua Aude d'une voix grave et
cependant violente, Thomas, il faut que vous le
sachiez : je vous aime! »

Il se redressa à demi.

« Nous ne nous sommes pas vus pendant cinq
ans!

– Justement! Je vous avais presque oublié. Je ne
gardais de vous qu'un souvenir assez vague, bien
que très admiratif. Votre aventure amoureuse me
rappelait celles de certains romans courtois; mais,
enfin, vous étiez loin de mes pensées... Et puis, ce
soir, quand je vous ai revu, j'ai su, dans l'instant, que
c'était vous et pas un autre, qui m'étiez destiné. De
toute éternité.

– Mais enfin, Aude, vous n'y pensez pas! »

Elle se redressa d'un coup de reins, vint jusqu'à
lui.

Debout devant les tisons rougeoyants, svelte et
pourtant épanouie, son corps délié discernable sous
la toile trop fine, elle se découpait sur le fond
sombre de la cheminée, comme l'image même de la
féminité, renforcée du charme vert de son extrême
jeunesse.

Elle offrit ses deux mains à Thomas pour qu'il se
mît debout à son tour. Face à face, ils se dévisagè-
rent un moment, sans un geste.

« Vous êtes capable d'aimer plus que le commun
des mortels, vous l'avez prouvé, dit-elle sourdement.

476

Je le suis également, je vous prie de le croire. Je vous le prouverai! »

Thomas retira ses mains de celles qui les retenaient et s'éloigna de quelques pas.

« Vous avez tout pour plaire, Aude, je vous le concède sans peine, reprit-il comme malgré lui. Mais, enfin, entre nous rien n'est possible! Vous le savez bien! Ne sommes-nous pas cousins germains?

– Ce ne sera pas la première fois que l'amour fera passer outre aux arrêtés de la loi!

– Toute union entre nous serait jugée criminelle. Je suis bien placé pour le savoir!

– Jugée par qui? Le seigneur Dieu a-t-il jamais rien dit de semblable? Ni dans l'Ancien Testament, ni dans le Nouveau, je n'ai relevé de condamnation de ce genre! Au contraire, le Livre saint est rempli d'amours impossibles qui ont pourtant eu lieu! Du moment que les interdits ne se trouvent pas dans les commandements de Dieu, il n'y a pas à s'en soucier! »

Une ardeur si intrépide, si passionnée, émanait d'elle, de ses paroles, de tout son être, que Thomas se sentit troublé.

Levant vers lui ses yeux clairs, elle le fixait comme si elle connaissait de longue date le pouvoir de son regard, comme si elle voulait s'en servir pour le charmer...

« Aude, dit-il encore, mais son accent avait changé, Aude, je vous en conjure, épargnez-vous, épargnez-moi! »

Elle sourit, posa ses mains sur les larges épaules revêtues d'une simple cotte de drap blanc, et, se dressant sur la pointe des pieds en un élan si soudain, si impulsif, qu'il ne put s'en défendre, colla aux siennes des lèvres gourmandes, ardentes, et inexpérimentées, dont, cependant, l'apprentissage ne dura qu'un instant...

Jamais encore, Thomas n'avait été embrassé ainsi. Plus ébranlé qu'il ne l'aurait voulu, il chercha d'instinct à lui prendre la taille, mais, d'un souple mouvement de hanches, elle se dégagea et s'enfuit...

Resté seul, le jeune homme passa lentement une main sur sa bouche et s'aperçut qu'elle tremblait...

L'étrangeté d'un destin qui lui faisait revivre, à cinq ans de distance, une épreuve si proche de celle qu'il avait alors connue, le bouleversait, et donnait beaucoup plus d'importance à ce qui venait de se produire. C'était donc pour retrouver une autre Agnès (et combien plus entreprenante!) qu'il avait souffert comme un possédé, s'était battu comme un furieux!

« Sire Dieu! murmura-t-il d'un ton douloureux, beau sire Dieu, ne me laissez pas succomber à la tentation! Non, vraiment, ne m'y laissez pas succomber!... Cette fois-ci, je ne réponds plus de moi! »

Le matin, après qu'on se fut lavé et préparé, toute la famille se rendit, par un froid toujours vif, à la messe matinale de Saint-Germain-de-l'Auxerrois, afin de rendre grâces pour le retour du fils aîné.

« A bientôt, murmura Aude à l'oreille de Thomas, une fois l'office terminé, en profitant des embrassades familiales. A bientôt! »

Marie, Vivien et l'adolescente retournèrent chez eux.

Rue du Coquillier, la vie reprit son cours.

Le premier repas de la journée expédié, Marie gagna l'atelier en compagnie de Vivien, tandis qu'Aude se rendait à la Grande Ecole où elle achevait d'apprendre le latin, la littérature, l'astronomie, l'astrologie, les mathématiques, la musique, le dessin et un peu de droit, en attendant de commencer à étudier la médecine à laquelle elle se destinait.

Dans l'atelier, rien n'avait changé depuis cinq ans, si ce n'est les personnes elles-mêmes. Denyse-la-Poitevine s'en était allée après s'être fait renverser dans la rue par un cheval emballé. Elle avait dû s'aliter pour toujours. Kateline l'avait remplacée comme première ouvrière. Un jeune enlumineur s'était alors présenté. Il s'appelait Anseau, connaissait bien son métier, était plein de gentillesse et de gaieté.

Marie n'avait pas jugé bon d'engager un quatrième compagnon. Elle attendait que Vivien, qui terminait son temps d'apprentissage, pût s'installer à son tour à la table vide de Jean-bon-Valet.

Les meilleurs moments de la vie de l'enlumineresse se passaient maintenant entre ces murs, dans les exhalaisons de parchemin, de colle, d'huile, de plâtre, de couleurs végétales, de céruse, de safran, de cire, et de bien d'autres ingrédients, qui se mêlaient inextricablement pour composer l'odeur rassurante et familière de sa profession.

« Dame, demanda Kateline, en rejoignant bientôt Marie, dame, votre neveu vous a-t-il dit comment se dérouleront les funérailles de feu notre roi? Tant de bruits circulent...

– Il nous a surtout entretenus des circonstances de sa mort, qui fut humble et chrétienne, puis des affreux malheurs qui ont accablé les croisés durant leur retour. Nous en pleurions en l'écoutant!

– Hélas! Dame, tout Paris s'en émeut!

– Je vous conterai une autre fois, plus en détail, cet horrible voyage de retour, ma mie, promit la jeune femme. Pour l'heure, je dois distribuer le travail. »

Les jumelles s'étaient mariées à deux ouvriers maçons, et les nouveaux aides étaient un garçon et une fille de leurs amis, Martin et Alison Chaucebure, qu'elles avaient recommandés à Marie. Petits, vifs, fort adroits, le frère et la sœur s'étaient vite mis au courant et rendaient de bons services.

Deux apprentis avaient changé d'atelier. On les avait remplacés par Vivien et un de ses amis, Grégoire Maciot, fils d'un peintre sellier, qui désirait exercer la profession d'enlumineur, son père ayant déjà quatre enfants à employer avant lui.

Marie était satisfaite de la façon dont travaillait Vivien. Il partageait avec elle le goût de l'ouvrage bien fait, ne se décourageait pas facilement, possédait un sens très sûr du beau, et se montrait capable de contenir sa pétulance naturelle par amour de son art.

Comme jadis dans l'échoppe d'Ambroise, le bourrelier de Gentilly, il pouvait demeurer des heures sans broncher sur une lettre ornée, tant ce qu'il faisait l'absorbait.

Seulement, une fois sorti de l'atelier, et selon les saisons, il courait nager à la baignade de Paris, près du Petit Pont, s'entraînait avec des amis au tir à l'arc, ou bien s'adonnait à la course à pied dans les faubourgs. Il aimait aussi le canot à rames, et se livrait à des joutes mémorables sur la Seine, avec d'autres adolescents de son âge. Sa nature agitée et nerveuse avait sans doute besoin de se dépenser ainsi.

Marie songeait avec douceur que son fils était affectueux, sain, travailleur, joyeux et bon compagnon, et elle en remerciait le Seigneur. Elle n'attachait pas d'importance à ses petits travers.

Ce matin-là, après avoir distribué sa tâche à chacun, elle alla se pencher au-dessus de l'épaule de Vivien pour juger des progrès accomplis. Il œuvrait à l'illustration d'une Bible commandée par un seigneur flamand de passage à Paris.

Comme apprenti, il ne pouvait prétendre à tout exécuter et s'en tenait aux personnages secondaires, alors que les ouvriers avaient déjà peint les figures principales.

« Pour les sourcils, la ligne du nez, les trous des narines, on mêle du cinabre et de la céruse avec la charnure, commença-t-il à réciter à sa mère en lui adressant une petite grimace complice. Pour les parties du corps à rosir ou à rougir, on ajoute du cinabre et un peu de minium à la charnure. »

Marie approuva en riant.

« Par Notre-Dame! Vous savez bien votre leçon, mon fils, dit-elle en caressant du bout des doigts les cheveux blonds toujours en désordre. Je n'en attendais pas moins de vous! »

Partager les joies et les peines du métier qu'ils aimaient leur plaisait autant à l'un qu'à l'autre.

« Pour les lèvres et les joues, continua Vivien, on mélange le minium à la céruse...

— Assez, mon fils, ordonna Marie. Vous avez prouvé votre science. Je vous laisse. »

Grégoire Maciot, l'ami de Vivien, était un long garçon maigre, à la pomme d'Adam saillante et à l'œil noir.

« Dame, dit-il comme l'enlumineresse s'approchait, voulez-vous venir voir? Me faut-il préparer une seconde couche pour consolider la feuille-lustre à décalquer que je suis en train de confectionner? »

Marie savait combien il importait de réussir ce travail et qu'il n'était pas facile.

On enduisait légèrement de suif de mouton une grande pierre unie et polie, sur une longueur et une largeur égales à celles de la feuille. Avec un pinceau, on étendait sur la pierre une couche de colle, composée de colle de peau, de colle adragante, de colle de poisson, mêlée à un peu d'alun et à quelques gouttes de vinaigre, et on laissait sécher. Quand la préparation était prête, on soulevait avec l'ongle cette couche claire et brillante, mince comme la plus fine soie, et transparente comme le verre, et on s'assurait de sa solidité. Si elle ne paraissait pas assez résistante, il fallait alors passer une seconde couche.

On utilisait beaucoup de ces feuilles-lustres dans les ateliers d'enluminure où elles permettaient de gagner du temps pour reproduire certains motifs.

La jeune femme glissa un ongle sous la mince pellicule et secoua la tête.

« Je crains bien que vous n'ayez à recommencer, dit-elle à Grégoire. Cette première couche me semble un peu fragile.

– C'est en forgeant qu'on devient forgeron! » répondit avec sagesse le garçon que rien ne démontait jamais.

Et il se remit à l'ouvrage.

Marie regagna sa table.

Elle commençait à illustrer la marge d'un feuillet qui faisait partie d'un gros livre d'heures. C'était Etienne Boileau, toujours prévôt de Paris, qui le lui avait commandé. Elle avait conservé avec lui de bonnes relations depuis le jour où elle était allée le trouver en compagnie de Côme, quand il s'agissait de faire arrêter les Lombards...

Côme!

Tout en dessinant des rinceaux épineux et des feuilles trilobées, à travers lesquels couraient, sautaient, rampaient, volaient faisans, singes, colimaçons, papillons, libellules, aigles, effraies, chardonnerets, Marie songeait à son amour perdu...

C'était son plus constant et plus douloureux tourment que de ressasser sans fin les circonstances qui les avaient amenés à rompre leurs fiançailles avant même de les avoir rendues officielles! La tentative de suicide d'Aude, qu'on avait arrachée de justesse à la mort, avait tout brisé... Quelques jours après la fête interrompue, elle était allée trouver Côme chez lui afin de lui rendre l'anneau d'or où était enchâssée l'émeraude de leurs si brèves accordailles.

Avec déchirement, elle lui avait expliqué qu'ils ne pouvaient plus envisager de se marier tant que l'enfant passionnée et excessive resterait avec elle. L'horrible peur ressentie devant le corps convulsé de sa fille, lui remontait à tout moment à la gorge, et hantait son sommeil.

« Elle m'aime trop, ami, avait-elle avoué. Sans mesure et sans partage. Si vous m'épousiez, je ne sais pas de quoi elle serait encore capable!

– A cause d'une petite sotte, vous allez condamner nos deux existences à la solitude et aux regrets! s'était exclamé Côme qui se refusait à comprendre. Ce n'est pas possible. Marions-nous! Elle s'habituera.

– Elle ne s'habituera pas! »

Ils avaient longuement discuté, en envisageant les possibilités qui leur restaient. Elles étaient minces. Le mercier désirait Marie pour femme, non pour amie de passage, mais le chemin de l'autel leur était barré par une volonté enfantine, farouche et obstinée... Ils étaient alors convenus de se voir rue Troussevache, deux ou trois fois par semaine, en attendant qu'une solution plus heureuse se fît jour.

Les mois avaient passé. Etienne Brunel était mort, à la fin d'une nuit de décembre, un peu avant la Noël, sans avoir recouvré la parole, ni l'usage de ses membres. Marie avait pleuré son père avec d'autant plus de tristesse qu'il emportait avec lui toute une part de son enfance heureuse, et qu'il la laissait seule face à l'adversité...

Les entrevues trop brèves, trop hâtives, que Côme et elle parvenaient à soustraire à leur emploi du temps quotidien, ne les satisfaisaient ni l'un ni l'autre. Ils éprouvaient tous deux répugnance et révolte à devoir s'aimer clandestinement, alors qu'ils aspiraient à une véritable existence conjugale.

Lentement, leur entente s'était dégradée.

Marie s'était sentie humiliée de la vie furtive qu'elle devait mener, des précautions qu'il avait fallu prendre. Elle s'était vue contrainte à utiliser des éponges imprégnées d'une décoction de sel gemme et d'alun, afin d'éviter de concevoir. Elle pleurait de honte en utilisant ces objets méprisables que lui avait fournis Charlotte Froment.

Avoir un enfant de Côme aurait été pour la jeune femme une joie essentielle, et, du temps de leur brève espérance, ils avaient souvent parlé ensemble de la famille qui naîtrait de leurs amours...

Marie s'aperçut que le colimaçon qu'elle était en train de dessiner se brouillait devant ses yeux. Elle interrompit son travail et se mit en devoir de tailler une plume d'oie avec un canif...

Que de pleurs elle avait versés depuis leurs fiançailles interrompues! Ce qu'elle n'avait pas cessé de redouter dès ce moment-là, avait fini par se produire : Côme s'était lassé des difficultés incessantes qui se dressaient entre eux, des rendez-vous remis, des retards, des précipitations, des inquiétudes, des subterfuges, des mensonges... S'il n'avait sans doute pas cessé de l'aimer, il s'était pourtant fatigué d'une liaison qui ne lui apportait pas tout ce qu'il souhaitait. Les événements l'avaient servi. Au printemps 1267, en effet, le roi Louis avait rendu publique sa décision de prendre une seconde fois la croix. Malgré les réserves de ses conseillers, la fièvre des grands départs s'était emparée, une fois encore, des futurs croisés, et les préparatifs étaient devenus l'unique préoccupation du moment. Il fallait compléter les équipements des hommes et des chevaux, et tout prévoir pour le voyage qui s'annonçait. D'où un mouvement d'affaires beaucoup plus important qu'à l'ordinaire. Le mercier y avait trouvé une occasion toute naturelle de déplacements et d'absences renouvelés... C'était Marie elle-même qui lui avait proposé, pour en finir, une séparation devenue déjà effective depuis des mois. Ils avaient décidé de continuer à se voir en amis, mais ni l'un ni l'autre n'avait le cœur assez tiède pour que ce fût possible... Il y avait maintenant plus d'un an qu'ils ne s'étaient rencontrés...

« Cette plume me semble bien difficile à tailler, chuchota, toute proche, la voix de Kateline. Vous devriez en changer, dame. »

La première ouvrière était, avec tante Charlotte, la seule personne à qui Marie avait confié ses tourments. Le besoin de parler de Côme à une amie éprouvée l'avait beaucoup rapprochée de Kateline dont elle appréciait la vaillance toute simple, et en compagnie de qui elle dessinait et peignait tout au long du jour.

Venue discrètement à côté de la jeune femme, l'ouvrière rousse posa une main compatissante sur l'épaule affaissée.

« Pour l'amour de Dieu! Dame, reprenez-vous! murmura-t-elle. Cessez de vous faire du mal! »

Et, se redressant, elle entama le récit d'une folle aventure arrivée peu de temps auparavant à la marchande de pinceaux chez laquelle se fournissait tout l'atelier.

Les heures s'écoulèrent.

A son retour de la Grande Ecole, en fin de journée, Aude entra dans la pièce où œuvraient sa mère et son frère. C'était une coutume qui lui était chère. Elle aimait voir travailler les enlumineurs et apprenait souvent ses leçons auprès d'eux. La vie fervente et feutrée d'un lieu où travail et création ne faisaient qu'un, lui plaisait.

Quand elle vint les rejoindre ce jour-là, Marie fut frappée par l'éclat qui émanait de toute la personne de sa fille. Depuis quelque temps déjà, l'enfant trop vite grandie s'était transformée en une adolescente aux formes des plus avenantes. De taille moyenne, mince, mais non dépourvue de rondeurs, Aude paraissait plus que son âge. Il était vrai qu'elle allait avoir quatorze ans et pouvait légitimement penser au mariage. Plusieurs de ses amies avaient convolé en justes noces les mois précédents.

En plus des avantages dont la nature l'avait gratifiée au fil des ans, Aude sembla soudain à sa mère parée d'un charme nouveau et plus subtil. Une allégresse radieuse avivait son teint et illuminait ses prunelles comme le font, dans l'eau, les rais du soleil.

« Par ma sainte patronne! vous brillez ainsi qu'une étoile, demoiselle! s'écria Kateline qui, elle aussi, fut sensible à cet épanouissement. Je ne vous ai jamais vu aussi bonne mine!

— Le vent est tranchant comme une lame, dit l'adolescente. Il m'aura époussetée! »

Elle riait, embrassait sa mère, bousculait les couleurs de Vivien, allait à la cheminée, remettait, dans une envolée d'étincelles, des bûches sur celles qui se consumaient.

« Vous voici bien gaie, ma petite fille, remarqua Marie.

— Ce temps me plaît, assura Aude. La bise a chassé les nuages et le ciel est enfin dégagé. L'hiver s'en va. Malgré le froid, on sent qu'il y a du printemps dans l'air!

— Le printemps, dit Marie, oui, bien sûr, le printemps...

— Ma petite mère, reprit l'adolescente qu'une sorte de frémissement intime semblait agiter, ma petite mère, j'ai envie d'aller passer un moment avec tante Charlotte, dans son herberie, rue des Bourdonnais. Me le permettez-vous?

— Si vous y tenez vraiment, Aude, allez-y, mais ne soyez pas en retard pour le souper! »

486

Comme elle avait décidé de faire plus tard des études de médecine, l'adolescente avait obtenu de la physicienne une permission tout à fait exceptionnelle : celle de la rejoindre dans la petite pièce, attenante à sa chambre, où elle préparait ses remèdes et recevait ses patients.

Maintenant installée à demeure dans la maison de son frère défunt, où logeaient son neveu et sa nombreuse famille, éloignée de l'Hôtel-Dieu à cause de son âge, Charlotte Froment avait trouvé le moyen de continuer à soigner ceux qui souffraient. Les pauvres gens du quartier n'avaient pas tardé à savoir qu'une femme de haute compétence s'était retirée près de chez eux et qu'elle ne demandait qu'à s'occuper des malades ou estropiés de toute espèce qui pouvaient avoir besoin de ses soins. Aussi, était-elle rarement seule et n'avait-elle pas le temps de s'ennuyer.

D'ordinaire, Marie était contente de voir sa fille se rendre chez la physicienne, mais, ce soir-là, une fois Aude partie, elle se sentit mal à l'aise et l'esprit chagrin. L'agitation de l'adolescente lui paraissait insuffisamment expliquée par l'approche de la belle saison.

C'est pourquoi, lorsque les cloches de Saint-Eustache eurent sonné l'interruption du travail, elle décida, malgré la froidure, de se rendre, à son tour, rue des Bourdonnais.

Dès qu'elle fut dehors, le froid l'assaillit. Elle avait pourtant mis des bottes fourrées et s'était enveloppée dans un vaste manteau de drap olive doublé de loutre, dont elle avait rabattu le capuchon, mais le vent du nord soufflait avec furie. Il secouait les enseignes qui grinçaient au-dessus des passants pressés de gagner un abri, mais retardés par des plaques de verglas demeurées sur le sol aux endroits que le soleil n'avait pas visités.

Charlotte logeait à l'extrémité de la grande maison des Brunel, dans deux pièces agréables qui donnaient sur la cour d'entrée. La plus vaste lui servait de salle et de chambre. La plus petite, qu'elle nommait par jeu « son herberie », était consacrée à l'accueil des malades et au rangement des remèdes.

Elle s'y trouvait précisément quand Marie frappa à sa porte.

« Entrez, ma nièce, entrez, dit-elle en introduisant la jeune femme dans la salle. Mettez-vous à l'aise devant le feu, vous devez être gelée! J'en ai pour peu de temps à terminer un pansement, et je suis à vous. »

Tendue de rouge, la salle était meublée avec goût de beaux meubles luisants. Un grand lit occupait le mur opposé à la cheminée. A l'image de son occupante, dont on entendait, dans la petite pièce voisine, la voix qui donnait des conseils, l'installation de la physicienne était chaleureuse et accueillante.

Marie s'approcha du feu.

Se retrouver dans la maison de son enfance, si semblable et pourtant si différente de ce qu'elle avait été, de ce qu'elle demeurait dans son souvenir, émouvait toujours la jeune femme. Les ombres de Mathilde et d'Etienne lui paraissaient devoir errer dans cette demeure où s'était déroulée leur existence de couple... Comme la vie était plus douce, plus rassurante, en ce temps-là...

Charlotte revint.

« Voici que j'en ai fini, ma mie. Laissez-moi vous dire que je suis tout heureuse de recevoir votre visite. Elle se fait rare!

– J'ai tant à faire!

– Je sais, ma nièce, je sais, et ne vous en veux point! »

Elle prenait place sur une des banquettes ménagées pour l'hiver sous le manteau de la cheminée, et faisait signe à Marie de venir à côté d'elle, sur le coussin de velours rouge.

« Je pensais trouver Aude céans, remarqua Marie.

– Elle est venue, est même restée avec moi un moment, puis s'en est allée rejoindre ses cousins dans la grande maison.

– Eh bien, je vais l'attendre », dit Marie.

Les deux femmes parlèrent assez longtemps. De Vivien, qui était si facile à vivre en dépit de son tempérament nerveux, et d'Aude qui l'était moins, malgré la tendresse possessive qu'elle vouait à sa mère.

« En grandissant, elle s'est affirmée, expliqua Marie. Sa nature passionnée, que l'enfance tenait en lisière, éclate maintenant à tout propos. Rien ne lui est indifférent. Si le ciel vomit les tièdes, elle ne risque certes pas d'être rejetée!

– Depuis qu'elle est pubère, elle a beaucoup changé, reconnut Charlotte. Dorénavant, il faudra penser à son avenir de femme... de jolie femme...

– Oui, ma tante. La voici devenue, à son tour, objet de tentation!

– Je ne sais si c'est parce que je vieillis, continua la physicienne, mais je décèle partout autour de nous la montée des tentations! Tout se passe comme si l'Adversaire plaçait ses pièges dans l'ombre, pour préparer son terrain après ce règne si juste, qui ne devait pas lui convenir. Il a sans doute une revanche à prendre sur un royaume qui fut si bien gouverné. Dans la succession des malheurs que nous a décrits hier au soir Thomas, je vois plus qu'une suite de calamités. Je vois un mauvais présage...

– En s'en allant guerroyer à Tunis, contre l'avis de son conseil, notre sire le roi n'a-t-il pas, lui-même, cédé à la tentation du martyre?

– On pourrait le soutenir, ma nièce. Mais un

homme comme lui n'était pas de ceux qui succombent aux avances du prince de ce monde. Sa mort aux rives d'Afrique a certainement un sens qui nous échappe... Laissons cela. Nous parlions de votre fille qui peut se montrer tendre et docile à certaines heures, et tranchante à d'autres. Il ne faut pas vous en alarmer. Quelles que soient ses sautes d'humeur, je l'aime beaucoup, car elle vit par le cœur! »

La nuit tombait. Il fallut allumer les bougies d'un gros chandelier de cuivre.

« Puisque cette enfant ne revient pas d'elle-même, je vais la chercher, dit Marie. Je ne voudrais pas rentrer trop tard à la maison. »

Dans la salle où son passé rôdait un peu partout, la jeune femme découvrit une dizaine d'adolescents et de grands enfants qui jouaient au « Roi-qui-ne-ment ». Arnaud et Charles, ses neveux, Aélis et Mantie, ses nièces, et quelques amis à eux, riaient, s'interpellaient, se posaient des questions indiscrètes.

Aude ne se trouvait pas parmi eux.

Après avoir salué de la main la jeune troupe, tout en faisant signe qu'elle ne voulait pas déranger, Marie se dirigea vers Tiberge-la-Béguine qui filait sa quenouille auprès de la cheminée. Installée dans un fauteuil encombré de coussins, la vieille femme souriait dans le vide. Elle avait un peu perdu la tête depuis la mort de son maître et parlait toute seule à mi-voix sans jamais se lasser, pendant que ses doigts s'activaient. Sa vie se terminait, là où elle s'était déroulée, au sein de la famille Brunel dont elle faisait, pour ainsi dire, partie.

En s'approchant de l'ancienne intendante, Marie découvrit Thomas et Aude, assis côte à côte sur une banquette de bois à haut dossier, qu'on avait tirée devant le feu, et qui les dissimulait aux yeux des arrivants.

Elle obliqua vers eux, et Thomas, qui l'aperçut

seulement à ce moment-là, se leva pour venir la saluer. Aude tourna vers sa mère un visage ébloui et absent. Il n'était même pas sûr qu'elle la vît.

« J'étais en train de décrire à votre fille les attraits de l'Italie, dit le jeune homme. Un pays magnifique !

— Je n'en doute pas. Il y fait certainement moins froid que chez nous », reconnut Marie avec un sourire distrait.

Alourdie par sa grossesse, Laudine entra sur ces entrefaites.

« J'ignorais que vous vous trouviez ici ! s'écria-t-elle en embrassant sa belle-sœur. J'étais au rez-de-chaussée avec les servantes dont je surveillais le travail de couture. Dans cette maison, il y a toujours des montagnes de linge à coudre et de chanvre à filer !

— Je ne voulais pas vous importuner, ma mie. D'ailleurs, il se fait tard. Aude et moi allons regagner notre logis. »

En dépit de l'insistance que Laudine mit à la retenir, Marie s'en tint à sa décision.

« Je vais vous accompagner jusque chez vous, dit Thomas. Attendez-moi un instant, le temps que j'aille quérir une lanterne.

— Est-ce bien nécessaire ? » demanda l'enlumineresse.

Aude, qui semblait s'arracher avec peine à ses rêves, se leva d'un seul élan.

« Il est bon, la nuit venue, d'avoir un défenseur pour nous protéger », dit-elle d'un air déterminé.

Dans la cour, balayée par une bise glaciale, le trio ne s'attarda pas. Comme il approchait de la porte donnant sur la rue, elle s'ouvrit et deux hommes, suivis d'un valet qui tenait haut une torche, entrèrent l'un après l'autre. Le premier était Bertrand, qui revenait chez lui. Les traits du second restaient noyés d'ombre.

« Que Dieu vous garde! mon père! » dit Thomas en levant sa lanterne pour éclairer le petit groupe.

Le visiteur était Côme.

Marie eut l'impression d'être clouée sur place par une épée de feu.

« Vous, ma sœur! s'exclama Bertrand. Par Saint-Jean! Je ne m'attendais pas à vous rencontrer dans cette cour venteuse à une heure pareille!

– Nous partions, balbutia Marie. Nous sommes affreusement en retard.

– Bonsoir, Marie, dit Côme.

– Bonsoir », murmura Marie, et elle se sauva.

Dans la rue, où les passants se hâtaient en disputant les pans de leurs vêtements à la bise, la jeune femme avançait comme une somnambule. A sa droite, Thomas s'entretenait d'elle ne savait quoi avec Aude, tout en les éclairant toutes deux. Son cœur continuait à tressaillir comme celui d'une bête forcée. Jamais, elle n'aurait pensé se trouver un jour, dans la cour de la maison familiale, face à face avec son amant perdu! Elle savait pourtant que Bertrand et le mercier entretenaient des relations amicales, mais son frère avait dû veiller jusque-là à les tenir soigneusement éloignés l'un de l'autre.

Devenu le chef de la famille Brunel, l'orfèvre se souciait beaucoup du destin de tous ceux qui en faisaient partie, et surtout de celui de Marie, la plus jeune de ses sœurs et la moins solidement établie. Depuis cinq ans, il n'avait jamais manqué de lui témoigner son affection, et elle savait pouvoir compter sur lui. Comme tous les autres invités, il avait été atterré par la rupture de fiançailles dont il se réjouissait, et en avait parlé plusieurs fois de suite à sa cadette.

Il devait être navré, à présent, d'avoir été à l'origine d'une confrontation dont il n'ignorait pas que Marie ne pouvait que souffrir.

Sans rien voir, insensible au froid, la jeune femme

492

n'était occupée que d'une chose : le regard de Côme croisant le sien. Révélée par la lueur de la lanterne, une amère réprobation s'y lisait, mais aussi un certain trouble...

Etrangère à ce qui l'entourait, Marie ne remarqua qu'à peine un incident qui survint au coin de la rue des Etuves et de la place Saint-Eustache. A cet endroit, le vent du nord n'avait pas permis au verglas de fondre durant la journée, aussi les pavés étaient-ils encore recouverts d'une mince couche de glace.

Aude, qui marchait à la droite de son cousin, glissa sur la surface gelée, et serait tombée si Thomas ne l'avait rattrapée juste à temps. Afin d'éclairer Marie en premier, il portait la lanterne de la main gauche, et ne disposait que de son bras droit pour saisir l'adolescente. Aussi le fit-il plus maladroitement et plus brutalement qu'il ne l'aurait voulu. Il l'agrippa par la taille et, pour retenir sa chute, la plaqua contre lui. Un bref instant, ils furent accolés l'un à l'autre, mais, durant ce laps de temps, leurs corps, qui ne s'étaient pas encore approchés de si près, apprirent d'un seul coup, en une sorte de flamboiement partagé, qu'ils étaient faits pour s'unir et s'aimer... Aude accentua ce contact en s'appuyant de tout son poids contre Thomas, et, quand ils reprirent leur marche, leurs destins étaient liés...

Le souper se passa pour la mère et la fille dans une brume irréelle. Vivien dut faire tous les frais de la conversation. Découragé par le peu d'échos que ses propos éveillaient chez les deux femmes, il monta dans sa chambre dès le repas terminé.

Depuis le départ de son grand-père maternel, il couchait dans la pièce que Mathieu Leclerc s'était longtemps réservée. Du vieillard pérégrinant sur les routes, on n'avait eu, en cinq ans, que deux fois des nouvelles. Un pèlerin qui l'avait rencontré à Saint-

Jacques-de-Compostelle, puis, longtemps après, un marchand qui rentrait de Rome, étaient venus de sa part saluer sa famille et dire qu'il se portait bien.

Vivien songeait souvent à cet aïeul qui lui manquait et dont l'absence, surtout à Gentilly, laissé à la surveillance d'Eudeline-la-Morèle, se faisait lourdement sentir. L'adolescent s'endormit en pensant à celui qui s'en était allé sur les routes pour une mystérieuse œuvre de rachat...

De leur côté, Marie et Aude, qui partageaient toujours le même lit, éteignirent leur bougie après un échange de propos insignifiants. Ni l'une ni l'autre ne pouvait concevoir de révéler ce qui la préoccupait. Tout entière à l'écoute de l'éclosion de la passion en elle, Aude n'en était pas encore parvenue au moment où elle s'inquiéterait d'en avertir sa mère. Quant à Marie, hors d'elle-même, totalement tournée vers les pensées et les agissements de Côme, elle savait qu'elle ne trouverait en sa fille aucun écho à son obsession.

Souffrant depuis de longues années d'insomnies, la jeune femme avait pris l'habitude de boire chaque soir avant de se coucher une infusion d'aubépine et de mélilot. Mais, en dépit de cette précaution, elle ne dormit guère cette nuit-là...

Le carême s'achevait. On allait entrer dans la Semaine sainte. Avec le retour du mois d'avril, le printemps éclata soudain.

Un soleil rajeuni se leva un matin sur la vallée de la Seine, la glace fondit et on découvrit des bourgeons à toutes les branches. En deux jours, le temps se réchauffa.

Chaque soir désormais, à son retour de la Grande Ecole, Aude avait pris l'habitude de se rendre rue des Bourdonnais. Marie n'allait plus l'y chercher. En revanche, Thomas accompagnait souvent sa cousine jusque chez elle et montait volontiers boire un verre de vin chaud à la cannelle dans la grande salle, au-dessus de l'atelier. Après avoir averti les corps constitués de la ville des ordres reçus, et s'être entretenu avec eux des différentes manifestations à prévoir pour les funérailles royales, il en avait terminé avec sa mission. Libre de lui-même comme il ne l'avait jamais été, il ne s'en trouvait que plus dangereusement disponible, et éludait les questions que ses parents ne manquaient pas de lui poser sur ses projets.

Le samedi avant les Rameaux, Marie, qui avait fermé son atelier après le travail du matin, comme elle en avait l'habitude tous les samedis et veilles de fête, s'en alla, sitôt le dîner achevé, faire des achats qu'elle remettait depuis longtemps.

Peu après son départ, Thomas arriva rue du Coquillier. Aude le reçut, lui offrit du lait d'amande, qui convenait mieux au beau temps revenu que le vin chaud, puis les deux jeunes gens descendirent dans le jardin où le printemps avait, en fort peu de jours, éveillé la nature. D'avoir été retardée, l'explosion du renouveau n'était que plus éclatante. Sous la lumière moins dorée que celle de l'été, fine, allègre, mais déjà chaude, une buée verte était apparue dans les bosquets et sur les moindres ramures. La force débridée de la vie jaillissait de toutes parts. Pervenches, violettes, primevères, pointaient entre les feuilles pourrissantes de l'hiver précédent. Les oiseaux semblaient ivres de reconnaissance, et ce n'étaient que roulades, pépiements, sifflements et ramages.

L'air était de nouveau parfumé, et une brise joueuse véhiculait des senteurs d'herbe naissante et de terre fécondée.

Guillemine, qui revenait de la resserre, au fond du jardin, où elle se laissait courtiser par un porteur d'eau qui ne lui déplaisait pas, longeait une allée tout en réajustant sa coiffe, quand elle entendit une sorte d'exclamation sourde qui l'intrigua.

A pas de loup, et se dissimulant derrière les massifs de buis, de houx, ou de résineux, toujours verts, elle se glissa au bout du clos. Sous le couvert d'un coudrier dont les branches souples, parées de leurs frêles chatons, retombaient très bas, se trouvait un banc de pierre couvert de mousse. Aude y était allongée. Ses nattes luisantes avaient glissé jusqu'au sol. Un genou en terre, à côté d'elle, Thomas l'embrassait avec une sorte de voracité éperdue, tandis que ses mains parcouraient avec fièvre le jeune corps abandonné.

Médusée, Guillemine demeura sur place.

« Plus j'y pense, mon doux ami, murmura l'adolescente d'une voix oppressée, quand Thomas lui en laissa le temps, plus j'y pense, moins je m'étonne de vous aimer : je songe à un présage... »

Elle prit entre ses mains le visage du jeune homme et le considéra avec des prunelles luisantes de joie.

« Je vais vous raconter une chose que tout le monde ignore, continua-t-elle. La nuit de la Saint-Jean, à Gentilly, voici bientôt cinq ans, je vous ai vus dormir, Agnès et vous, sous la tente de toile pourpre où vous vous étiez réfugiés. Immobiles, tels des gisants, vous reposiez chastement, votre dague plantée entre vous deux. Je suis restée un long moment à vous contempler. J'admirais la pureté et le courage dont vous faisiez preuve en cette étrange circonstance... Il me revient qu'une chose m'avait alors frappée : projetée à l'intérieur de votre abri par le clair de lune, mon ombre se découpait, mince et noire, ainsi qu'une troisième présence, exactement entre vous deux... »

Thomas appuya sa tête contre l'épaule de son amie. La lumière printanière faisait briller comme du cuivre sa crinière de lion.

« Mes amours avec vous, ma belle Aude, sont en effet la réplique sombre et ardente de la douce

496

aventure que j'ai vécue avec Agnès, dit-il d'un ton passionné. Vous et elle ne détenez pas les mêmes pouvoirs... Elle était une fée, vous êtes une magicienne...

– J'ai toujours su que je saurais aimer... »

Un nouveau baiser l'interrompit. La violence, la faim amoureuse, dont témoignait leur étreinte, mirent le sang aux joues de Guillemine.

D'une main, Thomas releva le bas de la cotte de laine bleue, s'aventura, remonta...

Aude saisit le poignet du jeune homme.

« Pas maintenant, pas ici, souffla-t-elle. Bientôt! Ailleurs! »

Thomas interrompit son geste, mais, s'inclinant vers les jambes découvertes, que gainaient des chausses noires retenues par des jarretières bleues, il posa ses lèvres juste au-dessus des rubans de soie brodée, là où la peau blanche et douce des cuisses était découverte.

Le gémissement que cette caresse arracha à l'adolescente mit Guillemine en fuite.

Thomas resta un moment immobile, éperdu, agenouillé dans sa position fervente... Il se redressa enfin, les yeux toujours fixés sur Aude. Etendue sur le banc, elle avait fermé les paupières, pour retenir et goûter au plus secret d'elle-même son émoi, comme si elle n'osait pas encore le partager avec son ami.

« Je n'en peux plus, dit enfin celui-ci d'une voix sourde. Non, sur mon âme, je n'en peux plus! Le printemps coule dans mes veines et me brûle le sang! »

Et il s'élança hors du jardin.

Le lendemain, dimanche des Rameaux, après la grand-messe, toute la famille alla dîner rue des Bourdonnais.

Marie ne remarqua rien d'insolite dans la conduite de sa fille, qui semblait se partager équitablement entre ses cousins et cousines.

Durant le repas, fort simple puisqu'on commençait la Semaine sainte, on parla de Djamal, retourné en Egypte, et de Blanche. Tout portait à croire qu'elle serait bientôt sous-prieure. Ses parents étaient allés la veille lui rendre visite dans son couvent de Clarisses.

« Dans l'exercice d'une charge qui n'est certes pas de tout repos, je suis certain qu'elle saura faire preuve de fermeté, mais aussi de finesse, dit Bertrand, qui avait toujours été fier des qualités de sa fille aînée. Elle me rappelle de plus en plus notre mère.

– Elle tient d'elle bien des traits de caractère, reconnut Marie. Mais elle est allée encore plus loin dans le don de soi : c'est à tous les êtres souffrants qu'elle a étendu la sollicitude que notre mère nous réservait.

– L'amour maternel peut se manifester de bien des façons, assura Charlotte Froment, mais, sous quelque aspect que ce soit, il demeure le miel de la terre... »

Pourquoi Marie croisa-t-elle, juste à ce moment, le regard de sa fille? Ce qu'elle y déchiffra d'inquiétude, d'interrogation inavouée, de tendresse meurtrie, l'alerta et lui gâcha tout le reste de la journée. Que se passait-il encore une fois derrière ce front lisse que ceignait aujourd'hui un galon d'orfroi?

Elle promena ses idées noires sous un ciel de soie bleue qu'illuminait un clair soleil d'avril. Le printemps s'affirmait.

Tout le monde se rendit, hors les murs, aux bords de la Seine, pour assister à une joute entre canots à rames, à laquelle participait Vivien.

En raison de ses deuils, et, tout spécialement, de celui de son roi, le royaume renonçait aux festivités pendant de longs mois, mais il n'en restait pas moins que la jeunesse avait besoin de prendre de l'exercice. On limita donc cette manifestation aux joutes, et nul bal, nul repas champêtre, ne vint clore la journée. Chacun rentra chez soi, sans avoir puisé dans ces premiers ébats de la saison le réconfort que, d'ordinaire, ils ne manquaient jamais d'apporter avec eux.

Les Brunel et les Leclerc se séparèrent. Marie rentra chez elle avec Aude et Vivien, celui-ci encore tout excité par la compétition qu'il venait de disputer.

L'adolescente prétendit que le premier soleil lui donnait toujours mal à la tête et qu'elle n'avait pas faim. Aussi laissa-t-elle sa mère et son frère souper seuls, et, sitôt rentrée, monta-t-elle dans sa chambre.

Après le repas, l'enlumineresse resta un moment dans la salle à bavarder avec Vivien, devant la fenêtre ouverte sur le jardin qu'envahissait une nuit encore frileuse. Puis, l'heure en étant venue, elle alla se coucher à son tour.

Sa tisane bue, sa prière faite, Marie s'allongea auprès de sa fille qui, enfouie sous les draps, paraissait dormir. A demi rassurée, la jeune femme s'assoupit assez vite. Le grand air des bords de Seine lui avait donné cette fatigue languide, cette sensation de sentir ses os sous la peau, que procurent les premières chaleurs.

« Ma mère! Ma mère! Réveillez-vous! »

Chargée d'angoisse, la voix d'Aude la tira de ses songes.

« Qu'y a-t-il donc? »

Encore tout enduite de sommeil, elle se débattait entre rêve et réalité.

Il lui fallut un moment pour constater que l'adolescente, habillée, son manteau bleu sur le bras, un couvre-chef de lingerie sur la tête, se tenait debout à son chevet.

Aude écarta les courtines, et Marie vit qu'une bougie était allumée sur la table qui lui servait d'écritoire. La nuit était encore épaisse.

« Que se passe-t-il, ma douce? »

Comme elle n'obtenait pas de réponse, elle s'aperçut, à la lueur de la bougie, que des larmes coulaient sur le visage crispé de sa fille. Elle s'assit brusquement, le cœur aux abois.

« Pour l'amour du Ciel! Qu'avez-vous, ma petite enfant?

— Oh! Ma mère! s'écria Aude en sanglotant. Oh! Pourquoi faut-il que je vous fasse du mal, moi qui ne vous veux que du bien!

— Du mal? Quel mal? Je vous en prie, expliquez-vous! »

Aude se laissa glisser à genoux le long du lit, prit une des mains maternelles, y appuya sa joue.

« Je vais partir, murmura-t-elle entre deux sanglots. Partir avec Thomas.

— Que dites-vous?

— Nous nous aimons, ma mère! Nous nous aimons pour toujours, mais nous sommes cousins et ne pouvons espérer obtenir la permission de nous marier. Il ne nous reste donc qu'à fuir, loin d'ici, loin des lois qui nous sont contraires, pour aller vivre dans un pays où personne ne nous connaîtra! »

Marie ferma les yeux.

« Je perds le sens », dit-elle tout haut.

Aude leva vers elle un visage ruisselant, mais farouchement déterminé.

« Cet amour nous a possédés en un instant, dit-elle, mais il est indestructible. Rien ne nous fera renoncer l'un à l'autre. Jamais.

— Mais, enfin, ma petite fille, on ne joue pas sa vie à pile ou face, sur un coup de cœur!

– Vous me connaissez, ma mère, et savez de quoi je suis capable. Si je vous affirme qu'il s'agit pour moi d'une question de vie ou de mort, vous devez me croire.

– Et Thomas, malgré son âge, malgré sa malheureuse expérience passée, n'est pas plus raisonnable que vous!

– La raison n'a rien à faire ici. »

Aude se releva.

« Je vous en conjure, ma mère, ne nous quittons pas sur des paroles cruelles et inutiles. Je ne reviendrai pas sur la décision qu'il nous a fallu prendre, mais je voudrais tellement me séparer de vous en bonne amitié! »

Marie rejeta ses draps, se leva, s'enveloppa dans une robe de chambre blanche qui attendait de servir sur la perche-aux-vêtements fixée le long du mur, et s'assit sur une chaise, près de la table éclairée. Avec cette tunique ample et flottante, la coiffe de linon qui protégeait ses cheveux, elle ressemblait à une moniale se rendant à un office de nuit, en quelque monastère.

« Avez-vous seulement imaginé combien votre folie va affliger nos deux familles?

– L'expérience que Thomas possède de ce genre d'affaires fait qu'il ne peut s'illusionner en rien sur les suites que nous avons à en attendre si nous restons ici. Ou nous partons vivre notre amour loin de France, ou nous y demeurons, et nous sommes perdus.

– Vous avez donc choisi de nous sacrifier! »

L'adolescente vint s'agenouiller de nouveau aux pieds de Marie.

« Ne croyez surtout pas, ma mère chérie, que je m'en vais sans souffrance et sans regret! Je vous jure que s'il y avait eu la moindre chance d'obtenir la dispense nécessaire à notre mariage, nous aurions tout tenté pour l'obtenir... »

Elle se remit à pleurer doucement.

« J'aurais tant aimé vous avoir près de moi, heureuse et consentante, le jour de mes noces!

— Mais vous vous en allez!

— Je l'aime, ma mère, je l'aime à en mourir... Que puis-je faire d'autre que de le suivre...?

— Vous accepterez tous deux de vivre en état de péché mortel?

— Le péché mortel serait de vivre hors mariage, mais il n'en sera rien. Nous nous fixerons dans un pays où nul ne saura qui nous sommes, et le premier prêtre venu nous unira sans se douter de notre cousinage. Peut-être sans valeur aux yeux des hommes, cette union sera valable devant Dieu, qui n'a jamais interdit à des cousins de s'épouser! »

Accoudée à la table, Marie laissa tomber sa tête entre ses mains. C'était donc pour en arriver là qu'elle avait renoncé à devenir la femme de Côme!

Après un moment de silence, elle soupira, releva le front, se redressa.

« Comment comptez-vous procéder?

— Thomas va venir bientôt, à l'aube, me chercher avec deux chevaux. Il s'arrêtera sous nos fenêtres, et je descendrai le rejoindre en emportant ce ballot où j'ai mis quelques effets.

— Dieu Seigneur! dit Marie. Vous partirez comme des voleurs!

— Comme des amants... Comme tous ceux qui s'aiment sans en avoir le droit!

— Où irez-vous?

— A Salerne, en Italie. Thomas y a des amis orfèvres avec lesquels il pourra travailler. Pour moi, j'y suivrai des cours de médecine dans la plus célèbre université de toute la chrétienté!

— Vous avez tout prévu! »

Aude se releva. La lueur de la bougie éclairait par

502

en dessous son visage intrépide, bien que mouillé de larmes.

« Ne vaut-il pas mieux partir en sachant où se rendre, que de vagabonder au hasard? »

Tant de détermination, une si implacable logique, désarmèrent Marie.

« Mon Dieu, ma petite fille, dit-elle, que de tourments vous m'aurez donnés! »

Aude se jeta dans ses bras.

« Je vous en prie, je vous en supplie, ma mère, ne m'en veuillez pas! Après Thomas, vous êtes la personne que j'aime le plus au monde!

– Après Thomas!

– Bien sûr! N'est-il pas dit que l'homme et la femme quitteront leurs pères et leurs mères pour s'unir à jamais? »

Marie se sentait soudain lasse, lasse...

Au loin, le cor du guet sonna le jour.

Aude se serra contre celle qu'elle allait quitter.

« Je vous ferai parvenir de nos nouvelles toutes les fois que j'en trouverai l'occasion, dit-elle précipitamment.

– Vous savez aussi bien que moi le temps que met la moindre missive avant de parvenir à son but, soupira Marie. Il y a tant de hasards au long des routes!

– Pourquoi ne viendriez-vous pas, vous-même, dans quelques mois, nous retrouver à Salerne pour y passer l'hiver prochain avec nous?

– Folle! » dit encore Marie, mais sa voix avait retrouvé sa tendre inflexion habituelle.

Longtemps, elles s'étreignirent, pleurant et s'embrassant.

Soudain, elles entendirent des pas de chevaux sur le pavé de la rue. Aude tressaillit. Marie eut l'impression qu'une main de glace serrait son cœur entre ses doigts...

« Ma mère, dit Aude avec gravité, ma mère, il faut que vous vous consoliez en vous répétant que votre fille sera heureuse! »

Marie prit l'ardent et mince visage entre ses paumes, le contempla comme pour le graver à jamais dans son esprit...

« Va, dit-elle tout bas, va donc vers celui que tu aimes, ma petite fille! Peut-être est-ce toi qui as raison! »

Aude inclina le front. Du pouce, sa mère traça un signe de croix à l'ombre du voile de mousseline, et l'enfant amoureuse s'enfuit pour ne plus revenir.

Peu après, Marie entendit la porte d'entrée qui s'ouvrait et se refermait doucement. Comme sa chambre n'avait pas de fenêtre donnant sur la rue, elle s'élança dans l'escalier et se précipita à l'une des croisées de son atelier. Elle y parvint pour voir sa fille qui se mettait en selle. Le visage levé vers elle, un visage empreint de bonheur, d'angoisse et d'impatience, Thomas l'aidait. Sur les joues de l'adolescente, des traces de pleurs étaient encore visibles, mais le sourire qu'elle adressa à son ami rayonnait.

Pas une fois, elle ne tourna les yeux vers la maison qu'elle abandonnait derrière elle.

Marie demeura à sa place jusqu'à ce que les deux cavaliers eussent disparu au premier carrefour, dans le matin frais et soyeux d'avril, puis elle remonta dans sa chambre comme si elle avait cent ans.

Dans la pièce close, le parfum d'héliotrope traînait encore...

« Heureusement qu'il me reste Vivien, songeat-elle pour tenter d'endiguer le flot d'eau grise qui l'étouffait. Il ne me quittera pas, lui, puisque son travail le retient ici! Il se mariera un jour, aura des enfants... Je serai grand-mère... Mon Dieu! Ayez pitié de moi! »

Son chagrin creva d'un coup. Emportant toutes ses défenses, la marée grondante la submergea.

La figure enfouie dans les draps où sa fille dormait si peu d'heures auparavant, elle se laissa couler...

La conscience du temps la quitta. Quand elle reprit ses esprits, il faisait grand jour. Elle redressa la tête. Ses tresses blondes, qui s'étaient dénouées, glissèrent sur ses épaules. Elle frissonna... Plus jamais Aude ne rentrerait dans cette pièce...

En s'en allant, elle avait cédé la place au mince fantôme de la petite fille exigeante et si tendre qu'elle avait été. Il faudrait bien que Marie s'en contentât. C'était là tout ce qui lui restait... Une autre mère aurait, peut-être, essayé de retenir par la force l'ingrate qui reniait si aisément leur commun passé, mais Marie savait que l'amour que nous portons à nos enfants ne nous donne pas de droit sur eux. Il lui faudrait désormais apprendre à vivre amputée de sa fille...

Elle avait sans doute eu raison de laisser Aude suivre sa voie comme elle l'entendait, en compagnie de celui qu'elle aimait... Elle voulait s'en persuader, mais ce n'était pas facile...

Un bruit de pas dans le couloir alerta la jeune femme. La maison s'éveillait. Guillemine allait bientôt pénétrer dans le cabinet attenant pour y préparer le bain de sa maîtresse. Il ne fallait pas qu'elle la trouvât ainsi, prostrée, perdue dans son chagrin... Marie se releva, sortit de la pièce. Sans rencontrer personne, elle descendit dans l'atelier d'où elle gagna le jardin.

Sous les branches, l'air circulait comme une eau vive. Les oiseaux chantaient. Dans le ruissellement de la lumière matinale, la végétation naissante, fragile et triomphante à la fois, éclatait de sève...

Aude et Thomas devaient chevaucher au plus près, ivres de printemps et d'amour, sur la route étincelante qui les conduisait vers un avenir insoupçonnable, hérissé de difficultés...

Marie respira profondément. En dépit de sa peine, la contagion du renouveau la gagnait. Jamais son jardin ne lui avait paru plus beau. La splendeur du moment était telle qu'on ne pouvait pas ne pas être réconforté par tant de douceur...

Marchant au hasard, la promeneuse se disait qu'il était impossible que les merveilles de la création ne fussent pas signes et engagements. Celui qui nous avait donné un tel lieu d'exil, ne nous promettait-Il pas, implicitement, beaucoup plus et encore beaucoup mieux ailleurs? Il suffisait de s'en remettre à Lui, de Lui faire confiance... L'ordre de la nature était la preuve de l'existence du Créateur. La beauté du monde n'était-elle pas celle de Son amour?

Comme on remonte du fond de l'eau en frappant le sol du pied, Marie se sentait émerger de sa peine par la grâce de ce matin d'avril. Elle revenait à la surface pour constater que l'existence était belle et qu'elle pouvait encore être bonne...

« Dieu Seigneur, je sais que nos épreuves n'ont de sens que si elles sont surmontées, et qu'alors, elles apportent beaucoup... Vous le voyez, je l'admets. Mais celle-là est très dure. Donnez-moi de la dépasser... C'était donc à ce dépouillement que Vous vouliez me conduire? A ce dépouillement du cœur? Plus nous sommes démunis, plus Vous Vous préoccupez de nous. Vous nous attendez, sur le chemin de ronces, pour nous offrir l'Espérance... »

Elle respira de nouveau, longuement, profondément, l'air frais à goût de miel, tendit son visage à la lumière.

« A aucun prix, je ne dois me laisser aller, m'abandonner au découragement, se dit-elle encore. Ce serait lâcheté. J'ai ma foi en Dieu, Vivien, mon métier, ma famille, et, qui sait... Côme, peut-être? »

Le Mesnil-le-Roi.
Le 2 mars 1981.

DU MÊME AUTEUR

LE BONHEUR EST UNE FEMME (Les Amants de Talcy),
Casterman. (Epuisé.)

LA DAME DE BEAUTÉ (Agnès Sorel),
Editions de La Table Ronde.

TRÈS SAGE HÉLOÏSE, Editions de La Table Ronde.
Ouvrage couronné par l'Académie française.

LA CHAMBRE DES DAMES (*préface de Régine Pernoud*),
Editions de La Table Ronde.
Prix des Maisons de la Presse, 1979.
Grand Prix des lectrices de *Elle*, 1979.

LE GRAND FEU, Editions de La Table Ronde.
Grand Prix littéraire de la société amicale
du Loir-et-Cher à Paris, 1985.
Grand Prix Catholique de littérature, 1986.

LES RECETTES DE MATHILDE BRUNEL,
Flammarion (*en collaboration avec Jeannine Thomassin*).
Prix de la Poêle de fer. Prix Charles Moncelet.

IMPRIMÉ EN FRANCE PAR BRODARD ET TAUPIN
Usine de La Flèche (Sarthe).
LIBRAIRIE GÉNÉRALE FRANÇAISE - 6, rue Pierre-Sarrazin - 75006 Paris.
ISBN : 2 - 253 - 03946 - 2